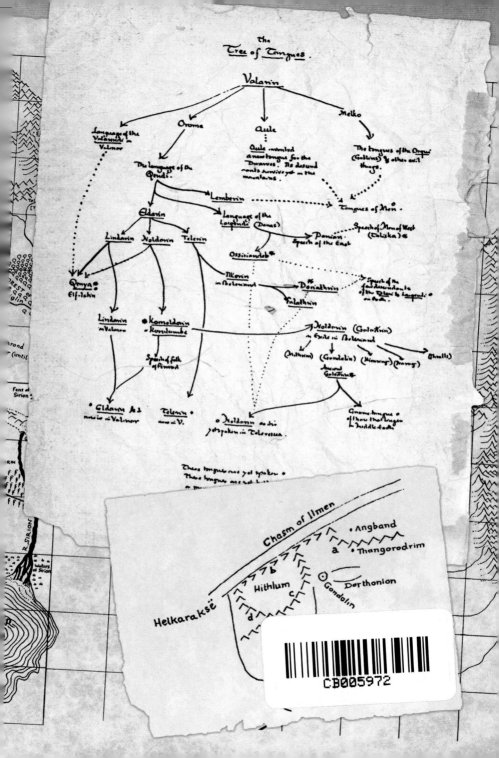

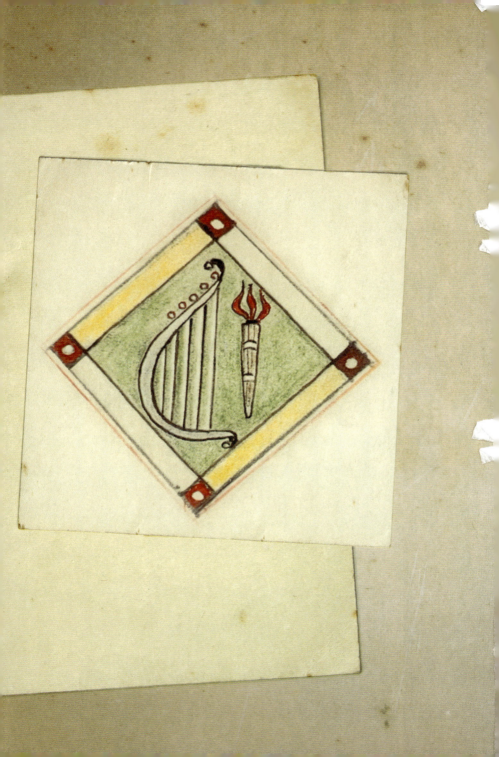

A HISTÓRIA
DA TERRA-MÉDIA
IV
A FORMAÇÃO
DA TERRA-MÉDIA

J.R.R. TOLKIEN

A HISTÓRIA
DA TERRA-MÉDIA
—— IV ——
A FORMAÇÃO
DA TERRA-MÉDIA

Editado por CHRISTOPHER TOLKIEN

Tradução de
GABRIEL OLIVA BRUM

Rio de Janeiro, 2023

Título original: *The Shaping of Middle-earth*
Copyright© The Tolkien Estate Limited e C.R. Tolkien, 1986
Edição original por George Allen & Unwin, 1986
Todos os direitos reservados à HarperCollins *Publishers*.
Copyright de tradução© Casa dos Livros Editora LTDA., 2023

Esta edição é baseada na edição revisada publicada pela primeira vez em 2015.

Os pontos de vista desta obra são de responsabilidade de seus autores, não refletindo necessariamente a posição da HarperCollins Brasil, da HarperCollins *Publishers* ou de sua equipe editorial.

®️ e TOLKIEN® são marcas registradas da The Tolkien Estate Limited.

Publisher	*Samuel Coto*
Editora	*Brunna Prado*
Assistente editorial	*Camila Reis*
Estagiárias editoriais	*Bruna Cavalieri, Giovanna Staggmeier* e *Renata Litz*
Produção gráfica	*Lúcio Nöthlich Pimentel*
Preparação de texto	*Jaqueline Lopes*
Revisão	*Gabriel Oliva Brum* e *Letícia Oliveira*
Diagramação	*Sonia Peticov*
Capa	*Alexandre Azevedo*

Dados Internacionais de Catalogação na Publicação (CIP)
(BENITEZ Catalogação Ass. Editorial, MS, Brasil)

T589f   Tolkien, J.R.R.(John Ronald Reuel), 1892-1973
1. ed.   A Formação da Terra-média / J.R.R. Tolkien; tradução Gabriel Oliva Brum. – 1. ed. – Rio de Janeiro: HarperCollins Brasil, 2023. – (A História da Terra-Média 4)
432 p.; 13,5 x 20,8 cm.

Título original: *The Shaping of Middle-earth*.
Bibliografia.
ISBN: 978-65-5511-458-4

1. Ficção inglesa. 2. Legendário. 3. Primeira era. 4. Terra-média (lugar imaginário) 5. Tolkien, J.R.R. I. Brum, Gabriel Oliva. II. Título. III. Série.

04-2023/69   CDD: 823

Índice para catálogo sistemático:
1. Ficção: Literatura inglesa   823

Bibliotecária: Aline Graziele Benitez CRB-1/3129

HarperCollins Brasil é uma marca licenciada à Casa dos Livros Editora LTDA.
Todos os direitos reservados à Casa dos Livros Editora LTDA.
Rua da Quitanda, 86, sala 218 — Centro
Rio de Janeiro — RJ — CEP 20091-005
Tel.: (21) 3175-1030
www.harpercollins.com.br

Sumário

Prefácio	7
1. Fragmentos em prosa após os *Contos Perdidos*	9
2. A primeira versão do "Silmarillion"	18
Comentário sobre o *Esboço da Mitologia*	50
3. *O Quenta*	93
Comentário sobre *O Quenta*	188
Apêndice 1: a tradução de Ælfwine do *quenta* em inglês antigo; equivalentes em inglês antigo de nomes élficos	238
Apêndice 2: as Trompas de Ylmir	248
4. O primeiro mapa do "Silmarillion"	255
5. *O Ambarkanta*	279
Comentário sobre *O Ambarkanta*	286
6. A primeira versão dos *Anais de Valinor*	309
Comentário sobre os *Anais de Valinor*	322
Apêndice: traduções de Ælfwine dos *Anais de Valinor* em inglês antigo	330
7. A primeira versão dos *Anais de Beleriand*	345
Comentário sobre os *Anais de Beleriand*	366
Segunda versão dos primeiros Anais	384
Comentário sobre a segunda versão dos *Anais de Beleriand*	390
Apêndice: tradução de Ælfwine dos *Anais de Beleriand* em inglês antigo	396
Índice Remissivo	401
Poemas Originais	429

Prefácio

Este livro traz "A História da Terra-média" a algum momento da década de 1930: a obra cosmogônica *Ambarkanta* e as primeiras versões dos *Anais de Valinor* e dos *Anais de Beleriand*, ainda que posteriores ao *Quenta Noldorinwa* — a versão do "Silmarillion" que creio que foi escrita em 1930 —, não podem ser datados de maneira mais precisa.

Este é o estágio ao qual meu pai chegou quando *O Hobbit* foi escrito. Ao se comparar o *Quenta* com o *Silmarillion* publicado, vê-se que o caráter essencial da obra atingira agora a sua plenitude; na forma e cadência de frases, até mesmo de passagens inteiras, há ecos constantes de um no outro; e, ainda assim, o *Silmarillion* publicado é cerca de três ou quatro vezes mais longo.

Após o apressado "Esboço da Mitologia" (capítulo II deste livro), o *Quenta Noldorinwa* foi na verdade a única versão completa de "O Silmarillion" que meu pai escreveu. Por volta do final de 1937, ele interrompeu o trabalho em uma nova versão, *Quenta Silmarillion*, que se estendia até a metade da história de Túrin Turambar, e começou *O Senhor dos Anéis* (ver *As Baladas de Beleriand*, pp. 364–67). Quando, depois de muitos anos, ele retornou à Primeira Era, a vasta extensão do mundo que agora tomara forma fez com que o *Quenta Silmarillion*, que fora interrompido a pleno vapor, não pudesse ser retomado de onde parara; e embora tenha feito revisões e ampliações por demais complexas das partes mais antigas nos anos seguintes, ele nunca mais obteve uma estrutura completa e coerente. Assim, especialmente em seus últimos capítulos, o *Quenta Noldorinwa* é um dos elementos primários no estudo da obra como um todo.

Em os *Anais de Valinor* e os *Anais de Beleriand* vê-se os primórdios da estrutura cronológica que viria a se tornar uma preocupação central. Os Anais acabariam por se desdobrar em uma "tradição" à

PREFÁCIO

parte, paralelos a e sobrepondo-se a "O Silmarillion" propriamente dito, porém distintos dele, e (após versões intermediárias) apareceriam nos anos após a conclusão de *O Senhor dos Anéis* em duas obras essenciais da Matéria da Terra-média, os *Anais de Aman* e *os Anais Cinzentos de Beleriand* (ver pp. 209, 345). Com o *Quenta* e essas versões mais antigas dos *Anais*, apresento os textos breves em anglo-saxão que se pretende terem sido escritos por Ælfwine (Eriol) com base nas obras que estudou em Tol Eressëa, a Ilha Solitária.

Os comentários destinam-se em grande parte a relacionar a geografia, nomes, eventos, parentescos e motivos àquilo que veio antes e ao que veio depois; inevitavelmente isso acarreta uma boa dose de referências aos livros anteriores, e o texto dos comentários dificilmente é atraente (mas por estarem em uma fonte menor podem ser distinguidos com facilidade das obras originais). O meu objetivo é tentar mostrar, e não de um modo meramente impressionista, como a Terra-média e sua história foram construídas gradual e delicadamente, e como uma longa série de pequenas mudanças ou combinações não raro levava ao surgimento de novas e imprevistas estruturas — como, por exemplo, na história de Gwindor de Nargothrond (p. 206).

A organização dos textos do "Esboço da Mitologia" e do *Quenta*, divididos em seções numeradas comparáveis de um texto para o outro, é explicada na p. 18. Os volumes anteriores da série são referidos como I (*O Livro dos Contos Perdidos 1*), II (*O Livro dos Contos Perdidos 2*) e III (*As Baladas de Beleriand*).

Os mapas e diagramas no livro são reproduzidos com a permissão da Bodleian Library, Oxford, e sou grato à equipe do Departamento de Manuscritos Ocidentais da Bodleian por sua assistência.

O quinto volume conterá a história inacabada de meu pai de "viagem no tempo", *A Estrada Perdida*, ao lado das formas mais antigas da lenda de Númenor, que possuem estreita relação com a história; o *Lhammas*, ou Relato de Línguas; as *Etimologias*; e todos os escritos que dizem respeito à Primeira Era à época em que *O Senhor dos Anéis* foi começado.

8

1

FRAGMENTOS EM PROSA APÓS OS CONTOS PERDIDOS

Antes de apresentar o "Esboço da Mitologia", a forma mais antiga do "Silmarillion" em prosa, há alguns breves textos em prosa que podem ser reunidos aqui de modo conveniente.

(i)

Entre os papéis soltos há um texto antigo, logo abandonado, intitulado *Turlin e os Exilados de Gondolin*. É possível ver que ele se relaciona de perto com o início do conto de *A Queda de Gondolin* (II. 183), mas ao mesmo tempo contém muitos trechos novos. De imediato fica claro que era o início de uma versão posterior do conto devido ao nome *Mithrim*, pois este somente substituiu *Asgon* por meio de uma emenda no texto final de *A Queda de Gondolin* (II. 242). Segue-se abaixo esse texto breve. Nas primeiras três ocorrências do nome *Turlin* na narrativa (mas não no título) ele foi emendado para *Turgon*; na quarta e na quinta, Turgon foi escrito dessa forma desde o início. Usei *Turgon* em todo o texto.

"Então", disse Ilfiniol, filho de Bronweg, "sabei que Ulmo, Senhor das Águas, não esquecia nunca as tristezas das gentes élficas sob o poder de Melko, mas pouco podia fazer por causa da raiva dos outros Deuses, que fecharam seus corações para a raça dos Gnomos e habitavam atrás dos montes velados de Valinor, ignorando o Mundo Exterior, tão grande era seu pesar e remorso pela morte das Duas Árvores. Nenhum deles, exceto Ulmo, temia o poder de Melko, que causava ruína e pesar por toda a Terra, mas Ulmo desejava que Valinor reunisse toda a sua força para apagar esse mal antes que fosse tarde demais e parecia-lhe que ambos os propósitos poderiam, quiçá, se realizar se mensageiros dos Gnomos pudessem

FRAGMENTOS EM PROSA APÓS OS CONTOS PERDIDOS

chegar a Valinor e suplicar perdão e piedade para a Terra; pois o amor de Palúrien e Oromë, seu filho, por aqueles amplos reinos apenas dormia. Contudo, dura e terrível era a jornada da Terra de Fora até Valinor, e os próprios Deuses tinham enredado os caminhos com magia e velado os montes que os cercavam. Assim, Ulmo buscava incessantemente incitar os Gnomos a mandar mensageiros para Valinor, mas Melko era sagaz e de sabedoria muito profunda e nunca dormia sua vigilância a respeito de todas as coisas que afetavam as gentes élficas, e os mensageiros não sobrepujavam os perigos e tentações daquele que era o mais longo e mais difícil de todos os caminhos, e muitos dos que ousavam partir se perdiam para sempre.

Conta, pois, o conto de como Ulmo perdeu as esperanças de que qualquer um da raça élfica conseguiria passar pelos perigos do caminho e do último e mais profundo desígnio que ele então planejou e das coisas que vieram dele.

Naqueles dias, a maior parte das gentes dos Homens habitava, depois da Batalha das Lágrimas Inumeráveis, naquela terra do Norte que tem muitos nomes, mas que os Elfos de Kôr chamam de Hisilómë, isto é, a Bruma do Crepúsculo, e que os Gnomos, os quais a conhecem melhor entre a gente dos Elfos, dão o nome de Dor-lómin, a Terra das Sombras. Um povo numeroso havia lá, habitando à volta das águas amplas e pálidas de Mithrim, o grande lago que existe naquelas regiões, e outros grupos o chamavam de Tunglin ou o povo da Harpa, pois seu deleite era a música selvagem e o trabalho de menestrel das colinas e dos bosques, mas eles não conheciam o mar nem o cantavam. Ora, esse povo viera àqueles lugares depois da terrível batalha, sendo convocado tarde demais para lá de muito longe, e não traziam mancha alguma de traição contra a gente dos Elfos; mas, de fato, muitos entre eles mantinham qualquer amizade com os Gnomos escondidos das montanhas e com os Elfos Escuros que fosse possível, apesar da tristeza e da desconfiança nascida daqueles feitos ruinosos no Vale de Niniach. Turgon era um homem daquele povo, filho de Peleg, filho de Indor, filho de [Ear >] Fengel, que era o chefe deles e, ouvindo o chamado, tinha marchado das profundezas do Leste com todo o seu povo. Mas Turgon não habitava muito com sua gente e amava outrossim a solidão e a amizade dos Elfos, cujas línguas conhecia, e vagava só à volta das longas margens de Mithrim, ora caçando em seus bosques, ora fazendo música repentina nas rochas com sua harpa tosca de madeira, cujas cordas eram tendões de ursos. Mas não cantava para os ouvidos dos Homens, e muitos, ouvindo falar do poder de suas canções simples, vinham de longe ouvi-lo tocar; [?mas] Turgon deixou de lado seu canto e partiu para lugares solitários nas montanhas.

Muitas coisas estranhas aprendeu lá, notícias truncadas de coisas distantes, e veio-lhe o anseio por saberes mais profundos, mas por enquanto seu coração não deixava as longas margens e as águas pálidas do Mithrim em meio às brumas. Contudo, não era sua sina habitar para sempre naqueles lugares, pois dizem que a magia e o destino o levaram certo dia para uma abertura cavernosa nas rochas, pela qual descia um rio escondido, vindo de Mithrim. E Turgon entrou naquela caverna buscando descobrir seus segredos, mas as águas do Mithrim o levaram adiante para o coração das rochas, e ele não podia voltar à luz. Isso, dizem os homens, não se deu sem a vontade de Ulmo, a cujo pedido, talvez, os Gnomos tinham construído aquele caminho profundo e oculto. Então vieram os Gnomos a Turgon e o guiaram ao longo das passagens escuras em meio às montanhas até que ele saiu mais uma vez à luz.

O texto termina aqui (embora páginas manuscritas escritas na mesma época continuem com outro tema, ver (ii) abaixo.

Turlin deve ter sido uma mudança passageira de *Tuor* (cf. a forma *Tûr* que aparece em textos de *A Queda de Gondolin*, II. 182), assim como *Turgon*; no Conto, *Turgon* é obviamente o nome do Rei de Gondolin. Essa curiosa transferência passageira de um nome primário nas lendas pode ser comparada à breve substituição de *Thingol* por *Celegorm* e *Beren* por *Maglor* na *Balada de Leithian* (III. 193–94).

Particularmente interessante é o relato aqui das origens do povo de Tuor: eles vieram do Leste para a Batalha das Lágrimas Inumeráveis, mas chegaram tarde demais. Isso dificilmente não possui qualquer relação com a chegada dos Lestenses antes da batalha na história tardia. A genealogia de Tuor (Turlin, Turgon) é aqui "filho de Peleg, filho de Indor, filho de Fengel". Em *A Queda de Gondolin* ele é "filho de Peleg, filho de Indor" (II. 195); no fragmento da *Balada da Queda de Gondolin*, ele é o filho de Fengel, e em notas relacionadas o próprio Tuor é chamado de *Fengel* (III. 177). Sua

FRAGMENTOS EM PROSA APÓS OS CONTOS PERDIDOS

gente aqui é os *Tunglin*, o povo da Harpa, enquanto em *A Queda de Gondolin* (*ibid.*) ele pertence à "casa do Cisne dos filhos dos Homens do Norte".

Também é notável a abertura do presente texto, na qual são descritos os anseios e planos de Ulmo: suas tentativas incessantes de persuadir os Gnomos a enviarem mensageiros a Valinor, seu isolamento dos outros Valar, seu desejo de que o poder de Valinor enfrentasse Melko enquanto ainda havia tempo. Não parece haver qualquer outra menção à tentativa de Ulmo de instigar os Gnomos a enviarem mensagens a Valinor; e apesar de seu isolamento em sua compaixão pelos Gnomos nas Grandes Terras aparecer de forma intensa no início do conto de *A Ocultação de Valinor* (I. 252), lá Manwë e Varda, além de Ulmo, opunham-se à retirada de Valinor do destino do "mundo".

Por fim, "o Vale de Niniach" deve ser o local da Batalha das Lágrimas Inumeráveis; cf. "o Vale das Águas do Pranto" nos resumos para o *Conto de Gilfanon* (I. 288–90). *Niniach* não torna a ocorrer com esse uso, embora o caminho pelo qual Tuor desceu ao mar viesse a ser chamado *Cirith Ninniach*, a Fenda do Arco-íris.

(ii)

O manuscrito *Turlin e os Exilados de Gondolin* continua (o papel e a letra são idênticos, e todas as folhas estavam no mesmo lugar) com um texto adicional de grande interesse, visto que representa o primeiro passo na direção da história tardia da chegada dos Noldor à Terra-média desde os resumos para o *Conto de Gilfanon* (I. 285 ss.). O texto foi escrito às pressas a lápis e é difícil de entender em alguns trechos.

Então Gelmir, rei dos Gnomos, reuniu sua gente infeliz e disse: "Chegamos enfim às Grandes Terras e pusemos nossos pés sobre a Terra, e nem mesmo a sabedoria-élfica *inda* pode dizer o que há de vir disso; mas o tormento e a dor e as lágrimas que suportamos no caminho para cá hão de ser cantados e contados em contos por toda gente da raça élfica no porvir; sim, e mesmo entre outros filhos de Ior alguns hão de recordar o feito."

Por longo tempo a gente-gnômica habitou junto às costas ocidentais nas regiões do norte da Terra; e sua angústia foi diminuída.

12

Alguns havia que vagavam para longe e ganhavam conhecimento acerca das terras ao redor, e buscavam sempre saber para onde Melko fugira, ou onde estavam escondidos as gemas e o tesouro de Valinor. [*Riscado*: Então Gelmir congregou suas hostes e três grandes exércitos tinha ele, e Golfin, seu filho, era capitão de um, e Delin, seu filho, de um segundo, [Oleg >] Lúthien, seu filho, do terceiro, mas Gelmir era senhor e rei.] Depois disso toda a gente seguiu para o Leste e um tanto para o Sul, e todos os exércitos de Golfin e de Delin avançavam desimpedidos. Ora, o gelo derreteu, e a neve [?diminuiu], e as árvores adensavam-se nos montes, e seus corações se confortavam, até que suas harpas e flautas despertaram mais uma vez. Então as rochas ecoaram com a doce música dos Elfos, e a [?chegada] incontável de seus muitos pés; novas flores brotavam atrás daqueles exércitos em marcha, pois a terra se alegrou com a chegada dos Gnomos, tampouco o sol ou a alva lua já haviam contemplado coisas mais belas naquelas plagas do que o campo movente de lanças reluzentes e armaduras élficas feitas de ouro. Mas as mulheres e donzelas e crianças dos Gnomos cantavam ao seguirem viagem atrás, e mais límpida canção de esperança as terras jamais ouviram desde então, contudo era triste e pressaga como o canto que se ouvira sobre [Kôr >] o monte de Tûn enquanto as Duas Árvores ainda floresciam.

De todos os batedores e hostes espalhadas que muito se adiantaram ou se puseram de ambos os lados dos Gnomos em marcha, nenhum era mais ávido ou ardia com maior fogo do que Fëanor, o artífice de gemas, e seus sete filhos; porém nada ainda haviam descoberto, e chegaram enfim os Gnomos àquela mágica terra setentrional de que as histórias falam amiúde, e por conta de suas matas escuras e montanhas cinzentas e brumas profundas, os Gnomos a chamaram de Dor Lómin, terra de sombras. Naquela região há um lago, Mithrim, cujas águas poderosas refletem uma pálida imagem dos montes circundantes. Ali os Gnomos mais uma vez descansaram por um longo tempo, e Gelmir deixou que fossem erguidas moradas para a gente nas margens e matas costeiras, mas lá também contou e congregou todas suas hostes de lanceiros e arqueiros, e de espadachins, pois grande número de armas os Gnomos haviam trazido de Valinor e dos arsenais de Makar à sua guerra com Melko. E três grandes exércitos tinha Gelmir sob seu senhorio, e Golfin, seu filho, era capitão de um, e Delin, seu filho, de outro, e Lúthien (não aquela Lúthien das Rosas, que é de outro e tardio conto), de um terceiro; e o poderio de Golfin estava nos espadachins, e Delin tinha mais daqueles que portavam as longas . . . . lanças élficas, mas a alegria de Lúthien residia no número e . . . . . de seus arqueiros — e o arco sempre foi a arma com a qual a gente-élfica teve mui espantosa habilidade. Ora, as cores dos Gnomos eram dourado e branco naqueles dias antigos em memória das Duas Árvores, mas o estandarte de Gelmir trazia sobre um campo de prata uma coroa d'ouro, e cada capitão tinha uma bela bandeira; e o símbolo de Golfin naqueles dias era sobre ouro uma espada prateada, e o de Delin uma folha verde de faia sobre prata coberta de flores douradas, e o de Lúthien uma andorinha dourada que voava por um campo azul-celeste como se fosse o céu repleto de estrelas prateadas, e os filhos de Fëanor fizeram aquele estandarte e aquelas bandeiras, e brilhavam à luz do sol e em meio às brumas, e ao luar e na escuridão sem estrelas pela luz das gemas de feitura-gnômica que as costuravam [*sic*].

Ora, deu-se depois de um tempo que Fëanor passou para além dos montes que cingiam Dor Lómin naquelas partes [ao norte de >] além de Artanor, onde havia terras abertas despovoadas e montes desprovidos de árvores, e tinha não pequena companhia e três de seus filhos consigo. Assim chegaram certo dia, perto do anoitecer, ao topo de um monte, e ao longe avistaram uma luz rubra que saltava em um vale aberto no lado voltado na direção [?deles]. Então Fëanor indagou o que tal fogo poderia ser, e ele e sua gente marcharam velozes na calada da noite para lá, de modo que antes da aurora olhavam do alto para aquele vale. Lá se depararam com uma companhia armada não menor que sua própria, e estava sentada em volta de uma imensa fogueira de lenha. A maioria dormia, mas alguns se moviam, e Fëanor levantou-se então e chamou com sua clara voz, de maneira que o vale sombrio ecoou: "Quem sois vós; homens dos Gnomos ou que outros? Dizei depressa, pois é melhor que saibais que os filhos de Fëanor vos cercam."

Então um grande clamor irrompeu no vale e a gente de Fëanor logo ficou ciente que não eram gente élfica, por conta de suas vozes roucas e gritos desagradáveis, e muitas flechas voaram no escuro na direção daquela voz, mas Fëanor já não se encontrava lá. Depressa partira e levara a maioria de sua gente para a entrada do vale, onde um córrego brotava [...] cobertas de árvores

A FORMAÇÃO DA TERRA-MÉDIA

Aqui o texto termina de forma abrupta e próximo ao alto da página; está claro que nada mais foi escrito.

A casa noldorin ainda não havia surgido, mas temos um rei Gelmir dos Gnomos, com seus filhos Golfin, Delin, Lúthien (o último emendado a partir de *Oleg*), capitães de seus três exércitos. Não há indícios de que Fëanor e seus filhos estivessem associados com esses personagens em qualquer espécie de parentesco próximo. No fragmento da *Balada da Queda de Gondolin* (ver III. 178–79) aparece — pela primeira vez — *Fingolfin*, que assume o lugar de Finwë Nólemë como o pai de Turgon e Isfin, mas não é o filho de Finwë, e sim de *Gelmir*. Sugeri naquela ocasião que esse Gelmir, pai de Golfin/Fingolfin, deveria ser identificado com Finwë, pai de Fingolfin nos poemas aliterantes e posteriormente; e é possível que o nome *Gelmir* esteja precisamente ligado a *Fin-golma*, que nos resumos do *Conto de Gilfanon* é outro nome para Finwë Nólemë (I. 287–88, e ver I. 317, verbete *Nólemë*). É preciso lembrar que Finwë Nólemë na primeira versão da lenda não era o pai de Fëanor e não foi morto por Melko em Valinor, mas veio para as Grandes Terras. — Dos outros filhos de Gelmir mencionados no presente texto, Delin e Lúthien, não há qualquer traço em nenhum outro lugar.

Certamente está claro que *Golfin* aqui é a primeira aparição de Fingolfin, e que da mesma forma este texto veio antes do início abandonado da *Balada da Queda de Gondolin*. Por outro lado, a história obscura da morte de Fëanor nos resumos mais antigos (I. 287–88) desaparece, e embora o presente texto seja interrompido cedo demais para se ter certeza, parece extremamente provável que, caso meu pai tivesse continuado um pouco mais, ficaríamos sabendo da morte de Fëanor em batalha com os Orques que ele e seus companheiros haviam provocado no vale onde estavam acampados. Também é possível que tivéssemos uma explicação para os versos intrigantes da Balada (III. 177):

Os gládios dos Glamhoth o sangue do rei foram beber quando só ele ajudou Fëanor.

Seja como for, aqui ainda estamos longe da história das hostes divididas e da traição de Fëanor.

O acampamento de Mithrim (Asgon) já fora mencionado nos resumos antigos, mas no mais tardio há menção (I. 287) da

FRAGMENTOS EM PROSA APÓS OS CONTOS PERDIDOS

primeira feitura de armas pelos Gnomos nessa época, enquanto no presente texto é dito que trouxeram uma grande quantidade de armas "de Valinor e dos arsenais de Makar". Aqui aparece também a forma mais antiga da ideia das flores brotando sob os pés em marcha da hoste gnômica.

Uma heráldica característica aparece nos exércitos liderados pelos filhos de Gelmir, todos em ouro e prata, em memória das Duas Árvores — as bandeiras feitas (curiosamente) pelos filhos de Fëanor. No "Esboço da Mitologia", as bandeiras de Fingolfin eram em azul e prata, como permaneceram (p. 30).

O nome *Ior*, que ocorre no início do texto na expressão "entre outros filhos de Ior" (por oposição a "raça élfica") e, portanto, parece referir-se a Ilúvatar, ocorre em outro lugar somente em uma referência bem diferente: o nome aparece no antigo dicionário gnômico como o equivalente do qenya *Ivárë*, "o famoso 'flautista do mar'".

(iii)

Em terceiro lugar e por fim, um pedaço isolado de papel contém um vestígio muito curioso de um estágio em desenvolvimento entre *A Fuga dos Noldoli* nos *Contos Perdidos* e o "Esboço da Mitologia".

As Árvores estão escuras. A Planície está repleta de perturbação. Os Gnomos reúnem-se à luz de tochas em Tûn ou Côr; Fëanor lamenta Bruithwir (Felegron) [*emendado para* (Feleor)], seu pai, diz para os Gnomos partirem e procurarem Melko e seus tesouros — ele anseia pelas Silmarils — Finweg e Fingolfin falam contra ele. Os Gnomos gritam e preparam-se para partir. Os Solosimpi recusam-se: as palavras sábias de Ethlon (Dimlint). Ginetes d'Ondas [?praias]. As ameaças de Fëanor de marchar até Cú nan Eilch. O arco, os ancoradouros iluminados por lamparinas; eles capturam os barcos. Um certo Gilfanon vê seu poderoso barco com asas e penas de cisne com remos vermelhos [?partindo] e ele e seus filhos correm para o arco e ameaçam os Gnomos. A luta no arco e a [?maldição] de Gilfanon antes que o joguem nas ondas. Os Gnomos chegam a Fangros e se arrependem — incendeiam os barcos.

Aqui Bruithwir (com o nome adicional de Felegron > Feleor) ainda é o pai de Fëanor como nos *Contos Perdidos*; mas Fingolfin e

A FORMAÇÃO DA TERRA-MÉDIA

Finweg surgiram, e falam contra Fëanor (não está claro se Finweg aqui é o pai de Fingolfin (Finwë) ou o filho de Fingolfin (posteriormente Fingon): ver III. 166–67, 178). Características narrativas que nunca foram abordadas no desenvolvimento posterior de "O Silmarillion" aparecem aqui pela única vez. O que havia por trás das "palavras sábias de Ethlon (Dimlint)" e das "ameaças de Fëanor de marchar até Cú nan Eilch" desapareceu sem deixar vestígios. O nome *Fangros* aparece mais uma vez em outro lugar, no poema aliterante *Filhos de Húrin*, III. 44 verso 631 (anteriormente *Fangair*), onde há uma referência a uma canção, ou canções, sendo cantadas

o combate em Fangros   e dos filhos de Fëanor
a jura inquebrantável.

(a fuga e o juramento não precisam estar relacionados de modo algum). Porém, o que quer que tenha acontecido em Fangros perdeu-se em definitivo; e em lugar algum mais tarde há qualquer indicação de que a queima dos navios tenha ocorrido por arrependimento. Nos *Contos Perdidos* (I. 205), os Gnomos abandonaram "seus navios roubados" quando atravessaram o Gelo; Sorontur relatou a Manwë (I. 214) que vira "uma frota de brancas naus vazias à deriva nas procelas, e umas ardiam com fogo brilhante"; e Manwë "soube que os Noldoli se tinham ido para sempre, e seus navios estavam queimados ou abandonados".

Por fim, *Gilfanon* aparece como um Elfo de Alqualondë, um dos jogados ao mar pelos Gnomos, embora não seja dito que ele se afogou. Gilfanon de Tavrobel era um Gnomo (I. 211–12); e parece praticamente certo que os dois Gilfanons não eram a mesma pessoa. Nesse caso, é mais provável que o Elfo de Tavrobel tivesse deixado de ser chamado assim; embora, como creio, não tenha deixado de existir (ver p. 322).

17

2

A PRIMEIRA VERSÃO DO "SILMARILLION"

(O "ESBOÇO DA MITOLOGIA")

Apresentei anteriormente (III. 11) um relato deste texto, mas repito aqui as informações essenciais a respeito dele. Em um envelope que continha o manuscrito, meu pai escreveu algum tempo depois:

> O "Silmarillion" original. Forma orig[inalmente] composta c. 1926–30 para R.W. Reynolds para explicar o pano de fundo da "versão aliterante" de Túrin e o Dragão: na época em andamento (inacabada) (começada c. 1918).

O "Esboço" representa um novo ponto de partida na história de "O Silmarillion"; durante algum tempo é uma sinopse muito breve, e os posteriores desenvolvimentos escritos da forma em prosa derivam dele em uma linha direta. Está claro pelos detalhes que não precisam ser repetidos aqui que o texto foi escrito originalmente em 1926 (depois de a *Balada dos Filhos de Húrin* ter sido abandonada, III. 11); porém mais tarde foi revisado, em alguns trechos de forma extensiva, e isso o torna um texto difícil de ser apresentado de um modo ao mesmo tempo acurado e facilmente compreensível. O método que adotei foi fornecer o texto exatamente como foi escrito (exceto por pouquíssimas pequenas alterações de expressões que de modo algum afetam a narrativa, adotadas sem comentários no texto), mas dividido em seções curtas, cada qual seguida de notas que informam as mudanças posteriores feitas naquela seção. Devo enfatizar que não há base no manuscrito para as 19 divisões assim criadas: é simplesmente uma questão de conveniência de apresentação. Tal método possui certas vantagens: as mudanças posteriores podem ser facilmente comparadas com o texto original que as precede; e visto que a versão seguinte de "O Silmarillion", o *Quenta*, foi tratada da mesma forma e dividida em seções numeradas correspondentes, passagens de uma podem ser relacionadas sem dificuldade àquelas da outra.

As mudanças posteriores são referidas por números que começam por 1 em cada seção. O comentário segue-se ao final do texto completo e está relacionado às seções numeradas.

Esboço da mitologia com especial referência aos "Filhos de Húrin"

1

Depois dos Nove Valar serem enviados para a governança do mundo, Morgoth (Demônio do Escuro) rebela-se contra a suserania de Manwë, derruba as lamparinas erigidas para iluminar o mundo e inunda a ilha de Almaren, onde os Valar (ou Deuses) habitam. Ele fortifica um palácio de masmorras no Norte. Os Valar mudam-se para o extremo Oeste, cujas fronteiras são os Mares de Fora e a Muralha final e, a leste, as altaneiras Montanhas de Valinor que os Deuses erigiram. Em Valinor, eles reúnem toda luz e todas as coisas belas e constroem suas mansões, jardins e cidade, mas Manwë e sua esposa, Bridhil, têm salões sobre a mais alta montanha (Timbrenting ou Tindbrenting em português, Tengwethil em gnômico, Taníquetil em élfico), de onde podem ver o mundo todo até o Leste escuro. Ifan Belaurin[1] planta as Duas Árvores em meio à planície de Valinor, fora dos portões da cidade de Valmar. Elas crescem sob suas canções, e uma tem folhas verde-escuras com prata brilhante na parte inferior, e flores brancas como as da cerejeira, das quais um orvalho de luz prateada cai; a outra tem folhas de um verde jovem, como o de uma jovem faia, com bordas douradas, e flores amarelas como as flores pendentes do laburno, que dão calor e luz ofuscante. Cada árvore cresce em luz por sete[2] horas até sua glória plena e então míngua por sete horas; duas vezes por dia, portanto, chega um momento de luz mais suave no qual cada árvore brilha tênue e a luz delas se mescla.

ᘏᘊ

[1] *Yavanna Palúrien* adicionado na margem.
[2] Nas duas ocorrências de *sete* nessa frase meu pai escreveu primeiro *seis*, mas mudou o número enquanto escrevia o manuscrito.

2

As Terras de Fora estão na escuridão. O crescimento das coisas foi detido quando Morgoth apagou as lamparinas. Há florestas de escuridão, de teixo e abeto e hera. Nelas Oromë às vezes caça, mas, no Norte, Morgoth e suas crias demoníacas (Balrogs) e os Orques (Gobelins, também chamados de Glamhoth ou povo do ódio) dominam. Bridhil olha para a escuridão e se comove e, tomando toda a luz entesourada de Silpion (a árvore branca), faz e espalha as estrelas.

Com a feitura das estrelas os filhos da Terra despertam — os Eldar (ou Elfos). São encontrados por Oromë habitando próximo à lagoa iluminada pelas estrelas (Cuiviénen, água do despertar), no Leste. Ele cavalga para Valinor tomado pela beleza deles e conta as novas aos Valar, que recordam seu dever quanto à Terra, já que eles foram para lá sabendo que sua função era governá-la para as duas raças da Terra que deveriam vir depois, cada uma em seu tempo designado. Segue-se, pois, uma expedição à fortaleza do Norte (Angband, Inferno-de-Ferro), mas essa agora é forte demais para ser destruída. Morgoth, mesmo assim, é feito cativo e confinado nos salões de Mandos, que habitava o Norte de Valinor.

Os Eldalië (povo dos Elfos) são convidados a ir para Valinor porque se temia os seres malévolos de Morgoth que ainda vagavam no escuro. Começa uma grande marcha dos Eldar vindos do Leste, liderada por Oromë em seu cavalo branco. Os Eldar se dividem em três hostes: uma, cujo líder é Ingwë (Ing), que depois é chamada de Quendi (ou Elfos propriamente ditos, ou Elfos-da-luz), uma, cujo líder é Finwë (Finn), que depois é chamada de Noldoli (Gnomos ou Elfos-profundos), uma, cujo líder é Elwë (Elu), que depois é chamada de Teleri (Elfos-do-mar, ou Solosimpi, os Flautistas das Terras Costeiras ou Ginetes-d'Ondas). Muitos deles se perdem durante a marcha e vagueiam pelos bosques do mundo, transformando-se nas várias hostes dos Ilkorindi (Elfos que nunca habitaram Côr, em Valinor). O principal entre esses é Thingol, que ouviu Melian e seus rouxinóis cantando e caiu sob encanto e adormeceu durante toda uma era. Melian era uma das donzelas divinas do Vala Lórien que por vezes vagava para o mundo de fora. Melian e Thingol se tornaram Rainha e Rei dos Elfos da floresta em Doriath, vivendo em um salão chamado As Mil Cavernas.

A FORMAÇÃO DA TERRA-MÉDIA

3

Os outros Elfos chegaram às últimas costas do Oeste. No Norte, estas, naquele tempo, inclinavam-se rumo ao oeste até que apenas um mar estreito as separava da terra dos Deuses, e esse mar estreito estava repleto de gelo pungente. Mas, no ponto a que as hostes-élficas haviam chegado, um mar vasto e escuro se estendia para o oeste.

Havia dois Valar do Mar. Ulmo (Ylmir), o mais poderoso de todos os Valar depois de Manwë, era senhor de todas as águas, mas habitava com frequência em Valinor, ou nos "Mares de Fora". Ossë e a senhora Óin,[1] cujas tranças se estendem por todo o mar, amavam outrossim os mares do mundo que banham as costas no sopé das Montanhas de Valinor. Ylmir desenraizou a ilha semiafundada que fora a primeira morada dos Valar, embarcou nela os Noldoli e os Qendi, que tinham chegado primeiro, e carregou-os para Valinor. Os Teleri habitaram algum tempo as costas do mar esperando, e daí seu amor pelas águas. Enquanto estavam sendo também transportados por Ylmir, Ossë, por ciúme e por amor ao cantar deles, acorrentou a ilha ao leito do mar na parte mais distante da Baía de Feéria, de onde as Montanhas de Valinor podiam ser vistas vagamente. Nenhuma outra terra ficava próxima a esse lugar, que foi chamado de Ilha Solitária. Lá os Teleri habitaram por uma longa era, tornando-se diferentes em língua e aprendendo a estranha música de Ossë, que fez as aves do mar para o deleite deles.

Os Deuses deram um lar em Valinor aos outros Eldar. Porque eles ansiavam, mesmo entre os jardins iluminados pelas Árvores de Valinor, por um vislumbre das estrelas, uma brecha foi feita nas montanhas circundantes e lá, em um vale profundo, um monte verdejante, Côr, foi erigido. Esse era iluminado do Oeste pelas Árvores, a Leste dava para a Baía de Feéria e para a Ilha Solitária, e além, para os Mares Sombrios. Assim, algo da luz abençoada de Valinor era filtrada para as Terras de Fora e, caindo sobre a Ilha Solitária, fez com que suas costas a oeste se tornassem verdes e belas.

No topo de Côr a cidade dos Elfos foi construída, e a chamaram de Tûn. Os Qendi se tornaram os mais amados por Manwë e Bridhil, os Noldoli por Aulë (o Ferreiro) e por Mandos, o sábio. Os Noldoli inventaram gemas e as fizeram em números incontáveis, enchendo toda Tûn com elas e todos os salões dos Deuses.[2]

O maior em engenho e magia entre os Noldoli era Fëanor, o segundo filho de Finn. (Seu filho mais velho, Fingolfin,[3] cujo

A PRIMEIRA VERSÃO DO "SILMARILLION"

filho era Finnweg, entra mais tarde na história.) Ele criou três joias (Silmarils) dentro das quais um fogo vivo, combinação da luz das Duas Árvores, foi posto, elas brilhavam por sua própria luz, mãos impuras eram queimadas por elas.

Os Teleri, vendo ao longe a luz de Valinor, ficaram divididos entre o desejo de se reunir à sua gente e o de viver perto do mar. Ylmir ensinou-lhes a arte de construir barcos. Ossë, cedendo aos desejos deles, deu-lhes cisnes e, atrelando muitos cisnes a seus barcos, eles velejaram para Valinor e lá habitaram as praias, onde podiam ver a luz das Árvores e ir para Valmar se desejassem, mas podiam velejar e dançar nas águas tocadas pela luz do esplendor que vinha de Côr. Os outros Eldar deram-lhes muitas gemas, especialmente opalas e diamantes e outros cristais pálidos que foram espalhados pelas praias da Baía de Feéria. Eles mesmos inventaram as pérolas. Sua cidade principal era Porto-cisne, nas costas ao norte do passo de Côr.

ᘒ

[1]   *Uinen* escrito a lápis junto a Óin.

[2]   A seguinte passagem foi posteriormente acrescentada aqui:

> Uma vez que os Gnomos ou Noldoli mais tarde retornaram às Grandes Terras, e estas histórias tratam mormente deles, pode aqui ser dito que o Senhor ou Rei dos Noldoli era Finn. Seus filhos eram Fëanor, Fingolfin e Finrod. Dos quais Fëanor era o de maior engenho, o de saber mais profundo, Fingolfin o mais poderoso e mais valente, Finrod o mais belo, e o de coração mais sábio e gentil. Os sete filhos de Fëanor eram Maidros, o alto; Maglor, um músico e grande cantor, cuja voz era ouvida ao longe na terra e no mar; Curufin, o matreiro, o que mais herdou a habilidade de seu pai; Celegorm, o alvo; Cranthir, o moreno; e Damrod e Díriel, que mais tarde foram grandes caçadores. Os filhos de Fingolfin eram Finweg, que mais tarde foi o rei dos Noldoli no Norte do mundo, e Turgon de Gondolin; e sua filha era Isfin, a branca. Os filhos de Finrod eram Orodreth, Felagoth, Anrod e Egnor.

> Na última frase, *Felagoth* > *Felagund*, e *Orodreth* movido para ficar depois de *Felagund*.

[3]   *Fëanor, o segundo filho de Finn* e *Seu filho mais velho, Fingolfin* > *Fëanor, o filho mais velho de Finn* e *Seu segundo filho, Fingolfin* (uma mudança antiga, possivelmente feita na época da composição do manuscrito).

4

Os Deuses então foram iludidos por Morgoth, o qual, tendo passado sete eras nas prisões de Mandos, sob penas que iam sendo gradualmente aliviadas, apresentou-se diante do conclave dos

Deuses no tempo devido. Ele olha com cobiça e maldade os Eldar, que também se sentam em torno dos joelhos dos Deuses, e arde de desejo, especialmente pelas joias. Dissimula seu ódio e sede de vingança. Então lhe é permitido ter uma morada humilde em Valinor e, depois de um tempo, pode andar livremente pela terra, e só Ylmir tem presságios maus, enquanto Tulcas, o forte, que primeiro o capturou, vigia-o. Morgoth ajuda os Eldar em muitos feitos, mas lentamente envenena a paz deles com mentiras.

Ele sugere que os Deuses os trouxeram para Valinor por inveja, por temor de que seu engenho e magia e beleza maravilhosos tornassem-se fortes demais para eles no mundo de fora. Os Qendi e os Teleri pouco se comovem, mas os Noldoli, os mais sábios dos Elfos, são afetados. Começam, por vezes, a murmurar contra os Deuses e sua gente; estão cheios de vaidade por seu engenho.[1]

Mais do que todos, Morgoth atiça as chamas do coração de Fëanor, mas todo o tempo ele deseja as Silmarils imortais, embora Fëanor tenha amaldiçoado para sempre qualquer um, Deus ou Elfo ou mortal que há de vir depois, que as toque. Morgoth, mentindo, diz a Fëanor que Fingolfin e seu filho Finnweg estão tramando para usurpar a liderança dos Gnomos de Fëanor e de seus filhos e obter as Silmarils. Começa a querela entre os filhos de Finn. Fëanor é convocado diante dos Deuses, e as mentiras de Morgoth são desnudadas. Fëanor é banido de Tûn, e com ele vai Finn, que ama Fëanor mais do que a seus demais filhos, bem como muitos dos Gnomos. Eles constroem uma casa do tesouro ao Norte de Valinor, nos montes perto dos salões de Mandos. Fingolfin governa os Gnomos que restaram em Tûn. Assim, as palavras de Morgoth parecem justificadas, e a amargura que ele semeou continua depois que suas palavras foram refutadas.

Tulcas é enviado para agrilhoar Morgoth mais uma vez, mas ele escapa pelo passo de Côr rumo à região escura abaixo dos pés de Timbrenting chamada Arvalin, onde a sombra é a mais espessa em todo o mundo. Ali ele encontra Ungoliant, Tecelá-de-Treva, que habita uma fenda nas montanhas e suga luz ou coisas luzentes para tecê-las em teias de escuridão negra e sufocante, bruma e treva. Com Ungoliant ele trama vingança. Só uma recompensa terrível fará com que ela se atreva aos perigos de Valinor ou à vista dos Deuses. Ela tece uma treva densa à sua volta para se proteger e se balança em cordas de pináculo a pináculo, até escalar o mais alto pico das montanhas ao sul de Valinor (pouco guardadas por causa de sua altura e da distância a que estão da antiga fortaleza de Morgoth). Ela faz uma escada que Morgoth consegue escalar. Eles se esgueiram até Valinor. Morgoth apunhala as Árvores e Ungoliant suga a seiva delas, arrotando nuvens de negrume. As Árvores sucumbem devagar à espada envenenada e aos lábios peçonhentos de Ungoliant.

Os Deuses assustam-se com esse crepúsculo no meio do dia, e vapores negros flutuam pelos caminhos da cidade. Eles chegam tarde demais. As Árvores morrem enquanto eles pranteiam à volta delas. Mas Tulcas e Oromë e muitos outros saem à caça de Morgoth a cavalo em meio à treva cerrada. Onde quer que Morgoth vá, a escuridão desorientadora é maior, devido às teias de Ungoliant. Gnomos da casa do tesouro de Finn chegam e relatam que Morgoth tem o auxílio de uma aranha de escuridão. Eles são vistos rumando para o Norte. Em sua fuga, Morgoth deteve-se na Casa do Tesouro, matando Finn e muitos de seus homens, e carregou as Silmarils e um vasto cabedal das mais esplêndidas joias dos Elfos.

Enquanto isso, Morgoth escapa para o norte com a ajuda de Ungoliant e cruza o Gelo Pungente. Quando ele chega às regiões do norte do mundo, Ungoliant o chama para pagar a outra metade da recompensa dela. A primeira fora a seiva das Árvores de Luz. Agora ela reclama para si metade das joias. Morgoth as entrega e ela as devora. Ela se tornou agora coisa monstruosa, mas ele não quer lhe dar porção alguma das Silmarils. Ela o envolve em uma teia negra, mas ele é resgatado pelos Balrogs com açoites de chama e pelas hostes dos Orques; e Ungoliant parte para o extremo Sul.

Morgoth retorna a Angband, e seu poder e o número de seus demônios e Orques se tornam incontáveis. Ele forja uma coroa de ferro e engasta nela as Silmarils, embora suas mãos sejam queimadas por elas até enegrecer, e ele nunca mais fique livre da dor da queimadura. A coroa ele nunca retira nem por um momento e nunca deixa as masmorras profundas de sua fortaleza, governando seus vastos exércitos de seu trono profundo.

ᥱᥲ

[1] Acrescentado aqui:

que Morgoth lisonjeia. Os Deus também sabiam da vinda dos mortais ou Homens que estava por ocorrer. Ainda não haviam contado aos Elfos, pois a hora não estava próxima, nem explicado qual seria o reino de cada raça, e suas relações. Morgoth conta sobre os Homens e sugere que os Deuses estão mantendo os Elfos cativos, de modo que os Homens mais fracos hão de ser controlados com maior facilidade pelos Deuses, e os Elfos despojados de seus reinos.

Esse foi um acréscimo inicial, e é provável que não tenha sido materialmente posterior à composição do manuscrito.

5

Quando ficou claro que Morgoth tinha escapado, os Deuses se reúnem em volta das Árvores mortas e se sentam na escuridão, atônitos e mudos, por muito tempo, sem se interessar em nada. O dia que Morgoth escolheu para seu ataque era um dia de festival por toda Valinor. Nesse dia era o costume dos principais Valar e de muitos dos Elfos, especialmente o povo de Ing (os Quendi), subir os longos e tortuosos caminhos em procissão infinda até os salões de Manwë sobre Timbrenting. Todos os Quendi e alguns dos Noldoli (os quais, liderados por Fingolfin, habitavam ainda em Tûn) tinham ido para Timbrenting e estavam cantando em seu mais alto pico quando os vigias de longe divisaram o fenecer das Árvores. Muitos dos Noldoli estavam na planície, e os Teleri, na costa. As brumas e a escuridão flutuam agora para os mares através do passo de Côr enquanto as Árvores morrem. Fëanor convoca os Gnomos a Tûn (rebelando-se contra seu banimento).[1]

Há vasta congregação na praça nos altos de Côr, em torno da torre de Ing, iluminada por tochas. Fëanor faz um discurso violento e, embora sua ira se destine a Morgoth, suas palavras são, em parte, fruto das mentiras do próprio Morgoth.[2] Ele incita os Gnomos a fugir na escuridão enquanto os Deuses estão envoltos em luto, a buscar liberdade no mundo e a procurar Morgoth, agora que Valinor não é mais ditosa do que o mundo lá fora.[3] Fingolfin e Finweg falam contra ele.[4] Os Gnomos em assembleia votam em favor da fuga, e Fingolfin e Finweg cedem; não serão desertores de seu povo, mas retêm o comando sobre metade do povo dos Noldoli.[5]

Começa a fuga.[6] Os Teleri não querem se juntar aos Noldoli. Os Gnomos não conseguem escapar sem barcos e não ousam cruzar o Gelo Pungente. Tentam tomar os navios-cisnes em Porto-cisne, ao que se segue uma luta (a primeira entre as raças da Terra) na qual muitos Teleri são mortos e seus navios são levados embora. Pronuncia-se uma maldição contra os Gnomos, a de que eles hão

A PRIMEIRA VERSÃO DO "SILMARILLION"

de sofrer amiúde de traição e o medo de traição entre sua própria gente como punição pelo sangue derramado em Porto-cisne.[7] Navegam para o Norte ao longo da costa de Valinor. Mandos envia um emissário, o qual, falando de um rochedo alto, os chama enquanto navegam por ali e os adverte para que voltem e, quando não o fazem, proclama a "Profecia de Mandos" acerca do fado dos dias que virão.[8]

Os Gnomos chegam ao ponto mais estreito dos mares e se preparam para continuar velejando. Enquanto estão acampados na costa, Fëanor, seus filhos e seu povo zarpam, levando consigo todos os barcos, e deixam Fingolfin traiçoeiramente na margem oposta, principiando, desse modo, a Maldição de Porto-cisne. Queimam os barcos assim que desembarcam no Leste do mundo e o povo de Fingolfin vê a luz no céu. A mesma luz também alerta os Orques sobre o desembarque.

O povo de Fingolfin vaga em grande sofrimento. Alguns dos liderados por Fingolfin retornam a Valinor[9] para buscar o perdão dos Deuses. Finweg lidera a principal parte da hoste para o Norte, atravessando o Gelo Pungente. Muitos se perdem.

ⲉⳋ

[1] Tal como escrita originalmente, essa frase começava *Finn e Fëanor convocam* etc. Isso foi um mero deslize, visto que a morte de Finn já havia sido mencionada no texto como escrito inicialmente (§4), e meu pai depois riscou *Finn e*. Ele deixou o verbo no plural *convocam* e *banimento deles*; esta última expressão alterei para *seu* * *banimento*, já que não é dito sobre os Gnomos que acompanharam Fëanor que partiram de Tûn sob banimento (embora isso também não seja dito sobre Finn). O *Quenta* possui *seu banimento* nesta passagem (p. 112).

[2] Acrescentado aqui às pressas a lápis:

> Ele reivindica o senhorio como filho mais velho agora que Finn está morto, apesar do decreto dos Deuses.

[Com exceção a alteração posterior a lápis apresentada na nota 5, todas as mudanças mencionadas abaixo, a maioria visando introduzir o papel de Finrod nos eventos, foram feitas na mesma época, à tinta vermelha. Finrod, o terceiro filho de Finn/Finwë, aparece na passagem interpolada apresentada em §3, nota 2.]

---

* Nesta e na ocorrência seguinte de "seu", a palavra no original é *his*, pronome possessivo masculino da 3ª pessoa do singular. O contexto por vezes não dá conta da ambiguidade em português, visto que "seu" pode se referir tanto à 3ª pessoa do singular como à 3ª pessoa do plural. [N. T.]

A FORMAÇÃO DA TERRA-MÉDIA

[3] Acrescentado aqui:

Fëanor e seus filhos fazem o juramento inquebrável por Timbrenting e pelos nomes de Manwë e Briðil de perseguir qualquer um, Elfo, Mortal ou Orque, que detivesse as Silmarils.

[4] Acrescentado aqui:

Finrod tenta aplacar a fúria discordante, mas seus filhos Orodreth, Anrod e Egnor tomam o lado dos filhos de Fëanor.

[5] *metade do povo dos Noldoli* > *metade dos Noldoli de Tûn* (mudança posterior a lápis).

[6] Acrescentado aqui, mas depois riscado (ver nota 7):

Finrod não parte, mas diz a Felagoth (e seus outros filhos) que partam e prezem os Gnomos de sua [?casa].

[7] Acrescentado aqui:

Finrod é morto em Porto-cisne tentando conter a violência.

Essa frase também foi riscada (ver nota 6) e uma terceira versão do papel de Finrod inserida:

Finrod e seus filhos não estavam em Porto-cisne. Partem de Tûn com relutância, e mais que os outros levam consigo lembranças da cidade, e mesmo muitas coisas belas lá feitas à mão.

[8] Acrescentado aqui:

e a maldição de guerrearem uns contra os outros por causa de Porto-cisne.

[9] Essa passagem, a partir de *o povo de Fingolfin vaga*, foi mudada para:

Finrod e seu povo chegam. O povo de Finrod e Fingolfin vaga em grande sofrimento. Alguns liderados por Finrod retornam a Valinor etc.

6

Enquanto isso, Manwë convoca Ifan Belaurin para o conselho. A magia dela não será capaz de curar as Árvores. Porém Silpion, sob os seus feitiços, dá uma última grande flor prateada, e Laurelin um grande fruto dourado. Os Deuses moldam a Lua e o Sol a partir da flor e do fruto e os põem a singrar cursos designados de Oeste a Leste, mas posteriormente têm como mais seguro enviá--los aos cuidados de Ylmir pelas cavernas e grutas sob a Terra, para se alevantarem no Leste e retornarem nas alturas do ar sobre as montanhas do Oeste, para baixarem após cada jornada às águas dos Mares de Fora.

A luz de Valinor dali por diante não é muito maior que a agora espalhada sobre a Terra, salvo que ali as naus do Sol e da Lua mais se aproximam da Terra, e repousam durante algum tempo

A PRIMEIRA VERSÃO DO "SILMARILLION"

próximas a Valinor. Os Deuses e Elfos aguardam um tempo vindouro no qual "o sol e a lua mágicos" das Árvores possam ser reacendidos e as antigas beleza e ventura renovadas. Ylmir prevê[1] que tal só se realizará com o auxílio da segunda raça da terra. Mas os Deuses, mesmo Manwë, pouco lhe dão atenção. Estão irados e amargurados por causa da matança em Porto-cisne[2] e fortificam toda Valinor, tornando as montanhas impenetráveis, salvo em Côr, que os Elfos remanescentes são ordenados a vigiar, sem cessar e para sempre, e não deixar que ave ou fera ou Elfo ou Homem algum pise nas costas de Feéria. As ilhas mágicas, repletas de encantamento, são dispostas pelos confins dos Mares Sombrios, antes que a Ilha Solitária seja alcançada por quem navegue para o Oeste, para apanhar quaisquer marinheiros e enredá-los em sono e encantamento eternos.[3] Os Deuses assentam-se agora por trás da montanha e festejam, e afastam os rebeldes e fugitivos Noldoli de seus corações. Somente Ylmir lembra-se deles, e reúne novas do mundo de fora por meio de todos os lagos e rios.

Ao nascer do primeiro Sol, os filhos mais novos da terra despertam no Leste distante. Deus algum veio para guiá-los, mas as mensagens de Ylmir que pouco compreendiam por vezes lhes chegavam. Encontram Ilkorindi e aprendem a fala e outras coisas com eles, e tornam-se grandes amigos dos Eldalië. Espalham-se pela terra, vagando para o Oeste e para o Norte.

❧

[1] *Ylmir prevê* foi uma modificação da expressão *Bridhil prevê* na época da composição.
[2] Acrescentado aqui (às pressas a lápis):
     e da fuga e ingratidão dos Gnomos
[3] Acrescentado aqui:
     Assim, os muitos emissários dos Gnomos em dias que vieram depois jamais alcançam Valinor.

7

Agora tem início o tempo das grandes guerras dos poderes do Norte (Morgoth e suas hostes contra Homens, Ilkorins e os Gnomos de Valinor). A astúcia e as mentiras de Morgoth e a maldição de Porto-cisne (assim como as juras dos filhos de Fëanor, que pronunciaram o juramento inquebrável por Timbrenting de tratar a todos como inimigos os que tivessem as Silmarils em sua posse) nessas guerras causam os maiores dos agravos a Homens e Elfos.

Essas histórias só contam uma parte dos feitos daqueles dias, em especial os que dizem respeito aos Gnomos e às Silmarils, e aos mortais que se enredaram nos destinos deles. Nos primeiros dias Eldar e Homens eram de estatura e poder de corpo quase semelhantes, mas os Eldar eram abençoados com maior sagacidade, engenho e beleza; e aqueles (os Gnomos) que tinham habitado em Côr (Koreldar) superavam tanto os Ilkorins quanto estes superavam os mortais. Só no reino de Doriath, cuja rainha era de raça divina, os Ilkorins se igualavam aos Koreldar. Os Elfos eram imortais, e livres de toda doença.[1] Mas podiam ser mortos com armas naqueles dias,[2] e então seus espíritos voltavam aos salões de Mandos e aguardavam por mil anos, ou o aprazimento dos Deuses, antes de serem chamados de volta à vida livre.[3] Os Homens desde o início, ainda que levemente maiores, eram mais frágeis, mortos mais facilmente, sujeitos a males, e envelheciam e morriam, se não fossem mortos. O que acontecia a seus espíritos não era conhecido pelos Eldalië. Eles não iam para os salões de Mandos, e muitos achavam que seu fado não estava nas mãos dos Valar após a morte. Ainda que muitos, em associação com os Eldar, cressem que os espíritos dos Homens iam à terra ocidental, isso não era verdade. Os Homens não nascem de novo.[4]

Nos dias que vieram depois, quando, devido ao triunfo de Morgoth, Homens e Elfos alhearam-se uns dos outros, os Eldalië que viviam no mundo desvaneceram, e os Homens usurparam a luz do Sol. Os Eldar vagavam, os que ainda restavam nas Terras de Fora, preferindo a luz da Lua e das estrelas, as matas e as cavernas.

❧

[1] *livres de toda doença* > *livres da morte por doença* (mudança antiga, feita na mesma época da mencionada na nota 4).

[2] Acrescentado (inserção rabiscada a lápis): *ou feneçam de pesar,*

[3] Acrescentado na mesma época que a inserção mencionada na nota 2: *e renasciam em seus filhos, de maneira que seu número não aumentava.*

[4] Essa passagem, a partir de *Eles não iam para os salões de Mandos*, foi riscada e substituída pela seguinte:

> Iam para os salões de Mandos, mas não aos mesmos salões da espera para onde os Elfos eram enviados. Lá eles também esperavam, mas se dizia que somente Mandos sabia para onde iam após o período em seus salões — jamais renasciam na Terra, e nenhum já retornou de Mandos, salvo apenas

A PRIMEIRA VERSÃO DO "SILMARILLION"

Beren, filho de Barahir, que depois disso não falou mais a Homens mortais. Seu fado após a morte, quiçá, não estava nas mãos dos Valar.

8

Mas nesses dias eles eram aparentados e aliados. Antes do nascer do Sol e da Lua, Fëanor e seus filhos marcharam para o Norte e buscaram Morgoth. Uma hoste de Orques, provocada pela queima dos navios, resistiu-lhes e foi derrotada na Primeira Batalha com tamanha perda que Morgoth fingiu tratar com eles. Fëanor recusou, mas foi ferido na luta por um chefe Balrog (Gothmog) e morreu. Maidros, o alto, o filho mais velho, induziu os Gnomos a se encontrarem com Morgoth (com tão pouca intenção de boa-fé de seu lado quanto do de Morgoth). Morgoth fez Maidros prisioneiro e o torturou, e o pendurou numa rocha pela mão direita. Os seis filhos remanescentes de Fëanor (Maglor, Celegorm, Curufin, Damrod, Díriel e Cranthir) estão acampados em volta do lago Mithrim em Hisilómë (Hithlum, ou Dorlómin, a terra de sombras no Noroeste) quando ficam sabendo da marcha de Finweg e seus homens,[1] que atravessaram o Gelo Pungente. O Sol nasce enquanto marcham, suas bandeiras azuis e prateadas são desfraldadas, flores brotam sob os pés de seus exércitos. Os Orques, atemorizados pela lua, fogem para Angband. Mas há pouco amor entre as duas hostes de Gnomos acampadas agora em margens opostas de Mithrim. Vastas fumaças e vapores são produzidos e expelidos de Angband, e o cimo fumoso das Thangorodrim (as maiores das Montanhas de Ferro ao redor da fortaleza de Morgoth) pode ser visto de muito longe. O Norte estremece com o trovão sob a terra. Morgoth está forjando arsenais. Finweg resolve sanar a rixa. Sozinho ele parte em busca de Maidros. Ajudado pelos vapores, que agora descem e tomam Hithlum, e pela retirada dos Orques e Balrogs para Angband, ele o encontra, mas não pode libertá-lo.

Manwë, a quem as aves trazem notícias, sobre Timbrenting, de todas as coisas que seus olhos que enxergam ao longe não veem sobre a terra, dá feitio à raça das águias, e as envia sob a liderança de seus rei Thorndor para habitar nas encostas do Norte e vigiar Morgoth. As águas habitam fora do alcance de Orques e Balrogs, e são grandes inimigas de Morgoth e seu povo. Finweg encontra-se com Thorndor, que o carrega até Maidros. Não há como soltar o grilhão encantado sobre o seu pulso. Em sua agonia, ele implora

A FORMAÇÃO DA TERRA-MÉDIA

para ser morto, mas Finweg lhe decepa a mão, e ambos são levados embora por Thorndor, e chegam a Mithrim. A rixa é sanada pelo feito de Finweg (exceto pelo juramento das Silmarils).

❧

[1] *da marcha de Finweg e seus homens* > *da marcha de Fingolfin e seus filhos e seus homens e Felagoth e os filhos de Finrod* (Esta mudança está de acordo com as feitas à tinta vermelha em §5 e diz respeito à alteração de Fingolfin para Finrod como o senhor gnômico que retornou a Valinor, ver §5, nota 9.)

9

Os Gnomos marcham adiante e sitiam Angband. Encontram Ilkorins e Homens. Naquele tempo, os Homens já habitavam nas matas do Norte, e os Ilkorins também. Por muito tempo guerrearam com Morgoth.[1] Da raça ilkorin eram Barahir e seu filho Beren. Da raça mortal era Húrin, filho de Gumlin, cuja esposa era Morwen;[2] eles viviam nos bosques nas fronteiras de Hithlum. Eles entram mais tarde nestas histórias.

Morgoth envia seus exércitos e rompe o sítio de Angband, e daquele tempo em diante as sortes de seus inimigos declinam.[3] Gnomos e Ilkorins e Homens se dispersam, e os emissários de Morgoth vão entre eles com promessas mentirosas e falsas sugestões de cobiça e traição de uns para com os outros. Por causa da maldição de Porto-cisne, os Gnomos amiúde acreditavam em tais coisas.

Celegorm e Curufin fundam o reino de Nargothrond nas margens do Narog ao sul das terras do Norte.[4] Muitos Gnomos se põem a serviço de Thingol e Melian das Mil Cavernas em Doriath. Devido à magia divina de Melian, Doriath é o local mais a salvo das incursões dos Orques, e se profetizou que somente uma traição vinda de dentro causará a queda do reino.

❧

[Esta seção foi substancialmente interpolada e alterada (toda à tinta vermelha, ver §5, com exceção da mencionada na nota 2).]

[1] Acrescentado aqui:
Este é o tempo da retirada de Morgoth, e do crescimento e da prosperidade dos Homens, um tempo de crescimento e florescimento conhecido como o "Cerco de Angband".

[2] Essa passagem, a partir de *Da raça ilkorin*, foi emendada para:

31

A PRIMEIRA VERSÃO DO "SILMARILLION"

Em épocas posteriores, da raça mortal eram Barahir e seu filho Beren. Da raça mortal também eram Húrin e Huor, filhos de Gumlin. A esposa de Húrin era Morwen etc.

3 Aqui foi acrescentado *Os homens de Barahir resgatam Celegorm*, mas isso foi riscado e a seguinte inserção foi feita:

No Sítio de Angband, a hoste de Fingolfin vigia o Noroeste nas fronteiras de Hithlum; Felagoth [> Felagund] e os filhos de Finrod o Sul e as [?planícies] do Sirion (ou Broseliand); os filhos de Fëanor o Leste. Fingolfin é morto quando Morgoth rompe o sítio. Felagoth [> Felagund] é salvo por Barahir, o Ousado, um mortal, e escapa para o sul e encontra Nargothrond, fazendo um voto de amizade à raça de Barahir. Os filhos de Fëanor vivem uma vida selvática e nômade no Leste, guerreando com Anões e Orques e Homens. Finweg e Turgon, filhos de Fingolfin, ainda resistem no Norte.

4 Essa frase foi mudada para:

Felagoth [> Felagund] e seus irmãos fundam o reino de Nargothrond nas margens do Narog ao sul das terras do Norte. São ajudados por Celegorm e Curufin, que por muito tempo habitaram em Nargothrond.

☙

10

O poder de Morgoth começa a se expandir outra vez. Um a um ele derrota os Homens e os Elfos no Norte. Dentre esses um famoso capitão de Ilkorindi[1] era Barahir, que fora amigo de Celegorm de Nargothrond. Barahir é impelido a se esconder, seu esconderijo é traído e Barahir é morto; seu filho Beren, após uma vida de proscrito, foge para o sul, cruza as Montanhas Sombrias e após atrozes provações chega a Doriath. Sobre essas e suas outras aventuras conta A Balada de Leithian. Ele conquista o amor de Tinúviel, "o rouxinol" — seu próprio nome para Lúthien — a filha de Thingol. Para que a tenha, Thingol, por zombaria, exige uma Silmaril da coroa de Morgoth. Beren parte para realizar isto, é capturado e posto num calabouço em Angband, mas oculta sua verdadeira identidade e é dado como escravo a Thû, o caçador.[2] Lúthien é aprisionada por Thingol, mas escapa e vai em busca de Beren. Com a ajuda de Huan, senhor dos cães, ela resgata Beren e obtém acesso a Angband, onde Morgoth é encantado e finalmente envolto em sonolência por sua dança. Eles conseguem uma Silmaril e escapam, mas são detidos nos portões de Angband por Carcaras, o Lobo-guardião. Ele arranca com uma mordida a mão de Beren que segura a Silmaril e enlouquece com a aflição dela ardendo dentro dele.

Eles escapam e depois de muito perambular retornam a Doriath. Carcaras, saqueando pelas matas, irrompe em Doriath. Segue-se a Caçada ao Lobo de Doriath, em que Carcaras é destruído e Huan é morto na defesa de Beren. No entanto, Beren é ferido mortalmente e morre nos braços de Lúthien. Algumas canções dizem que Lúthien chegou a atravessar o Gelo Pungente, auxiliada pelo poder de sua mãe divina Melian, até os salões de Mandos, e o resgatou; outras, que Mandos, ouvindo seu relato, libertou-o. O que é certo é que somente ele dentre os mortais voltou de Mandos e morou com Lúthien e nunca mais falou com os Homens de novo, vivendo nas florestas de Doriath e no Descampado dos Caçadores, a oeste de Nargothrond.[3]

Em seus dias como proscrito, Beren fizera amizade com Húrin de Hithlum, filho de Gumlin. Nas matas de Hithlum Húrin ainda permanece livre do jugo de Morgoth.

⁂

[1] *um famoso chefe de Ilkorindi* > *um famoso chefe de Homens* (cf. §9, nota 2).

[2] Essa frase, após *Beren parte para realizar isto*, foi riscada e substituída pelo seguinte texto (à tinta vermelha):

> (Beren parte para realizar isto,) e busca a ajuda de Felagoth em Nargothrond. Felagoth o adverte sobre o juramento dos filhos de Fëanor, e que mesmo que ele obtenha a Silmaril não permitirão, caso isso possam prevenir, que a leve a Thingol. Porém, fiel ao seu próprio juramento, ele o auxilia. O reino é entregue a Orodreth, e Felagoth e Beren marcham para o Norte. São sobrepujados em batalha. Felagoth e Beren e um pequeno bando escapam, e ao se esgueirarem de volta despojam os mortos. Passando-se por Orques, conseguem chegar à casa do Senhor dos Lobos. Lá são descobertos e aprisionados — e devorados um a um.
>
> Celegorm descobriu qual era a missão secreta de Felagoth e Beren. Ele reúne seus cães e caçadores e sai à caça. Encontra os indícios de batalha. Então encontra Lúthien nas matas. Ela foge, mas é alcançada por Huan, o principal dos cães de Celegorm, que não dorme, e ela não consegue encantá-lo. Ele a carrega para longe. Celegorm oferece uma reparação.

A partir da segunda frase, *Felagoth o adverte sobre o juramento...*, essa passagem inteira foi então riscada e *Ver conto de Lúthien* foi escrito por cima; na frase que foi preservada no início do trecho, *Felagoth* foi mudado para *Felagund*; e *Eles caem em poder do Senhor dos Lobos (Thû)* foi acrescentado.

[3] Aqui foi acrescentado, talvez na época da composição do manuscrito:

> (Mas Mandos, como paga, exigiu que Lúthien se tornasse mortal como Beren.)

11

Maidros forma agora uma liga contra Morgoth, percebendo que ele haveria de destruir a todos, um por um, caso não se unissem. Os Ilkorins e Homens dispersos são congregados. Curufin e Celegorm despacham uma hoste (mas não todos que podiam reunir, quebrando assim sua palavra) de Nargothrond. Os Gnomos de Nargothrond se recusam a serem liderados por Finweg, e partem em busca das hostes de Maidros e Maglor. Homens marcham do Sul e Leste e Oeste e Norte. Thingol não enviará ninguém de Doriath.[1] Alguns dizem por uma política egoísta, outros por causa da sabedoria de Melian e do fado que decretava que Doriath haveria de se tornar o único refúgio dos Eldar contra Morgoth no porvir. Em parte, era por certo devido à Silmaril, que Thingol agora detinha, e que Maidros exigira com palavras soberbas. Os *Gnomos* de Doriath têm permissão[2] mesmo assim de se juntar à liga.

Finweg avança pela Planície da Sede (Dor-na-Fauglith) diante das Montanhas de Ferro e derrota um exército de Orques, que recua. Enquanto os persegue, é sobrepujado por incontáveis hordas despejadas de súbito das profundezas de Angband, e lá é travada a batalha das Lágrimas Inumeráveis, da qual canção élfica alguma conta, exceto em lamentação.

Os exércitos mortais, cujos líderes na maioria foram corrompidos ou subornados por Morgoth, desertam ou fogem: todos, exceto a gente de Húrin. Desde aquele dia Homens e Elfos alhearam-se uns dos outros, salvo os descendentes de Húrin. Finweg tomba, sua bandeira azul e prateada é destruída. Os Gnomos tentam recuar em direção aos montes e Taur-na-Fuin (floresta da noite). Húrin fica na retaguarda, e todos seus homens são mortos, de modo que nem um único homem escapa para levar novas a Hithlum. Por ordens de Morgoth, Húrin, cujo machado matara mil Orques, é capturado vivo. Somente por Húrin foi Turgon (irmão de Finweg), filho de Fingolfin, capaz abrir caminho e voltar aos montes com parte de seu povo. O restante dos Gnomos e Ilkorins teria sido todo morto ou capturado não fosse pela chegada de Maidros, Curufin e Celegorm — tarde demais para a batalha principal.

São rechaçados e impelidos para o Sudeste, onde por longo tempo habitaram, e não retornaram a Nargothrond. Lá Orodreth governava os remanescentes.[3] O triunfo de Morgoth é completo. Seus exércitos percorrem todo o Norte, e levam pressão às divisas de

Doriath e Nargothrond. Os mortos de seus inimigos são empilhados num grande monte sobre Dor-na-Fauglith, mas lá a relva surge e cresce verdejante onde alhures tudo é deserto, e Orque algum ousa pisar naquele monte onde as espadas gnômicas enferrujam.

Húrin é levado a Angband e desafia Morgoth. Ele é agrilhoado em tormento. Mais tarde Morgoth lhe oferece a alta capitania de suas forças, uma riqueza de joias e a liberdade, caso lidere um exército contra Turgon. Ninguém sabia para onde Turgon partira, salvo Húrin. Húrin recusou e Morgoth engendrou uma tortura. Depôs Húrin sobre o pico mais elevado das Thangorodrim e o amaldiçoou com a visão de vigília perene como a dos Deuses, e amaldiçoou sua semente com um fado de má fortuna, e ordenou que Húrin contemplasse o curso da maldição.

ᥫᩣ

[1] Essa passagem, a partir de *Curufin e Celegorm despacham uma hoste*, foi alterada por mudanças e acréscimos feitos às pressas:

> Curufin e Celegorm chegam de suas andanças; mas Orodreth, por causa de Felagund, seu irmão, não irá: Thingol também envia apenas uns poucos de seu povo. Os Gnomos dos filhos de Fëanor se recusam a serem liderados por Finweg, e a batalha é dividida em duas hostes, uma sob comando de Maidros e Maglor, e outra sob comando de Finweg e Turgon. Homens marcham do Sul e Leste e Oeste e Norte. Thingol envia apenas uns poucos de Doriath.

[2] Acrescentado aqui: *por Thingol*

[3] Essa passagem foi mudada para:

> São rechaçados e impelidos para o Sudeste, onde por longo tempo habitaram. Em Nargothrond Orodreth governava ainda.

12

Morwen, esposa de Húrin, foi deixada sozinha nas matas. Seu filho Túrin era um menino de sete anos, e ela carregava uma criança. Somente dois idosos, Halog e Mailgond, permaneceram-lhe fiéis. Os homens de Hithlum foram mortos, e Morgoth, quebrando suas promessas, empurrara todos os homens, que não haviam escapado (como poucos o fizeram) para o Sul, a Hithlum. Ora, desses a maioria era de homens infiéis que desertaram os Eldar na batalha das Lágrimas Inumeráveis. Contudo, ele os confinou atrás das Montanhas Sombrias mesmo assim, e matava os que saíam a vagar, desejando impedir que se unissem em irmandade

A PRIMEIRA VERSÃO DO "SILMARILLION"

com os Elfos. Mas pouco amor ainda assim demonstravam pela esposa de Húrin. Donde entrou no coração dela a ideia de enviar Túrin a Thingol, por causa de Beren, amigo de Húrin, que desposara Lúthien. O "Filhos de Húrin" conta de seu fado, e como a maldição de Morgoth o perseguiu, de modo que tudo o que fazia acabava por infelicidade contra sua vontade.

Túrin cresceu na corte de Thingol, mas, passado algum tempo, conforme o poder de Morgoth crescia, as novas de Hithlum cessaram e não soube mais de Morwen ou de sua irmã Nienor, a quem não vira. Provocado por Orgof, da gente do Rei Thingol, ele, sem ter consciência de sua força crescente, matou-o na mesa do rei com um chifre de beber. Túrin fugiu da corte pensando ser um proscrito, e passou a guerrear contra todos, Elfos, Homens e Orques, nas divisas de Doriath, reunindo à sua volta um bando selvagem de Homens e Elfos perseguidos.

Certo dia, quando estava ausente, seus homens capturaram Beleg, o arqueiro, que era amigo de Túrin de outrora. Túrin o libertou e fica sabendo como Thingol perdoara há muito seu ato. Beleg o convence a abandonar sua guerra contra os Elfos e saciar sua ira contra os Orques. A fama dos feitos nas marcas e a proeza de Beleg, o Gnomo, e de Túrin, filho de Húrin, contra os Orques chega a Thingol e a Morgoth. Somente um do bando de Túrin, Blodrin, filho de Ban, odeia a nova vida com pouca pilhagem e luta mais árdua. Ele trai o segredo do local de Túrin aos Orques. O acampamento deles é surpreendido, Túrin é capturado e arrastado a Angband (pois Morgoth começara a temer que ele escapasse da maldição por meio de seu valor e da proteção de Melian); Beleg é deixado como morto debaixo de uma pilha de cadáveres. Ele é encontrado por homens de Thingol que chegam para chamá-los a um banquete nas Mil Cavernas. Melian o cura, e ele parte para encontrar o rastro dos Orques. Beleg é o de maior engenho na arte de rastrear de todos que já viveram, mas os labirintos de Taur-na-Fuin o desconcertam. Lá, em desespero, avista a lamparina de Flinding, filho de Fuilin, um Gnomo de Nargothrond que foi capturado por Orques e que por longo tempo fora um servo nas minas de Morgoth, mas escapara.

De Flinding recebe novas do bando de Orques que capturara Túrin. Escondem-se e observam a hoste passar carregada de espólios ao longo da estrada-órquica pelo coração da floresta, que os

36

Orques usam quando necessitam de presteza. Eles temem a floresta além da estrada tanto quanto qualquer Elfo ou Homem. Túrin é visto sendo arrastado e açoitado. Os Orques deixam a floresta e descem as encostas rumo a Dor-na-Fauglith, e acampam em um vale à vista das Thangorodrim. Beleg flecha os lobos-sentinelas e se esgueira com Flinding para dentro do acampamento. Com a maior das dificuldades e correndo o maior dos perigos, carregam o desacordado Túrin para longe e o põem no chão num vale de espinheiros densos. Ao cortar fora os grilhões, Beleg pica o pé de Túrin; ele desperta e, desvairado, crê que os Orques o estão atormentando, salta sobre Beleg e o mata com sua própria espada. A cobertura da lamparina de Flinding cai e, ao ver o rosto de Beleg, Túrin fica petrificado. Os Orques, despertados pelos gritos que dera ao saltar sobre Beleg, descobrem sua fuga, mas são impelidos para longe por uma terrível tempestade de trovões e aguaceiro. Pela manhã Flinding os vê marchando por sobre o ermo fervente de Dor-na--Fauglith. Beleg é enterrado com seu arco no vale.

Flinding conduz o atordoado e sem juízo Túrin à segurança. Seu juízo retorna às margens do lago de Ivrin, onde ficam as nascentes do Narog, e chora por longo tempo, e faz uma canção para Beleg, a "Amizade do Arqueiro", que mais tarde se torna uma canção-de--batalha dos inimigos de Morgoth.

13

Flinding conduz Túrin a Nargothrond. Ali Túrin recebe o amor e ama contra sua vontade Finduilas, filha de Orodreth, que fora noiva de Flinding antes que este fosse capturado. Ele luta contra o seu amor por lealdade a Flinding, mas Flinding, percebendo que Finduilas ama Túrin, fica amargurado.

Túrin leva os Gnomos de Nargothrond a abandonarem seu segredo e guerra oculta, e enfrenta os Orques mais abertamente.[1] Faz com que a espada de Beleg seja reforjada numa lâmina negra de gumes brilhantes, donde recebeu o nome de "Mormakil", ou espada-negra. A fama de Mormakil chega até mesmo a Thingol. Túrin adota o nome no lugar de "Túrin". Por muito tempo Túrin e os Gnomos de Narog são vitoriosos e seu reino se estende às nascentes do Narog, e do mar do oeste aos confins de Doriath. Há uma contenção do poderio de Morgoth.

A PRIMEIRA VERSÃO DO "SILMARILLION"

Morwen e Nienor conseguem fazer a jornada até Thingol, deixando seus bens aos cuidados de Brodda, que desposara uma parenta de Morwen. Ficam sabendo na corte e Thingol da perda de Túrin. Novas lhes chegam da queda de Nargothrond. Morgoth soltara de súbito um grande exército sobre eles, e com eles um dos primeiros e mais poderosos[2] daqueles Dragões que procriavam em seus lugares profundos e por muito tempo atormentaram as terras do Norte de Homens e Elfos.[3]

A hoste de Narog é sobrepujada. Flinding, ferido, recusa o socorro de Túrin e morre repreendendo-o. Túrin retorna depressa a Nargothrond, mas o Dragão e os Orques chegam lá antes que ele possa preparar as defesas, e todos os belos salões sob a terra são pilhados, e todas as mulheres e donzelas de Narog arrebanhadas como escravas em cativeiro. Túrin tenta matar o Dragão, mas é mantido imóvel pelo feitiço de seus olhos, enquanto o Dragão Glórung[4] o provoca. Glórung então lhe oferece a liberdade para tentar resgatar seu "amor roubado", Finduilas, ou cumprir seu dever e ir ao resgate de sua mãe e sua irmã, que estão vivendo (como diz, mentindo) em grande desdita em Hithlum. Túrin abandona Finduilas contra seu coração (que, se tivesse obedecido, seu fado último não teria lhe sobrevindo) e, crendo na serpente, parte rumo a Hithlum. Glórung jaz nas cavernas de Narog e ajunta sob si todo o ouro e prata e gemas lá entesouradas.

Túrin, após muito vagar, vai a Hithlum. Mas Morwen e Nienor estão na corte de Thingol, quando sobreviventes contam da queda de Nargothrond, e de Túrin, e alguns dizem que Túrin escapou vivo, e outros que foi transformado em pedra pelos olhos da serpente e vivia ainda em cativeiro em Nargothrond. Morwen e Nienor por fim conseguem que Thingol lhes conceda homens para irem contra Glórung, ou ao menos espreitá-lo em seu covil.

Túrin mata Brodda no salão deste em fúria ao se deparar com o salão e as terras de Morwen vazios e despojados. Arrependido do ato, ele foge de Hithlum mais uma vez e não mais sai em busca de sua família. Desejando esquecer o passado, toma para si o nome de Turambar (Turmarth), "Conquistador do Destino", e reúne um novo povo, "Homens da Floresta", a leste de Narog, que ele governa, e vive em paz.

A expedição de Thingol, com a qual cavalgam Morwen e Nienor, divisa Narog do topo de um monte. Os Elfos descem a cavalo na direção do covil,[5] mas Glórung sai e deita no rio e um vapor imenso e sibilante sobe, de maneira que os cavalos dão meia-volta e fogem. Os cavalos de Morwen e Nienor também ficam apavorados e galopam desvairados em meio à bruma. Quando a bruma é dissipada, Nienor se vê face a face com o Dragão, cujo olhar a prende, e um feitiço de escuridão e total esquecimento é posto nela. Ela vaga em desatino pelas matas. Recobra por fim o juízo, mas de pouco se recorda.[6] Orques a avistam e a perseguem, mas são rechaçados por um bando de "Homens-da-floresta" liderado por Turambar, que a conduz às suas agradáveis moradas.

Ao passarem pelas quedas da Bacia de Prata, um estremecimento a acomete. Ela vive entre o povo-da-floresta e é amada por Tamar, o Coxo, mas desposa por fim Turambar, que a chama de Níniel, "a Lacrimosa", já que a encontrara chorando.

Glórung começa a incursionar por Narog, e Orques se reúnem ao seu redor. Os homens-da-floresta matam muitos deles, e Glórung, tomando conhecimento de suas moradas, avança rastejando e repleto de fogo sobre o Narog, e vai de encontro a eles. O Dragão deixa um rastro de destruição por onde passa. Turambar pondera como o horror pode ser desviado de sua terra. Marcha com seus homens, e Níniel, prevendo o mal, cavalga com ele,[7] até poderem divisar o rastro queimado de Glórung e o local fumoso onde jaz. Entre eles corre um rio numa funda ravina escavada após descer pelas quedas altas da Bacia de Prata. Turambar pede voluntários e consegue apenas seis para se colocarem na ravina sobre a qual o Dragão deve passar. Os sete partem. Escalam o lado oposto da ravina ao anoitecer e se mantêm junto à borda nas árvores. Na manhã seguinte, todos haviam partido com furtividade e Turambar está sozinho.

Glórung se arrasta por sobre a ravina. Turambar o trespassa com Gurtholfin,[8] "Vara da Morte", sua espada negra. Glórung recua em agonia e jaz à beira da morte. Turambar se aproxima para recuperar a espada, e coloca o pé sobre Glórung e regozija-se. Mas o veneno de Glórung esguicha para fora ao puxar a espada, e ele cai em um desmaio. Os vigias veem que Glórung está morto, mas Túrin não retorna. Níniel sai em busca dele e o encontra jazendo ao lado de Glórung. Enquanto cuida dele, Glórung abre os olhos e fala, e lhe conta quem Turambar é, e retira dela seu feitiço. Ela então toma conhecimento de quem é, e sabe que a história do Dragão é

A PRIMEIRA VERSÃO DO "SILMARILLION"

verdadeira pelas novas que Turambar lhe contara. Tomada de horror e agonia, ela foge e se joga sobre a Bacia de Prata, e ninguém jamais encontra seu corpo. Tamar a seguiu e ouviu o seu lamento.

Túrin retorna em triunfo. Pergunta sobre Níniel, mas ninguém ousa lhe contar. Então Tamar vem e lhe conta. Túrin o mata e, tomando Gurtholfin, pede que ela o mate. A espada responde que o sangue dele é doce como o de qualquer outro, e lhe trespassa o coração. Túrin é enterrado à beira da Bacia de Prata, e seu nome é entalhado em caracteres de Nargothrond numa rocha. Abaixo está escrito Níniel.

Alguns dizem que Morwen, libertada do feitiço pela morte de Glórung, lá chegou e leu o que estava escrito na pedra.

⟨⟩

[1] Acrescentado aqui: *Por conselho seu, uma ponte é erguida sobre o Narog* (cf. nota 5).
[2] *um dos primeiros e mais poderosos* > *aquele primeiro e mais poderoso*
[3] Acrescentado aqui: *mesmo Glómund, que esteve na Batalha das Lágrimas* (ver nota 4).
[4] *Glórung* > *Glómund* aqui e subsequentemente, exceto na última ocorrência.
[5] *na direção do covil* > *na direção da ponte que levava ao covil* (cf. nota 1).
[6] *de pouco se recorda* > *não recorda nem o próprio nome.*
[7] Acrescentado aqui: *embora carregasse uma criança,*
[8] *Gurtholfin* > *Gurtholfir* em ambas as ocorrências.

14

Húrin foi libertado por Morgoth após a morte de Túrin e Nienor, pois Morgoth pensava ainda em usá-lo. Acusou o coração fraco e a descortesia de Thingol pela infelicidade de Túrin, e Húrin, vagando curvado pelo pesar, ponderou suas palavras e ficou amargurado por elas.

Húrin e proscritos chegam a Nargothrond, que ninguém ousa pilhar por pavor do espírito de Glórung,[1] ou mesmo de sua lembrança. Matam Mîm, o Anão, que tomara para si e encantara todo o ouro. Húrin joga o ouro aos pés de Thingol com admoestações. Thingol não aceita o ouro e tolera Húrin, até que, instigado por demais, ordena que ele parta. Húrin sai a vagar e busca Morwen, e muitos, durante eras, relataram que os haviam encontrado juntos, nas matas, lamentando os seus filhos.

O ouro encantado exerce seu poder sobre Thingol. Ele convoca os Anãos de Nogrod e Belegost a irem e moldá-lo em belos objetos, e fazerem um colar mui maravilhoso, donde há de pender a Silmaril. Os Anões tramam traição, e Thingol, amargurado pela maldição do ouro, nega-lhes sua recompensa. Terminado o serviço, são mandados embora sem paga. Os Anões retornam; auxiliados pela traição de alguns Gnomos que também foram tomados pela cobiça do ouro, surpreendem Thingol numa caçada, matam-no e surpreendem as Mil Cavernas e as saqueiam. Em Melian não conseguem tocar. Ela parte em busca de Beren e Lúthien.

Os Anões são emboscados em um vau por Beren e os Elfos pardos e verdes da floresta, e o rei deles é morto, de cujo pescoço Beren tira o "Nauglafring"[2] ou colar dos Anões, com sua Silmaril. Dizem que Lúthien, envergando essa joia, é o ser mais belo que olhos já viram fora de Valinor. Mas Melian advertiu Beren da maldição do ouro e da Silmaril. O resto do ouro é afundado no rio.

Mas o "Nauglafring"[3] permanece entesourado em segredo sob a guarda de Beren. Quando Mandos permitiu que Beren retornasse com Lúthien, foi somente com o preço de que Lúthien deveria se tornar de vida tão curta quanto Beren, o mortal. Lúthien agora mingua, bem como os Elfos de dias posteriores minguaram à medida que os Homens se tornavam fortes e tomavam o que era de bom da terra (pois os Elfos tinham necessidade da luz das Árvores). Por fim ela desapareceu, e Beren se perdeu, procurando em vão por ela, e seu filho Dior governou depois dele. Dior restabeleceu Doriath e se tornou orgulhoso, e usava o "Nauglafring", e a fama da Silmaril espalhou-se por outras terras. Após barganhar em vão, os filhos de Fëanor travaram guerra contra ele (a segunda matança de Elfo por Elfo) e o destruíram, e tomaram o "Nauglafring". Disputam o colar, devido à maldição do ouro, até restar somente Maglor. Mas Elwing, filha de Dior, foi salva e levada para a foz do rio Sirion.[4]

༄

[1] O nome *Glórung* não foi emendado aqui, como em §13, para *Glómund*, mas um *d* foi escrito sobre o *g*, ou seja, *Glórund* (a forma mais antiga do nome do Dragão).

[2] Apenas na primeira ocorrência de *Nauglafring*, acima da palavra está escrito *th* a lápis, isto é, *Nauglathring* ou *Nauglathfring*.

[3] Acima de Nauglafring aqui meu pai escreveu *Dweorgmene* [inglês antigo, "colar-anânico"]; isso foi riscado e substituído por *Glingna Nauglir*.

[4] A conclusão dessa seção foi mudada logo após ter sido escrita, uma vez que já em §17, como escrita inicialmente, o Nauglafring está com Elwing na foz do Sirion:

Após barganhar em vão, os filhos de Fëanor travaram guerra contra ele (a segunda matança de Elfo por Elfo) e o destruíram. Mas Elwing, filha de Dior, filho de Beren, escapou, e foi levada por serviçais leais para a foz do rio Sirion. Com ela foi o Nauglafring.

15

O grande rio Sirion fluía pelas terras a sudoeste; na sua foz havia um grande delta, e seu curso inferior corria por terras amplas, verdes e férteis, pouco povoadas, exceto por aves e feras, por causa das incursões dos Orques; mas não eram habitadas por Orques, que preferiam os bosques do norte, e temiam o poder de Ylmir — pois a foz do Sirion era nos Mares do Oeste.

Turgon, filho de Fingolfin, tinha uma irmã, Isfin. Ela se perdeu em Taur-na-Fuin depois da Batalha das Lágrimas Inumeráveis. Lá foi presa por Eöl, o Elfo Escuro. O filho deles era Meglin. O povo de Turgon, escapando com a ajuda da valentia de Húrin, ocultou-se do conhecimento de Morgoth e, de fato, de todos no mundo, salvo Ylmir. Em um lugar secreto nos montes, seus batedores, escalando até os cumes, descobriram um largo vale inteiramente circundado pelos montes em anéis cada vez mais baixos conforme se aproximavam do centro. Em meio a esse anel estava uma terra ampla sem colinas, exceto por um único monte pedregoso que se erguia da planície, não bem no centro, mas mais perto daquela parte da muralha externa que se aproximava da beira do Sirion.[1]

As mensagens de Ylmir vêm Sirion acima, ordenando que eles busquem refúgio nesse vale e ensinando feitiços de encantamento a serem postos sobre todos os montes em volta, para deter inimigos e espiões. Ele prediz que a fortaleza deles há de se manter por mais tempo entre todos os refúgios dos Elfos contra Morgoth e, como Doriath, jamais será sobrepujada — salvo por traição de dentro dela. Os feitiços são mais fortes perto do Sirion, ainda que ali as montanhas circundantes sejam as mais baixas. Lá os Gnomos escavam um grande túnel cheio de meandros sob as raízes das montanhas, que sai enfim na Planície Protegida. Sua entrada mais distante é guardada pelos feitiços de Ylmir; a mais próxima, vigiada incessantemente pelos Gnomos. É colocada ali para o caso de os de dentro da cidade algum dia precisem escapar, como uma via de saída mais rápida do vale para batedores, viajantes e mensageiros e também como entrada para fugitivos que escapam de Morgoth.

A FORMAÇÃO DA TERRA-MÉDIA

Thorndor, Rei das Águias, remove seus ninhos para as alturas ao norte das montanhas circundantes e os guarda de espiões Orques.[2] No monte pedregoso do Amon Gwareth, o monte de vigia, cujas encostas são polidas feito a lisura do vidro e cujo topo é plano, constroem a grande cidade de Gondolin, com portões de aço. A planície à volta dela é nivelada de forma a ficar tão plana e lisa quanto um gramado de relva cortada, até os sopés dos montes, e assim nada consegue rastejar por ela sem ser percebido. O povo de Gondolin torna-se poderoso e seus arsenais enchem-se de armas. Mas Turgon não marcha ao auxílio de Nargothrond, ou de Doriath, e depois da morte de Dior ele não trata mais com o filho de Fëanor (Maglor).[3] Por fim, fecha o vale a todos os fugitivos, e proíbe o povo de Gondolin de deixar o lugar. Gondolin é a única fortaleza dos Elfos que restou. Morgoth não se esqueceu de Turgon, mas o procura em vão. Nargothrond está destruída; Doriath, desolada; os filhos de Húrin, mortos; e só Elfos, dispersos e fugitivos Gnomos e Ilkorins restaram, exceto os que trabalham nas forjas e minas em grandes números. Seu triunfo é quase completo.

❧

1   Acrescentado aqui rabiscado a lápis: *O monte mais próximo de Angband era guardado pelo marco de Fingolfin* (cf. nota 2).
2   Acrescentado na mesma época que o acréscimo mencionado na nota 1: *sentado sobre o marco de Fingolfin*.
3   *o filho de Fëanor (Maglor)* > *os filhos de Fëanor* (isso está de acordo com a mudança no final de §14, nota 4).

16

Meglin, filho de Eöl e Isfin, irmã de Turgon, foi enviado por sua mãe para Gondolin e lá recebido,[1] embora tivesse metade de sangue ilkorin, e tratado como um príncipe.

Húrin de Hithlum tinha um irmão, Huor. O filho de Huor era Tuor, mais jovem que Túrin,[2] filho de Húrin. Rían, esposa de Huor, buscou o corpo de seu marido entre os mortos no campo das Lágrimas Inumeráveis e lá morreu. Seu filho, permanecendo em Hithlum, caiu nas mãos dos homens infiéis que Morgoth empurrou para Hithlum depois daquela batalha, e fizeram-no servo. Revelando-se rebelde e rude, fugiu para os bosques e tornou-se um fora da lei e um solitário, vivendo sozinho e sem se comunicar com ninguém, salvo raramente com Elfos andarilhos e escondidos.

Certo dia, Ylmir fez com que ele fosse levado para o curso subterrâneo de um rio que saía de Mithrim até os barrancos de um rio que fluía e, enfim, para o Mar do Oeste. Dessa maneira, sua passagem não foi vista por Homem, Orque ou espião e ficou desconhecida de Morgoth. Depois de longas andanças pelas costas do oeste, chegou às fozes do Sirion e lá encontrou o Gnomo Bronweg, que antes tinha estado em Gondolin. Eles viajam secretamente Sirion acima juntos. Tuor se demora muito na doce terra de Nan Tathrin, "Vale dos Salgueiros"; mas lá o próprio Ylmir sobe o rio para visitá-lo e contar-lhe qual é a sua missão. Ele deve avisar Turgon para se preparar para a batalha contra Morgoth; pois Ylmir mudará os corações do Valar para que perdoem os Gnomos e lhes mandem socorro. Se Turgon fizer isso, a batalha será terrível, mas a raça dos Orques perecerá e não mais, nas eras que vierem depois, atormentará Elfos e Homens. Se não, o povo de Gondolin deve se preparar para fugir até a foz do Sirion, onde Ylmir os ajudará a construir uma frota e os guiará de volta a Valinor. Se Turgon fizer a vontade de Ylmir, Tuor deverá permanecer em Gondolin por um tempo e então voltará a Hithlum com uma força de Gnomos e trará os Homens uma vez mais para uma aliança com os Elfos, pois "sem os Homens, os Elfos não hão de prevalecer contra os Orques e os Balrogs". Isso Ylmir faz porque sabe que, antes que sete[3] anos completos tenham passado, a ruína de Gondolin virá por meio de Meglin.[4]

Tuor e Bronweg alcançam a via secreta[5] e chegam à planície guardada. Feitos cativos pelos vigias, são levados diante de Turgon. Turgon está velho[6] e muito poderoso e orgulhoso, e Gondolin tão formosa e bela, e seu povo tão orgulhoso dela e confiante em seu segredo e força inexpugnável que o rei e a maioria do povo não desejam ser importunados pelos Gnomos e Elfos de fora, ou se preocupar com os Homens, nem anseiam mais por Valinor. Com a aprovação de Meglin, o rei rejeita a mensagem de Tuor, apesar das palavras de Idril, a que enxerga longe (também chamada de Idril Pé-de-Prata, porque ela amava caminhar descalça), sua filha, e dos mais sábios de seus conselheiros. Tuor continua a viver em Gondolin e torna-se um grande líder. Depois de três anos, desposa Idril — Tuor e Beren apenas, entre todos os mortais, desposaram Elfas e, uma vez que Elwing, filha de Dior, filho de Beren, desposou Eärendel, filho de Tuor e Idril, deles apenas a linhagem de Elfinesse adquiriu sangue mortal.

Não muito depois disso, Meglin, viajando para longe através das montanhas, é capturado por Orques e compra sua vida, quando levado a Angband, revelando Gondolin e seus segredos. Morgoth promete-lhe o senhorio de Gondolin e a posse de Idril. O desejo por Idril leva-o com mais facilidade a essa traição, fortalecida por seu ódio a Tuor.

Morgoth o envia de volta a Gondolin. Eärendel nasce, tendo a beleza e a luz e a sabedoria de Elfinesse, o vigor e a força dos Homens e o anseio pelo mar que capturara Tuor e o prendera para sempre quando Ylmir lhe falou na Terra dos Salgueiros.

Enfim Morgoth está pronto, e faz-se o ataque a Gondolin com dragões, Balrogs e Orques. Depois de uma luta terrível em volta das muralhas, a cidade é invadida e Turgon perece com muitos dos maiores nobres na luta derradeira na grande praça. Tuor resgata Idril e Eärendel de Meglin e lança-o das ameias. Então lidera o remanescente do povo de Gondolin por um túnel secreto aberto previamente por conselho de Idril, que chega a um ponto distante no Norte da planície. Aqueles que se recusam a vir com ele, mas fogem para a antiga via de escape, são pegos pelo dragão enviado por Morgoth para vigiar aquela saída.

Em meio aos fumos do incêndio, Tuor lidera sua companhia nas montanhas, adentrando o passo gélido de Cristhorn (Fenda das Águias). Lá são emboscados, mas se salvam pelo valor de Glorfindel (chefe da casa da Flor Dourada de Gondolin, que morre em duelo com um Balrog sobre um pináculo) e a intervenção de Thorndor. O remanescente alcança o Sirion e viaja para a terra em sua foz — as Águas do Sirion. O triunfo de Morgoth agora está completo.

౭ು

[Todas as mudanças nessa seção, com exceção da mencionada na nota 3, foram alterações tardias rabiscadas com pressa a lápis.]

[1] Acrescentado junto a essa frase: último dos fugitivos de fora
[2] *mais jovem que Túrin* > *primo de Túrin*
[3] *sete* mudado logo cedo para *doze*
[4] Acrescentado aqui: *se ficarem sentados em seus salões.*
[5] Acrescentado aqui: *que eles encontram por graça de Ylmir*
[6] A palavra *velho* foi circulada para ser removida.

17

À foz do Sirion chega Elwing, filha de Dior, e é recebida pelos sobreviventes de Gondolin.[1] Esses se tornam um povo de navegantes, construindo muitos barcos e vivendo na parte mais distante do delta, aonde os Orques não ousam vir.

Ylmir admoesta os Valar e pede que eles resgatem os remanescentes dos Noldoli e as Silmarils, apenas nas quais agora vive a luz dos velhos dias de bem-aventurança quando as Árvores estavam brilhando.

Os filhos dos Valar, comandados por Fionwë, filho de Tulcas, lideram uma hoste para a batalha, na qual todos os Qendi marcham, mas, lembrando-se de Porto-cisne, poucos dos Teleri vão com eles. Côr fica deserta.

Tuor, envelhecendo,[2] não consegue ignorar o chamado do mar e constrói Eärámë e veleja para o Oeste com Idril, e dele não se ouve mais nada. Eärendel desposa Elwing. O chamado do mar nasce também nele. Constrói Wingelot e deseja velejar em busca de seu pai. Ylmir pede que ele veleje para Valinor.[3] Aqui se seguem as maravilhosas aventuras de Wingelot nos mares e nas ilhas e de como Eärendel matou Ungoliant no Sul. Ele retornou para casa e achou as Águas do Sirion despovoadas. Os filhos de Fëanor, ao ficar sabendo da habitação de Elwing e do Nauglafring, tinham caído sobre o povo de Gondolin. Em uma batalha, todos os filhos de Fëanor, salvo Maidros[4] e Maglor, foram mortos, mas a última gente de Gondolin foi destruída ou forçada a ir embora e se juntar ao povo de Maidros.[5] Elwing lançou o Nauglafring no mar e saltou atrás dele,[6] mas foi transformada em uma ave marinha branca por Ylmir e voou a buscar Eärendel, buscando-o por todas as costas do mundo.

O filho deles (Elrond), que é meio-mortal e meio-élfico,[7] uma criança, foi salvo, entretanto, por Maidros. Quando, mais tarde, os Elfos retornam para o Oeste, preso à sua metade mortal, ele escolhe ficar na terra. Por meio dele, o sangue de Húrin[8] (seu tio-avô) e o dos Elfos ainda se encontra entre os Homens, e ainda é visto em valor e em beleza e em poesia.

Eärendel, ao saber dessas coisas por Bronweg, que habitava em uma cabana, como ermitão, na foz do Sirion, é sobrepujado pelo pesar. Com Bronweg ele alça velas em Wingelot mais uma vez, em busca de Elwing e de Valinor.

Chega às ilhas mágicas, e à Ilha Solitária, e enfim à Baía de Feéria. Escala o monte de Côr e caminha nas vias desertas de Tûn, e sua vestimenta fica incrustada do pó de diamantes e joias. Não ousa ir mais adiante em Valinor. Constrói uma torre em uma ilha dos mares do norte, à qual todas as aves marinhas do mundo se dirigem. Navega, com o auxílio das asas delas, até mesmo sobre os ares em busca de Elwing, mas é chamuscado pelo Sol e caçado do céu pela Lua e por muito tempo vaga pelo céu como estrela fugitiva.[9]

&

[Nessa seção, mais uma vez a maioria das mudanças (não as das notas 2 e 4) foram feitas às pressas a lápis.]

[1] Essa frase foi mudada para:
    Na foz do Sirion habitava Elwing, filha de Dior, que recebeu os sobreviventes de Gondolin.
[2] *envelhecendo* foi riscado.
[3] *Ylmir pede que ele veleje para Valinor* foi riscado.
[4] *Maidros > Maidros e Maglor*
[5] Escrito na margem: *Maglor sentou-se e cantou à beira-mar em arrependimento.*
[6] Meu pai primeiro escreveu *Elwing lançou-se ao mar com o Nauglafring*, mas mudou essa frase para *Elwing lançou o Nauglafring no mar e saltou atrás dele* enquanto escrevia.
[7] Essa frase foi mudada para:
    O filho deles (Elrond), que é parte mortal e parte élfico, e parte da raça dos Valar,
[8] *Húrin* foi riscado e *Huor e de Beren* escrito acima, junto com algumas palavras ilegíveis. Seria possível esperar *Por meio dele, o sangue de Huor e de Beren, seus bisavôs*, mas as palavras ilegíveis não parecem ser essas. (Húrin, na verdade, era tio-bisavô de Elrond.)
[9] A última frase (*Navega, com o auxílio das asas dela…*) é um acréscimo, mas creio que um acréscimo feito na época da composição.

18

A marcha de Fionwë para o Norte é então narrada, assim como a Terrível ou Última Batalha. Os Balrogs são todos destruídos e os Orques destruídos ou dispersados. O próprio Morgoth faz uma última investida com todos os seus dragões; mas eles são destruídos, todos menos dois que escapam, pelos filhos dos Valar, e Morgoth é sobrepujado e preso,[1] e sua coroa de ferro é transformada em coleira para seu pescoço. As duas Silmarils são resgatadas.

As partes norte e oeste do mundo são dilaceradas e despedaçadas no confronto.[2]

Os Deuses e Elfos liberam os Homens de Hithlum e marcham pelas terras convocando os remanescentes dos Gnomos e Ilkorins para se juntar a eles. Todos o fazem, exceto o povo de Maidros. Maidros, auxiliado por muitos homens,[3] prepara-se para pôr em prática seu juramento, ainda que agora esmagado pela tristeza por causa dele. Manda uma mensagem a Fionwë, lembrando-o do juramento e implorando que lhe desse as Silmarils. Fionwë responde que ele perdeu o direito a elas por causa dos feitos malignos de Fëanor e do assassinato de Dior e do saque do Sirion. Ele tem de se submeter e voltar para Valinor; em Valinor apenas, e sob o julgamento dos Deuses, elas hão de lhe ser entregues.

Maidros e Maglor[4] se submetem. Os Elfos zarpam de Lúthien (Bretanha ou Inglaterra) para Valinor.[5] De lá eles ainda, de tempos [em tempos], içam vela e deixam o mundo antes que desvaneçam.

Na última marcha, Maglor diz a Maidros que restam dois filhos de Fëanor e duas Silmarils; uma é dele. Rouba-a e foge, mas ela o queima e assim sabe que não tem mais direito a ela. Vaga em dor pela terra e se lança em uma cova.[6] Uma Silmaril agora está no mar, e outra, na terra.[7]

Os Gnomos e muitos dos Ilkorins e Teleri e Qendi repovoam a Ilha Solitária. Alguns voltam a viver nas costas de Feéria e em Valinor, mas Côr e Tûn permanecem desertas.

ᘓᗝ

[1] Acrescentado aqui: *com a corrente Angainor*
[2] Acrescentado aqui: *e o feitio de suas terras, alterado* (acréscimo posterior a lápis).
[3] *auxiliado por muitos homens* foi riscado.
[4] *e Maglor* circulado a lápis.
[5] Essa frase foi mudada para:

> Os Elfos marcham para a costa ocidental e começaram a zarpar de Leithien (Bretanha ou Inglaterra) para Valinor.

[6] *se lança em uma cova > a lança em uma cova em chamas.*
[7] Acrescentado aqui: *Maglor agora canta para sempre em pesar perto do oceano.*

19

É realizado o julgamento dos Deuses. A terra caberá aos Homens e os Elfos que não velejarem para a Ilha Solitária ou para Valinor hão de desvanecer e fenecer lentamente. Por um tempo os últimos dragões e Orques trarão pesar à Terra, mas no fim todos hão de perecer graças ao valor dos Homens.

Morgoth é lançado através da Porta da Noite na escuridão de fora para além das Muralhas do Mundo, e uma guarda fica postada para sempre naquela Porta. As mentiras que ele semeou nos corações de Homens e Elfos não morrem e não podem ser todas mortas pelos Deuses, mas vivem ainda e trazem muito mal até mesmo nos dias de hoje. Alguns dizem também que, secretamente, Morgoth ou sua sombra e seu espírito negros, apesar dos Valar, rastejam por sobre as Muralhas do Mundo no Norte e no Leste e visitam de novo o mundo, outros que esse é Thû, grande capitão de Morgoth, que escapou da Última Batalha e habita ainda em lugares escuros e perverte os Homens, trazendo-os para seu horrendo culto. Quando o mundo estiver muito mais velho e quando os Deuses se cansarem, Morgoth voltará pela Porta e a última batalha de todas acontecerá. Fionwë lutará contra Morgoth na planície de Valinor, e o espírito de Túrin estará ao lado dele, há de ser Túrin aquele que, com sua espada negra, matará Morgoth e assim os filhos de Húrin hão de ser vingados.

Naqueles dias, as Silmarils hão de ser reavidas do mar e da terra e do ar, e Maidros há de quebrá-las e Belaurin,[1] com o fogo delas, há de reacender as Duas Árvores e a grande luz há de vir de novo e as Montanhas de Valinor hão de ser aplainadas, de modo que essa luz chegará a todo o mundo, e Deuses e Elfos e Homens[2] hão de se tornar jovens de novo e todos os seu mortos vão despertar.[3]

E assim foi que a última Silmaril chegou ao ar. Os Deuses decretaram que última Silmaril seria de Eärendel — "até que muitas coisas hajam de se passar" — por causa dos feitos dos filhos de Fëanor. Maidros é enviado a Eärendel e, com a ajuda da Silmaril, Elwing é encontrada e se recupera. O barco de Eärendel é trazido por sobre Valinor até os Mares de Fora e Eärendel o lança na escuridão de fora, muito acima do Sol e da Lua. Lá veleja com a Silmaril sobre sua fronte e Elwing a seu lado, a mais brilhante de todas as estrelas, montando guarda contra Morgoth.[4] Assim ele há de velejar até que veja a última batalha deflagrada nas planícies de Valinor. Então descerá.

E este é o fim último dos contos dos dias antes dos dias, nas regiões do Norte do Mundo Ocidental. Esses contos são alguns daqueles lembrados e cantados pelos Elfos minguantes, e mormente pelos Elfos desaparecidos da Ilha Solitária. Foram contados por Elfos a Homens da raça de Eärendel, e mormente a Eriol que, único dos mortais de dias posteriores, navegou até a Ilha Solitária, e ainda assim retornou a Lúthien,[5] e lembrava-se de coisas que ouvira em Cortirion, a cidade dos Elfos em Tol Eressëa.

&

[1] Junto a *Belaurin* foi escrito *Palúrien* (cf. §1, nota 1).
[2] *e Homens* foi riscado.
[3] Acrescentado aqui:

> Mas dos Homens, naquele último Dia, a profecia não fala, exceto apenas de Túrin.

[4] Acrescentado aqui: *e a Porta da Noite* (acréscimo posterior a lápis).
[5] *Lúthien* > *Leithien* (cf. §18, nota 5).

Comentário sobre
o *Esboço da Mitologia*

Embora o "Esboço" seja um manuscrito bom e claro, como tinha de ser (já que seria lido por R.W. Reynolds), ficará evidente que meu pai o redigiu com extrema rapidez: creio que seja muito possível e mesmo provável que ele o tenha escrito sem consultar os contos em prosa mais antigos.

Foram feitos avanços consideráveis em direção à forma da história tal como aparece na obra publicada; mas não há traço de uma narrativa em prosa mesmo em forma de fragmentos ou anotações que preencha a lacuna entre os *Contos Perdidos* e esta sinopse na parte "valinóreana" da mitologia (isto é, até a fuga dos Noldoli e a feitura do Sol e da Lua). É claro, isso não quer dizer que tal narrativa jamais tenha existido, embora o fato de que meu pai sem dúvida preservou uma proporção muito alta de tudo o que já escreveu me leva a duvidar de tal coisa. Acredito ser muito mais provável que, enquanto trabalhava em outras coisas (durante o seu tempo em Leeds), ele tenha desenvolvido suas ideias, especialmente sobre a "parte valinóreana", sem colocá-las no papel; e visto que os *Contos* em prosa foram deixados de lado muitos anos antes, é possível que certas mudanças narrativas encontradas no "Esboço" fossem menos planejadas por completo, menos conscientes, do que tais mudanças no desenvolvimento tardio de "O Silmarillion", no qual ele sempre trabalhou com base em escritos existentes.

A FORMAÇÃO DA TERRA-MÉDIA

Seja como for, com frequência é extremamente difícil, ou impossível, julgar se características dos *Contos* que não estão presentes no "Esboço" foram omitidas simplesmente por questão de concisão, ou se foram abandonadas em definitivo. Assim, embora Eriol — não Ælfwine, ver II. 362 — seja mencionado no final, e sua chegada a Kortirion em Tol Eressëa, não há sinal do Chalé do Brincar Perdido: a estrutura narrativa inteira dos *Contos Perdidos* desapareceu. Mas isso de modo algum demonstra que meu pai a havia rejeitado de fato nessa época.

O Comentário que se segue está dividido de acordo com as 19 seções nas quais dividi a narrativa.

O "Esboço da Mitologia" é referido pelo resto desde livro por meio da abreviatura "Esb".

1

Esb (o "Esboço"), que não faz referências à Criação e à Música dos Ainur, começa com a vinda dos Nove Valar "para a governança do mundo": os Nove Valar foram mencionados no poema aliterante *A Fuga dos Noldoli* (ver III. 162, 165). Aparece agora a ilha (mais tarde chamada Almaren) na qual os Deuses habitaram após a feitura das Lamparinas, cuja origem provavelmente pode ser vista no conto *A Vinda dos Valar*, I. 90–1, onde é dito que, quando as Lamparinas tombaram, os Valar estavam reunidos nas Ilhas do Crepúsculo, e que "that island whereon stood the Valar" foi arrastada para o oeste por Ossë. Pode parecer que a história da feitura dos pilares das Lamparinas por Melko a partir de gelo que derretera foi abandonada, mas ela reaparece de novo mais tarde, no *Ambarkanta* (pp. 282–83).

O uso da palavra "planta" para as Duas Árvores é curioso, e ela poderia ser descontada simplesmente como uma expressão feita às pressas se não aparecesse na versão seguinte de "O Silmarillion", o *Quenta* (p. 98). No conto antigo, assim como na obra publicada, as Árvores brotaram do solo por meio dos feitiços entoados por Yavanna. A parte inferior prateada das folhas da Árvore Branca aparece agora, e suas flores são comparadas às de uma cerejeira: *Silpion* é traduzida como "Lua-de-cerejeira" na Lista de Nomes de *A Queda de Gondolin* (II. 259). A menção primeiro da Árvore Branca pode significar que ela agora se tornara a Árvore Mais Velha, como o é explicitamente no *Quenta*.

51

A PRIMEIRA VERSÃO DO "SILMARILLION"

Tal como o Esb foi escrito inicialmente, as Árvores tinham períodos de doze horas, como nos *Contos Perdidos* (ver I. 112 e nota de rodapé), mas com a emenda de "seis" para "sete" (permitindo assim a hora de "luz mesclada"), o período se torna de catorze horas. Esse foi um movimento na direção da formulação em *O Silmarillion* (p. 67), onde cada Árvore "crescia ao máximo e decrescia de novo a nada" em sete horas; mas em *O Silmarillion* "cada dia dos Valar em Aman continha doze horas", enquanto que no Esboço cada dia tinha o dobro dessa duração.

O nome gnômico de Varda, *Bridhil*, ocorre no poema aliterante *Fuga dos Noldoli* (mudado para *Bredhil*), na *Balada de Leithian* e no antigo dicionário gnômico (I. 328, verbete *Varda*). Quanto a *Timbrenting*, *Tindbrenting*, ver III. 154, 168; *Tengwethil* (alternando com *Taingwethil*) é encontrado na *Balada dos Filhos de Húrin*. Quanto a *Ifan Belaurin*, ver I. 329, verbete *Yavanna*; no dicionário gnômico, a forma gnômica é *Ifon, Ivon*.

2

A descrição no Esb das "Terras de Fora" (nome agora usado para as Grandes Terras, ver III. 265–66), onde o crescimento havia sido detido com a queda das Lamparinas, mas onde há florestas de árvores escuras nas quais Oromë às vezes caça, move a narrativa nesse ponto um passo na direção de sua estrutura em *O Silmarillion*; mencionei o relato bastante diferente nos *Contos Perdidos* em meu comentário sobre *O Acorrentamento de Melko* (I. 139): "Na narrativa mais antiga, por outro lado, não há menção ao início do crescimento durante o tempo em que as Lamparinas brilharam, e as primeiras árvores e plantas baixas apareceram sob os feitiços de Yavanna no crepúsculo após sua derrubada."

Enquanto nos Contos Perdidos a feitura das estrelas por Varda ocorreu após o despertar dos Elfos (I. 142), aqui eles despertam "com a feitura das estrelas".

Ao comentar os *Contos Perdidos*, observei (I. 140, 162) que os Deuses buscaram Melko por causa da retomada de sua violência cósmica, antes do despertar dos Elfos e sem qualquer relação com eles; e que a libertação de Melko de Mandos ocorreu antes da chegada dos Eldar em Valinor, de maneira que ele desempenhou um papel no debate acerca da convocação deles. No Esb, a história tardia (de que a descoberta dos Elfos levou diretamente ao assalto dos Valar à fortaleza de Morgoth) já está presente e, além disso, é

A FORMAÇÃO DA TERRA-MÉDIA

atribuído um motivo à intervenção dos Valar que não se encontra em *O Silmarillion*: eles "recordam seu dever quanto à Terra, já que eles foram para lá sabendo que sua função era governá-la para as duas raças da Terra que deveriam vir depois, cada uma em seu tempo designado". Também parece claro que a história mais antiga da chegada dos Elfos ser de conhecimento de Manwë independentemente da descoberta deles por Oromë (ver I. 162) havia sido abandonada.

Nos *Contos Perdidos*, a primeira fortaleza de Melko foi Utumna, e apesar de não ter sido completamente destruída até suas fundações (I. 132), após sua fuga e retorno às Grandes Terras ele "já se [ocupava] de fazer para si novas habitações", conforme Sorontur contou a Manwë, pois "Utumna jamais se abrirá novamente para ele" (I. 214). Essa nova fortaleza era Angband (Angamandi). No Esb, por outro lado, a primeira fortaleza é Angband, e após sua fuga Morgoth consegue retornar a ela (§4), pois era forte demais para ser destruída pelos Deuses (§2). Assim, o nome Utumna (Utumno) desapareceu.

Na passagem que descreve as três hostes dos Elfos na grande marcha desde Cuiviénen (que ocorre, por emenda, na *Balada dos Filhos de Húrin*, III. 28, 33) aparece o uso tardio de *Teleri* para a terceira gente (que, entretanto, ainda mantém o antigo nome *Solosimpi*, os Flautistas das Terras Costeiras), enquanto a primeira gente (os *Teleri* dos *Contos Perdidos*) adquirem agora o nome *Quendi* (subsequentemente escrito no Esb tanto *Quendi* como *Qendi*). Assim:

Contos Perdidos	"Esboço"	O Silmarillion
Teleri	Q(u)endi	Vanyar
Noldoli	Noldoli	Noldor
Solosimpi	Teleri, Solosimpi	Teleri

A formulação na época dos *Contos Perdidos* (ver I. 282) era de que *Qendi* era o nome original de todos os Elfos e *Eldar* o nome dado pelos Deuses e adotado pelos Elfos de Valinor; aqueles que permaneceram nas Grandes Terras (Ilkorins) preservaram o antigo nome, *Qendi*. Também aparecem agora os termos "Elfos-da-luz", "Elfos-profundos" e "Elfos-do-mar" (como em *O Hobbit*, capítulo 8); o significado de "os Elfos propriamente ditos", aplicado à primeira gente, está claro pelo *Quenta* (p. 102): "os Quendi... que por vezes são os únicos chamados de Elfos".

53

A PRIMEIRA VERSÃO DO "SILMARILLION"

Inwë dos *Contos Perdidos* agora se torna *Ingwë*, com o equivalente gnômico *Ing*, que aparece nos poemas aliterantes, tal como o gnômico *Finn* (em *A Fuga dos Noldoli*). *Elwë* (*Elu*) está no papel do posterior Olwë, líder da terceira gente após a perda de Thingol. Em o *Conto de Tinúviel*, Tinwelint (Thingol) era de fato originalmente chamado *Tinto Ellu* ou *Ellu*, mas nos contos *A Vinda dos Elfos* e *O Roubo de Melko*, por meio de mudanças tardias, *Ellu* torna-se o nome do segundo senhor dos Solosimpi, escolhido no lugar de Tinwelint; ver II. 66).

Duas ausências notáveis do relato no Esb são a chegada inicial dos três embaixadores élficos a Valinor e os Elfos que não deixaram as Águas do Despertar, mencionados no *Conto de Gilfanon* (I. 278): os Ilkorins são aqui definidos como aqueles que se perderam na grande marcha para o Oeste. Quanto a essas omissões, ver o comentário sobre §2 no *Quenta*, pp. 190–91.

Outras omissões no Esb são as duas feituras das estrelas por Varda (ver pp. 190–91) e a corrente Angainor, com a qual Morgoth foi preso (ver Esb §18, nota 1).

3

No conto *A Vinda dos Elfos*, a ilha na qual os Deuses foram puxados às terras ocidentais à época da queda das Lamparinas era a ilha na qual os Elfos foram posteriormente carregados, tornando-se Tol Eressëa (ver I. 148, 165); agora, a ilha na qual os Deuses habitaram (ver o comentário sobre §1) é mais uma vez a ilha de transporte dos Elfos. Porém, em *O Silmarillion* não lá relação entre a Ilha de Almaren e Tol Eressëa.

Na história do transporte dos Elfos, surgem no Esb características da narrativa final: as duas primeiras gentes a chegar às costas do mar são transportadas juntas nessa ilha, não separadamente como no conto; e o amor pelo mar entre os Teleri (Solosimpi) teve início durante sua espera pelo retorno de Ulmo. Por outro lado, a história mais antiga da ancoragem de Tol Eressëa por rebeldia de Ossë ainda existe (ver I. 166); mas a posição da ilha após sua ancoragem foi mudada agora para o oeste, para a Baía de Feéria, "onde as Montanhas de Valinor podiam ser vistas vagamente": compare com o relato no conto, onde Ulmo havia percorrido "menos da metade da distância" pelo Grande Mar quando Ossë a emboscou, e onde "terra alguma pode ser vista navegando-se por muitas léguas desde suas falésias" (ver I. 150–51 e minha discussão sobre essa mudança, I. 166). No conto, Ossë apanhou e ancorou Tol Eressëa antes que a jornada da ilha fosse concluída porque ele sentiu-se "insultado porque seu auxílio não foi requisitado na travessia dos Elfos e sua própria ilha, tomada sem permissão" (I. 149); no Esb, o seu ciúme de fato é mencionado, mas também seu amor pelo cantar dos Teleri, que mais tarde tornou-se um motivo proeminente. A feitura de aves marinhas por Ossë para os Teleri (Solosimpi) foi mantida, embora posteriormente seja perdida.

No conto, a brecha nas Montanhas de Valinor não foi feita pelos Valar para o bem dos Elfos, nem o monte de Kôr erguido para eles: haviam existido desde dias distantes, quando "no tumulto dos mares anciões, um sombrio braço d'água espalhara-se na direção de Valinor" (I. 152). Na passagem no Esb é possível ver a origem daquela em *O Silmarillion* (p. 94). Aqui no Esb, Côr é o monte e Tûn é a cidade construída sobre ele (embora em §2 haja uma referência a Elfos habitando "em Côr"); ver III. 115.

Quanto à "invenção" das gemas pelos Noldoli, ver I. 170. O amor especial de Mandos, "o sábio", pelos Noldoli não se encontra nem nos *Contos Perdidos*, nem em *O Silmarillion*, e pode parecer um atributo improvável desse Vala: cf. *A Vinda dos Elfos*, I. 146: "Mandos e Fui estavam frígidos aos Eldar como a tudo o mais."

A passagem a respeito dos príncipes noldorin, acrescentada ao texto do Esb (embora provavelmente após um intervalo não muito grande), é a origem da passagem em *O Silmarillion* (p. 95) que começa da mesma maneira: "Os Noldor, mais tarde, voltaram à Terra-média, e esta história conta principalmente os seus feitos…" Quanto aos detalhes dos nomes e relações nessa passagem, ver a Nota no final desta seção do comentário.

A história da chegada dos Teleri (Solosimpi) a Valinor a partir de Tol Eressëa chega no Esb, essencialmente, quase à forma em *O Silmarillion* (p. 96); quanto ao relato muito diferente no conto, ver I. 154–57. Entretanto, no Esb foi Ylmir (Ulmo), não Ossë, que os ensinou a arte da construção de navios, e isso, é claro, reflete a diferença ainda subjacente: pois aqui Ylmir, como no conto, ainda estava ansioso pela chegada da Terceira Gente a Valinor, enquanto em *O Silmarillion* ele mesmo ordenou que Ossë firmasse a ilha ao fundo do mar, e mais tarde apenas "se submeteu à vontade dos Valar". — O nome Ylmir — quase certamente uma forma gnômica — aparece na *Balada dos Filhos de Húrin*, ver III. 116; mas a forma Óin para Uinen não é encontrada em nenhum outro lugar.

A PRIMEIRA VERSÃO DO "SILMARILLION"

Nota sobre os príncipes noldorin

Fingolfin como o filho de Finwë (Finn) e pai de Turgon surge pela primeira vez na *Balada da Queda de Gondolin* (III. 178), e está presente na segunda versão da *Balada dos Filhos de Húrin* (somente por emenda na primeira) (III. 166). Que Fëanor era irmão de Fingolfin é deduzível pelo poema aliterante *Fuga dos Noldoli* (*ibid.*), mas pelo Esb, conforme escrito originalmente nesta seção, vê-se que Fëanor era a princípio o segundo filho, não o mais velho. Aqui no Esb o terceiro filho de Finwë, Finrod, surge pela primeira vez: a menção a ele, e a seus filhos, em uma nota da *Balada dos Filhos de Húrin* (III. 99) é certamente tardia, tal como sua primeira aparição na *Balada de Leithian* (III. 229, 233).

Os sete filhos de Fëanor, com as mesmas formas de seus nomes como aqui no Esb, apareceram na *Balada dos Filhos de Húrin* (III. 83, 106); a menção de Damrod e Díriel juntos no Esb sugere que eles já eram irmãos gêmeos.

Dos filhos de Fingolfin, Turgon, é claro, remonta aos *Contos Perdidos*, onde era o filho, e não o neto, de Finwë; o outro filho, Finweg, aparece na *Balada dos Filhos de Húrin*, onde a emenda para Fingon (ver III. 14, 99) é posterior ao Esb — e ao *Quenta*, onde ele ainda era Finweg no texto como escrito inicialmente.

Os filhos de Finrod surgem pela primeira vez aqui, e da maneira que a passagem inserida no Esb foi escrita inicialmente, Orodreth era aparentemente o filho mais velho; Angrod era Anrod; e Felagund era Felagoth. Felagoth ocorre como um estágio intermediário entre Celegorm e Felagund no texto A da *Balada de Leithian* (III. 204, 233).

4

Nesta seção, o Esb mais uma vez aproxima-se um passo da estrutura essencial da narrativa em *O Silmarillion*, embora haja características importantes que ainda não estão presentes. Discuti previamente (I. 191–93) as diferenças radicais entre o conto *O Roubo de Melko* e a história em *O Silmarillion*, e pode-se ver que foi com o Esb que quase todas essas diferenças surgiram: logo, não é necessário repetir a comparação mais uma vez aqui. Contudo, várias questões menores podem ser observadas.

A querela dos príncipes noldorin ainda não possui nada da complexidade e da sutileza inseridas mais tarde com a história de

A FORMAÇÃO DA TERRA-MÉDIA

Míriel, a primeira esposa de Finwë e mãe de Fëanor; seja como for, a querela é tratada com grande brevidade.

É dito aqui que "Fëanor tenha amaldiçoado para sempre qualquer um, Deus ou Elfo ou mortal que há de vir depois, que as toque [isto é, as Silmarils]". Em §5, por meio de uma interpolação posterior, o juramento é feito por Fëanor e seus filhos no momento da congregação à luz de tochas em Tûn, mas meu pai permitiu que a declaração em §4 fosse mantida, claramente porque lhe passou despercebida. Porém, no fragmento aliterante *A Fuga dos Noldoli*, que em termos gerais suponho pertencer ao início de 1925 (III. 159), o juramento é feito por Fëanor e seus filhos como na interpolação no Esb §5, "à praça ampla no topo de Côr." (ver III. 162). Tendo a crer que a declaração aqui em §4 foi um lapso de memória.

Os eventos que ocorrem imediatamente após o conselho dos Deuses, no qual as mentiras de Morgoth foram reveladas e Fëanor foi banido de Tûn (no Esb, não é dito que o banimento se limita a um período de anos), ainda não são apresentados na forma que possuem em *O Silmarillion*. A história inteira da ida de Morgoth a Formenos (que ainda não é chamada assim) e sua fala com Fëanor diante das portas (*O Silmarillion*, p. 109) ainda não havia aparecido. O deslocamento de Morgoth para o norte ao longo da costa de forma dissimulada também está ausente; em vez disso, ele vai de imediato a Arvalin, "onde a sombra é a mais espessa em todo o mundo", como é dito em *O Silmarillion* (p. 111) a respeito de Avathar.

Na história do encontro de Morgoth com Ungoliant e da destruição das Árvores aparecem detalhes da versão final, como a subida de Ungoliant na grande montanha (posteriormente chamada de Hyarmentir) "de pináculo a pináculo" e a escada feita para Morgoth escalar. Não há menção do grande festival, mas ele aparece em §5: a impressão é de que meu pai o omitiu para incluí-lo anteriormente na narrativa e o inseriu um pouco mais adiante quando se lembrou dele.

No conto *O Roubo de Melko*, Ungoliant fugiu para o sul de imediato após a destruição das Árvores (I. 189), e dos movimentos subsequentes de Melko após atravessar o Gelo, é dito apenas (por Sorontur a Manwë, I. 214) que ele estava ocupado construindo para si um novo lugar de habitação na região das Montanhas de Ferro. Porém, no Esb, a história da "Querela dos Ladrões" e do resgate de Morgoth pelos Balrogs surge de súbito de forma plena.

A PRIMEIRA VERSÃO DO "SILMARILLION"

5

Estão ausentes do relato do grande festival (ver comentário em §4) tanto a ocasião original para realizá-lo (comemoração da chegada dos Eldar a Valinor, I. 176) como aquela apresentada em *O Silmarillion* (a festa de outono; p. 113). A característica tardia de que os Teleri não estavam presentes aparece (ver I. 193); mas não há indícios dos elementos importantes da ida solitária de Fëanor de Formenos ao festival, a reconciliação formal com Fingolfin e a recusa de Fëanor para entregar as Silmarils antes que tivesse notícias da morte de seu pai e do roubo das joias (*O Silmarillion*, pp. 114, 118).

Nas emendas posteriores do texto do Esb vemos o crescimento da história das opiniões divididas dos Gnomos, com a introdução da tentativa de Finrod (posteriormente Finarfin) de acalmar as facções conflitantes — embora esse elemento estivesse presente no conto *A Fuga dos Noldoli*, onde Finwë Nólemë desempenha o papel de apaziguador (I. 198). Após uma quantidade considerável de mudanças adicionais nessa passagem em textos posteriores, e a introdução de Galadriel, o alinhamento, e os motivos, dos príncipes tal como aparecem em *O Silmarillion* são mais complexos (p. 124); mas já está presente o elemento de que apenas um dos filhos de Finrod ficou ao seu lado (aqui Felagund, em *O Silmarillion*, Orodreth).

A emenda que coloca Fingolfin e Finweg (Fingon) no comando sobre "metade dos Noldoli de Tûn" deve ser incorreta; a intenção de meu pai provavelmente era de que o texto revisado fosse "sobre os Noldoli de Tûn".

A rápida mudança no papel de Finrod (Finarfin) nesses eventos pode ser observada nas sucessivas interpolações feitas no Esb. Parece que no texto original ele sequer aparecia (a primeira menção a ele é feita na passagem interpolada em §3, p. 22). É dito que ele não partiu de Tûn; depois é dito que ele foi morto em Porto-cisne; e, por fim, é dito que ele e seus filhos não estavam em Porto-cisne, mas que partiram de Tûn com relutância, levando consigo muitas coisas que haviam feito. Finrod foi então introduzido somente chegando com o seu povo ao extremo Norte após a queima dos navios pelos Fëanorianos do outro lado do estreito. Conforme o Esb foi originalmente escrito, Fingolfin, desertado e sem navios, retornou para Valinor, e foi seu filho Finweg (Fingon) que liderou a hoste principal por sobre o Gelo Pungente; mas com a introdução de Finrod ele se torna aquele que retornou. (Finweg como líder da

A FORMAÇÃO DA TERRA-MÉDIA

hoste não foi então mudado para Fingolfin, mas isso obviamente foi um descuido).

No relato da jornada dos Noldoli para o norte, após a batalha de Porto-cisne, parece que toda a hoste embarcou nos navios dos Teleri, visto que o emissário de Mandos os chama de um rochedo alto "enquanto navegam por ali"; mas é possível que isso se deva meramente à concisão, uma vez que no *Conto* (I. 202) alguns marcharam ao longo da costa enquanto "a frota costeava ao lado deles, não muito longe no mar", e o mesmo é contado em *O Silmarillion* ("alguns de navios e outros por terra", p. 149). A tormenta desencadeada por Uinen não é mencionada.

É curioso que a maldição sobre os Gnomos, de que deveriam sofrer por traição e pelo medo da traição entre a sua própria gente, esteja separada da Profecia de Mandos; mas não é dito por quem essa maldição foi proferida. Nada é dito no Esb tal como escrito originalmente sobre o conteúdo da Profecia de Mandos, exceto que ela dizia respeito ao "fado dos dias que virão", mas meu pai acrescentou subsequentemente que ela falava da "maldição de guerrearem uns contra os outros por causa de Porto-cisne", como em *O Silmarillion*. Não há traço das antigas profecias acerca de Turgon e Gondolin (I. 204, 210), mas tampouco há quaisquer indícios sobre a natureza da condenação dos Noldor tal como é relatada em *O Silmarillion*.

Quanto à história original da travessia do Gelo Pungente pelos Gnomos, onde não há elemento de traição (embora a culpa de Fëanor já estivesse presente), ver I. 203–06.

6

A feitura do Sol e da Lua é aqui condensada em duas frases. Praticamente todo o relato extremamente elaborado do antigo *Conto do Sol e da Lua* despareceu: as lágrimas de Vána que levam ao último fruto de Laurelin; a ruptura do "Fruto do Meio-Dia"; o Banho do Sol Poente, para onde a Donzela-do-Sol e sua nau eram puxadas ao chegarem do Leste; a canção de Lórien que leva à última flor de Silpion; a queda da "Rosa de Silpion", que causou as marcas na Lua; a recusa em permitir que Silmo ficasse ao leme da nau da Lua, tarefa dada então a Ilinsor, um espírito dos Súruli; o Lago Irtinsa, onde a nau da Lua era refrescada; e muito mais. Mas ainda que seja impossível dizer o quanto disso tudo meu pai tinha rejeitado "privadamente" nessa época (ver as minhas observações, I. 241), pelo menos alguns

59

A PRIMEIRA VERSÃO DO "SILMARILLION"

elementos foram suprimidos para a finalidade deste "Esboço" que, afinal de contas, é apenas um resumo, pois reaparecerão.

A mudança no plano celestial agora ocorre porque os Deuses "têm como mais seguro enviá-los [isto é, o Sol e a Lua] aos cuidados de Ylmir pelas cavernas e grutas sob a Terra". Isso é completamente diferente da história mais antiga (I. 259), na qual o plano *original* dos Deuses era de que o Sol e a Lua fossem puxados por baixo da terra; esse plano foi mudado quando descobriram que a nau do Sol "não poderia, ainda assim, chegar em segurança por debaixo do mundo" — exatamente o oposto do que é dito no Esb. Embora a Lua tenha continuado a passar por baixo da terra, os Deuses agora fizeram a Porta da Noite no Oeste e os Portões da Manhã no Leste, através dos quais o Sol veio a passar dali por diante, adentrando e retornando da Escuridão de Fora (I. 260). O aspecto astronômico da mitologia passou dessa forma por uma mudança profunda, uma recriação total.

A referência ao reacender do "Sol Mágico" (aqui com a extensão à Lua, não encontrada nos escritos mais antigos) é uma passagem preservada digna de nota; e o significado é explicitamente o renascimento das Árvores (ver II. 344). Muito notável é a predição de Ulmo aos Valar de que o reacendimento das Duas Árvores e o retorno da "ventura e glória de outrora" só viria a suceder com o auxílio dos Homens. É possível que isso seja uma referência aos seus próprios desígnios profundos elaborados através de Turgon, Tuor e Eärendel; mas não há indícios em parte alguma de que esses desígnios foram manifestados ou de que a intenção era de que fossem manifestados de tal modo. Talvez devêssemos mais propriamente ver aqui a existência continuada de alguma forma da antiga profecia apresentada em II. 343–44:

A profecia dos Elfos é a de que um dia eles partirão afora de Tol Eressëa e, quando chegarem ao mundo, reunirão todos da sua gente desvanecente que ainda vivem no mundo e marcharão rumo a Valinor pelas terras do sul. Isso farão apenas com a ajuda dos Homens. Se os Homens os ajudarem, as fadas levarão os Homens a Valinor — os que desejarem ir —, travarão uma grande batalha com Melko em Erumáni e abrirão Valinor. Laurelin e Silpion serão reacesas e, uma vez destruída a grande muralha de montanhas, suave radiância se espalhará por todo o mundo, e o Sol e a Lua serão convocados de volta.

No relato da Ocultação de Valinor, passamos no Esb dos *Contos Perdidos* para *O Silmarillion*: Comentei (I. 268) a ausência total no segundo das divisões amargas entre os Valar, da retirada desgostosa de Manwë, do apelo vão de Ulmo por piedade pelos Noldor — e da opinião explícita de meu pai no conto *A Ocultação de Valinor* de que as ações dos Valar nessa época, e o fracasso deles em guerrear contra Morgoth, eram um erro profundo advindo da indolência e do medo. O medo de Morgoth de fato permanece, e é o único motivo apresentado em *O Silmarillion* para a Ocultação de Valinor; mas o autor não comenta a respeito dele. Porém, no Esb o elemento da fúria divina contra os Noldoli ainda está presente (ainda que não haja aqui, nem depois, qualquer referência à raiva peculiar de Aulë para com eles (ver I. 213), salvo que no *Anais de Valinor* (p. 315), quando Finrod e outros retornaram para Valinor depois de ouvirem a Sentença de Mandos, "Aulë, seu antigo amigo, não mais lhes sorriu").

Há diferenças e omissões nas versões posteriores da história da Ocultação de Valinor em relação àquela no conto que já foram discutidas o suficiente (I. 267–69); mas é possível notar que no Esb não é dada razão alguma para que o passo de Kôr seja mantido aberto, nem aquele no conto, nem aquele em *O Silmarillion*.

É bastante evidente que com o "Esboço" a estrutura da parte valinóreana da mitologia — embora obviamente não os detalhes — em grande medida alcançara o estágio de desenvolvimento da versão publicada; e é possível compreender por que meu pai escreveu no envelope que continua o Esb as palavras *O "Silmarillion" original*. É aqui que começa "O Silmarillion".

7

Pode-se ver que nessa passagem o Esb já possui a estrutura e mesmo algumas das frases dos últimos três parágrafos do capítulo 12 ("Dos Homens") em *O Silmarillion*.

O juramento fëanoriano (atribuído aqui somente aos filhos) é incorporado ao texto conforme escrito, o que provavelmente demonstra que a passagem interpolada, que introduz o juramento, em §5 (p. 27), foi inserida enquanto o Esb ainda se encontrava em processo de composição.

As palavras do Esb, "nos primeiros dias Eldar e Homens eram de estatura e poder de corpo quase semelhantes", são ecoadas em *O Silmarillion*: "Elfos e Homens eram de estatura e força de corpo semelhantes"; para declarações a respeito dessa questão em escritos mais antigos, ver II. 292–93.

A "cultura mais elevada" que meu pai veio a atribuir aos Elfos de Doriath (ou, de forma mais ampla, aos Elfos-cinzentos de Beleriand) está agora estabelecida ("Só no reino de Doriath... os Ilkorins se igualavam aos Koreldar"); compare com a descrição dos Ilkorins do séquito de Tinwelint no antigo *Conto de Tinúviel* ("seres misteriosos e estranhos, que pouco conheciam de luz, ou de beleza, ou de músicas [...]"), a respeito do qual ressaltei que o povo de Tinwelint é descrito lá em termos aplicáveis antes aos Avari selváticos de *O Silmarillion* (ver II. 20, 84). Entretanto, é dito nessa passagem do conto que "Different indeed did they become when the Sun arose".

As ideias expressadas aqui acerca da natureza da imortalidade dos Elfos remontam em grande parte aos *Contos Perdidos*; cf. a descrição do salão de Mandos em *A Vinda dos Valar* (I. 98):

> Para ali em dias posteriores iam os Elfos de todos os clãs que por má sina eram mortos com armas ou morriam de pesar pelos que foram mortos — e somente assim podiam os Eldar morrer, e mesmo assim era apenas por pouco tempo. Ali Mandos pronunciava sua sina, e ali esperavam na treva, sonhando de seus feitos passados, até o momento por ele determinado quando podiam renascer em seus filhos, e partir para rirem e cantarem outra vez.

Do mesmo modo, em *A Música dos Ainur* (I. 79) é dito que "os Eldar habitam até o Grande Fim, a menos que sejam assassinados ou feneçam de pesar (pois a essas duas mortes eles estão sujeitos)", e "morrendo, eles renascem em seus filhos, de modo que seu número não diminui, nem cresce". Mas nos textos mais antigos a morte por doença não é mencionada, e isso aparece pela primeira vez no Esb: onde, por meio de uma emenda, há uma modificação da ideia, de liberdade de toda doença para liberdade da morte por doença. Ademais, nos textos mais antigos o renascimento em seus próprios filhos parece ser representado como o destino universal dos Eldar que morrem; enquanto no Esb é dito que eles retornam de Mandos "à vida livre". O renascimento é mencionado no Esb de modo muito breve e somente em uma interpolação posterior.

No Esb, a concepção de meu pai do fado dos Homens após a morte é vista em evolução (quanto ao relato extremamente intrigante nos *Contos Perdidos*, ver I. 99, 115–16). Conforme ele escreveu inicialmente no Esb, havia uma afirmação explícita de que os Homens não iam para Mandos, não passavam para a terra no Oeste: essa era uma ideia derivada do contato com os Eldar. Mas ele mudou isso, e escreveu que os Homens de fato vão para os seus próprios salões em Mandos, por um tempo; ninguém sabe para onde vão depois, exceto o próprio Mandos.

Quanto ao "desvanecer" dos Elfos que permaneciam "no mundo", ver II. 393.

8

Nem os breves resumos do que teria sido o conto de Gilfanon da *Labuta dos Noldoli* (I. 286–91), nem a narrativa abandonada subsequente apresentada nas pp. 12–14 têm muita relação com o que veio depois. Características duradouras foram o acampamento junto a Asgon-Mithrim, a morte de Fëanor, o primeiro combate com os Orques, a captura e a mutilação de Maidros; mas esses elementos tinham motivações e acompanhamentos diferentes nos escritos mais antigos, já discutidos (I. 292–93). Com o "Esboço", entretanto, a maioria das informações da história tardia já aparece plenamente formada, e a distância percorrida desde os *Contos Perdidos* é ainda mais impressionante aqui do que era até então.

A primeira batalha dos Gnomos com as forças de Morgoth não está claramente situada no Esb (cf. o *Conto de Gilfanon*, I. 286, 289, onde a batalha foi travada "nos sopés das Montanhas de Ferro" ou no "passo dos Morros Amargos"), mas já está presente a ideia de que os Orques foram provocados pela queima dos navios (cf. §5: "A mesma luz também alerta os Orques sobre o desembarque").

Surgem agora a morte de Fëanor pela mão de Gothmog, o Balrog; a parlamentação com o inimigo e as intenções traiçoeiras de ambos os lados; a chegada da segunda hoste, desfraldando suas bandeiras azuis e prateadas (ver p. 16) sob o primeiro Nascer do Sol, e o temor dos Orques diante da nova luz; os exércitos hostis dos Gnomos acampados em lados opostos do Lago Mithrim; as "vastas fumaças e vapores" que sobem de Angband. O único elemento estrutural importante na narrativa ainda por aparecer é o da

A PRIMEIRA VERSÃO DO "SILMARILLION"

marcha de Fingolfin até Angband imediatamente após chegar na Terra-média e de suas batidas nas portas.

A existência prévia da história do resgate de Maidros por Finweg (Fingon) é inferida por uma referência na *Balada dos Filhos de Húrin* (ver III. 83, 106) — que na *Balada de Leithian* ocorre cerca de dois anos mais tarde do que no Esb (III. 263). Uma questão curiosa surge no relato no Esb: parece que foi somente nessa altura que Manwë trouxe à existência a raça das Águias. No conto *O Roubo de Melko*, Sorontur (a forma "élfica" do nome gnômico Thorndor) já havia desempenhado um papel na história antes da partida dos Noldoli de Valinor: ele foi o emissário dos Valar a Melko antes da destruição das Árvores, e por Melko ter tentado matar a Águia

> entre aquele malévolo e Sorontur sempre houve, desde então, ódio e guerra, e ela se agravou quando Sorontur e seu povo foram para as Montanhas de Ferro e lá habitaram, observando tudo o que Melko fazia (I. 183).

Pode-se notar que o Lago Mithrim está situado em Hisilómë/ Hithlum/Dorlómin; ver III. 127.

9

Os materiais mais antigos para essa seção da narrativa são tão escassos que quase podemos dizer que o "Esboço" é o ponto de partida. Em um resumo para o *Conto de Gilfanon* (I. 287) há menção de um encontro entre Gnomos e Ilkorins, e foi com a guia desses Ilkorins que Maidros conduziu um exército até Angamandi, de onde foram repelidos com mortandade, deixando Maidros como cativo; e a isso seguiu-se o avanço de Melko para o sul e a Batalha das Lágrimas Inumeráveis. Como observei (I. 292):

> toda a história posterior dos longos anos do Cerco de Angband, culminando na Batalha da Chama Repentina (Dagor Bragollach), da travessia dos Homens pelas Montanhas, entrando em Beleriand, e de seus serviços junto aos Reis noldorin, ainda estava por surgir; de fato, esses esboços passam a impressão de que apenas um curto espaço de tempo se passou entre a vinda dos Noldoli desde Kôr e sua grande derrota.

A FORMAÇÃO DA TERRA-MÉDIA

Em outro resumo (I. 289) há uma leve indicação de um período mais longo, na referência aos Noldoli "praticarem muitas artes". Nesse resumo, o encontro de Gnomos e Ilkorins ocorre na "Festa da Reunião" (na qual Homens também estavam presentes). Mas, fora isso, de fato não há nada da história tardia nessas projeções. Tampouco o Esb (tal como escrito originalmente) teve avanços muito notáveis. Os Homens "já habitavam nas matas do Norte", o que é suficientemente estranho, visto que de acordo com o Esb os Homens despertaram ao primeiro nascer do Sol (§6), quando Fingolfin também marchou para a Terra-média (§8), e seria de se pensar que pouquíssimo tempo havia passado para que os Homens empreendessem uma jornada desde o "Leste distante" (§6) e se estabelecessem "nas matas do Norte". Além disso, não há indicação (mesmo levando em consideração a natureza breve e condensada do "Esboço") de que o Sítio de Angband tenha durado muito tempo, tampouco o rompimento do Sítio é caracterizado de forma específica: Morgoth "envia seus exércitos" e "Gnomos e Ilkorins e Homens se dispersam"; isso é tudo. Contudo, o rompimento do Sítio já era visto como um divisor de águas na história dos Elfos de Beleriand. É perfeitamente possível que meu pai já tivesse em mente muito do material novo que aparece nesse ponto no *Quenta* (ver pp. 123 ss.) quando escreveu o Esb (isto é, Esb era um sumário, mas um sumário de uma história não escrita); por exemplo, a desolação da grande planície relvada do norte na batalha que pôs fim ao cerco (sequer mencionada no Esb) já estava presente quando a *Balada dos Filhos de Húrin* foi escrita (III. 72).

Com as interpolações posteriores, é introduzida no Esb a ideia do Cerco de Angband como uma época, "um tempo de crescimento e florescimento"; e também a disposição dos príncipes gnômicos, com as características fundamentais da história tardia já presentes — Fingolfin em Hithlum, os Fëanorianos no Leste (onde mais tarde viriam a guerrear com Anãos, Orques e Homens) e Felagund vigiando a entrada para as terras de Sirion. (A referência a *Broseliand* nessa passagem é digna de nota: a forma do nome escrita com -s- aparece primeiro no texto A do Canto IV da *Balada de Leithian* — provavelmente do início de 1928; III. 233, 235). "Fingolfin é morto quando Morgoth rompe o sítio" pode ou não sugerir a história de seu duelo com Morgoth diante de Angband.

Gumlin, pai de Húrin, apareceu na segunda versão da *Balada dos Filhos de Húrin* (III. 140, 152); mas Huor, chamado de irmão

65

A PRIMEIRA VERSÃO DO "SILMARILLION"

de Húrin na reescrita do Esb, faz aqui sua primeira aparição nas lendas.

As complexidades da história de Barahir e Beren e da fundação de Nargothrond são mais bem discutidas com o que é dito em §10; ver o comentário sobre a próxima seção.

10

Em §9 como escrita inicialmente, Barahir já aparece como o pai de Beren, substituindo Egnor; e aqui eles são Elfos ilkorin, não Homens, embora isso tenha sido mudado quando a passagem foi revisada. Na primeira versão da *Balada dos Filhos de Húrin* Beren ainda era um Elfo, enquanto na segunda versão meu pai ficou alternando entre Homem e Elfo (III. 150–51); nos cantos de abertura do texto A da *Balada de Leithian* (existentes no outono de 1925) Egnor e seu filho eram Homens (III. 207); agora aqui, no Esb (início de 1926), eles são mais uma vez Elfos, embora Egnor tenha se tornado Barahir. Em §10 como escrita inicialmente, é de espantar que, embora Barahir seja "um famoso capitão de Ilkorindi", na mesma página do manuscrito e quase que certamente escrito na mesma época "somente ele [Beren] dentre os mortais voltou de Mandos". É bem possível que as afirmações no Esb de que Barahir e Beren eram Ilkorins fossem um retorno inadvertido à ideia anterior, depois que a decisão de que eles eram Homens (vista no texto A da *Balada de Leithian*) tivesse sido tomada. (Mais adiante no texto original do Esb, §14, Beren é um mortal.)

A referência em §9 à fundação de Nargothrond por Celegorm e Curufin e em §10 a Barahir ter sido "amigo de Celegorm de Nargothrond" pertence à fase da lenda em rápida evolução representada pelas alterações no texto da *Balada dos Filhos de Húrin* (ver III. 102–05), onde foram Celegorm e Curufin que fundaram Nargothrond após o rompimento do Sítio de Angband e Felagund ainda não tinha surgido; de modo similar no texto A da *Balada de Leithian* (III. 207).

As alterações no Esb nessas seções muda a história para a forma encontrada no texto B da *Balada de Leithian*, com Felagund como aquele que é salvo por Barahir e fundador de Nargothrond — embora aqui seja dito especificamente que Felagund *e seus irmãos* fundaram o reino, com o auxílio de Celegorm e Curufin; portanto, parece que as mortes de Angrod e Egnor na batalha que pôs fim ao Sítio ainda não haviam surgido (ver III. 262, 292).

A FORMAÇÃO DA TERRA-MÉDIA

A forma mais antiga da história de Beren (o primeiro estágio de desenvolvimento a partir do *Conto de Tinúviel*) na Esb §10 como escrita inicialmente foi discutida em III. 260–61, 287–88). Resta uma questão importante a ser mencionada no final dessa versão: a frase "Algumas canções dizem que Lúthien chegou a atravessar o Gelo Pungente, auxiliada pelo poder de sua mãe divina Melian, até os salões de Mandos, e o resgatou". Não há indicações aqui de que a própria Lúthien morreu na ocasião da morte de Beren; e a mesma ideia parece subjazer os versos da segunda versão da *Balada dos Filhos de Húrin* (III. 132):

	antes que para longe fosse,
rumo à longa espera;	Lúthien o resgatou,
a élfica-donzela,	e as artes de Melian [...]

Por outro lado, no *Conto de Tinúviel* é dito (II. 54) que

Tinúviel, esmagada pelo pesar, não encontrando consolo nem luz no mundo todo, o seguiu depressa ao longo daqueles caminhos escuros que todos precisam trilhar a sós

— e isso parece bem claro em seu significado.

É dito aqui que Beren e Lúthien viveram, após o retorno de Beren, "nas florestas de Doriath e no Descampado dos Caçadores, a oeste de Nargothrond". A Terra dos Mortos que Vivem ficava situada no Descampado dos Caçadores (Morros dos Caçadores) na *Balada dos Filhos de Húrin*; ver III. 110, onde é apresentada a história prévia de sua posição.

É afirmado na *Balada dos Filhos de Húrin* e ainda antes (ver III. 36) que Beren e Húrin eram amigos e companheiros de armas, mas não havia sido dito que essa relação surgiu durante o período de Beren como proscrito.

Quanto ao uso de "Montanhas Sombrias" com a intenção de significar Montanhas de Terror, ver III. 206.

Na passagem reescrita (pp. 32–3) a história é vista em um estágio mais antigo do que aquele na "Sinopse II" dos Cantos VI e VII da *Balada de Leithian* (1928), cujo texto é apresentado em III. 262, 275–76. Celegorm foi substituído por Felagoth (ainda não Felagund); mas Celegorm "descobriu qual era a missão secreta de

Felagoth e Beren" *depois* da partida deles de Nargothrond, e assim o elemento da intervenção de Celegorm e Curufin, que voltam os Elfos de Nargothrond contra o seu rei, ainda não estava presente. Além disso, na jornada de Beren e seus companheiros para o norte desde Nargothrond há uma batalha com Orques, da qual apenas um pequeno bando dos Elfos escapa e retorna mais tarde ao campo de batalha para despojar os mortos e disfarçarem-se de Orques. Esses dois elementos estão claramente interligados: Celegorm (e Curufin) não sabe por que Beren e Felagoth estão partindo e, assim, não há razão para que o rei não parta com uma grande força. Quando meu pai escreveu a "Sinopse II", ele inserira o elemento da intervenção dos irmãos fëanorianos contra Felagund e Beren, e com isso o pequeno bando que era tudo o que tinham como companheiros desde sua partida de Nargothrond.

Assim, a sequência é claramente a seguinte: Esb — Sinopse I — interpolação no Esb — Sinopse II; e na revisão do Esb aqui temos um estágio interessante no qual Felagund (Felagoth) surgiu como o senhor de Nargothrond, mas não a "intervenção fëanoriana", e Celegorm ainda "oferece uma reparação" a Lúthien, como fez na Sinopse I (III. 288) — pois seu cão Huan a havia ferido.

11

A forma mais antiga dessa parte da história (com exceção daquela que se relacionada a Húrin) foi preservada apenas nos resumos condensados do *Conto de Gilfanon*. Na minha comparação daqueles resumos antigos com a narrativa de *O Silmarillion*, ressaltei (I. 291–92) como características essenciais da história que viriam a permanecer:

- Uma grande batalha chamada a Batalha das Lágrimas Inumeráveis é travada entre Elfos e Homens e as hostes de Melko;
- Traição de Homens, corrompidos por Melko, nessa batalha;
- Mas o povo de Úrin (Húrin) permanece fiel e não sobrevive;
- O líder dos Gnomos fica isolado e é morto;
- Turgon e sua hoste abrem caminho à força e escapam para Gondolin;
- Melko fica irado por não conseguir descobrir para onde foi Turgon;
- Os Fëanorianos chegam tarde à batalha;
- Um grande monte é erguido.

A FORMAÇÃO DA TERRA-MÉDIA

Não há indícios de qualquer narrativa da Batalha das Lágrimas Inumeráveis por si só entre os resumos do *Conto de Gilfanon* e o "Esboço"; dessa forma, §11 em Esb apresenta um grande avanço. No entanto, tal passo não deve ser considerado como uma evolução direta dos resumos, pois muitos elementos — tais como as histórias de Beren e Tinúviel, e de Nargothrond — vinham sendo desenvolvidos "paralelamente" nesse ínterim. Tal como o Esb foi escrito originalmente em §11, a antiga história "pré-Felagund" estava presente ("Curufin e Celegorm despacham uma hoste de Nargothrond", ver comentário sobre §10), e apesar de o fracasso da União de Maidros em reunir todos os Elfos de Beleriand numa força conjunta já aparecer, os alinhamentos por essa razão eram bastante diferentes: os Gnomos de Nargothrond (governados por Celegorm e Curufin) recusam-se a servir sob o comando de Finweg (Fingon). Mas com a reescrita do Esb, feita após o surgimento da história de Felagund, um elemento essencial da narrativa tardia passa a existir: Orodreth se recusa a juntar-se à liga por causa de seu irmão Felagund (cf. *O Silmarillion*, p. 257: "Orodreth não marcharia seguindo as palavras de qualquer filho de Fëanor por causa dos atos de Celegorm e Curufin.") O envio de uns poucos (emendado de "ninguém") de Doriath por Thingol é um elemento muito antigo, que já aparecera no *Conto de Turambar* (II. 95), onde Tinwelint disse a Mavwin, em palavras ecoadas na presente passagem do Esb:

> não por amor nem por temor de Melko, mas pela sabedoria de meu coração e o fado dos Valar, não fui com meu povo à Batalha das Lágrimas Inumeráveis, eu que agora me tornei proteção e refúgio [...]

Porém, aparece agora um novo fator na política de Thingol com o seu ressentimento pelas "palavras soberbas" que lhe foram dirigidas por Maidros, exigindo a devolução da Silmaril — essas "palavras soberbas" e seu efeito na União de Maidros sobreviveram em *O Silmarillion* (p. 257). O fato de Thingol aqui permitir que "os *Gnomos* de Doriath" se juntem à liga deve ser relacionado à declaração em Esb §9: "Muitos Gnomos se põem a serviço de Thingol e Melian" (após o rompimento do Cerco de Angband). (No *Conto de Tinúviel* havia Noldoli a serviço de Tinwelint: foram eles de fato que construíram a ponte diante de suas portas. II. 20, 58).

69

A PRIMEIRA VERSÃO DO "SILMARILLION"

Tal como o Esb foi reescrito, a divisão dos oponentes de Morgoth em duas hostes deveu-se à recusa dos Fëanorianos de serem liderados por Finweg (Fingon), enquanto no relato em *O Silmarillion* houve um bom acordo entre Himring e Eithel Sirion, e o ataque do Leste e do Oeste pelos Fëanorianos e pelos Noldor de Hithlum foi uma questão de estratégia ("pensavam pôr o poder de Morgoth como que entre bigorna e martelo e quebrá-lo em pedaços").

A Batalha das Lágrimas Inumeráveis ainda se encontra em uma forma simples no Esb, mas o avanço dos Elfos de Hithlum para Dor-na-Fauglith em perseguição a um exército derrotado de Orques, de maneira que acabam vítimas de hostes muito maiores soltadas de Angband, encaminha-se para o plano da narrativa posterior; a chegada tardia dos Fëanorianos remonta a um resumo do *Conto de Gilfanon* (ver acima). Nenhum detalhe é fornecido no Esb acerca da traição de Homens na batalha, nem qualquer razão é aventada para a chegada tardia dos Noldor do Leste.

Finweg (Fingon) já tomara o lugar de Finwë (Nólemë) como o rei gnômico morto na batalha na *Balada dos Filhos de Húrin* (III. 106), e assim a história do Coração Escarlate, emblema de Turgon (I. 290, II. 210), desaparecera; na segunda versão da Balada há menção de que seus "lábaros brancos [...] em sangue mergulharam" (III. 119). No Esb Turgon é um líder, com seu irmão Finweg (Fingon), dos Noldor do Oeste desde o início, e a intenção era claramente de que estivesse habitando nessa época em Hithlum (cf. a interpolação em §9: "Finweg e Turgon, filhos de Fingolfin, ainda resistem no Norte", isto é, após o fim do Cerco de Angband); e a descoberta do vale secreto e a fundação de Gondolin resultam da retirada do desastre da Batalha das Lágrimas Inumeráveis. O "sacrifício de Mablon, o Ilkorin" (I. 288, 290) desapareceu.

O grande teso dos mortos em Dor-na-Fauglith, cujo primeiro traço aparece em um resumo para o *Conto de Gilfanon* (I. 291, 294), fora descrito na *Balada dos Filhos de Húrin* (III. 75–6), onde Flinding disse a Túrin ao passarem por ele à luz da lua:

Ah! verde é o cerro   de imperecível relva
onde assentam-se as espadas   de sete povos [...]

nem ao Sol nem à Lua   sobem-no jamais
nem Homens nem Elfos;   e a hoste de Morgoth
por medo não ousa   jamais escavá-lo.

A história de Húrin na Batalha das Lágrimas Inumeráveis — ficando na retaguarda com seus homens enquanto Turgon escapava para o sul, sua captura, desafio frente a Morgoth e tortura — já havia sido contada no Conto de Turambar (II. 91–2) e na *Balada dos Filhos de Húrin* (ver III. 34–5, 126). Em todas essas fontes, a preocupação de Morgoth com Húrin, suas tentativas de seduzi-lo e sua grande fúria quando desafiado surgem de seu desejo de encontrar Turgon; mas, é claro, ainda falta no Esb o elemento de que Húrin visitara Gondolin previamente, que nesse estágio do desenvolvimento da lenda não existia um refúgio noldorin antes do final da Batalha. Tal como a história evoluiu, esse fato, conhecido por Morgoth, dava ainda mais urgência ao seu desejo de capturar Húrin vivo e de usá-lo contra Turgon.

12

É óbvio de imediato que o Esb foi baseado na segunda versão da *Balada dos Filhos de Húrin*, até onde ela se estende — o qual, em relação à narrativa como um todo, não é muito longe: não vai além do banquete no qual Túrin matou Orgof. Isso já é evidente a partir da parte precedente do Esb, com a descrição do tratamento que Morgoth dá a Húrin em Angband; enquanto na presente seção os guardiões de Túrin na jornada até Doriath chamam-se Halog e Mailgond (emendado na Balada para Mailrond, III. 144–45), e não Halog e Gumlin.

Não seria de se esperar que a sinopse da história no Esb exibisse qualquer alteração substancial daquela na primeira versão da Balada; ainda assim, há alguns desenvolvimentos. Está claro agora que os Homens que na Balada "vinham a Dorlómin, com desleixo mesquinho" com a esposa de Húrin, e sobre os quais observei (III. 35) que "there is still no indication of who these men were or where they came from", são explicitamente "homens infiéis que desertaram os Eldar na Batalha das Lágrimas Inumeráveis", confinados em Hithlum porque Morgoth "desejada impedir que se unissem em irmandade com os Elfos". A questão de se Nienor nasceu antes de Túrin partir de Hithlum está agora resolvida: ele nunca a vira. Quanto à incerteza sobre essa questão no *Conto de Turambar*, ver II. 161; na Balada ela nasceu antes de Túrin partir (III. 18–9).

Enquanto na Balada Beleg, que não estava procurando por Túrin quando foi capturado pelo bando de proscritos, nada sabia do que

A PRIMEIRA VERSÃO DO "SILMARILLION"

acontecera nas Mil Cavernas (ver III. 64), no Esb "Túrin libertou Beleg e fica sabendo como Thingol perdoara há muito seu ato". Blodrin é agora mais uma vez o filho de Ban, não de Bor (ver III. 67).

Há uma anotação interessante no Esb que diz que Túrin foi levado vivo para Angband "pois Morgoth começara a temer que ele escapasse da maldição por meio de seu valor e da proteção de Melian". Essa ideia é vista nas palavras da Balada (III. 46) "arranca-ram o flébil filho de Húrin, para selar seu destino", e remonta ao *Conto de Turambar* (II. 98–9):

> Túrin foi dominado e amarrado, pois a vontade de Melko era que o trouxessem vivo; pois eis que, habitando nos paços de Linwë [isto é, Tinwelint] em redor dos quais a fata Gwedheling, a rainha, tecera muita magia e mistério [...] Túrin passara para fora de sua visão, e Melko temia que ele pudesse burlar a conde-nação que lhe fora preparada.

Há pouco mais a ser ressaltado nessa seção além do novo deta-lhe de que os Orques temiam Taur-na-fuin tanto quanto Elfos ou Homens, e só iam naquela direção quando tinham pressa, e da ante-cessora da frase "Gwindor os viu marchando ao longe pelas areias fumegantes de Anfauglith" (*O Silmarillion*, p. 281) em "Flinding os vê marchando por sobre o ermo fervente de Dor-na-Fauglith" (cf. a Balada, III. 62: As dunas ásperas de Dor-na-Fauglith / cicia-vam e ardiam). Muita coisa, é claro, foi omitida na sinopse.

13

Com o segundo parágrafo dessa seção, "Túrin leva os Gnomos de Nargothrond a abandonarem seu segredo e guerra oculta", o Esb alcança o ponto em que a *Balada dos Filhos de Húrin* para, e certos avanços feitos no *Conto de Turambar* (II. 106 ss.) podem ser observados. O reforjamento da espada de Beleg para Túrin em Nargothrond aparece agora. Na Balada, Flinding colocou a espada no buraco de uma árvore depois da morte de Beleg (III. 73); como ressaltei (III. 106): "se o poema tivesse avançado mais, Túrin teria recebido sua espada negra em Nargothrond, como presente de Orodreth, tal como acontece no *Conto*". O Esb mostra assim um desenvolvimento da trama implícita na Balada. A construção da ponte sobre o Narog por conselho de Túrin entra na história somente como uma anotação marginal a lápis. A extensão das

A FORMAÇÃO DA TERRA-MÉDIA

vitórias e reconquista de território pelos Gnomos de Nargothrond nessa época é explicitada, e o reino é em grande parte tal como descrito em *O Silmarillion* (p. 285):

> Os serviçais de Angband foram varridos de toda a terra entre o Narog e o Sirion, a leste, e a oeste, até o Nenning e a Falas desolada

(onde, no entanto, sua fronteira setentrional ao longo dos sopés meridionais das Montanhas Sombrias não é mencionada; no Esb, "seu reino se estende às nascentes do Narog").

O acréscimo posterior ao texto do Esb, "mesmo Glómund, que esteve na Batalha das Lágrimas", deve ser relacionado à ausência de qualquer menção ao Dragão no relato da batalha no Esb (§11). Tal como o Esb foi escrito inicialmente, o Dragão era chamado *Glórung*, uma mudança de *Glórund* dos *Contos Perdidos*; a série, assim, era *Glórund* > *Glórung* > *Glómund* > *Glaurung*. Na *Balada de Leithian*, *Glómund* substitui *Glórund* (III. 248, 249).

A frase "Flinding, ferido, recusa o socorro de Túrin e morre repreendendo-o" apresenta a forma posterior da história, como em *O Silmarillion*, pp. 286–87; para uma discussão da mudança substancial do *Conto*, ver II. 151–52. É dito no Esb que Túrin abandonou Finduilas "contra seu coração (que se tivesse obedecido seu fado último não teria lhe sobrevindo)", e isso sem dúvida deve ser relacionado à passagem no *Conto* (II. 111):

> E em verdade se diz: "Não abandones por nada os teus amigos, e nem acredita naqueles que te aconselham a fazê-lo", pois do abandono de Failivrin em um perigo que ele mesmo conseguia ver adveio o pior dos males a ele e todos os que amava.

Para a discussão desse trecho, ver II. 153.

Do retorno de Túrin a Hithlum há pouco a ser ressaltado, pois a sinopse aqui é muito comprimida; e já discuti anteriormente em detalhe a relação entre o *Conto* e a história tardia (II. 154–55). Os Homens-da-floresta com os quais Túrin vive após fugir de Hithlum recebem agora um local mais definido "a leste de Narog" (ver II. 173). No Esb fica claro que Túrin não se juntou a um povo existente, mas que "reuniu um novo povo". Por estranho que pareça, isso contradiz tanto o *Conto* (II. 115, 127), onde têm um

A PRIMEIRA VERSÃO DO "SILMARILLION"

líder (Bethos) quando Túrin se junta a eles, como a história tardia. Túrin assume agora o nome *Turambar* nesse ponto da narrativa, e não como no *Conto* diante do Dragão do lado de fora das cavernas dos Rodothlim (II. 110, 153).

Seguindo agora para a expedição de Doriath a Nargothrond, a única diferença estrutural importante do *Conto* que surge no breve relato no Esb é que Morwen (Mavwin) evidentemente não estava mais presente na conversa entre Nienor e o Dragão (II. 123, 158); por outro lado, é dito no final dessa seção que "Alguns dizem que Morwen, *libertada do feitiço pela morte de Glórung*, lá chegou e leu o que estava escrito na pedra".

Quando Nienor-Níniel chegou às quedas da Bacia de Prata, ela foi tomada por um estremecimento, como na narrativa posterior, enquanto no *Conto* só é dito que ela ficou cheia de temor (II. 126, 159). De forma notável, a declaração de que Níniel estava grávida de Turambar foi acrescentada posteriormente ao Esb, tal como fora no *Conto* (ver II. 144, nota 25, 166).

Acima somente salientei pontos que parecem exibir com bastante clareza uma concepção diferente dos eventos no Esb daquela no *Conto*. Não mencionei as muitas diferenças sutis (incluindo as muitas omissões) que provavelmente ou com certeza se devem à concisão.

14

Dessa seção da narrativa, em escritos mais antigos existe somente a conclusão do *Conto de Turambar* (II. 138–42) e o *Conto do Nauglafring* (II. 267 ss.), no qual a história é continuada. A passagem de abertura do Esb segue o final do *Conto de Turambar* na acusação de coração fraco que Melko faz contra Thingol; na amargura de Húrin ao ponderar as palavras de Melko; na reunião de um bando de proscritos em torno de Húrin; no medo do espírito do Dragão morto que impedia qualquer um de saquear Nargothrond; na presença lá de Mîm; na repreensão de Húrin e no ouro atirado aos pés de Thingol; e na partida de Húrin. As palavras do Esb acerca do destino de Húrin são derivadas do *Conto*, onde, no entanto, ele morreu em Hithlum e foi sua "sombra" que "voltou às matas procurando Mavwin, e por muito tempo os dois assombraram as florestas em torno da catarata da Bacia de Prata, lamuriando-se pelos filhos".

A partir desse ponto, a fonte para o Esb (ou talvez, de modo mais preciso, a forma escrita prévia da narrativa) é o *Conto do*

A FORMAÇÃO DA TERRA-MÉDIA

Nauglafring. Aqui é impossível dizer com certeza quanto da história complexa do Conto havia sido abandonado a essa altura.

Não está claro se a presença de Mîm em Nargothrond remonta à época do Dragão (ver II. 169), nem se os proscritos do bando de Húrin eram Homens ou Elfos (no *Conto* o texto foi emendado para convertê-los de Homens para Elfos); e não há indicação de como o ouro foi levado a Doriath. Os proscritos desaparecem no Esb após a morte de Mîm e não há indicação da luta nas Mil Cavernas que no *Conto* levou ao morro erguido sobre os mortos, Cûm an-Idrisaith, o Morro da Avareza.

A parte seguinte do *Conto* (Ufedhin, o Gnomo renegado, e o trato complexo de Thingol para com ele e com os Anãos de Nogrod, II. 270–76) é reduzida a algumas linhas no Esb, que possivelmente poderia ser considerado um relato extremamente abreviado da história mais antiga, mesmo que Ufedhin sequer seja mencionado aqui. A feitura do Colar não era no *Conto*, como o é no Esb, parte do pedido do rei: a ideia do artefato foi na verdade elaborada por Ufedhin durante o seu cativeiro como uma isca "apenas para iludir ainda mais o rei" (II. 272); mas isso também poderia ser atribuído à concisão. No entanto, creio que seja mais provável que meu pai tivesse de fato decidido reduzir e simplificar a narrativa, e que Ufedhin tivesse sido abandonado.

O problema da entrada do exército anânico em Doriath, defendido pelo Cinturão de Melian, ainda é solucionado por meio do artifício — o artifício por demais simples, ver II. 299 — de "alguns Gnomos traiçoeiros" (no *Conto* havia apenas um traidor); a morte de Thingol durante uma caçada permanece e, como no *Conto*, Melian, inviolável, parte das Mil Cavernas em busca de Beren e Lúthien. Embora não seja afirmado, parece provável que nessa versão foi Melian que levou as notícias e o aviso a Beren (essa é a história no *Quenta*, p. 154). No *Conto*, foi Huan que informou Beren e Lúthien do ataque a Artanor e da morte de Tinwelint, e foi Ufedhin, enquanto fugia da hoste-anânica (após sua tentativa fracassada de matar Naugladur e roubar o Nauglafring, e de ter matado Bodruith, senhor de Belegost), que revelou o caminho que os Anãos estavam tomando e tornou possível a emboscada no Vau Pedregoso; mas, no Esb, Huan foi morto na Caçada ao Lobo (§10), e Ufedhin foi eliminado (creio).

A emboscada no vau é realizada por "Beren e os Elfos pardos e verdes da floresta", que remete aos "Elfos pardos e os verdes",

A PRIMEIRA VERSÃO DO "SILMARILLION"

a "elfin folk all clad in green and brown" governada por Beren e posteriormente por Dior em Hithlum, no *Conto do Nauglafring*. Porém, do relato vigoroso da batalha no vau no *Conto* — o riso dos Elfos diante dos Anãos disformes que corriam com suas longas barbas brancas arrebatadas pelo vento, o duelo de Beren e Naugladur, cujos golpes de seu martelo de forja teriam sobrepujado Beren não tivesse Naugladur tropeçado e Beren o derrubado ao agarrar o Nauglafring — nada há no Esb: ainda que, da mesma forma, não há nada que contradiga a história mais antiga. Entretanto, não há qualquer menção aos dois senhores-anânicos, Naugladur de Nogrod e Bodruith de Belegost, e apesar de ambas cidades-anânicas serem nomeadas, os Anãos são tratados como uma força não dividida, com, ao que parece, um rei (morto no vau): Thingol chamou os Anãos de Belegost assim como os de Nogrod a Doriath para que trabalhassem o ouro, enquanto no *Conto* (II. 277) os primeiros só entram na história após a expulsão humilhante dos Anãos de Nogrod, para auxiliá-los em sua vingança. Da história mais antiga da morte de Bodruith e da rixa e matança entre as duas gentes (ocasionadas por Ufedhin) não há vestígio.

A submersão do tesouro no rio remonta ao *Conto*; mas lá, porém, a sugestão não é de que o tesouro foi deliberadamente afundado — antes caíra no rio com os corpos dos Anãos que o carregavam:

> os que vadeavam no vau lançaram as cargas douradas às águas e buscaram, temerosos, alcançar alguma das margens, mas muitos foram atingidos por aqueles dardos implacáveis e caíram, junto com seu ouro, nas correntezas (II. 285).

Não é dito no *Conto* que qualquer parte do ouro tenha sido jogada no rio pelos Elfos. Lá, Gwendelin foi até Beren e Tinúviel *após* a batalha do Vau Pedregoso, e encontrou Tinúviel já usando o Nauglafring; há menção da grandeza da beleza dela quando o usava. A advertência de Gwendelin é somente contra a Silmaril (uma vez que o resto do tesouro estava submerso) e, de fato, o seu horror ao ver o Colar dos Anãos em Tinúviel foi tamanho que Tinúviel o tirou. Isso desagradou Beren, e ele ficou com o colar (II. 287–88). No Esb, a submersão parece ser levada a cabo em resposta à advertência de Melian acerca da maldição que jazia sobre o ouro, e a história parece ser a seguinte: Melian vai até Beren e

Lúthien e os avisa da aproximação da hoste-anânica que retornava de Doriath; após a batalha, Lúthien usa o Nauglafring e se torna incomensuravelmente bela; mas Melian os adverte acerca da maldição sobre o ouro e a Silmaril, e ele afundam o tesouro, embora Beren mantenha o Colar em segredo.

O desvanecer de Lúthien segue-se imediatamente após a afirmação de que o Colar é mantido, mas não é feita qualquer ligação entre as duas ocorrências. No *Conto*, tal ligação é explícita: a sina da mortalidade que Mandos proferira "abateu-se depressa" —

e nisso talvez a maldição de Mîm tivesse [? potência], em fazê-la alcançá-los mais rapidamente (II. 288).

Além disso, em uma sinopse para uma revisão planejada dos *Contos Perdidos*, é dito que o Nauglafring "trouxe doença a Tinúviel" (II. 295).

A referência ao desvanecer de Lúthien no Esb mantém as palavras do *Conto*: Tinúviel desvaneceu lentamente "bem como os Elfos de dias posteriores"; e, mais uma vez como no *Conto*, Lúthien "desapareceu". No *Conto*, Beren era um Elfo, e é dito acerca dele que, após procurar por toda Hithlum e Artanor por Tinúviel em terrível solidão, "ele também se apagou da vida". Na minha discussão sobre isso, eu disse (II. 300):

Visto que esse apagamento é aqui muito explicitamente o modo pelo qual a "sina da mortalidade que Mandos proferira" abateu-se sobre eles, é bastante notável que esse modo seja comparado — e até mesmo, ao que parece, identificado — com o desvanecer dos "Elfos de dias posteriores por todo o mundo", como se na ideia original o minguar dos Elfos fosse uma forma de mortalidade.

A passagem no Esb, que mantém essa ideia a respeito de Lúthien, mas agora com o conceito posterior de que Beren era um Homem mortal, e não um Elfo, foi mudada no sentido de que não se diz mais que Beren desvaneceu: ele "se perdeu", procurando em vão por Lúthien. Também é dito aqui que o preço do retorno de Beren de Mandos foi de "que Lúthien deveria se tornar de vida tão curta quanto Beren, o mortal"; e em §10, onde a história de Beren e Lúthien é contada brevemente, não é dito de fato que Lúthien

A PRIMEIRA VERSÃO DO "SILMARILLION"

morreu quando Beren morreu em Doriath (ver o comentário sobre aquela seção, p. 67). Há também uma frase acrescentada ao ms. em §10: "Mas Mandos, como paga, exigiu que Lúthien se tornasse mortal como Beren."

A partir disso, é possível concluir que, na concepção tal como era quando o Esb foi escrito, Beren morreu, como um mortal morre; Lúthien foi para Valinor como um ser vivo; e Mandos permitiu que Beren retornasse a uma segunda vida mortal, mas Lúthien agora ficou sujeita à mesma vida curta que ele. Nesse sentido, ela se tornou "mortal"; mas, sendo uma Elfa, ela "desvaneceu" — essa foi a maneira de sua morte: como também veio a ser a maneira da morte dos Elfos minguantes de eras posteriores. Parte da dificuldade de toda essa questão sem dúvida está na natureza ambígua das palavras "mortal" e "imortal" aplicadas aos Elfos: eles são "imortais", tanto no sentido de que não precisam morrer, não está na natureza essencial deles morrer, "no mundo", como também no sentido de que, caso morressem, eles não "deixavam o mundo", não iam a "um destino além do mundo"; e eles são "mortais" no sentido de que, não obstante, podem morrer "no mundo" (por ferimento ou por pesar, mas não por doenças ou de velhice). Lúthien tornou-se "mortal" no sentido de que, embora uma Elfa, ela *deve* morrer — ela *deve* desvanecer.

Pode-se notar que as palavras "à medida que os Homens se tornavam fortes e tomavam o que era de bom da terra" derivam da *Balada dos Filhos de Húrin* (III. 58, 70):

> pois nos dias de outrora,
> [...] o porte dos Homens   menos peso tivesse
> antes que a abundância da Terra   herdassem dos Elfos

Cf. *O Silmarillion*, p. 152: "Nos dias que vieram depois, quando, por causa do triunfo de Morgoth, Elfos e Homens alhearam-se uns dos outros, como ele tanto desejara, aqueles da raça-élfica que viviam ainda na Terra-média desvaneceram e feneceram, e os Homens usurparam a luz do Sol."

Por fim, na história de Dior e da ruína de Doriath como contada no Esb, há vários desenvolvimentos. O filho de Dior, Auredhir (II. 289), desapareceu. O "barganhar em vão" entre Dior e os Filhos de Fëanor

78

talvez se refira à passagem no *Conto* (II. 289) na qual Dior afirma que, para devolver a Silmaril, o Nauglafring precisa ser quebrado, e Curufin (o mensageiro dos Fëanorianos) replica que, nesse caso, o Nauglafring deve lhes ser entregue intacto. No *Conto*, Maglor, Díriel, Celegorm e Cranthir (ou os equivalentes anteriores de seus nomes) foram mortos na batalha (que lá ocorreu em Hithlum, onde Dior governou depois de seu pai); mas no Esb, como escrito inicialmente, a história sofreu uma reviravolta estranha, na qual os Fëanorianos colocaram as mãos no Nauglafring, mas então o disputaram de tal forma até no fim "restar somente Maglor". É impossível discernir como a história teria se desenrolado nesse caso.

15 e 16

As duas seções que descrevem Gondolin e sua queda são discutidas juntas no comentário abaixo.

No início de §15, a breve referência à história de Isfin e Eöl demonstra que houve um desenvolvimento a partir do que havia sido dito na *Balada da Queda de Gondolin* (III. 178): pois no poema Isfin buscava, junto com sua mãe, seu pai Fingolfin quando foi aprisionada por Eöl na floresta sombria. A história maior evoluíra desde então, e agora Isfin "se perdeu em Taur-na-Fuin depois da Batalha das Lágrimas Inumeráveis". Só podemos supor como ela veio a acabar lá. Ou ela partiu de Gondolin logo após o povoamento da cidade, movida por algum propósito não registrado, ou então se perdeu na retirada da batalha. (A propósito, é um aspecto curioso da concepção mais antiga da fundação de Gondolin que havia mulheres e crianças para povoá-la assim como guerreiros; pois seria de se supor que Turgon deixara os idosos, as mulheres e as crianças de seu povo em Hithlum — por que ele haveria de agir de maneira diferente? Contudo, nos resumos do *Conto de Gilfanon* há referências a Turgon ter "resgatando uma parte das mulheres e crianças" e "reunindo mulheres e crianças dos acampamentos" ao fugir para o sul descendo o Sirion (I. 288, 290).) Meglin, assim como no poema, ainda é "enviado por sua mãe para Gondolin", enquanto ela permanece com seu captor.

No relato de Gondolin e de sua história, o Esb segue de perto o conto de *A Queda de Gondolin*, mas há alguns desenvolvimentos, ainda que pequenos. Em primeiro lugar, há uma declaração notável de que "As mensagens de Ylmir vêm Sirion acima, ordenando

A PRIMEIRA VERSÃO DO "SILMARILLION"

que eles [isto é, a hoste de Turgon batendo em retirada da batalha] busquem refúgio nesse vale"; isso é diferente do *Conto*, onde Tuor, proferindo as palavras de Ulmo em Gondolin, diz: "Chegaram aos ouvidos de Ulmo sussurros sobre vossa morada e vosso monte de vigilância contra o mal de Melko e isso o agrada" (II. 196, 251). Aqui no Esb temos a primeira aparição da ideia de que a fundação de Gondolin fazia parte dos desígnios de Ulmo. Mas a jornada de Tuor é como na história mais antiga, e a visita de Ulmo ocorre em Nan Tathrin, não em Vinyamar. A ordem de Ulmo oferece Turgon escolhas semelhantes: preparar-se para guerra, ou, caso não queira, enviar então o povo de Gondolin pelo Sirion até o mar, para buscar Valinor. Aqui, no entanto, há diferenças. No *Conto*, Ulmo oferece pouco mais do que uma tênue esperança de que marinheiros de Gondolin pudessem chegar a Valinor e, caso chegassem, que conseguiriam persuadir os Valar a agir:

E [os Deuses] ocultem sua terra e teçam à sua volta magia inacessível para que nenhum mal chegue a suas costas. Contudo, ainda podem vossos mensageiros chegar até lá e mudar os corações deles, para que se levantem irados e firam Melko... (II. 197).

No Esb, por outro lado, o povo de Gondolin, se não for para guerra contra Morgoth, deve abandonar sua cidade ("o povo de Gondolin deve se preparar para fugir") — cf. *O Silmarillion*, p. 320: "[Ulmo] pediu que partisse, e abandonasse a bela e poderosa cidade que construíra, e descesse o Sirion até o mar" —, e nas fozes do Sirion Ylmir não só os auxiliará na construção de uma frota como ele próprio os guiará por sobre o oceano. Mas se Turgon aceitar o conselho de Ylmir e se preparar para a guerra, então Tuor deverá ir para Hithlum com Gnomos de Gondolin e "trará os Homens uma vez mais para uma aliança com os Elfos, pois 'sem os Homens, os Elfos não hão de prevalecer contra os Orques e os Balrogs'". Não há traço dessas ordens no *Conto*; tampouco é dito lá que Ulmo tinha conhecimento de Meglin e sabia que essa traição ocasionaria o fim de Gondolin num futuro não muito distante. Essas características também estão ausentes de *O Silmarillion*; Ulmo de fato prevê a ruína da cidade, mas sua previsão não é representada como sendo tão precisa: "Assim, pode vir a ocorrer que a maldição dos Noldor haja de te encontrar também antes do fim, e que a traição desperte dentro de tuas muralhas. Então elas hão de estar em perigo de fogo" (p. 179).

A descrição do Vale de Gondolin no Esb é essencialmente como no *Conto*, com alguns detalhes adicionais. Como no *Conto*, o monte pedregoso de Amon Gwareth não ficava no centro da planície, e sim mais próximo do Sirion — isto é, mais próximo da Via de Escape (II. 193, 215). No Esb, é dito que o topo plano do monte foi preparado pelo próprio povo de Gondolin, que também "poliu as encostas feito a lisura do vidro". Assim como no *Conto* (II. 198–99), a Via de Escape ainda é um túnel feito pelos Gnomos — o Rio Seco e a Orfalch Echor ainda não haviam sido concebidos; e o significado do nome "Via de Escape" fica claro: é tanto uma via de escape de Gondolin, caso surgisse a necessidade, como uma via de escape do mundo exterior e de Morgoth. No *Conto* (*ibid.*) só é dito que houve conselhos divididos acerca de sua escavação, "embora a piedade pelos Noldoli em servidão tivesse prevalecido no fim e levado à obra". A "Planície Protegida" na qual dava a Via de Escape era o Vale de Gondolin. Um detalhe adicional no Esb é de que as colinas eram mais baixas na região da Via de Escape e os feitiços de Ylmir mais fortes lá (devido à proximidade do Sirion).

O monte de Fingolfin, acrescentado a lápis no Esb, é um elemento que entrou nas lendas no *Quenta* (p. 126) e na *Balada de Leithian* (III. 337); o duelo de Fingolfin com Morgoth não aparece no Esb (p. 65). — Aqui no Esb é dito que Thorndor "remove seus ninhos para as alturas ao norte das montanhas circundantes". No *Conto*, os ninhos na Cristhorn, a Fenda das Águias, ficavam nas montanhas ao sul de Gondolin, mas no Esb Cristhorn fica nas alturas ao norte: esse já é o caso no Fragmento de uma *Balada de Eärendel* aliterante (III. 173). Thorndor fora para lá vindo das Thangorodrim (afirmado no *Quenta*, pp. 157–58); cf. o "*Tuor* tardio" em *Contos Inacabados* (p. 69 e nota 25): "o povo de Thorondor, que outrora habitava nas próprias Thangorodrim antes que Morgoth se tornasse tão poderoso, e que agora mora nas Montanhas de Turgon desde a queda de Fingolfin". Isso remonta ao conto *O Roubo de Melko*, onde há uma referência (I. 183) à época "quando Sorontur e seu povo foram para as Montanhas de Ferro e lá habitaram, observando tudo o que Melko fazia".

Alguns outros pontos acerca da história de Gondolin podem ser observados. A escolta de Noldoli, prometida a Tuor por Ulmo na Terra dos Salgueiros, da qual Voronwë (no Esb com a forma gnômica do nome, Bronweg) foi o único que não o desertou (II. 190–91),

A PRIMEIRA VERSÃO DO "SILMARILLION"

desapareceu; e "Bronweg antes tinha estado em Gondolin", que não é o caso no *Conto* (II. 191–92). — No *Conto*, Tuor desposou Idril quando ele "tinha habitado entre os Gondothlim por muitos anos" (II. 200); no Esb isso ocorreu três anos após sua chegada à cidade oculta, em *O Silmarillion* sete anos depois (p. 322). — No *Conto* não há menção do apoio de Meglin à rejeição das ordens de Ulmo por Turgon (cf. *O Silmarillion*, p. 321: "Maeglin falava sempre contra Tuor nos concílios do Rei"), nem à oposição de Idril ao seu pai (isso não consta em *O Silmarillion*). — O fechamento de Gondolin a todos os fugitivos e a proibição de o povo deixar o vale são mencionados no Esb, mas não explicados.

Creio que a frase "Meglin... compra sua vida, quando levado a Angband, *revelando Gondolin* e seus segredos" demonstra quase com certeza que uma importante mudança estrutural na história da queda da cidade havia agora sido inserida. No *Conto*, Melko descobrira Gondolin *antes* de Meglin ser capturado, e a traição deste residia no fornecimento de um relato preciso da estrutura da cidade e dos preparativos feitos para sua defesa (ver II. 252–54); mas as palavras "revelando Gondolin" sugerem fortemente a história tardia, na qual Morgoth não sabia onde ficava a cidade.

Por fim, há um desenvolvimento na história inicial de Tuor: o de que ele se tornou um escravo dos "homens infiéis" em Hithlum depois da Batalha das Lágrimas Inumeráveis. Além disso, ascendência de Tuor é agora enfim estabelecida. Huor fora mencionado em uma passagem reescrita do Esb (§9) mas não chamado de pai de Tuor; e essa é a primeira ocorrência de sua mãe Rían e, assim, da história de que ela morreu procurando pelo corpo de Huor no campo de batalha. Não é possível dizer se a história do nascimento de Tuor no ermo e sua criação pelos Elfos já havia surgido.

17

Ao comentar a conclusão da mitologia no Esb, que consiste aqui das três seções 17–19, saliento características que derivam de ou contradizem aqueles resumos e anotações de um período mais antigo que foram reunidos no Vol. II, capítulo V e na parte inicial do Capítulo VI. O Esb é aqui um resumo extremamente abreviado, composto muito rapidamente — meu pai, na verdade, estava mudando seus conceitos conforme escrevia.

Para a narrativa de §17, as fontes primárias mais antigas que foram preservadas são os "esquemas" ou resumos de enredo que chamei de "B" e "C", nas passagens apresentadas em II. 303 e 304–05, respectivamente.

No início dessa seção, antes de ser emendada, os sobreviventes de Gondolin já estavam nas Fozes do Sirion quando Elwing chegou lá; e isso remonta a B e C ("Elwing [...] foge para eles [isto é, Tuor e Idril] com o Nauglafring", II. 304). Porém, anteriormente no Esb (§15), a destruição de Dior ocorreu antes da queda de Gondolin; daí a revisão aqui, para fazer Elwing "receber os sobreviventes de Gondolin". (No *Conto do Nauglafring*, II. 290, a queda de Gondolin e o ataque a Dior ocorrem no mesmo dia.)

Em seguida, há um desenvolvimento significativo no Esb. Nos resumos mais antigos há a história, apenas vislumbrada, da Marcha dos Elfos de Valinor para as Grandes Terras; e em B (somente) há uma referência ao "pesar e ira dos Deuses", sobre os quais falei na minha discussão desses resumos (II. 309): "a explicação para isso certamente só pode ser que a Marcha dos Elfos saindo de Valinor foi empreendida em oposição direta à vontade dos Valar e que os Valar se opunham asperamente à intervenção dos Elfos de Valinor nos acontecimentos das Grandes Terras". Por outro lado, os indícios claros do que aconteceu quando o assalto a Melko ocorreu demonstram que poderes maiores do que os próprios Eldar estavam presentes: Noldorin (o Vala Salmar, que entrou no mundo com Ulmo e amava os Noldoli) e o próprio Tulkas, que sobrepujou Melko na Batalha das Lagoas Silentes (resumo C, II. 334). O único indício da intervenção de Ulmo nos resumos é o salvamento de Eärendel do naufrágio, ordenando-lhe que velejasse para Kôr com as palavras "pois para isto foste retirado da Ruína de Gondolin" (B, de maneira similar em C). A Marcha dos Eldar de Valinor foi ocasionada pela chegada das aves de Gondolin.

No Esb, por outro lado, é Ulmo (Ylmir) que ocasiona diretamente a intervenção do Oeste ao repreender os Valar, pedindo para que resgatem os remanescentes dos Noldoli e as Silmarils; e a hoste é liderada pelos "filhos dos Valar", comandados por Fionwë — que aqui é o filho de Tulkas! Fionwë é mencionado com frequência nos *Contos Perdidos* como o filho de Manwë, enquanto o filho de Tulkas era Telimektar (que se tornou a constelação Órion). A menção de Fionwë como filho de Tulkas pode ter sido um simples deslize,

A PRIMEIRA VERSÃO DO "SILMARILLION"

embora o mesmo seja dito no *Quenta* como escrito inicialmente (p. 170); subsequentemente, Fionwë se torna mais uma vez o filho de Manwë (p. 176).

"Lembrando-se de Porto-cisne, poucos dos Teleri vão com eles": no resumo B, a presença dos Solosimpi na Marcha é mencionada sem comentários, enquanto em C eles só concordaram em acompanhar a expedição com a condição de que permanecessem junto ao mar (ver II. 310), e isso de algum modo estava relacionado com o que lembravam do Fratricídio.

O despovoamento de Kôr nessa época é mencionado nos resumos, mas somente em relação à chegada de Eärendel na cidade, encontrando-a vazia; ressaltei (II. 308) que "parece estar fortemente subentendido que Kôr estava vazia porque os Elfos de Valinor haviam partido para as Grandes Terras", e isso agora é visto como certo.

A narrativa no Esb agora se volta para Tuor. A afirmação de que ele envelheceu nas fozes do Sirion — uma afirmação que foi riscada — remonta aos antigos esquemas. Seu navio é agora *Eärámë*, sem tradução; anteriormente era *Alqarámë*, "Ala-de-cisne", enquanto *Eärámë* era o navio prévio de Eärendel, traduzido "Ala-de-águia", que afundou. Em *O Silmarillion*, o navio de Tuor é *Eärrámë*, como no Esb, com o significado de "Ala-do-Mar".

No Esb, Idril parte em companhia de Tuor. Isso difere dos esquemas originais, nos quais Tuor parte sozinho e Idril "o vê tarde demais", "lamenta" e posteriormente "desaparece". Mas no resumo C parece que ela o encontrou, pois "Tuor e Idril, dizem alguns, agora navegam no Ala-de-cisne e podem ser vistos céleres pelo vento na aurora e no ocaso.".

No Esb, a história mais antiga da construção de navios e naufrágios de Eärendel no Fiorde da Sereia e em Falasquil aparentemente foi abandonada por completo, e Wingelot é o seu primeiro e único navio; mas permanece o motivo de que Eärendel deseja buscar por seu pai, enquanto Ylmir lhe ordena que veleje para Valinor (esta última declaração sendo riscada posteriormente). Suas aventuras a bordo de Wingelot são mencionadas no Esb, mas não indicadas de outra forma, exceto pela morte de Ungoliant "no Sul"; não há menção do Adormecido na Torre de Pérola. Em C, a longa viagem de Eärendel, acompanhado por Voronwë, que enfim os levou a Kôr, incluía um encontro com Ungweliantë, embora isso tenha ocorrido após a sua viagem meridional: "Levados para

84

oeste. Ungweliantë. Ilhas Mágicas. Ilha do Crepúsculo. O gongo de Coração-Pequeno desperta o Adormecido na Torre de Pérola." Em outro resumo, Eärendel encontra Wirilómë (Tecelã-de-Treva) no Sul (II. 312). No relato no Esb, durante essa grande viagem ele não chega a Kôr, embora de lá, como em B e C, ele retorne às "Águas do Sirion" (o delta) e encontre as moradas desertas. Agora, entretanto, é introduzido o motivo da última tentativa desesperada dos Fëanorianos de recuperar a Silmaril de Beren e Lúthien, sua descida sobre os Portos do Sirion e a destruição destes. Assim, a investida contra os Portos permaneceu, mas não é mais obra de Melko (ver II. 310) e é inserida na história do Juramento de Fëanor. Tal como o Esb foi escrito inicialmente, apenas Maidros sobreviveu; mas Maglor foi acrescentado. (Em §14, como escrito, todos os Filhos de Fëanor, exceto Maglor, foram mortos na época do ataque a Dior, embora essa passagem posteriormente tenha sido riscada. Em *O Silmarillion*, Celegorm, Curufin e Caranthir foram mortos nessa época, e Amrod e Amras (nomes tardios de Damrod e Díriel) foram mortos no ataque aos Portos do Sirion, de maneira que somente Maidros e Maglor restaram.)

Nos antigos resumos, Elwing foi feita prisioneira (por Melko, como é de se deduzir); não há menção de sua libertação do cativeiro, e ela a seguir aparece em referências ao naufrágio de seu navio (a caminho de Tol Eressëa) e à perda do Nauglafring; depois disso, ela se torna uma ave marinha para ir em busca de Eärendel. Eärendel, ao retornar de sua longa viagem e encontrar as moradas na foz do Sirion saqueadas, vai com Voronwë até as ruínas de Gondolin, e em uma anotação isolada (II. 318, xv) ele "vai até mesmo aos Salões de Ferro vazios buscando Elwing".

Tudo isso despareceu no Esb, com a nova história de Elwing lançando a si mesma e o Nauglafring no mar, exceto que ela ainda se torna uma ave marinha (transformada de tal modo por Ulmo) e voa em busca de Eärendel por todas as costas do mundo. Os resumos mais antigos se contradizem: em C é dito que Eärendel habitou na Ilha das Aves Marinhas e esperava que Elwing fosse até ele, "mas ela o está buscando, gritando por todas as praias" — porém, ele "encontrará Elwing na Partida Afora", enquanto no resumo curto E (II. 313) Elwing chega até ele como uma gaivota na Ilha das Aves Marinhas. Mas no Esb menciona-se ainda que Elwing apenas é procurada por Eärendel quando ele zarpa novamente, até que ela reaparece no final (§19) e é devolvida a Eärendel.

A introdução de Elrond no Esb é muito interessante. Ele ainda não tem um irmão; e ele é salvo por Maidros (em *O Silmarillion*, p. 329, Elrond e Elros foram salvos por Maglor). Quando os Elfos retornam para o Oeste, ele escolhe ficar "na terra", estando "preso à sua metade mortal". É muito notável que, embora ideia de uma escolha de destino para os Meio-Elfos já esteja presente, ela assuma uma forma curiosamente diferente daquela que viria a assumir mais tarde, e que se tornou de grande importância em *O Senhor dos Anéis*; pois posteriormente Elrond, ao contrário de seu irmão Elros Tar-Minyatur, escolheu permanecer um Elfo — ainda assim, sua escolha tardia deriva em parte do conceito mais antigo, pois ele também optou por não partir para o Oeste. No Esb, escolher sua "parte élfica" parece que significava escolher o Oeste; posteriormente, veio a significar escolher a imortalidade élfica.

Eärendel ficou sabendo o que aconteceu nas Fozes do Sirion por meio de Bronweg (anteriormente havia sido Coração-Pequeno, filho de Bronweg, que sobrevivera ao saque dos portos, II. 333, nota 5), e com Bronweg ele navega mais uma vez em Wingelot e chega a Kôr, que encontra deserta, e sua vestimenta fica incrustada do pó de diamantes; não ousando ir adiante em Valinor, ele constrói uma torre em uma ilha dos mares do norte, "à qual todas as aves marinhas do mundo se dirigem". Bronweg não é mais mencionado. Quase tudo isso, exceto pela declaração de que Eärendel não ousou seguir adiante em Valinor, remonta ao resumo C. A torre na Ilha das Aves Marinhas, que permanece em *O Silmarillion* (p. 332), é mencionada em uma anotação isolada sobre a história de Eärendel (II. 318, xvii).

Nos resumos mais antigos, Eärendel partia agora em sua última viagem. Em B, que aqui é muito breve, sua ida de navio até a Ilha das Aves Marinhas é seguida por "sua viagem ao firmamento". Em C ele navega com Voronwë até os salões de Mandos em busca de notícias de Tuor, Idril e Elwing; ele "Chega à barra na margem do mundo e iça velas em oceanos do firmamento para olhar sobre a Terra. O marinheiro da Lua o persegue por seu brilho e ele se mete pela Porta da Noite". No resumo E (II. 313), "Elwing chega até ele como gaivota. Ele iça velas por sobre a margem do mundo". Na antiga anotação associada ao poema "O Pedido ao Menestrel" (II. 314), ele "navega para oeste novamente, para a beira do mundo, bem quando o Sol está mergulhando no mar", e "iça velas para o céu"; e no prefácio de "As Costas de Feéria" (II. 315) ele

A FORMAÇÃO DA TERRA-MÉDIA

sentou-se por longo tempo em sua velhice na Ilha das Aves Marinhas nas Águas do Norte antes de partir em sua última viagem. Passou Taniquetil e até mesmo Valinor, e levou sua barca por sobre a barra na margem do mundo, e a lançou nos Oceanos do Firmamento. De suas aventuras homem nenhum contou, salvo que, caçado pela Lua esférica, fugiu de volta para Valinor e, escalando as torres de Kôr sobre os rochedos de Eglamar, fitou os Oceanos do Mundo.

A passagem no Esb é diferente de todas essas no fato de que aqui a viagem de Eärendel para o céu é realizada com o auxílio das asas de aves marinhas, e introduz a ideia de ele ser chamuscado pelo Sol assim como de ser caçado pela Lua. Sugeri (II. 311) que Eärendel originalmente velejou para o céu em sua busca contínua por Elwing, e isso agora é corroborado.

18 e 19

A história no Esb agora deixa Eärendel, vagando pelo céu "como estrela fugitiva", e chega à marcha de Fionwë e à Última Batalha (um termo que é usado no Esb tanto para a Última Batalha no registro mitológico, na qual as hostes de Valinor sobrepujaram Morgoth, como para a Última Batalha do mundo, declarada em profecia, quando Morgoth retornará pela Porta e Fionwë o enfrentará nas planícies de Valinor). Quase tudo isso entra agora na mitologia pela primeira vez; e quase tudo do pouco que foi preservado do período mais antigo acerca do tema da Marcha dos Elfos de Valinor (II. 334–36) desapareceu. Não há menção de Tulkas, de sua batalha com Melko, de Noldorin, da hostilidade dos Homens; praticamente o único ponto em comum é que, após a derrubada de Morgoth, os Elfos partem para o Oeste. Na história mais antiga as Silmarils não desempenham um papel no fim (cf. a anotação "O que aconteceu com as Silmarils depois da captura de Melko?", II. 311); mas agora no Esb aparecem os contornos de uma história acerca do destino das joias. Agora temos também a primeira menção em qualquer lugar da destruição do Noroeste do mundo no confronto para subjugar Morgoth; e (em um acréscimo ao texto) a corrente Angainor aparece, vinda dos *Contos Perdidos*. (Angainor não é nomeada na passagem anterior no Esb (§2) acerca do agrilhoamento de Morgoth. Ela aparece posteriormente na *Balada de*

87

A PRIMEIRA VERSÃO DO "SILMARILLION"

Leithian, em uma referência intrigante à "Angainor, que à *Condenação* / de Morgoth *os Deuses com ira [farão]*"; ver III. 245, 249.)

Na história do destino das Silmarils, Maglor diz a Maidros que restam dois filhos de Fëanor e duas Silmarils. Isso significa que a Silmaril de Beren foi perdida quando Elwing lançou-se ao mar com o Nauglafring (diferente da história tardia)? A resposta é certamente sim; de outra forma, a história no Esb não é compreensível. Assim, quando Maglor se lança (mudado para lança a joia) numa cova em chamas, após ter roubado de Fionwë uma das Silmarils da Coroa de Ferro, "uma Silmaril agora está no mar, e outra, na terra". A terceira era a Silmaril que permaneceu sob a guarda de Fionwë; e foi esta a que foi atada à fronte de Eärendel. Temos assim um notável estágio de transição, no qual as Silmarils enfim adquiriram importância capital, mas no qual o destino de cada joia ainda não atingira sua forma final; e a conclusão, vista como inevitável uma vez que se chega a ela, de que foi a Silmaril recuperada por Beren e Lúthien que se tornou a Estrela da Tarde, ainda não havia sido elaborada. No Esb, Eärendel torna-se uma estrela antes de receber a Silmaril; mas originalmente, como eu disse (II. 319–20), "não há sugestão de que os Valar abençoaram seu navio e o ergueram ao céu, e nem de que a sua luz era a da Silmaril". Também nesse aspecto o Esb é transicional, pois no final a história tardia aparece.

Os Elfos das Terras de Fora (Grandes Terras), após a conquista de Morgoth, zarpam de Lúthien (posteriormente emendado para Leithien), que é explicado como sendo "Bretanha ou Inglaterra". Quanto às formas *Luthany*, *Lúthien*, *Leithian*, *Leithien* e os textos em que ocorrem, ver III. 188. É notável que, tal como o Esb foi originalmente escrito, *Lúthien* seja tanto o nome da filha de Thingol como o nome da Inglaterra.

No Esb é dito ainda que os Elfos "ainda, de tempos em tempos, içam vela [de Lúthien] e deixam o mundo antes que desvaneçam". "Os Gnomos e muitos dos Ilkorins e Teleri e Qendi repovoam a Ilha Solitária. Alguns voltam a viver nas costas de Feéria e em Valinor, mas Côr e Tûn permanecem desertas." É possível relacionar algumas dessas declarações aos antigos resumos (ver II. 372), mas não há como determinar quanto mais foi mantido em mente, além de "Os Elfos se retiraram para Luthany" e "Muitos dos Elfos de Luthany voltaram ao oeste por sobre o mar e se estabeleceram em Tol Eressëa". No entanto, o simples fato de que esse tanto foi mantido é bastante instrutivo. A relação peculiar dos Elfos com a Inglaterra continua tendo um pé, por assim dizer, na articulação propriamente dita da narrativa; assim como a ideia de que se permanecessem "no mundo" eles desvaneceriam (ver II. 393).

Não está claro por que "Côr e Tûn" permaneceram desertas, visto que alguns dos Elfos "voltam a viver nas costas de Feéria e em Valinor". Na concepção original (conforme argumentei acerca de sua natureza, II. 338), os Eldar de Valinor, quando retornaram das Grandes Terras para onde tinham ido contra a vontade dos Valar, foram proibidos de entrar novamente em Valinor e, portanto, estabeleceram-se em Tol Eressëa, como "os exilados de Kôr" (embora alguns tenham de fato no fim retornado a Valinor, uma vez que Ingil, filho de Inwë, de acordo com Meril-i-Turinqi (I. 160), "há muito voltou para Valinor e está com Manwë"). Mas na história como contada no Esb, a ideia de que a Marcha dos Eldar foi contra a vontade dos Valar, e os deixou irados, foi abandonada, e "os filhos dos Valar" agora conduzem as hostes em partida do Oeste; por que, então, os Elfos de Tûn não retornariam para lá? E temos a afirmação no Esb de que Tol Eressëa foi repovoada não só por Gnomos (e absolutamente nada é dito sobre o seu perdão) e Ilkorins, mas também por Qendi (= os Vanyar posteriores) e Teleri, Elfos que saíram de Valinor para o assalto a Morgoth. Não sei como explicar isso; e devo concluir que meu pai estava apenas anotando os pontos principais de suas concepções em desenvolvimento, deixando muito por escrever.

Aparece agora a ideia de que os Deuses lançam Morgoth através da Porta da Noite "na escuridão de fora para além das Muralhas do Mundo";* e há a primeira referência à fuga de Thû (Sauron) na Última Batalha. Há também uma profecia acerca da batalha derradeira, quando o mundo for velho e os Deuses estiverem cansados, e Morgoth voltará pela Porta da Noite; então Fionwë, com Túrin ao seu lado, combaterá Morgoth na planície de Valinor, e Túrin o matará com sua espada negra. As Silmarils serão reavidas e sua luz libertada, as Árvores reacendidas, as Montanhas de Valinor aplainadas, de modo que a luz chegará a todo o mundo, e Deuses e Elfos hão de se tornar jovens de novo. Creio que não seria proveitoso indagar muito a fundo acerca dessa resolução final do mal no

---

* Ver o comentário sobre o *Ambarkanta*, p. 296.

mundo. Referências a isso apareceram de forma impressa em *Contos Inacabados*, p. 523, nos comentários sobre Gandalf: "Manwë não descerá da Montanha antes da Dagor Dagorath, e a chegada do Fim, quando Melkor retornará", e no poema aliterante que acompanha esse trecho, "até Dagor Dagorath e o Destino chegar". As referências mais antigas estão provavelmente no resumo C (II. 339), onde (quando o Pinheiro de Belaurin for derrubado) "Melko, portanto, está agora fora do mundo — mas um dia ele encontrará um caminho de volta, e os últimos grandes tumultos começarão antes do Grande Fim". Nos *Contos Perdidos* há muitas referências ao Grande Fim, a maioria das quais não nos diz respeito aqui; mas no final do conto *A Ocultação de Valinor* conta-se (I. 264) "o grandioso presságio que foi dito entre os Deuses quando primeiro se abriu a Porta da Noite":

> Pois conta-se que, antes de chegado o Grande Fim, Melko há de maquinar dalguma maneira uma querela entre Lua e Sol, e Ilinsor há de querer perseguir Urwendi pelos Portões e, quando se tiverem ido, os Portões tanto do Leste quanto do Oeste serão destruídos, e Urwendi e Ilinsor perder-se-ão. Assim há de passar que Fionwë Úrion, filho de Manwë, por amor a Urwendi há de ser, no fim, a ruína de Melko, e há de destruir o mundo para destruir seu inimigo, e assim todas as coisas hão de chegar ao fim.

(Cf. o resumo C (II. 338: "Ira e pesar de Fionwë [pela morte de Urwendi]. No fim, ele matará Melko.") Não sei dizer se alguma parte dessa profecia subjaz à ideia do retorno derradeiro de Morgoth pela Porta da Noite. No final do *Conto de Turambar*, após o relato da "deificação" de Túrin e Nienor, há uma profecia (II. 142) de que

> Turambar há de estar, de fato, ao lado de Fionwë na Grande Vindita, e Melko e seus dracos hão de maldizer a espada do Mormakil.

Mas não há qualquer indicação no Esb de como "o espírito de Túrin" sobreviverá para matar Morgoth na batalha derradeira na planície de Valinor.

A informação de que as Montanhas de Valinor serão aplainadas, de modo que a luz das Árvores reacendidas chegue a todo o mundo, também é encontrada nos textos mais antigos; cf. a passagem isolada em C (II. 344) onde é contada a profecia dos Elfos acerca da (segunda) Partida Afora:

Laurelin e Silpion serão reacesas e, uma vez destruída a grande muralha de montanhas, suave radiância se espalhará por todo o mundo, e o Sol e a Lua serão convocados de volta.

Mas essa profecia está associada a outros conceitos que claramente haviam sido abandonados.

No fim, com a ajuda da Silmaril, Elwing é encontrada e se recupera, mas não há indicação de como a Silmaril foi usada para esse propósito. Elwing nesse relato navega com Eärendel, que porta a terceira Silmaril, e assim ele há de velejar até que veja "a última batalha deflagrada nas planícies de Valinor".

Quanto ao reaparecimento do nome *Eriol* na última frase do Esb, ver II. 362.

Não pretendo aqui relacionar essa versão àquela na obra publicada, mas concluirei essa longa discussão das seções finais 17–19 com um breve sumário. Como eu disse, o Esb é aqui extremamente condensado, e ainda é mais difícil aqui do que em outros lugares saber ou supor que parte do material antigo meu pai suprimiu e que parte ainda estava "potencialmente" presente. Mas, em todo caso, nenhuma parte da camada antiga que não está presente no Esb voltaria a aparecer.

Na presente versão, Eärendel ainda não alcançara sua função suprema como o Mensageiro que falou diante dos Poderes em nome das Duas Gentes, embora as aves de Gondolin tenham sido abandonadas como as portadoras de novas a Valinor, e Ulmo torna-se o único agente do assalto final a Morgoth que parte do Oeste. As viagens de Eärendel foram simplificadas: ele agora faz a grande viagem — sem Voronwë — em Wingelot, a bordo do qual matou Ungoliant, e a segunda viagem, com Voronwë, que o leva até Kôr — e o despovoamento de Kôr (Tûn) ainda depende da Marcha dos Eldar, que já havia ocorrido quando ele chega à cidade. Sua viagem para o céu é agora realizada pelas asas de aves; e a Silmaril ainda não desempenha um papel na transformação de Eärendel em uma estrela, pois a Silmaril de Beren e Lúthien afundou com o Nauglafring nas Fozes do Sirion. Mas as Silmarils enfim se tornam centrais aos atos finais do drama mitológico e — ao contrário da história posterior — somente uma das duas Silmarils que permaneceram na Coroa de Ferro é roubada por um filho de Fëanor (Maglor); a segunda é dada a Eärendel pelos Deuses, e a história tardia é visível no final do Esb, onde seu barco "é trazido por sobre Valinor até os Mares de Fora" e lançado na Escuridão de Fora, onde navega com a Silmaril sobre sua fronte, montando guarda contra Morgoth.

A destruição do povo das Fozes do Sirion agora se torna o último mal do Juramento de Fëanor. Elrond aparece, com uma referência notável à escolha que lhe é dada como Meio-Elfo. A chegada das hostes do Oeste para a derrubada de Morgoth é agora um ato dos Valar, e as hostes são lideradas pelos Filhos dos Valar. A Inglaterra, como Lúthien (Leithien), permanece como a terra de onde os Elfos das Grandes Terras zarpam no fim para Tol Eressëa; mas suspeito que praticamente toda a narrativa altamente complexa que tentei reconstruir (II. 372–73) havia sumido — Eärendel e Ing(wë) e a hostilidade de Ossë, os Ingwaiwar, as sete invasões de Luthany.

As ideias originais da conclusão dos Dias Antigos (a subida de Melko no Pinheiro de Belaurin, a derrubada do Pinheiro, a guarda do céu a cargo de Telimektar e Ingil (Órion e Sírio), II. 338–39) desapareceram; no Esb, Morgoth é lançado através da Porta da Noite e Eärendel torna-se seu guardião e a garantia contra o retorno de Morgoth, até o Fim. E, por último, e mais significativo para o futuro, Thû escapa da Última Batalha quando Morgoth foi sobrepujado, "e habita ainda em lugares escuros".

3

O QUENTA

Essa obra foi preservada em um texto datilografado (pelo meu pai) para o qual não há vestígios de quaisquer anotações ou rascunhos preliminares. Que o *Quenta*, ou que ao menos a maior parte dele, foi escrito em 1930 me parece ser certamente deduzível (ver o comentário sobre §10, pp. 201–03). Após uma seção inicial bem diferente (que é a origem do *Valaquenta*), esse texto torna-se uma reelaboração e expansão do "Esboço da Mitologia"; e logo fica evidente que meu pai tinha o Esb (o "Esboço") na frente dele quando escreveu o *Quenta* (ao qual irei me referir como "Q"). Este último encaminha-se para *O Silmarillion* em sua forma publicada, tanto em estrutura como em linguagem (de fato, já no Esb podem ser percebidas as primeiras formas de muitas frases).

Eriol (como no Esb; não Ælfwine) é mencionado tanto no título do Q como no final da obra, e sua chegada a Kortirion, mas (novamente como no Esb) não há traço do Chalé do Brincar Perdido. Como eu disse a respeito de sua ausência no Esb (p. 51), isso não demonstra que meu pai rejeitara por inteiro o conceito: no Esb, ele pode tê-lo omitido porque seu propósito era unicamente o de recontar a história dos Dias Antigos de forma condensada, enquanto no título do Q é dito que a obra foi "extraída do Livro dos Contos Perdidos, que Eriol de Leithien escreveu". Podemos supor que, pelo menos na época, ainda existia algum local no qual os *Contos Perdidos* foram contados a Eriol em Kortirion.[*]

---

[*] É dito no final do *Quenta* que Eriol "lembrava-se de coisas que ouvira na bela Cortirion". Mas esse Livro dos Contos Perdidos foi composto por Eriol (de acordo com o título) com base em um "Livro Dourado" que ele *lera* em Kortirion. (Anteriormente, o Livro Dourado de Tavrobel havia sido escrito ou pelo próprio Eriol (Ælfwine), ou por seu filho Heorrenda, ou por alguma outra pessoa não nomeada muito depois; ver II. 351.)

O QUENTA

O título deixa bem claro que, embora o Q tenha sido escrito de uma maneira acabada, meu pai o via como um compêndio, uma "breve história" que foi "extraída" de uma obra muito mais longa; e esse aspecto permaneceu um elemento importante na sua concepção de "O Silmarillion" assim propriamente chamado. Não sei se essa ideia realmente surgiu do fato de que o ponto de partida da segunda fase da narrativa mitológica era uma sinopse condensada (Esb); mas parece bastante provável, a julgar pela continuidade gradativa que vai do Esb, passando pelo Q, até a versão que foi interrompida perto do fim em 1937.

Parece muito provável que o número maior de extensões e elaborações encontrado no Q surgiu no decorrer de sua composição, e que, embora o Q contenha características, omitidas no Esb, que remontam à primeira versão, essas características indicam apenas uma lembrança dos *Contos Perdidos* (que seria de se supor, de qualquer maneira! — e sem dúvida uma lembrança muita clara), não uma derivação precisa do texto em si. Tivesse sido esse o caso, seria possível esperar que se encontrasse o reaparecimento do mesmo fraseado em um ponto ou outro; mas a ausência desse elemento parece ser marcante.

A história do texto datilografado torna-se um tanto complexa perto do final (a partir de §15), onde meu pai expandiu e datilografou novamente partes do texto (embora as páginas descartadas não tenham sido destruídas). Mas não vejo razão para supor que muito tempo se passou entre as duas versões; pois próximo ao final de fato (§19) o texto datilografado original termina e só a segunda versão continua até a conclusão do *Quenta*, o que fortemente sugere que as revisões pertencem à mesma época do texto original.

Subsequentemente, o texto inteiro foi revisado do início ao fim e as correções foram feitas à tinta com cuidado; essas mudanças, ainda que frequentes, são na maioria pequenas, e com frequência não mais do que ligeiras alterações de expressão. Essa "camada" de emendas foi claramente a primeira;[*] posteriormente, mudanças

---

[*] A ocorrência de *Beleriand* no texto datilografado original, primeiro em §13, nota 10, e não, como previamente, por uma emenda à tinta da palavra datilografada *Broseliand*, demonstra que parte dessa "camada" foi aplicada enquanto o texto datilografado ainda se encontrava em processo de composição.

adicionais foram feitas em momentos diferentes, muitas vezes às pressas e nem sempre legível a lápis. Apresentar o texto tal como datilografado inicialmente, com anotações de cada aprimoramento estilístico menor, é obviamente bastante desnecessário e, em todo caso, exigiria a introdução no texto de uma miríade de números de referência às anotações. O texto apresentando aqui *inclui*, por conseguinte, sem anotações, todas as mudanças menores que não afetam de modo algum o curso da narrativa nem alteram suas implicações. As emendas que não são empregadas no texto, mas são registradas nas notas, estão marcadas como "mudanças tardias" caso sejam claramente distinguíveis, como não é sempre o caso, da primeira "camada" descrita acima.

Dividi o texto nas mesmas 19 divisões feitas no Esb (ver p. 18); porém, visto que a abertura do Q não possui nenhum correspondente no Esb, essa seção não está numerada.

⁊

O QUENTA
aqui contido é o
QENTA NOLDORINWA
ou
Pennas-na-Ngoelaidh

Esta é a breve História dos Noldoli
ou Gnomos, extraída do Livro dos Contos Perdidos
que Eriol de Leithien escreveu, tendo lido
o *Livro Dourado*, que os Eldar chamam *Parma
Kuluina,** em Kortirion em Tol Eressëa, a
Ilha Solitária.

Após a feitura do Mundo pelo Pai-de-Tudo, que na língua élfica é chamado Ilúvatar, muitos dos espíritos mais poderosos que habitavam com ele entraram no mundo para governá-lo, pois ao vê-lo de longo após ter sido feito, foram tomados de deleite por sua

---

* O nome élfico do Livro Dourado no antigo dicionário de qenya é *Parma Kuluinen* (II. 375).

beleza. A esses espíritos os Elfos deram o nome de Valar, que significa Poderes, embora os Homens amiúde os chamaram de Deuses. Muitos espíritos[1] trouxeram eles em seu séquito, tanto grande como pequenos, e alguns desses os Homens confundiram com os Eldar ou Elfos: mas em erro, pois existiam antes do mundo, mas os Elfos e os Homens despertaram primeiro no mundo após a vinda dos Valar. Contudo, na feitura dos Elfos e dos Homens, e na entrega a cada de suas dádivas especiais, apenas Ilúvatar tomou parte; donde eles são chamados os Filhos do Mundo, ou de Ilúvatar.

Os principais dentre os Valar eram nove. Estes eram os nomes dos Nove Deuses na língua élfica como era falada em Valinor, embora outros ou alterados nomes tenham eles na fala dos Gnomos, e seus nomes entre os Homens sejam multíplices. Manwë era o Senhor dos Deuses e Príncipe dos ares e ventos e o governante do céu. Com ele habitava como esposa a imortal senhora das alturas, Varda, a feitora das estrelas. Sucedendo-o em poder e o mais próximo em amizade de Manwë era Ulmo, Senhor das Águas, que habita sozinho nos Mares de Fora, mas tem o governo de todas as ondas e águas, rios, fontes e nascentes, por toda a terra. Seu vassalo, embora seja amiúde de temperamento rebelde, é Ossë, o mestre dos mares das terras dos Homens, cuja esposa é Uinen, a Senhora do Mar. Seu cabelo jaz espalhado por todas as águas sob os céus. De poder quase igual a Ulmo era Aulë. Ele era um ferreiro e um mestre de ofícios, mas sua esposa era Yavanna, a amante dos frutos e de tudo o que cresce do solo. Em poder ela sucedia a Varda entre as senhoras dos Valar. Muito bela era ela, e amiúde os Elfos a chamavam Palúrien, o Seio da Terra.

Os Fanturi eram chamados aqueles irmãos Mandos e Lórien. Nefantur o primeiro também era chamado, o mestre das casas dos mortos e o coletor dos espíritos dos que foram assassinados. Olofantur era o outro, o fazedor de visões e sonhos; e seus jardins na terra dos Deuses eram os mais belos de todos os lugares do mundo, e repletos de muitos espíritos de beleza e poder.

Mais forte de todos os Deuses em membros e maior em todos os feitos de bravura e valor era Tulkas, razão pela qual era cognominado Poldórëa, o Forte,[2] e era o inimigo e adversário de Melko. Oromë era um senhor poderoso e pouco abaixo de Tulkas em força. Era um caçador, e as árvores amava (donde era chamado de Aldaron e, pelos Gnomos, de Tavros,[3] Senhor das Florestas), e cavalos e mastins eram seu deleite. Caçava mesmo na terra escura antes de o Sol ser aceso, e altas eram suas trompas, como ainda são nos estuários e pastos que Oromë possui em Valinor. Vana era sua esposa, a Rainha das Flores, a irmã mais nova de Varda e Palúrien, e a beleza do céu e da terra está em seu rosto e em suas obras. Contudo, mais poderosa do que ela é Nienna, que habita com Nefantur Mandos. A piedade está em seu coração, e a lamentação e o pranto lhe chegam, mas a sombra é seu reino e a noite, seu trono.

Por último todos nomeiam Melko. Mas os Gnomos, que mais sofreram pelo mal dele, não falam o seu nome (Moeleg) na forma de sua própria língua, mas o chamam de Morgoth Bauglir, o Terrível Deus Sombrio. Mui poderoso fora feito por Ilúvatar, e alguns dos poderes de todos os Valar ele possuía, mas para usos malignos os voltava. Ele cobiçava o mundo e o senhorio de Manwë, e os reinos de todos os Deuses; e orgulho e inveja e avidez cresciam sempre em seu coração, até que se tornou diferente de seus sábios e poderosos irmãos. A violência ele amava, e a ira e a destruição, e todos os excessos de frio e chama. Mas a escuridão mais usou para suas obras e a tornou maligna e um nome de horror entre Elfos e Homens.

☙

[1]   *Muitos espíritos* > *Muitos espíritos menores* (mudança tardia).
[2]   *o Forte* > *o Valente* (mudança tardia).
[3]   *Tavros* > *Tauros* (mudança tardia).

> Acentos foram colocados no decorrer da obra à tinta (a máquina de escrever não os tinha) e, além disso, marcas breves foram colocadas em certos nomes nessa seção: *Fantŭri, Ŏlŏfantur, Ŏrŏmë, Aldăron, Vănă.*

1

No princípio da soberania dos Valar, eles viram que o mundo era escuro, e a luz foi espalhada pelos ares e terras e mares. Duas poderosas lamparinas eles fizeram para iluminar o mundo e as puseram sobre imensos pilares no Norte e no Sul. Eles habitaram numa ilha nos mares enquanto labutavam em suas primeiras tarefas no ordenamento da terra. Mas Morgoth os desafiou e fez guerra. As lamparinas ele derrubou, e na confusão de escuridão ele agitou o mar contra a ilha deles. Então os Deuses se retiraram para o Oeste, onde desde então seus assentos têm estado, mas Morgoth escapou, e no Norte ele construiu para si próprio uma fortaleza e grandes cavernas sob a terra. E naquele tempo os Valar não podiam sobrepujá-lo ou capturá-lo. Portanto, erigiram então no extremo Oeste a terra de Valinor. Suas fronteiras eram o Mar de Fora e a Muralha do Mundo além que a separa do Vazio e da Escuridão Antiga; mas a leste eles ergueram as Montanhas de Valinor, que são as mais altas sobre a terra. Em Valinor eles reuniram toda luz e todas as coisas de beleza, e construíram suas muitas mansões, seus jardins e suas torres. Em meio à planície ficava a cidade dos Deuses, Valmar, a bela, de muitos sinos. Mas Manwë e Varda têm salões sobre a mais alta das Montanhas de Valinor, de onde podem ver o mundo, mesmo até o Leste. Taniquetil os Elfos chamavam aquela sacra elevação, e os Gnomos, Taingwethil, que na língua desta ilha outrora era Tindbrenting.

Em Valinor Yavanna plantou duas árvores na ampla planície não muito longe dos portões de Valmar, a abençoada. Sob suas canções elas cresceram, e de todas as coisas que os Deuses fizeram maior renome tinham elas, e à volta da sina delas todas as histórias do mundo estão tecidas. Folhas verde-escuras tinha uma, que debaixo eram de prata brilhante, e flores brancas como a cerejeira ela portava, de onde um orvalho de luz prateada estava sempre caindo. Folhas de um verde jovem, como a da faia cuja folhagem acabara de se abrir, a outra portava. Suas bordas eram de um dourado brilhante. Flores amarelas pendiam de seus galhos como o botão suspenso das ginjeiras que os Homens agora chamam de Chuva D'Ouro. Mas daquelas flores provinham calor e uma luz resplandecente. Por sete horas cada árvore crescia à glória máxima, e por sete horas decrescia.[1] Uma se seguia à outra e, assim, duas vezes a cada dia em Valinor vinha uma hora de luz mais suave, quando cada árvore tinha luz tênue e suas radiâncias dourada e prateada se mesclavam; pois quando a branca Silpion por seis horas estivera a florescer, então a dourada Laurelin despertava. Mas Silpion era a mais velha das Árvores, e a primeira hora em que ela brilhou os Deuses não contaram no conto das horas e a chamaram de Hora de Início, e a partir dessa hora datavam o início de seu reino em Valinor; e assim, na sexta hora no primeiro dos dias, Silpion concluiu seu primeiro tempo de florescer, e, na décima segunda hora, o primeiro desabrochar de Laurelin estava no fim. Essas Árvores os Gnomos chamaram em tempos posteriores de Bansil e Glingol; mas os Homens não têm nomes para elas, pois sua luz foi morta antes da chegada dos filhos mais novos de Ilúvatar sobre a terra.[2]

A FORMAÇÃO DA TERRA-MÉDIA

❦

1 Essa frase foi emendada para: *Durante sete horas cada árvore crescia à glória máxima e decrescia.* O texto era confuso antes dessa emenda, já que períodos tanto de catorze horas como de sete horas são atribuídos às Árvores; mas a frase seguinte, que começa com *Uma se seguia à outra...*, foi datilografada de novo sobre trechos apagados que não podem ser lidos, e isso sem dúvida explica a confusão, que foi retificada posteriormente pela emenda.

2 A página do texto datilografado que começa com as palavras *Mar de Fora e a Muralha do Mundo além* e que continua até o final da seção foi substituída por outra. Até o final do primeiro parágrafo, a substituta é quase idêntica à primeira, mas com estas diferenças: Manwë e Varda *tinham* salões, de onde *podiam* olhar para fora; e novos nomes aparecem para Taniquetil:

> Taniquetil os Elfos chamavam aquela sacra elevação, e Ialassë, a Brancura Sempiterna, e Tinwenairin, coroada de estrelas, e muitos nomes outros; e os Gnomos falavam dela em sua língua mais recente como Amon-Uilas; e no idioma desta ilha de outrora Tindbrenting era o seu nome.

A página substituta então continua:

> Em Valinor, Yavanna consagrou o teso com magna canção, e Nienna o aguou com lágrimas. Os Deuses estavam reunidos em silêncio em seus tronos de concílio no Círculo do Julgamento perto dos portões dourados de Valmar, a Abençoada; e Yavanna Palúrien cantou diante deles, e eles observaram. Da terra ergueram-se duas mudas esguias; e havia silêncio sobre todo o mundo, salvo pelo lento cântico de Palúrien. Sob suas canções, as duas belas árvores ergueram-se e cresceram. De todas as coisas que os Deuses fizeram maior renome tinham elas, e à volta da sina delas todas as histórias do mundo estão tecidas. Folhas verde-escuras tinha uma, que debaixo eram de prata brilhante, e ela portava flores brancas como a cerejeira, de onde um orvalho de luz prateada estava sempre caindo, e a terra estava salpicada com o escuro e as sombras dançantes de suas folhas em meio a lagoas de radiância brilhante. Folhas de um verde jovem, como a da faia cuja folhagem acabara de se abrir, a outra portava; suas bordas eram de um dourado cintilante. Flores amarelas pendiam de seus galhos como os botões suspensos das ginjeiras que os Homens agora chamam de Chuva-d'ouro; e daquelas flores provinham calor e uma grande luz.
>
> Durante sete horas a glória de cada árvore crescia ao máximo e decrescia de novo a nada; e cada uma despertava para a vida uma hora antes que a outra cessasse de brilhar. Assim, em Valinor, duas vezes a cada dia vinha uma hora gentil de luz mais suave, quando ambas as Árvores tinham luz tênue, e suas radiâncias dourada e prateada se mesclavam. Silpion era a mais velha das Árvores e chegou primeiro à estatura máxima e a florescer; e aquela primeira hora em que ela brilhou, o branco faiscar de uma aurora prateada, os Deuses não incluíram no conto das horas, mas a chamaram de Hora Inicial, e contaram, a partir dela, as eras de seu reinado em Valinor. Donde na hora sexta do Primeiro dos Dias, e de todos os dias jubilosos desde então, até o Obscurecer, Silpion concluiu seu tempo de florescer; e,

O QUENTA

na décima segunda, Laurelin, o seu desabrochar. Essas Árvores os Gnomos chamaram em dias posteriores de Bansil e Glingol; mas os Homens não têm nomes para elas, pois sua luz foi morta antes da chegada dos filhos mais novos do mundo.

Na página seguinte, e obviamente associada a esse texto substituto, há uma tabela datilografada aqui representada. Ao pé da página substituída, e claramente associada à emenda apresentada na nota 1 acima, há uma tabela mais simples de significado precisamente similar, com a anotação:

"Dia" termina a cada segundo decréscimo a nada de Laurelin, ou ao final da segunda hora da mescla de luz.

2

Durante todo esse tempo, desde que Morgoth derrubara as lamparinas, as Terras de Fora[1] a leste das Montanhas de Valinor permaneciam sem luz. Enquanto as lamparinas tinham brilhado, começara lá um crescimento que então tinha se detido por causa da escuridão. Mas as mais antigas de todas as coisas já cresciam no mundo: as grandes algas do mar, e na terra a sombra escura do teixo e do abeto e da hera, e pequenas coisas frágeis e silentes aos seus pés.[2] Em tais florestas Oromë por vezes caçava, mas, salvo por Oromë e Yavanna, os Valar não saíam de Valinor, enquanto no Norte Morgoth se fortalecia, e reuniu suas crias demoníacas à sua volta, que os Gnomos vieram a conhecer mais tarde como os Balrogs com açoites de chama. As hordas dos Orques ele fez de pedra, mas seus corações, de ódio. Glamhoth, povo do ódio, os Gnomos os chamaram. De gobelins podem ser chamados, mas em dias antigos eles eram fortes e cruéis e temíveis. Assim Morgoth manteve o domínio. Então Varda olhou para a escuridão e se comoveu. A luz prateada que pingava dos ramos de Silpion ela guardava, e a partir dela fez as estrelas. Donde ela é chamada de Tinwetári, Rainha das Estrelas, e pelos Gnomos de Tim-Bridhil. Os céus às escuras ela salpicou com esses globos brilhantes de chama prateada, e, alto no Norte, como um desafio a Morgoth, ela dispôs a coroa de Sete Estrelas magnas a girar, o emblema dos Deuses e sinal da sina de Morgoth. Por muitos nomes elas foram chamadas; mas, nos dias de antanho do Norte, tanto Elfos como Homens as chamavam de Urze Ardente, e alguns de Foice dos Deuses.

Diz-se que, com a feitura das estrelas, os filhos da terra despertaram: os filhos mais velhos de Ilúvatar. A si próprios chamavam de Eldar, a quem chamamos de Elfos, mas no princípio mais

A FORMAÇÃO DA TERRA-MÉDIA

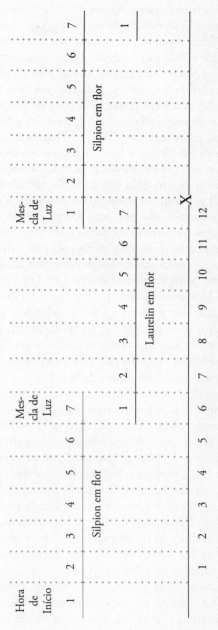

poderosos e mais fortes eram, porém não mais belos. Oromë foi quem os encontrou, habitando à beira de um lago iluminado pelas estrelas, Cuiviénen,[3] Água do Despertar, no Leste distante. Veloz cavalgou de volta à Valinor, tomado pelo pensamento da beleza deles. Quando os Valar ouviram as novas, eles ponderaram longamente e recordaram seu dever. Pois eles entraram no mundo sabendo que sua função era governá-lo para os filhos de Ilúvatar que deveriam vir depois, cada qual no tempo designado.

Assim foi que, por causa dos Elfos, os Deuses assaltaram a fortaleza de Morgoth no Norte; e isso ele nunca esqueceu. Pouco os Elfos ou os Homens sabem daquela grande cavalgada do poder do Oeste contra o Norte e da guerra e do tumulto da batalha[4] dos Deuses. Tulkas foi quem sobrepujou Morgoth e o atou como cativo, e o mundo teve paz por uma longa era. Mas a fortaleza que Morgoth construíra fora escondida com ardis em masmorras e cavernas muto abaixo da terra, e os Deuses não a destruíram por completo, e muitas coisas malévolas de Morgoth ainda ficaram lá, ou ousaram vagar pelos caminhos secretos do mundo.

Morgoth os Deuses arrastaram de volta a Valinor a ferros, e ele foi aprisionado nos grandes salões de Mandos, de onde ninguém, Deus, Elfo, nem Homem já escapou, exceto pela vontade dos Valar. Vastos eles são e fortes, e construídos no Norte da terra de Valinor. Os Eldalië,[5] o povo dos Elfos, os Deuses convidaram a Valinor, pois estavam enamorados da beleza daquela raça, e porque temiam por eles na penumbra estrelada, e não sabiam que ardis e males engendrados por Morgoth ainda vagavam por lá.

De livre vontade, porém em assombro pelo poder e majestade dos Deuses, os Elfos obedeceram. Uma grande marcha então eles prepararam a partir de seus primeiros lares no Leste. Quando tudo estava pronto, Oromë cavalgou à frente deles em seu cavalo branco com ferraduras de ouro. Em três hostes os Eldalië se arranjaram. A primeira a sair em marcha era liderada por aquele mais alto de toda a raça élfica, cujo nome era Ingwë, Senhor dos Elfos. Como Ing os Gnomos agora empregam o seu nome, mas jamais ele voltou para as Terras de Fora até estes contos chegarem perto do fim.[6] Os Quendi[7] era o seu próprio povo chamado, que por vezes são os únicos chamados de Elfos; são os Elfos-da-luz e os bem-amados de Manwë e sua esposa. Depois vieram os Noldoli. Os Gnomos podemos chamá-los, um nome de sabedoria: eles são os Elfos-profundos, e naquela marcha seu senhor era o magno Finwë, a quem seu próprio povo, na língua mais tarde mudada, chama de Finn.[8] Sua gente é renomada nas canções élficas, e dela estes contos têm muito a contar, pois guerreou e labutou muito e penosamente nas terras do Norte de antanho. Em terceiro vieram os Teleri. Os Ginetes-d'Ondas podem eles ser chamados; são os Elfos-do-mar, e os Solosimpi[9] eles eram chamados em Valinor, os flautistas das costas.[10] Elwë (ou Elu) era seu senhor.[11]

Muitos da raça élfica se perderam nas longas estradas escuras, e eles vagaram nas florestas e nas montanhas do mundo e jamais chegaram a Valinor, nem viram a luz das Duas Árvores. Portanto são chamados de Ilkorindi, os Elfos que nunca habitaram em Côr,[12] a cidade dos Eldar na terra dos Deuses. Os Elfos-escuros são eles, e muitas são suas tribos dispersas, e muitas são suas línguas.

Dentre os Elfos-escuros, o mais renomado era Thingol. Por esta razão ele jamais chegou a Valinor. Melian era uma fata. Nos jardins de Lórien ela habitava, e entre toda a sua bela gente não havia ninguém que a superasse em beleza, nem ninguém mais sábio, nem ninguém mais habilidoso em canções mágicas e de encantamento. Diz-se que os Deuses abandonavam seus afazeres, e as aves de Valinor, seu júbilo, que os sinos de Valmar silenciavam e as fontes paravam de fluir quando, ao mesclar da luz, Melian cantava nos jardins do Deus dos Sonhos. Rouxinóis a acompanhavam sempre, e ela lhes ensinou o seu cantar. Mas amava a sombra profunda e vagou em longas jornadas às Terras de Fora, e ali encheu o silêncio do mundo que raiava com sua voz e as vozes de suas aves.

Os rouxinóis de Melian Thingol ouviu e ficou encantado, e abandonou sua gente. Melian ele encontrou sob as árvores e foi lançado em um sonho e grande torpor, de modo que seu povo o buscou em vão. Nos dias que vieram depois, Melian e Thingol se tornaram Rainha e Rei dos Elfos da floresta de Doriath; e os salões de Thingol eram chamados as Mil Cavernas.

꩜

[1] Em todas as ocorrências de *Terras de Fora* nessa seção, *de Cá* está escrito acima de *de Fora* (que não está riscado).

[2] Após *aos seus pés* foi acrescentado: *e em suas moitas criaturas escuras, antigas e fortes.*

[3] *Cuiviénen* > *Kuiviénen*

[4] *da batalha* > *da primeira batalha*

O QUENTA

[5] Escrito junto a *Eldalië*: *Quendi* (mudança tardia).

[6] Essa frase, que começa com *Como Ing os Gnomos agora empregam o seu nome*, foi mudada para:

> Ele adentrou Valinor e se sentou aos pés dos Poderes, e todos os Elfos reverenciam seu nome, mas nunca mais voltou para as Terras de Fora.

[7] *Quendi > Lindar* (mudança tardia).

[8] *a quem seu próprio povo, na língua mais tarde mudada, chama de Finn > mais sábio de todos os filhos do mundo.*

[9] *Solosimpi > Soloneldi*

[10] *os flautistas das costas > pois faziam música à beira das ondas que se quebravam.*

[11] *Elwë (ou Elu) era seu senhor > Elwë era seu senhor, e seu cabelo era longo e branco.*

[12] *Côr > Kôr*

Marcas breves foram escritas nos nomes *Eldălië*, *Tělěri*.

3

Afinal as hostes dos Eldar chegaram às últimas costas do Oeste.[1] No Norte, essas costas nos dias antigos curvavam-se sempre no rumo oeste, até que, nas partes do extremo norte da Terra, só um mar estreito dividia a terra dos Deuses das Terras de Fora;[2] mas esse mar estreito estava repleto de gelo pungente, por causa da violência das geadas de Morgoth. Naquele lugar, de onde as hostes élficas pela primeira vez olharam para o mar em assombro, um largo e escuro oceano estendia-se entre eles e as Montanhas de Valinor. Contemplaram as ondas, à espera; e Ulmo, enviado pelos Valar, desenraizou a ilha parcialmente submersa sobre a qual os Deuses primeiro haviam tido sua morada, e a arrastou até as costas do oeste. Nela ele embarcou os Quendi[3] e os Noldoli, pois haviam chegado primeiro, mas os Teleri ficaram para trás e não chegaram lá antes que ele partisse. Os Quendi e os Noldoli ele transportou assim até as longas costas sob as Montanhas de Valinor, e eles adentraram a terra dos Deuses, e foram admitidos à sua glória e à sua ventura. Os Teleri assim habitaram por muito tempo junto às costas do mar à espera do retorno de Ulmo, e passaram a amar o mar, e faziam canções repletas do som dele. E Ossë os amava e a música de suas vozes, e, sentado nas rochas, falou com eles. Grande, portanto, foi a tristeza dele quando Ulmo retornou enfim para levá-los a Valinor. Alguns ele persuadiu a ficar nas praias do mundo, mas a maioria embarcou na ilha e foi levada para longe. Então Ossë os seguiu e, em rebeldia, diz-se, tomou a ilha e a acorrentou ao fundo do mar na parte mais distante da

Baía de Feéria, de onde as Montanhas de Valinor podiam ser vistas apenas vagamente, e a luz dos reinos além era filtrada pelos passos dos montes. Lá ela permaneceu por longas eras. Nenhuma outra terra ficava próxima a ela, e foi chamada de Tol-Eressëa, ou a Ilha Solitária. Lá por muito tempo os Teleri habitaram, e aprenderam a estranha música de Ossë, que fez as aves do mar para o deleite deles. Dessa longa estada apartados sobreveio a separação da língua dos Ginetes d'Ondas e da dos Elfos de Valinor.

Aos outros Elfos os Valar deram um lar e morada. Porque mesmo entre os jardins dos Deuses iluminados pelas Árvores eles ansiavam por vezes por ver as estrelas, uma brecha foi feita nas montanhas circundantes e lá, em um vale profundo que descia para o mar, um monte verdejante, Côr,[4] foi erigido. Do Oeste as Árvores brilhavam sobre ele; a Leste dava para a Baía de Feéria e para a Ilha Solitária, e para os Mares Sombrios. Assim, algo da luz abençoada de Valinor passava para as terras exteriores e caía sobre a Ilha Solitária, e sua costa a oeste se tornou verde e bela. Lá desabrocharam as primeiras flores que jamais existiram a leste das montanhas dos Deuses.

No topo de Côr a cidade dos Elfos foi construída, as muralhas, torres e terraços alvos de Tûn. A mais alta dessas torres era a torre de Ing,[5] cuja luz prateada iluminava ao longe as brumas do mar, mas poucos são os navios de mortais que viram seu lume maravilhoso. Lá habitaram os Elfos e os Gnomos. Mormente Manwë e Varda amavam os Quendi, os Elfos-da-luz,[6] e sacros e imortais eram todos seus feitos e canções. Os Noldoli, os Elfos-profundos, que os Homens chamam de Gnomos, eram os bem-amados de Aulë e de Mandos, o sábio; e grandes eram seu ofício, sua magia e seu engenho, mas ainda maior era a sede deles por conhecimento, e o desejo de fazer coisas maravilhosas e novas. Em Valinor, com seu engenho fizeram primeiro gemas, e as fizeram em miríades incontáveis, e encheram toda Tûn com elas, e todos os salões dos Deuses foram enriquecidos.[7]

Visto que os Noldoli mais tarde voltaram às Grandes[8] Terras, e estas histórias contam principalmente acerca deles, aqui pode ser dito, usando-se os nomes na forma da língua gnômica conforme por muito tempo foi falada sobre a terra, que Rei dos Gnomos era Finn.[9] Seus filhos eram Fëanor, Fingolfin e Finrod. Desses, Fëanor era o de maior engenho, o de saber mais profundo de toda sua raça; Fingolfin, o mais poderoso e mais valente; Finrod, o mais belo e o mais sábio de coração. Os sete filhos de Fëanor eram Maidros, o alto; Maglor, um músico e grande cantor, cuja voz era ouvida ao longe na terra e no mar; Celegorm, o alvo, Curufin, o matreiro, o herdeiro de quase toda a habilidade de seu pai, e Cranthir, o moreno; e, por último, Damrod e Díriel, que mais tarde foram grandes caçadores no mundo, embora não mais que Celegorm, o alvo, o amigo de Oromë. Os filhos de Fingolfin eram Finweg,[10] que mais tarde foi o rei dos Gnomos no Norte do mundo, e Turgon de Gondolin; e sua filha era Isfin, a Branca. Os filhos de Finrod eram Felagund, Orodreth, Angrod e Egnor.

Naqueles dias Fëanor começou, certa vez, uma labuta longa e maravilhosa e convocou todo o seu poder e sua sutil magia, pois pretendia fazer algo mais belo do que qualquer um dos Eldar jamais fizera, que haveria de durar além do fim de tudo. Três joias fez ele e as chamou Silmarils. Um fogo vivente ardia dentro delas que era mesclado da luz das Duas Árvores; por sua própria radiância elas luziam até mesmo no escuro, nenhuma impura carne mortal podia tocá-las sem ser mirrar e ser queimada. Essas joias eram apreciadas pelos Elfos além de todas as obras de suas mãos, e Manwë as consagrou, e Varda disse: "O destino dos Elfos está encerrado nelas, e o destino de muitas outras coisas". O coração de Fëanor estava enredado com os objetos que ele mesmo fizera.

Ora, há de se contar que os Teleri, vendo ao longo a luz de Valinor, estavam divididos entre o desejo de ver de novo sua gente e contemplar o esplendor dos Deuses e amor pela música do mar. Portanto, Ulmo ensinou-lhes a arte da construção de navios, e Ossë, submetendo-se a Ulmo por fim, trouxe-lhes, como último presente, os cisnes de asas fortes. A frota de navios brancos eles amarraram aos cisnes de Ossë, e assim foram puxados sem o auxílio dos ventos até Valinor. Lá habitaram nas longas costas da Terra--das-fadas, e podiam ver a luz das Árvores e visitar as ruas doiradas de Valmar e as escadarias de cristal de Tûn, se desejassem — mas mormente velejavam pelas águas da Baía de Feéria e dançavam naquelas ondas brilhantes cujas cristas chamejavam na luz que vinha d'além da colina. Muitas joias os outros Eldar lhes deram, opalas e diamantes e cristais pálidos, que eles lançavam pelas poças e areias. Muitas pérolas eles fizeram, e salões de pérola, e de pérola

A FORMAÇÃO DA TERRA-MÉDIA

eram as mansões de Elwë no Porto dos Cisnes. Aquela era a sua principal cidade e o seu porto. Um arco de rocha viva escavado pelo mar era o seu portão, e ficava nos confins da Terra-das-fadas, ao norte do passo de Côr.

❦

[1] às últimas costas do Oeste > às últimas costas das Terras de Cá
[2] *de Cá* escrito sobre *de Fora* (ver §2, nota 1).
[3] *Quendi* > *Lindar* em todas as três ocorrências (mudança tardia; cf. §2, nota 7).
[4] *Côr* > *Kôr* em ambas as ocorrências (como em §2).
[5] *Ing* > *Ingwë* (ver §2, nota 6).
[6] *Elfos-da-luz* > *Altos-elfos*, e posteriormente para *Belos-elfos*.
[7] A seguinte passagem manuscrita se encontra em um pedaço de papel distinto sem indicações precisas para sua inserção, mas que parece ser mais bem colocada aqui:

> Mas o amor pela terra exterior e as estrelas permanecia nos corações dos Noldoli, e eles lá sempre moraram e nos montes e vales à volta da cidade. Mas os Lindar passaram a amar antes as vastas planícies e a luz plena de Valinor, e abandonaram Tûn, e raramente voltavam; e os Noldoli se tornaram um povo separado e seu rei era Finwë. Contudo, ninguém habitava na torre de Ingwë, nem . . . . . exceto os que cuidavam daquela lamparina infalível, e Ingwë foi considerado sempre alto-rei de todos os Eldalië.

[8] *de Cá* escrito sobre *Grandes*.
[9] *Finn* > *Finwë* (ver §2, nota 8).
[10] *Finweg* > *Fingon*

4

Ora, há de se contar como os Deuses foram iludidos por Morgoth. Esse foi o apogeu da glória e ventura dos Deuses e Elfos, o zênite do Reino Abençoado. Sete[1] eras, como os Deuses decretaram, passara Morgoth nos salões de Mandos, a cada era em dor abrandada. Quando sete eras haviam se passado, como haviam prometido, ele foi trazido diante do conclave deles. Contemplou a glória dos Valar, e a cobiça e a malícia estavam em seu coração; contemplou os belos filhos dos Eldalië que se sentavam nos joelhos dos Deuses, e o ódio o preencheu; contemplou a riqueza de joias deles e as cobiçou; mas seus pensamentos ocultou e sua vingança postergou.

Lá Morgoth se humilhou diante dos pés de Manwë e rogou perdão; mas eles ainda não permitiriam que saísse de sua vista e sua vigilância. Uma morada humilde lhe foi concedida em Valinor do lado de dentro dos portões da cidade, e tão belos pareciam todos os seus atos e palavras que depois de algum tempo lhe foi permitido andar livremente por toda a terra. Somente o coração de Ulmo lhe dava aviso, e Tulkas cerrava os punhos sempre que via Morgoth, seu inimigo, passar. Jamais Tulkas, o forte, esqueceu ou perdoou um agravo que lhe fora feito ou aos seus. Mais belos de todos era Morgoth aos Elfos, e ele os auxiliava em muitas obras, caso deixassem. O povo de Ing,[2] os Quendi,[3] tinha-o por suspeito, pois Ulmo os advertira e eles deram ouvidos às suas palavras. Mas os Gnomos tinham deleite nas muitas coisas de sabedoria oculta e secreta que era capaz de lhes contar, e alguns deram ouvido a coisas que teria sido melhor eles jamais terem escutado. E, quando via uma oportunidade, ele semeava uma semente de mentiras e sugestões de mal entre esses. Amargamente o povo dos Noldoli pagou por isso nos dias que vieram depois. Amiúde ele sussurrava que os Deuses haviam trazido os Eldar para Valinor somente por inveja, por temor de que seu engenho e beleza maravilhosos e sua magia tornassem-se fortes demais para eles conforme os Eldar crescessem e se espalhassem pelas amplas terras do mundo. Visões colocava diante deles dos reinos magnos que poderiam ter governado em poder e liberdade no Leste. Naqueles dias, ademais, os Valar sabiam da vinda dos Homens que havia de acontecer; mas os Elfos nada sabiam disso, pois os Deuses não o haviam revelado, e a hora ainda não estava próxima. Mas Morgoth falou em segredo aos Elfos sobre os mortais, embora pouco da verdade soubesse ou se importasse. Somente Manwë sabia algo com clareza da mente de Ilúvatar acerca dos Homens, e sempre fora amigo deles. Contudo, Morgoth sussurrava que os Deuses mantinham os Eldar cativos de modo que, com a chegada dos Homens, estes pudessem os despojar de seus reinos, pois a raça mais fraca dos mortais haveria de ser mais facilmente dominada por eles. Pouca verdade havia nisso, e pouco os Valar jamais prevaleceram ao tentar dobrar as vontades ou os fados dos Homens, e menos ainda para o bem. Porém, muitos dos Elfos acreditavam, de todo ou em parte, nessas palavras malignas. Os Gnomos eram a maioria desses. Dos Teleri não havia nenhum.

Assim, antes que os Deuses percebessem, a paz de Valinor foi envenenada. Os Gnomos começaram a murmurar contra os Valar e sua gente, e muitos se tornaram cheios de vaidade, e esqueceram tudo o que os Deuses haviam lhes dado e ensinado. Acima de tudo Morgoth atiçava as chamas do feroz e ávido coração de

Fëanor, embora o tempo todo cobiçasse as Silmarils. Estas Fëanor em grandes festas usava sobre a fronte e o peito, mas em outras horas, trancadas nos tesouros de Tûn, eram guardadas de perto, embora não houvesse ladrões em Valinor, por ora. Soberbos eram os filhos de Finn,[4] e o mais soberbo Fëanor. Mentindo Morgoth lhe disse que Fingolfin e seus filhos estavam tramando usurpar a liderança de Fëanor e seus filhos, e suplantá-los nas graças de seu pai e dos Deuses. Dessas palavras querelas nasceram entre os filhos de Finn, e daquelas querelas deles veio o fim dos grandes dias de Valinor e o anoitecer de sua antiga glória.[5]

Fëanor foi convocado diante do concílio dos Deuses, e lá foram as mentiras de Morgoth desnudadas para que vissem todos os que tivessem vontade. Pelo julgamento dos Deuses, Fëanor foi banido de Tûn. Mas com ele foram Finn, seu pai, que o amava mais do que seus outros filhos, e muitos outros Gnomos. Ao norte de Valinor, nos montes perto dos salões de Mandos, eles construíram uma casa do tesouro e uma praça-forte; mas Fingolfin governou os Noldoli em Tûn. Assim podem as palavras de Morgoth parecer justificadas, e a amargura que ele semeou continuou, embora suas mentiras tivessem sido refutadas, e por longo tempo viveu depois disso entre os filhos de Fingolfin e Fëanor.[6]

Do meio do concílio os Deuses de pronto enviaram Tulkas para deitar mãos sobre Morgoth e trazê-lo diante deles a ferros de novo. Mas ele escapou pelo passo de Côr,[7] e da torre de Ing os Elfos o viram passar em trovão e ira.

De lá ele entrou naquela região que é chamada Arvalin, que fica ao sul da Baía de Feéria, e debaixo dos próprios sopés orientais das montanhas dos deuses, e lá as sombras são as mais espessas de todo o mundo. Lá, em segredo e desconhecida, habitava Ungoliant, Tecelã-de-Treva, em forma de aranha. Não se conta de onde ela é, da escuridão de fora, talvez, que jaz além das Muralhas do Mundo. Em uma ravina ela vivia, e tecia suas teias em uma fenda nas montanhas, e sugava luz e coisas luzentes para tecê-las em redes de treva negra e sufocante e bruma pegajosa. Sempre ela tinha fome de alimento. Lá Morgoth a encontrou, e com ela tramou sua vingança. Mas terrível foi a recompensa que ele teve de lhe prometer, antes que ela se atrevesse aos perigos de Valinor ou ao poder dos Deuses.

Uma grande escuridão ela teceu em torno dela para protegê--la, e então, de pináculo a pináculo, balançou-se em suas cordas negras, até escalar os lugares mais elevados das montanhas. Ao sul de Valinor ficava esse lugar, pois lá jaziam as matas selvagens de Oromë, e havia pouca vigia, visto que, longes das antigas fortalezas de Morgoth no Norte, as grandes muralhas lá davam para terras ignotas e um mar vazio. Numa escada que ela teceu Morgoth subiu, e olhou lá embaixo para a planície luzente, vendo ao longe os domos de Valinor ao mesclar da luz; e ele riu enquanto descia depressa as longas encostas ocidentais com ruína em seu coração.

Assim chegou o mal a Valinor. Silpion estava minguando depressa e Laurelin recém começara a reluzir quando, protegidos pelo fado, Morgoth e Ungoliant esgueiraram-se despercebidos até a planície. Com sua espada negra Morgoth trespassou cada árvore até o âmago, e, quando seus sumos jorraram para fora, Ungoliant os sugou, e o veneno de seus lábios imundos entrou nos tecidos das Árvores e as fez murchar, folha e galho e raiz. Lentamente elas sucumbiram, e sua luz enfraqueceu, enquanto Ungoliant arrotava nuvens e vapores negros conforme bebia a radiância das Árvores. A uma forma monstruosa ela inchou.

Então caíram assombro e temor sobre todos em Valmar, quando crepúsculo e treva crescente vieram por sobre a terra. Vapores negros pairavam pelos caminhos da cidade. Varda olhou do alto de Taniquetil e viu as árvores e torres todas ocultas como numa bruma. Tarde demais correram de monte e portão. As Árvores morreram e não mais brilharam, enquanto multidões que gemiam as cercavam e clamavam a Manwë para que descesse. Na planície os cavalos de Oromë ribombaram com uma centena de cascos, e faíscas saíam na treva em torno de suas patas. Mais veloz que eles correu Tulkas à frente antes, e a luz da fúria de seus olhos era como um farol. Mas não encontraram o que buscavam. Onde quer que Morgoth fosse uma escuridão e confusão o circundava, feita por Ungoliant, de modo que pés eram desnorteados e a busca às cegas.

Esse foi o tempo do Obscurecer de Valinor. Naquele dia se puseram diante dos portões de Valmar Gnomos que gritavam em alta voz. Amargas eram suas novas. Contaram como Morgoth fugira para o Norte e com ele havia uma grande forma negra, uma aranha de aspecto monstruoso ela parecera na noite que se ajuntava. Súbito Morgoth caíra sobre a casa do tesouro de Finn. Lá ele matara o rei dos Gnomos diante de suas portas, e derramou o primeiro sangue élfico e maculou a terra de Valinor. Muitos outros também ele matou, mas Fëanor e seus filhos não estavam lá. Amargamente maldisseram o acaso, pois Morgoth levara as Silmarils e toda a riqueza das joias dos Noldoli que estavam entesouradas lá.

Pouco se sabe dos caminhos ou jornadas de Morgoth após aquele ato terrível; mas isto é sabido por todos, que, ao escapar da caçada, ele passou por fim com Ungoliant por sobre o Gelo Pungente e, assim, para as terras do norte deste mundo. Lá Ungoliant o chamou para que lhe entregasse a recompensa prometida. A primeira metade de sua paga fora a seiva das Árvores de Luz. A outra metade era uma porção igual das joias saqueadas. Morgoth as cedeu e ela as devorou, e a luz delas pereceu da terra, e ainda mais imensa ficou a forma escura e hedionda de Ungoliant. Mas nenhuma porção das Silmarils Morgoth cederia. Tal foi a primeira querela de ladrões.

Tão poderosa se tornara Ungoliant que ela enredou Morgoth em suas teias sufocantes, e um grito medonho ecoou pelo mundo a estremecer. Em seu auxílio vieram os Orques e Balrogs que viviam ainda nos lugares mais profundos de Angband. Com seus açoutes de chama os Balrogs rasgaram as teias, mas Ungoliant foi rechaçada para o extremo Sul, onde por longo tempo habitou.

Assim retornou Morgoth a Angband, e ali incontável se tornou o número das hostes de seus Orques e demônios.[8] Ele forjou para si uma grande coroa de ferro, e chamou a si próprio de rei do mundo. Em sinal disso, colocou as três Silmarils em sua coroa. Diz-se que suas mãos malignas foram queimadas e ficaram enegrecidas pelo toque daqueles objetos sacros e encantados, e negras elas ficaram desde então, nem jamais posteriormente ficou ele livre da dor das queimaduras, nem da raiva dessa dor. Aquela coroa jamais tirou da cabeça, e jamais foi seu hábito deixar as masmorras profundas de sua fortaleza, mas governava seus vastos exércitos de seu trono no Norte.

☙

[1] *Nove* escrito acima de *Sete*, mas depois riscado.
[2] *Ing > Ingwë* em ambas as ocorrências, como anteriormente.
[3] *Quendi > Lindar*, como anteriormente (mudança tardia).
[4] *Finn > Finwë* em todas as ocorrências (exceto uma vez, onde passou despercebido), como anteriormente.
[5] O seguinte trecho foi acrescentado mais tarde aqui levemente a lápis:

> E Fëanor pronunciou palavras de rebelião contra os Deuses e tramou partir de Valinor de volta ao mundo exterior e libertar os Gnomos, como disse, da servidão.

O QUENTA

[6]   O seguinte trecho foi acrescentado da mesma maneira e na mesma época que a passagem mencionada na nota 5:

> Mas Morgoth se escondeu e ninguém sabia aonde ele tinha ido. E, enquanto os Deuses estavam em concílio, pois temiam que as sombras se alongassem em Valinor, um mensageiro chegou e trouxe novas de que Morgoth estava no Norte da terra, rumando para a casa de Finwë.

[7]   *Côr* > *Kôr*, como anteriormente.

[8]   A seguinte indicação foi escrita aqui posteriormente: *Aqui mencionar a feitura dos Orques (p. 4)*. A página 4 do texto datilografado contém a frase (p. 100) *As hordas dos Orques ele fez de pedra, mas seus corações, de ódio.* Ver p. 346.

5

Quando por fim ficou muito claro que Morgoth tinha escapado, os Deuses se reuniram em volta das Árvores mortas e se sentaram na escuridão por muito tempo em silêncio atônito, e lamentaram em seus corações. Ora, aquele dia que Morgoth escolheu para esse ataque era um dia de festival por toda Valinor. Nesse dia era o costume dos principais Valar, todos salvo Ossë, que raramente lá ia, e de muitos dos Elfos, especialmente o povo de Ing,[1] subir os longos e tortuosos caminhos em procissão de mantos brancos até os salões de Manwë sobre o cume de Tindbrenting. Todos os Quendi[2] e muitos dos Gnomos, os quais, liderados por Fingolfin, ainda viviam em Tûn, estavam, portanto, no pico de Tindbrenting e estavam cantando aos pés de Varda quando os vigias de longe contemplaram o fenecer das Árvores. Mas a maioria dos Gnomos estava na planície, e os Teleri, como era seu costume, estavam na costa. As brumas e a escuridão agora flutuaram do mar através do passo de Côr,[3] enquanto as Árvores morriam. Um murmúrio de temor percorreu toda Terradelfos, e os Ginetes d'Ondas gemiam à beira do mar.

Então Fëanor, rebelando-se contra seu banimento, convocou todos os Gnomos a Tûn. Uma vasta congregação ocorreu na grande praça no topo do monte de Côr, e estava iluminada pela luz de muitas tochas que cada um que viera carregava nas mãos.

Fëanor era um grande orador com um poder de palavras que calavam fundo. Um discurso exaltado e terrível ele fez diante dos Gnomos aquele dia, e embora sua fúria se voltasse mormente contra Morgoth, suas palavras ainda assim eram, em grande parte, fruto das mentiras de Morgoth. Mas ele estava assoberbado de pesar por seu pai e irado com o roubo das Silmarils. Reivindicou agora o reinado sobre todos os Gnomos, já que Finn[4] estava morto, a despeito do decreto dos Deuses. "Por que deveríamos ainda obedecer aos invejosos Deuses", perguntou ele, "que não conseguem nem mesmo manter a seu próprio reino a salvo de seu inimigo?" Incitou os Gnomos a se prepararem para fugir na escuridão, enquanto os Valar ainda estavam envoltos em luto; a buscar liberdade no mundo e, por sua própria bravura, conquistar lá um novo reino, já que Valinor não era mais brilhante e ditosa do que as terras lá fora; a procurar Morgoth e guerrear com ele para sempre até serem vingados. Então ele fez um juramento terrível. Seus sete filhos saltaram para o seu lado e fizeram o mesmo voto junto com ele, cada qual com espada desembainhada. Fizeram o juramento inquebrável, pelo nome de Manwë e Varda e da sacra montanha,[5] de perseguir com ódio e vingança até os confins do mundo Vala, Demônio, Elfo, ou Homem, ou Orque que tiver ou tomar ou mantiver uma Silmaril contra a vontade deles.

Fingolfin e seu filho Finweg[6] falaram contra Fëanor, e a ira e palavras furiosas chegaram perto das vias de fato; mas Finrod falou e buscou acalmá-los, apesar de que, de seus filhos, somente Felagund ficou ao seu lado. Orodreth, Angrod e Egnor tomaram o partido de Fëanor. No fim, a questão foi levada à votação pela assembleia e, tocados pelas palavras potentes de Fëanor, os Gnomos decidiram partir. Mas os Gnomos de Tûn não renunciariam ao reinado de Fingolfin, e como duas hostes divididas, portanto, eles se puseram em marcha: uma liderada por Fingolfin, que com seus filhos cedera à voz geral contra sua sabedoria, pois não abandonariam o seu povo; e outra, liderada por Fëanor. Alguns ficaram para trás. Aqueles eram os Gnomos, que estavam com os Quendi sobre Tindbrenting. Longo tempo se passou antes que voltassem a essa história das guerras e andanças de seu povo.

Os Teleri não se juntariam àquela fuga. Jamais haviam dado ouvido a Morgoth. Não desejavam nenhuma outra encosta ou praia além das costas da Terra-das-fadas. Mas os Gnomos sabiam que não podiam escapar sem barcos e navios, e não havia tempo para construção. Precisavam cruzar os mares longe, ao Norte, onde eram mais estreitos, mas ainda mais adiante temiam se aventurar; pois tinham ouvido falar do Helkaraksë, o Estreito do Gelo Pungente, onde os grandes montes congelados sempre se moviam e quebravam, se partiam e se chocavam. Mas seus navios brancos de velas brancas os Teleri não dariam, já que lhes eram muito caros, e temiam, além disso, a ira dos Deuses.

Ora, conta-se que as hostes de Fëanor marcharam primeiro ao longo da costa de Valinor; então veio o povo de Fingolfin, menos ávido, e na retaguarda dessa hoste estavam Finrod e Felagund e muitos dos mais nobres e mais belos dos Noldoli. Com relutância abandonaram as muralhas de Tûn, e mais que os outros levaram de lá lembranças da ventura e beleza da cidade, e mesmo muitas coisas belas lá feitas à mão. Assim, o povo de Finrod não tomou parte no ato horrendo que então foi cometido, e nem todos da gente de Fingolfin tiveram participação; contudo, todos os Gnomos que partiram de Valinor caíram sob a maldição que se seguiu. Quando os Gnomos chegaram ao Porto dos Cisnes, eles tentaram tomar à força as frotas brancas que estavam ancoradas lá. Uma refrega amarga foi travada no grande arco do portão e nos ancoradouros e pilares iluminados por lamparinas, como é tristemente contado na canção da Fuga dos Gnomos. Muitos foram mortos de ambos os lados, mas ferozes e desesperados estavam os corações do povo de Fëanor, e eles venceram a batalha; e também com o auxílio de muitos mesmo dos Gnomos de Tûn eles tomaram os navios dos Teleri, e manejaram os remos da melhor maneira que puderam, e os levaram para o norte ao longo da costa.

Depois de muito terem viajado e de chegarem aos confins setentrionais do Reino Abençoado, eles contemplaram uma figura sombria postada no alto das encostas. Alguns dizem que era um mensageiro, outros que era o próprio Mandos. Lá anunciou em uma voz alta e terrível a maldição e profecia que é chamada de Profecia de Mandos,[7] advertindo-os para que retornassem e buscassem perdão, ou no fim retornar então somente depois do pesar e infindo sofrimento. Muito ele previu em palavras obscuras, que apenas os mais sábios dentre eles compreenderam, de coisas que depois lhes sobrevieram; mas todos ouviram a maldição que ele pronunciou sobre aqueles que não ficassem, pois em Porto-cisne haviam derramado o sangue de sua gente e travado a primeira batalha entre os filhos da terra iniquamente. Por isso haveriam de sofrer em todas suas guerras e conselhos pela traição e pelo medo da traição entre sua própria gente. Mas Fëanor disse: "Não disse ele que havemos de sofrer de covardia, por poltrões ou por medo de poltrões", e isso se provou verdadeiro.[8]

A FORMAÇÃO DA TERRA-MÉDIA

Não tardou para que o mal começasse a agir. Chegaram afinal ao Norte e viram os primeiros dentes do gelo que flutuavam no mar. Tormentos sofreram pelo frio. Muitos dos Gnomos murmuravam, especialmente aqueles que seguiam menos ávidos sob as bandeiras de Fingolfin. Então entrou no coração de Fëanor e de seus filhos a ideia de zarpar de repente com todos os navios, dos quais tinham o comando, e "deixar os que resmungam a resmungar, ou a lastimar no caminho de volta às gaiolas dos Deuses". Assim teve início a maldição da matança em Porto-cisne. Quando Fëanor e sua gente desembarcou nas costas do Oeste do mundo setentrional, puseram fogo nos navios e fizeram um grande incêndio, terrível e luzente; e Fingolfin e seu povo viram a luz do fogo no céu. Depois disso os deixados para trás vagaram em sofrimento, e a eles se juntaram as companhias de Finrod, que marchavam atrás.

No fim, em dor e cansaço Finrod conduziu alguns de volta a Valinor e ao perdão dos Deuses — pois não estiveram em Porto-cisne —, mas os filhos de Finrod e Fingolfin[9] não cederiam, tendo chegado tão longe. Eles conduziram sua hoste para o Norte mais terrível e se atreveram enfim ao Gelo Pungente. Muitos foram perdidos lá desditosamente, e havia pouco amor pelos filhos de Fëanor nos corações daqueles que chegaram finalmente por essa passagem perigosa às terras do Norte.

❧

[1]   *Ing* > *Ingwë*, como anteriormente.
[2]   Em nenhuma das ocorrências de *Quendi* o nome foi mudado, como anteriormente, para *Lindar*, claramente devido a um descuido.
[3]   *Côr* > *Kôr* em ambas as ocorrências, como anteriormente.
[4]   *Finn* não foi emendado para *Finwë* como anteriormente, devido a um descuido.
[5]   Essa frase foi reescrita:

> Fizeram um juramento que ninguém há de quebrar, e ninguém devia fazer, pelo nome do Pai-de-Tudo, invocando a Escuridão Sempiterna sobre si próprios, se não o cumprissem, e a Manwë chamaram como testemunha, e a Varda, e ao Sacro Monte, jurando

[6]   *Finweg* > *Fingon*, como em §3, nota 10.
[7]   *Profecia de Mandos* > *Profecia do Norte*
[8]   Aqui foi escrito a lápis levemente: *Finrod retornou.*
[9]   *os filhos de Finrod e Fingolfin* > *Fingolfin e os filhos de Finrod.* (Creio que essa emenda foi feita simplesmente por questões de clareza, a intenção do texto original sendo de que significasse "os filhos de Finrod, junto com Fingolfin": pois Fingolfin, não seu filho Finweg/Fingon, havia se tornado o líder das hostes que atravessaram o Gelo Pungente, visto que Finrod é agora quem retornou a Valinor — ver o comentário sobre Esb §5, p. 58.)

6

Quando os Deuses ficaram sabendo da fuga dos Gnomos, eles despertaram de seu pesar. Manwë chamou então ao seu concílio Yavanna; e ela usou todo o seu poder, mas de nada serviu para curar as Árvores. Contudo, sob seus feitiços Silpion produziu enfim uma grande e única flor prateada, e Laurelin um grande fruto dourado. Desses, como é dito na canção do Sol e da Lua, os Deuses fizeram as grandes luzes do céu, e as puseram a navegar em cursos determinados acima do mundo. De Rána chamaram a Lua, e de Ûr o Sol; e a donzela que guiava o galeão do sol era Úrien,[1] e o jovem que estava no leme da ilha flutuante da Lua era Tilion. Úrien era uma donzela que cuidara das flores douradas nos jardins de Vana, enquanto júbilo ainda havia no Reino Ditoso, e Nessa, filha de Vana,[2] dançava nos gramados de um verde que nunca se esvai. Tilion era um caçador da companhia de Oromë e tinha um arco prateado. Amiúde ele se desviava de seu curso indo ao encalço das estrelas nos campos celestiais.

A princípio os Deuses pretendiam que o Sol e a Lua partissem de Valinor até o extremo Leste, e retornassem, seguindo-se um ao outro através do céu. Mas por causa da inconstância de Tilion e de sua rivalidade com Úrien, e principalmente por causa das palavras de Lórien e Nienna, que disseram que as luzes haviam banido todo o sono e a noite e a paz da terra, eles mudaram o seu intento. O Sol e a Lua eram puxados por Ulmo ou seus espíritos escolhidos pelas cavernas e grutas nas raízes do mundo, e subiam então no Leste, e rumavam de volta a Valinor, onde o Sol descia a cada dia na hora do Anoitecer. E, assim, o Anoitecer é o momento de maior luz e regozijo na terra dos Deuses, quando o Sol desce para repousar na borda da terra sobre o seio fresco do Mar de Fora. Tilion foi ordenado a não subir até que Úrien tivesse descido do céu, ou que muito já tivesse avançado rumo ao Oeste, e assim é que agora raramente são vistos no céu juntos.

Ainda, portanto, é a luz de Valinor maior e mais bela do que a de outras terras, porque lá o Sol e a Lua juntos descansam por um tempo antes de seguirem em sua jornada sombria sob o mundo, mas a luz deles não é a luz que vinha das Árvores antes que os lábios venenosos de Ungoliant as tocassem. Aquela luz vive agora apenas nas Silmarils. Deuses e Elfos, portanto, aguardam ainda um tempo no qual o Sol e a Lua Mágicos, que são as Árvores, possam ser reacendidos e a ventura e glória de outrora retornar. Ulmo lhes predisse que isso só viria a acontecer com o auxílio, por mais débil que parecesse, da segunda raça da terra, os filhos mais novos de Ilúvatar. Pouca atenção lhe deram naquele tempo. Ainda assim, estavam irados e amargurados em razão da ingratidão dos Gnomos e da cruel matança no Porto dos Cisnes. Além disso, por um tempo todos, exceto Tulkas, temiam o poderio e a astúcia de Morgoth. Ora, portanto, fortificaram toda Valinor, e puseram uma guarda que nunca dormia sobre a muralha dos montes, que agora ergueram a uma altura de vertigem e terror — salvo apenas no passo de Côr.[3] Lá foram os Elfos remanescentes postos a habitar, e iam então raramente a Valmar ou ao pico de Tindbrenting, mas foram ordenados a vigiar o passo sem cessar para que nem ave, nem fera, nem Elfo, nem Homem, nem ser algum que viesse das terras exteriores, se aproximasse das costas de Feéria, ou pisasse em Valinor. Naquele dia, que canções chamam de Ocultação de Valinor, as Ilhas Mágicas foram colocadas, repletas de encantamento, e dispostas pelos confins dos Mares Sombrios, antes que a Ilha Solitária seja alcançada por quem navegue para o Oeste, para lá apanhar marinheiros e enredá-los em sono eterno. Assim foi que os muitos emissários dos Gnomos em dias que vieram depois jamais alcançaram Valinor — salvo um, e ele chegou tarde demais.[4]

Os Valar sentam-se então detrás das montanhas e festejam, e tiram os Noldoli exilados de seus corações, todos exceto Manwë e Ulmo. Quem mais os tinha em mente era Ulmo, que reúne novas do mundo de fora por meio de todos os lagos e rios que correm para o mar.

Ao primeiro nascer do Sol sobre o mundo, os filhos mais novos da terra despertaram na terra de Eruman[5] no Leste do Leste.[6] Mas dos Homens pouco se conta nestas histórias, que são concernentes aos dias antigos, antes do ocaso dos Elfos e do zênite dos mortais, salvo no que diz respeito àqueles que, nos primeiros dias de Luz do Sol e Luar, vagaram pelo Norte do mundo. A Eruman não veio Deus algum para guiar os Homens ou para convocá-los a habitar em Valinor. Ulmo, mesmo assim, não deixava de pensar neles, e suas mensagens lhes chegavam amiúde por correnteza e torrente, e eles amavam as águas, mas pouco compreendiam as mensagens.

O QUENTA

Os Elfos-escuros eles encontraram e foram ajudados por eles, e lhes ensinaram a fala e muitas outras coisas, e tornaram-se os amigos dos filhos dos Eldalië que nunca encontraram os caminhos para Valinor, e conheciam os Valar apenas como um rumor e um nome distante. Não havia muito, então, que Morgoth voltara à terra, e seu poder não avançara tanto, de maneira que havia pouco perigo nas terras e colinas onde coisas novas, belas e viçosas, muitas eras antes planejadas no pensamento de Yavanna, vieram por fim a brotar e desabrochar.

Para o Oeste, o Norte e o Sul eles se espalharam e vagaram, e seu júbilo era como o júbilo da manhã antes que o orvalho secasse, quando toda folha é verde.

❧

[1] Úrien > Árien em todas as ocorrências.
[2] *filha de Vana* riscado. Ver p. 323.
[3] *Côr* > *Kôr*, como anteriormente.
[4] *e ele chegou tarde demais* > *o mais poderoso marinheiro das canções*.
[5] Na primeira ocorrência, o nome *Eruman* foi mais tarde sublinhado a lápis, como que para ser corrigido, mas não na segunda.
[6] Acrescentado aqui:

> pois o tempo medido chegara ao mundo, e o primeiro dos dias; e depois disso as vidas dos Eldar que permaneceram nas Terras de Cá foram diminuídas, e seu ocaso começou.

7

Então veio os tempos das grandes guerras dos poderes do Norte, quando os Gnomos de Valinor e Ilkorins e Homens combateram contra as hostes de Morgoth Bauglir e caíram em ruína. Para esse fim, as mentiras astutas de Morgoth, que ele semeara entre seus inimigos, e a maldição que veio da matança no Porto dos Cisnes e o juramento dos filhos de Fëanor estavam sempre trabalhando; os maiores males que elas causaram a Homens e Elfos.

Só uma parte estas histórias contam dos feitos daqueles dias e contam mormente acerca dos Gnomos e das Silmarils e dos mortais que se enredaram no destino deles. Nos primeiros dias Eldar e Homens eram de estatura e poder corporal pouco diferentes; mas os Eldar eram abençoados com maior engenho, beleza e sagacidade, e aqueles que tinham vindo de Valinor superavam tanto os Ilkorins nessas coisas quanto estes, por sua vez, superavam o povo da raça mortal. Só no reino de Doriath, cuja rainha Melian era da gente dos Valar, os Ilkorins chegavam perto de se igualar aos Elfos de Côr.[1] Imortais eram os Elfos, e sua sabedoria aumentava e crescia de era a era, e nenhuma doença nem pestilência traziam-lhes a morte. Mas eles podiam ser mortos com armas naqueles dias, mesmo por Homens mortais, e alguns desvaneciam e eram consumidos pelo pesar até desaparecerem da terra. Mortos os desvanecidos, seus espíritos voltavam aos salões de Mandos para aguardar por mil anos, ou o aprazimento de Mandos[2] de acordo com seus merecimentos, antes de serem chamados de volta à vida livre em Valinor, ou renascerem,[3] diz-se, em seus próprios filhos.[4] Mais frágeis eram os Homens, mais facilmente mortos por arma ou infortúnio, sujeitos a doenças, ou envelheciam e morriam. O que acontecia a seus espíritos, os Eldalië não sabiam. Os Eldar diziam que eles iam para os salões de Mandos, mas que seu lugar de espera não era aquele dos Elfos, e somente Mandos, sob Ilúvatar, sabia para onde iam depois do tempo em seus vastos salões além do mar do oeste. Jamais renasciam na terra, e nenhum já retornou das mansões dos mortos, salvo apenas Beren, filho de Barahir, que depois jamais falou mais a Homens mortais. Talvez seu fado após a morte não estivesse nas mãos dos Valar.

Nos dias que vieram depois, quando, por causa dos triunfos de Morgoth, Elfos e Homens alhearam-se uns dos outros, como ele tanto desejara, aqueles dos Eldalië que viviam ainda no mundo feneceram, e os Homens usurparam a luz do Sol. Então os Eldar vagaram nos lugares mais solitários das Terras de Fora,[5] e preferiam a luz da Lua e das estrelas, e as matas e as cavernas.[6]

❦

[1] *Côr > Kôr*, como anteriormente.
[2] *Mandos > Nefantur*
[3] *ou renascerem > ou por vezes renascerem*
[4] Acrescentado aqui:

> E de similar fado eram aqueles rebentos de Elfo e mortal, Eärendel e Elwing e Dior, pai dela, e Elrond, filho dela.

[5] *de Cá* escrito sobre *de Fora*, mas *de Fora* não foi riscado.
[6] Acrescentado no final:

> e se tornavam como sombras, espectros e lembranças, de modo que não zarpavam para o Oeste e desapareciam do mundo, como é contado antes do final da história.

8

Mas nesses dias Elfos e Homens eram aparentados e aliados. Antes do nascer do Sol e da Lua, Fëanor e seus filhos marcharam para o Norte em busca de Morgoth. Uma hoste de Orques, provocada pela queima dos navios, caiu sobre eles, e houve uma batalha na planície renomada em canção. Ainda jovem e verde ela se estendia[1] até os sopés das altas montanhas erguidas sobre os salões de Morgoth; mas mais tarde ficou queimada e desolada, e é chamada de Terra da Sede, Dor-na-Fauglith na língua gnômica. Lá ocorreu a Primeira Batalha.[2] Grande foi a matança dos Orques e Balrogs, e história alguma pode contar sobre a bravura de Fëanor ou de seus filhos. Contudo, o sofrimento fez-se presente naquela grande primeira vitória. Pois Fëanor foi ferido de morte por Gothmog, Senhor de Balrogs, a quem Ecthelion depois matou em Gondolin. Fëanor morreu na hora da vitória, contemplando os picos gigantescos das Thangorodrim, os maiores montes do mundo;[3] e ele amaldiçoou o nome de Morgoth, e ordenou que seus filhos jamais tratassem ou debatessem com o seu inimigo. Porém, na hora exata de sua morte, chegou-lhes uma embaixada de Morgoth reconhecendo a derrota, e oferecendo tratar com eles, e os tentando com uma Silmaril. Maidros, o alto, persuadiu os Gnomos a se encontrarem com Morgoth na hora e no lugar designados, mas com tão pouco intento de boa-fé de seu lado quanto havia da parte de Morgoth. Donde cada embaixada veio em muito maior número do que haviam jurado, mas Morgoth trouxe a maior, e eram Balrogs. Maidros foi pego em uma emboscada e a maioria de seus companheiros foi morta; mas Maidros foi capturado vivo por ordem de Morgoth e levado a Angband e torturado, e foi pendurado do alto de um precipício íngreme sobre as Thangorodrim apenas pelo pulso direito.

Então os seis filhos de Fëanor, aturdidos, retiraram-se e acamparam nas margens do Lago Mithrim, naquela terra setentrional que depois foi chamada de Hisilómë, Hithlum ou Dorlómin pelos Gnomos, que é a Terra da Bruma. Lá ficaram sabendo da marcha de Fingolfin e Finweg[4] e Felagund, que tinham cruzado o Gelo Pungente.

Na hora em que chegaram, o primeiro Sol nasceu; suas bandeiras azuis e prateadas foram desfraldadas, e flores brotaram sob seus pés em marcha. Os Orques, atemorizados pelo alevantar da grande luz, recuaram para Angband, e Morgoth, frustrado, ponderou por muito tempo em pensamentos irados.

Pouco amor havia entre as duas hostes acampadas nas margens opostas de Mithrim, e a demora engendrada por sua rixa causou grande mal à causa de ambas.

Ora, vastos vapores e fumaças eram produzidos em Angband e expelidos dos cimos fumosos das Montanhas de Ferro, que mesmo de muito longe em Hithlum podiam ser vistos manchando a radiância daquelas primeiras manhãs. Os vapores desciam e se enrolavam à volta de campos e vales, e pairavam sobre o seio de Mithrim, escuros e imundos.

Então Finweg, o valente, resolveu sanar a rixa. Sozinho ele partiu em busca de Maidros. Ajudado pelas próprias brumas de Morgoth, e pela retirada das forças de Angband, aventurou-se no domínio de seus inimigos, e por fim encontrou Maidros pendurado em tormento. Mas não podia alcançá-lo para libertá-lo; e Maidros lhe implorou[5] que o ferisse com seu arco.

Manwë, a quem todas as aves são caras e a quem elas trazem notícias, sobre Tindbrenting, de todas as coisas que seus olhos que enxergam ao longe não conseguem ver, enviou[6] a raça das Águias. Thorndor era seu rei. Por ordem de Morgoth habitavam nas encostas do Norte e vigiavam Morgoth e atrapalhavam seus feitos, e traziam novas dele aos ouvidos tristes de Manwë.

Na hora em que Finweg com pesar curvou seu arco, desceu voando dos altos ares Thorndor, rei das águias. Ele era a mais poderosa de todas as aves que já existiram. Trinta pés[7] mediam suas asas esticadas. Seu bico era de ouro. Assim a mão de Finweg foi detida, e Thorndor o carregou até a face da rocha de onde Maidros pendia. Mas nenhum dos dois conseguia soltar o grilhão encantado do pulso, nem o cortar, nem o arrancar da pedra. De novo, em agonia, Maidros implorou para que o matassem, mas Finweg cortou a mão dele acima do pulso, e Thorndor os carregou até Mithrim, e o ferimento de Maidros foi curado, e ele viveu para empunhar a espada com a mão esquerda de modo mais mortal a seus inimigos que com a direita.

Assim foi a rixa sanada por um tempo entre os soberbos filhos de Finn[8] e sua inveja esquecida, mas ainda lá se mantinha o juramento das Silmarils.

❧

[1] *Ainda jovem e verde > Ainda sombria sob as estrelas* (e, posteriormente, *ela se estendia > a planície se estendia*). (Essa mudança sem dúvida foi feita porque o

Sol ainda não havia nascido; mas ela destrói a força da antítese com *mas mais tarde ficou queimada e desolada*.)

2 Acrescentado aqui: *a Batalha sob as Estrelas*.

3 *o mundo > o mundo de cá*

4 *Finweg > Fingon*, como anteriormente, em todas as ocorrências.

5 No texto datilografado, os verbos no presente, *encontra*, não pode, *implora*, foram emendados logo de início para *encontrou*, não podia, *implorou*; uma indicação de que meu pai estava seguindo de perto o manuscrito do Esb. Verbos no presente são ocasionalmente encontrados mais tarde no Q tal como datilografado originalmente.

6 *enviou > enviara*

7 *pés > braças*

8 *Finn > Finwë*, como anteriormente.

9

Então os Gnomos marcharam adiante e sitiaram Angband pelo Oeste, Sul e Leste. Em Hithlum e em suas fronteiras no Oeste ficavam as hostes de Fingolfin. O Sul era defendido por Felagund, filho de Finrod, e seus irmãos. Uma torre tinham numa ilha no rio Sirion, que guardava o vale entre as montanhas que faziam curva para o Norte nas fronteiras de Hithlum e as encostas onde crescia a grande floresta de pinheiros, que Morgoth depois encheu com tamanho terror e mal que nem mesmo os Orques não a atravessavam, exceto por uma única estrada e em grande necessidade e presteza, e os Gnomos vieram a chamá-la de Taur-na-Fuin, que é Sombra Mortal da Noite. Mas naqueles dias ela era salubre, ainda que densa e escura,[1] e o povo de Orodreth, de Angrod e Egnor, andava por lá e vigiava das orlas da floresta a planície abaixo, que se estendia até as Montanhas de Ferro. Assim protegiam a planície do Sirion, mais belo dos rios nas canções élficas, mais amado por Ulmo, e toda aquela vasta terra de faias e olmos e carvalhos e prados floridos que era chamada de Broseliand.[2]

No leste estavam os filhos de Fëanor. Sua torre de vigia era a colina alta de Himling, e seu esconderijo a Garganta de Aglon, escavada fundo entre Himling e Taur-na-Fuin, e banhada pelo rio de Esgalduin, o escuro e forte, que vinha de nascentes secretas em Taur-na-Fuin e desaguava em Doriath e passava diante das portas dos salões de Thingol. Mas pouco precisavam de esconderijo naqueles dias, e vagavam por toda a parte, mesmo até as muralhas de Angband no Norte, e a leste até as Montanhas Azuis,[3] que são as fronteiras das terras sobre as quais estas histórias contam. Lá faziam guerra aos[4] Anãos de Nogrod e Belegost; mas não descobriram de onde aquela estranha raça vinha, nem ninguém desde então. Eles não são amigos dos Valar[5] ou dos Eldar ou dos Homens, tampouco servem a Morgoth; embora sejam em muitas coisas mais como o povo dele, e pouco amavam os Gnomos.[6] Engenho tinham quase para competir com o dos Gnomos, mas menos beleza havia em suas obras, e ferro trabalhavam em vez de ouro e prata, e cotas de malha e armas eram seu principal ofício. Comércio e escambo eram o deleite deles, e o acúmulo de riquezas, das quais faziam pouco uso. Longas eram suas barbas e baixa e atarracada sua estatura. De Nauglir os Gnomos os chamavam, e aqueles que habitavam em Nogrod eles chamavam de Indrafangs, os Barbas-longas, pois suas barbas roçavam o chão diante de seus pés. Mas por ora pouco eles preocupavam o povo da terra, enquanto o poder dos Gnomos era grande.

Esse foi o tempo que as canções chamam de Cerco de Angband. As espadas dos Gnomos muravam então a terra da ruína de Morgoth, e seu poder estava encerrado por trás das muralhas de Angband. Os Gnomos gabavam-se de que ele nunca poderia romper seu sítio e de que ninguém dentre sua gente jamais poderia passar para fazer o mal nos caminhos do mundo.

Um tempo de consolo foi aquele sob os novos Sol e Lua, um tempo de nascimento e desabrochar. Naqueles dias se deu o primeiro encontro dos Gnomos com os Elfos-escuros, e a Festa do Encontro que foi realizada na Terra dos Salgueiros foi por muito tempo lembrada em dias posteriores de pouca alegria. Naqueles dias os Homens vieram por sobre as Montanhas Azuis até Broseliand[7] e Hithlum,[8] os mais bravos e belos de sua raça. Felagund foi quem os encontrou e sempre foi amigo deles. Certa feita ele era hóspede de Celegorm no Leste, e cavalgou a caçar com ele. Mas apartou-se dos demais[9] e, certa altura da noite, topou com um vale nos contrafortes ocidentais das Montanhas Azuis. Havia luzes no vale e o som de rude canção. Então Felagund admirou-se, pois a língua daquelas canções não era a língua dos Eldar, nem dos Anãos.[10] Nem era a língua dos Orques, apesar de ele inicialmente temer que fosse. Ali estava acampado o povo de Bëor, um poderoso guerreiro dos Homens, cujo filho era Barahir, o audaz. Eram eles os primeiros Homens a chegarem a Broseliand. Depois deles vieram Hador, o alto, cujos filhos eram Haleth e Gumlin, e os filhos de Gumlin,

Huor e Húrin,[11] e o filho de Huor, Tuor, e o filho de Húrin, Túrin. Todos esses foram enredados nos fados dos Gnomos e realizaram feitos magnos que os Elfos ainda lembram entre as canções dos feitos de seus próprios senhores e reis.

Mas Hador ainda não era visto nos acampamentos dos Gnomos. Naquela noite Felagund foi ter entre os homens adormecidos da hoste de Bëor e sentou-se junto a suas fogueiras morredouras, onde ninguém montava guarda, e tomou uma harpa que Bëor pusera de lado e nela tocou uma música tal que nenhum ouvido mortal jamais escutara, pois aprendera as melodias da música somente dos Elfos-escuros. Então os homens despertaram e escutaram e se maravilharam, pois havia grande sabedoria naquela canção e também beleza, e tornava-se mais sábio o coração que a escutava. Assim foi que os Homens chamaram Felagund, o primeiro dos Noldoli que encontraram, de Sabedoria;[12] e por causa dele chamaram sua raça de Sábios, a quem chamamos Gnomos.[13]

Bëor morou com Felagund até morrer, e seu filho Barahir foi o maior amigo dos filhos de Finrod.[14] Mas os filhos de Hador eram aliados à casa de Fingolfin, e desses Húrin e Túrin eram os mais renomados. O reino de Gumlin ficava em Hithlum, e ali mais tarde Húrin habitou e sua esposa Morwen Brilho-élfico, que era bela como uma filha dos Eldalië.[15]

Então começou o tempo da ruína dos Gnomos. Levou muito tempo para que ela se completasse, pois crescera muito seu poderio, e eram muito valorosos, e seus aliados eram muitos e audaciosos, Elfos-escuros e Homens.

Mas a maré de sua sorte virou de súbito. Por longo tempo Morgoth preparara suas forças em segredo. Em certa noite de inverno ele desencadeou grandes rios de chama que se derramaram sobre toda a planície diante das Montanhas de Ferro e a queimaram, tornando-a um deserto desolado. Muitos Gnomos dos filhos de Finrod pereceram naquele incêndio, e sua fumaça produziu treva e confusão entre os inimigos de Morgoth. Em seguida ao fogo[16] vieram os negros exércitos dos Orques, em quantidade que os Gnomos jamais viram nem imaginaram antes. Desse modo Morgoth rompeu o cerco de Angband e realizou pelas mãos dos Orques uma grande matança dos mais bravos das hostes sitiantes. Seus inimigos foram dispersos por toda a parte, Gnomos, Ilkorins e Homens. A maioria dos Homens ele perseguiu por sobre as Montanhas Azuis, exceto pelos filhos de Bëor e por Hador, que se refugiou em Hithlum além das Montanhas Sombrias, onde os Orques ainda não chegavam em grandes números. Os Elfos-escuros fugiram para o sul rumo a Broseliand[17] e além, mas muitos foram a Doriath, e o reino e poderio de Thingol cresceram naquele tempo, até ele se tornar um baluarte e refúgio dos Elfos. As magias de Melian que estavam entretecidas nos limites de Doriath resguardavam do mal seus salões e seu reino.

A floresta de pinheiros foi tomada por Morgoth e transformada em lugar de pavor, e ele tomou a torre de vigia de Sirion e a transformou em reduto de mal e de ameaça. Ali habitava Thû, o principal servo de Morgoth, feiticeiro de medonho poder, o senhor dos lobos.[18] O maior peso daquela batalha pavorosa, a segunda batalha e a primeira derrota[19] dos Gnomos, recaíra sobre os filhos de Finrod. Ali foram mortos Angrod e Egnor. Ali também Felagund teria sido aprisionado ou morto, mas Barahir veio com todos os seus homens e salvou o rei gnômico e construiu uma muralha de lanças em seu redor; e, apesar de sua perda ser dolorosa, combateram até se livrarem dos Orques e fugiram para os pântanos do Sirion, ao Sul. Ali Felagund fez um juramento de amizade imorredoura e auxílio em tempo de necessidade a Barahir e toda a sua família e descendência e, em testemunho de seu voto, deu a Barahir seu anel.

Então Felagund rumou para o Sul[20] e, às margens do Narog, estabeleceu, à maneira de Thingol, uma cidade oculta e cavernosa, e um reino. Aqueles lugares profundos foram chamados de Nargothrond. Ali foi ter Orodreth após uma época de fuga esbaforida e perambulações arriscadas, e com ele Celegorm e Curufin, os filhos de Fëanor, seus amigos. O povo de Celegorm ampliou a força de Felagund, mas teria sido melhor se tivessem juntado com sua própria gente, que fortificou a colina de Himling[21] a leste de Doriath e encheu a Garganta de Aglon com armas ocultas.

A mais sofrida das perdas daquela batalha foi a morte de Fingolfin, o mais poderoso dos Noldoli. Mas sua própria morte ele buscou em fúria e agonia ao ver a derrota de seu povo. Pois foi aos portões de Angband sozinho e os golpeou com sua espada, e desafiou Morgoth a vir para fora e lutar sozinho. E Morgoth veio. Foi a última vez naquelas guerras em que ele saiu pelos portões de seus lugares fortificados, mas não podia se negar ao desafio diante dos rostos de seus senhores e chefes. Contudo, diz-se que, embora seu poder e força sejam os maiores dos Valar e de todas as coisas aqui embaixo, no fundo ele é um poltrão quando está sozinho, e que não aceitou o desafio de bom grado. Os Orques cantam sobre aquele duelo nos portões, mas os Elfos não, embora Thorndor o tenha visto de cima e contado a história.

Alto Morgoth se erguia acima da cabeça de Fingolfin, mas grande era o coração do Gnomo, amargo o seu desespero e terrível a sua ira. Por longo tempo combateram. Três vezes foi Fingolfin golpeado até se ajoelhar e três vezes se levantou. Ringil era a sua espada, tão fria a lâmina e tão luzente quanto o gelo azul, e em seu escudo havia a estrela sobre um campo azul que era sua divisa. Mas o escudo de Morgoth era negro sem brasão, e sua sombra era como nuvem de tempestade. Lutava com uma maça como um grande martelo de suas forjas. Grond os Orques a chamavam, e ao atingir a terra, quando Fingolfin se esquivava, uma cova se abria e fumaça brotava. Assim foi Fingolfin sobrepujado, pois a terra estava partida aos seus pés, e ele tropeçou e caiu, e Morgoth pôs seu pé, que é pesado como as raízes dos montes, sobre o pescoço dele. Mas isso não foi feito antes que Ringil tivesse lhe dado sete feridas, e a cada uma ele gritara em alta voz. Morgoth fica manco do pé esquerdo para sempre, onde em seu derradeiro desespero Fingolfin o perfurou e o prendeu à terra.[22] Mas a cicatriz em seu rosto Fingolfin não lhe deu. Isso foi obra de Thorndor. Pois Morgoth pegou o corpo de Fingolfin para destroçá-lo e dar a seus lobos. Mas Thorndor desceu das alturas em meio às mesmas multidões de Angband que assistiam à luta, e golpeou com sua garra[23] o rosto de Morgoth e resgatou o corpo de Fingolfin, e o carregou a uma grande altura. Lá ergueu o teso dele sobre uma montanha, e aquela montanha dá para a planície de Gondolin, e sobre o Monte de Fingolfin nenhum Orque ou demônio jamais ousou passar durante muito tempo, até a traição nascer entre a gente dele.

Mas Finweg[24] assumiu o reinado dos Gnomos, e ainda resistia, o mais próximo dentre os Gnomos dispersos do reino de seu inimigo, em Hithlum e nas Montanhas Sombrias do Norte que ficam ao Sul e a Leste da Terra da Bruma, entre ela e Broseliand e a Planície Sedenta. Porém, suas fortalezas Morgoth tomava uma a uma, e os Orques, cada vez mais ousados, vagavam à vontade por toda parte, e muitos dos Gnomos e Elfos-escuros eles tomavam

A FORMAÇÃO DA TERRA-MÉDIA

como prisioneiros e levavam a Angband e faziam deles servos, e os forçavam a usar seu engenho e magia a serviço de Morgoth, e a labutar sem cessar em lágrimas em suas minas e forjas.[25] E emissários de Morgoth iam sempre entre os Elfos-escuros e os Gnomos-servos e os Homens (a quem naqueles dias ele fingia a maior das amizades enquanto se encontravam fora do alcance de seu poder), e promessas mentirosas faziam e falsas insinuações de cobiça e traição uns para com os outros; e, por causa da maldição da matança em Porto-cisne, amiúde as mentiras pareciam críveis; e os Gnomos temiam grandemente a traição daqueles de sua própria gente que tinham sido servos de Angband, de modo que, mesmo se escapassem e voltassem ao seu povo, pouca acolhida tinham, e vagavam amiúde em exílio miserável e desespero.[26]

✧

[1] Acrescentado aqui: *e foi chamada de Taur Danin* (mudança tardia).

[2] *Broseliand > Beleriand* (ver nota 7), e o seguinte trecho foi acrescentado:

> na língua gnômica; e de Noldórien foi chamada, [Geleithian >] Geleidhian, o reino dos Gnomos, e Ingolondë, a bela e pesarosa.

[3] *leste até as Montanhas Azuis > leste até Erydluin, as Montanhas Azuis. Eredlindon* foi posteriormente escrito a lápis junto a *Erydluin*.

[4] *faziam guerra aos > mantinham colóquio com os* (mudança tardia).

[5] Essa frase foi emendada para: *Pouca amizade havia entre Elfo e Anão, pois estes não são amigos dos Valar* etc. (mudança tardia).

[6] *e pouco amavam os Gnomos* colocado entre parênteses para ser excluído (mudança tardia).

[7] *Broseliand > Beleriand* em todas as ocorrências (ver nota 2).

[8] *e Hithlum* foi riscado.

[9] Acrescentado aqui: *e entrou em Ossiriand* (mudança tardia).

[10] Palavras quase ilegíveis foram escritas a lápis acima de *Eldar, nem dos Anãos: dos* [*?Valar*], *nem de* [*?Doriath*], *tampouco dos Elfos Verdes*.

[11] Essa frase foi emendada para: *Depois deles vieram Hador, o de Cabelos Dourados, cujos filhos eram Gundor e Gumlin, e os filhos de Gumlin, Húrin e Huor* etc. (mudança tardia).

> Ao pé da página, sem indicações para sua inserção, foi escrito: *Haleth, o caçador, e pouco depois*

[12] *Sabedoria > Gnomo, que é Sabedoria > Gnomo, ou Sabedoria*

[13] Acrescentado aqui: *Tomaram F[elagund] por um deus* (mudança tardia).

[14] Acrescentado aqui: *mas ele residia em Dorthonion* (mudança tardia).

[15] Escrito aqui, com uma marca de inserção: *Dagor Aglareb e o Presságio dos Reis* (acréscimo tardio).

[16] *Em seguida ao fogo > À* frente daquele fogo vinha Glómund, o dourado, o pai de dragões, e depois dele

O QUENTA

[17] *Geleidhian* (ver nota 2) está escrito a lápis acima de *Beleriand* (emendado de *Broseliand*, ver nota 7).

[18] Rabiscado junto à frase: *Sauron, seu serviçal em Valinor, a quem ele seduzira.*

[19] *a segunda batalha e a primeira derrota* > *a Segunda Batalha, a Batalha da Chama Repentina, e a primeira derrota* (e, posteriormente, *Segunda* > *Terceira*).

[20] Acrescentado aqui: *e Oeste*

[21] *Himling* > *Himring* (mudança tardia; nas duas primeiras ocorrências do nome, próximo ao início dessa seção, ele não foi emendado).

[22] *e o prendeu à terra* foi riscado (mudança tardia).

[23] *garra* > *bico*

[24] *Finweg* > *Fingon*, como anteriormente.

[25] Nessa frase, *magia* > *ofício* e *em lágrimas em suas minas e forjas* para uma leitura incerta, provavelmente *e lágrimas e tormento eram suas pagas* (mudanças tardias).

[26] Uma página do texto datilografado termina aqui, e ao pé da página está escrito *Turgon* (acréscimo tardio).

10

Naqueles dias de dúvida e temor, após a Segunda[1] Batalha, ocorreram muitos fatos pavorosos, só poucos dos quais são contados aqui. Está dito que Bëor foi morto e Barahir não cedeu a Morgoth, mas toda a sua terra foi conquistada e seu povo foi disperso, escravizado ou morto, e ele próprio se tornou proscrito com seu filho, Beren, e dez homens fiéis. Por muito tempo eles se esconderam e realizaram secretos e valorosos feitos de guerra contra os Orques. Mas no fim, como se conta no início da balada de Lúthien e Beren, o esconderijo de Barahir foi traído, e foram mortos ele e seus companheiros, todos menos Beren, que por sorte naquele dia estava caçando ao longe. Depois disso Beren viveu como proscrito solitário, exceto pela ajuda que teve das aves e dos animais que amava; e, buscando a morte em feitos desesperados, não a encontrou, e sim glória e renome nas canções secretas dos fugitivos e inimigos ocultos de Morgoth, de forma que a história de seus feitos chegou até Broseliand[2] e era propalada em Doriath. Finalmente Beren fugiu para o sul, escapando do círculo cada vez mais fechado dos que o caçavam, e atravessou as pavorosas Montanhas de Sombra[3] e, por fim, exausto e abatido, entrou em Doriath. Ali conquistou secretamente o amor de Lúthien, filha de Thingol, e chamou-a Tinúviel, o rouxinol, por causa da beleza de seu canto ao crepúsculo sob as árvores; pois ela era filha de Melian.

Mas Thingol enfureceu-se e o dispensou com desprezo, mas não o matou porque fizera um juramento à filha. Não obstante, desejava enviá-lo à morte. E pensou em seu coração numa demanda que não pudesse ser realizada, e disse: Se me trouxeres uma Silmaril da coroa de Morgoth, permitirei que Lúthien te despose se quiser. E Beren jurou realizar isso, e foi de Doriath para Nargothrond levando o anel de Barahir. Ali a demanda da Silmaril despertou do sono o juramento que haviam feito os filhos de Fëanor, e o mal começou a crescer daí. Felagund, apesar de saber que a demanda ultrapassava seu poder, dispôs-se a conceder todo o seu auxílio a Beren por causa de seu próprio juramento a Barahir. Mas Celegorm e Curufin dissuadiram sua gente e incitaram uma rebelião contra ele. E despertaram pensamentos malignos em seus corações e pensaram em usurpar o trono de Nargothrond, pois eram filhos da linhagem mais velha. Antes que uma Silmaril fosse ganha e dada a Thingol, eles haveriam de arruinar o poder de Doriath e Nargothrond.

Então Felagund entregou a coroa a Orodreth e apartou-se de seu povo com Beren e dez homens fiéis de sua própria casa. Emboscaram um bando de Orques e os mataram e, com auxílio da magia de Felagund, disfarçaram-se de Orques. Mas foram vistos por Thû de sua torre de vigia, que outrora fora do próprio Felagund, e foram interrogados por ele, e sua magia foi derrotada numa disputa entre Thû e Felagund. Assim foram revelados como Elfos, mas os encantamentos de Felagund ocultaram seus nomes e sua demanda. Por longo tempo foram torturados nos calabouços de Thû, mas nenhum deles traiu o outro.

Nesse meio-tempo Lúthien, sabendo pela longínqua visão de Melian que Beren sucumbira ao poder de Thû, procurou em seu desespero fugir de Doriath. Isso chegou ao conhecimento de Thingol, que a aprisionou numa casa na mais alta de suas enormes faias, muito acima do solo. O modo como ela escapou e alcançou a floresta e ali foi encontrada por Celegorm quando este caçava nas bordas de Doriath está contado na balada de Lúthien. Levaram-na traiçoeiramente para Nargothrond, e Curufin, o matreiro, enamorou-se de sua beleza. Pelo que ela contou, ficaram sabendo que Felagund estava nas mãos de Thû; e tencionaram deixarem-no perecer ali e manterem Lúthien consigo e obrigarem Thingol a casar Lúthien com Curufin[4] e, dessa forma, aumentarem seu poder e usurparem Nargothrond e se tornarem os mais poderosos príncipes dos Gnomos. Não pensavam em sair em busca das

Silmarils, nem em permitir que nenhum outro o fizesse, até terem todo o poder dos Elfos debaixo de si e obediente a eles. Mas seus desígnios em nada resultaram, exceto na desavença e na amargura entre os reinos dos Elfos.

Huan era o nome do principal cão de Celegorm. Era de raça imortal dos campos de caça de Oromë. Oromë o dera a Celegorm muito tempo antes, em Valinor, quando Celegorm costumava cavalgar no séquito do Deus e seguia sua trompa. Ele chegou às Grandes[5] Terras com seu senhor, e nem dardo, nem arma, nem feitiço, nem veneno podia lhe fazer mal, de forma que foi à batalha com seu senhor e muitas vezes o salvou da morte. Seu destino decretara que não haveria de encontrar a morte exceto pelas mãos do lobo mais poderoso que jamais caminhasse no mundo.

Huan era fiel de coração e amava Lúthien desde a hora em que primeiro a encontrou na floresta e a trouxe a Celegorm. Seu coração se afligia pela traição do senhor, e libertou Lúthien e foi com ela rumo ao Norte.

Ali Thû matou seus cativos um a um, até que restassem apenas Felagund e Beren. Quando chegou a hora da morte de Beren, Felagund aplicou todo o seu poder e rompeu as amarras e se atracou com o lobisomem que veio matar Beren; e matou o lobo, mas ele próprio foi morto no escuro. Ali Beren pranteou em desespero, e esperou pela morte. Mas Lúthien veio e cantou fora dos calabouços. Assim ela seduziu Thû para que se mostrasse, pois a fama do encanto de Lúthien atravessara todas as terras, e também a maravilha de seu canto. O próprio Morgoth a desejava e prometera a maior recompensa a quem a capturasse. Cada lobo enviado por Thû foi silenciosamente morto por Huan, até que veio Draugluin, o maior de seus lobos. Houve então uma batalha feroz, e Thû soube que Lúthien não estava só. Mas lembrou-se do destino de Huan e transformou-se no maior lobo que já caminhara no mundo, e mostrou-se. Mas Huan o derrotou e obteve dele as chaves e os feitiços que mantinham unidas suas muralhas e torres encantadas. Assim o baluarte foi rompido, e as torres, derrubadas, e os calabouços, abertos. Muitos cativos foram libertados, mas Thû, em forma de morcego, voou rumo a Taur-na-Fuin. Ali Lúthien encontrou Beren lamentando-se ao lado de Felagund. Ela curou seu pesar e a debilidade causada pela prisão, mas Felagund eles sepultaram no alto de sua própria ilha-colina, e Thû não foi mais para lá.

Então Huan retornou ao seu senhor, e depois disso minguou o amor entre eles. Beren e Lúthien vagaram despreocupados e felizes até se aproximarem outra vez das divisas de Doriath. Ali Beren recordou seu juramento e se despediu de Lúthien, mas ela não aceitou separar-se dele. Em Nargothrond havia tumulto. Pois Huan e muitos cativos de Thû trouxeram notícias dos feitos de Lúthien e da morte de Felagund, e a traição de Celegorm e Curufin foi evidenciada. Diz-se que eles haviam enviado uma embaixada secreta a Thingol antes de Lúthien escapar, mas Thingol, irado, mandara suas cartas de volta a Orodreth por seus próprios servos.[6] Por isso então os corações da gente de Narog voltaram-se outra vez para a casa de Finrod, e prantearam seu rei Felagund, que haviam abandonado, e fizeram o que mandou Orodreth. Mas ele não permitiu que matassem os filhos de Fëanor como queriam. Em vez disso baniu-os de Nargothrond e jurou que pouco amor haveria depois entre Narog e qualquer filho de Fëanor. E assim foi.

Celegorm e Curufin cavalgavam apressados e furiosos pelos bosques para encontrar o caminho de Himling,[7] quando toparam com Beren e Lúthien no momento em que Beren buscava apartar-se de seu amor. Arremeteram contra eles com os cavalos e, reconhecendo-os, tentaram atropelar Beren sob os cascos. Mas Curufin ergueu Lúthien sobre sua sela. Então aconteceu o salto de Beren, o maior salto de Homem mortal. Pois pulou como um leão bem em cima do cavalo galopante de Curufin e agarrou-o pela garganta, e cavalo e ginete caíram ao solo em confusão, mas Lúthien foi lançada para longe e estendeu-se atordoada no chão. Ali Beren sufocou Curufin, mas sua própria morte esteve próxima, pois Celegorm voltou a cavalo empunhando sua lança. Nessa hora Huan desistiu do serviço de Celegorm e saltou sobre ele de modo que seu cavalo guinou para o lado, e, temendo o terror do grande cão, ninguém ousou aproximar-se. Lúthien proibiu a morte de Curufin, mas Beren o despojou do cavalo e das armas, a principal das quais era seu famoso punhal, feito pelos Anãos. Cortava ferro como se fosse madeira. Então os irmãos cavalgaram para longe, mas traiçoeiramente atiraram para trás, contra Huan e contra Lúthien. Não feriram Huan, mas Beren saltou diante de Lúthien e foi ferido, e os Homens recordaram essa chaga contra os filhos de Fëanor quando isso se tornou conhecido.

Huan ficou com Lúthien e, ouvindo de sua perplexidade e do propósito de Beren de ainda rumar para Angband, foi buscar para

O QUENTA

eles, nos salões arruinados de Thû, um manto de lobisomem e um de morcego. Somente três vezes Huan falou na língua dos Elfos ou dos Homens. A primeira foi quando veio ter com Lúthien em Nargothrond. Esta foi a segunda, quando imaginou o conselho desesperado para sua demanda. Assim cavalgaram rumo ao Norte até não poderem mais fazê-lo com segurança. Então envergaram as vestes como se fossem lobo e morcego, e Lúthien, disfarçada de fata maligna, montou o lobisomem.

Na balada de Lúthien conta-se tudo sobre como chegaram ao portão de Angband e o encontraram recém-guardado, pois um rumor que ele não sabia por qual desígnio circulava entre os Elfos chegara a Morgoth. Por isso deu feitio ao mais poderoso dos lobos, Carcharas[8] Presa-de-Punhal, para sentar-se diante dos portões.[9] Mas Lúthien o enfeitiçou, e avançaram até a presença de Morgoth, e Beren esgueirou-se para baixo do seu assento. Então Lúthien ousou o feito mais terrível e mais valoroso que quaisquer das mulheres dos Elfos jamais ousou; ele é tido não menor que o desafio de Fingolfin e pode ser maior, exceto pelo fato de que ela era semidivina. Ela lançou fora o disfarce e declarou o próprio nome e fingiu ter sido trazida cativa pelos lobos de Thû. E seduziu Morgoth, mesmo enquanto o coração dele tramava um mal abominável dentro de si; e dançou diante dele e lançou no sono toda a sua corte; e cantou para ele e arremessou-lhe à face o manto mágico que tecera em Doriath, e lhe impôs um sonho de compulsão — que canção pode cantar a maravilha desse feito, ou a ira e humilhação de Morgoth, pois os próprios Orques se riem em segredo quando a recordam, contando como Morgoth caiu de seu assento e sua coroa de ferro rolou no solo?

Então Beren surgiu com um salto, lançando fora a veste de lobo, e sacou o punhal de Curufin. Com ele arrancou uma Silmaril. Porém, atrevendo-se a mais, tentou ganhá-las todas. Então partiu--se o punhal dos Anãos traiçoeiros, e seu som ressoante agitou as hostes adormecidas, e Morgoth gemeu. O terror apossou-se dos corações de Beren e Lúthien, e fugiram descendo pelas escuras vias de Angband. Os portões estavam barrados por Carcharas, já desperto do encantamento de Lúthien. Beren pôs-se diante de Lúthien, o que demonstrou ser má ideia; pois antes que ela conseguisse tocar o lobo com sua veste, ou dizer palavra de magia, ele saltou sobre Beren, que agora já não tinha arma. Com a direita

Beren golpeou os olhos de Carcharas, mas o lobo tomou sua mão entre as mandíbulas e a arrancou com uma mordida. Ora, aquela mão segurava a Silmaril. Então a goela de Carcharas se queimou com um fogo de angústia e tormento quando a Silmaril tocou sua carne maligna; e fugiu deles uivando, de forma que todas as montanhas estremeceram, e a loucura do lobo de Angband foi, dentre todos os horrores que já vieram ao Norte,[10] o mais medonho e terrível. Por pouco Lúthien e Beren escaparam antes que toda Angband se erguesse.

Das suas perambulações e seu desespero, e da cura de Beren, que desde então tem sido chamado Beren Ermabwed, o Uma-Mão, de seu resgate por Huan, que súbito sumira de junto deles antes de chegarem a Angband, e de seu retorno a Doriath, pouco há para contar.[11] Mas em Doriath muitas coisas haviam ocorrido. Ali tudo passara mal desde que Lúthien fugira. O pesar se abatera sobre todo o povo, e o silêncio sobre suas canções, quando sua caçada não a encontrou. Longa foi a busca, e na procura Dairon, o flautista de Doriath, se perdeu, o que amava Lúthien antes de Beren chegar a Doriath. Foi o maior músico dos Elfos, exceto por Maglor, filho de Fëanor, e Tinfang Trinado.[12] Mas ele jamais retornou a Doriath e vagou rumo ao Leste do mundo.[13]

Houve também ataques às divisas de Doriath, pois rumores de que Lúthien se extraviara haviam chegado a Angband. Ali Boldog, capitão dos Orques, foi abatido em batalha por Thingol, e seus grandes guerreiros Beleg, o Arqueiro, e Mablung Mão-Pesada estiveram com Thingol nessa batalha. Assim Thingol ficou sabendo que Lúthien ainda estava livre de Morgoth, mas ouviu de suas andanças e encheu-se de temor. Em meio a seu medo, veio em segredo a embaixada de Celegorm, e disse que Beren estava morto, e também Felagund, e Lúthien estava em Nargothrond. Então Thingol encontrou em seu coração arrependimento pela morte de Beren, e sua ira inflamou-se diante da insinuada traição de Celegorm contra a casa de Finrod, e por ele manter Lúthien consigo e não a mandar para casa. Destarte enviou espiões à terra de Nargothrond e se preparou para a guerra. Mas soube que Lúthien fugira e que Celegorm e seu irmão haviam rumado para Aglon. Portanto mandou uma embaixada a Aglon, visto que seu poderio não era suficiente para acometer todos os sete irmãos, nem sua contenda era com outros que não Celegorm e Curufin. Mas essa embaixada, viajando na mata, deu com a investida de Carcharas. O grande lobo correra desvairado por todas as matas do Norte, e a morte e a devastação iam com ele. Somente Mablung escapou para trazer a Thingol notícias de sua vinda. Graças ao destino, ou à magia da Silmaril que trazia para seu tormento, ele não foi detido pelos encantamentos de Melian, mas irrompeu nos bosques inviolados de Doriath, e por toda a parte o terror e a destruição se espalharam.

Mesmo quando os pesares de Doriath estavam no auge, Lúthien e Beren e Huan voltaram a Doriath. Então o coração de Thingol se aliviou, mas não se tomou de amor por Beren, em quem via a causa de todos os seus pesares. Quando soube como Beren escapara de Thû ficou admirado, mas disse: "Mortal, e tua demanda e teu juramento?" Então respondeu Beren: "Mesmo agora tenho uma Silmaril em minha mão." "Mostra-ma", disse Thingol. "Não posso fazê-lo," disse Beren, "pois minha mão não está aqui." E contou toda a história e esclareceu a causa da loucura de Carcharas, e o coração de Thingol atenuou-se por suas bravas palavras e sua indulgência, e o grande amor que via entre sua filha e aquele Homem valorosíssimo.

Assim, portanto, planejaram a caçada ao lobo Carcharas. Nessa caçada estiveram Huan e Thingol e Mablung e Beleg e Beren e ninguém mais. E aqui precisa ser breve o seu triste relato, pois em outra parte é contado mais completamente. Lúthien ficou para trás, com presságios, quando partiram; e bem fez, pois Carcharas foi abatido, mas Huan morreu na mesma hora, e morreu para salvar Beren.[14] Porém Beren foi ferido de morte, mas viveu para pôr a Silmaril nas mãos de Thingol quando Mablung a havia extraído com a faca do ventre do lobo. Então não falou mais até que o tivessem carregado, com Huan ao seu lado, de volta às portas dos paços de Thingol. Ali, sob a faia onde antes estivera aprisionada, Lúthien os encontrou, e beijou Beren antes que seu espírito partisse para os salões da espera. Assim terminou o longo conto de Lúthien e Beren. Mas a balada de Leithian, libertação do cativeiro, ainda não estava contada por completo. Pois há muito se diz que Lúthien minguou e desvaneceu depressa e desapareceu da terra, apesar de algumas canções dizerem que Melian convocou Thorndor, e ele a carregou viva até Valinor. E ela chegou aos salões de Mandos e cantou-lhe um conto de amor tocante tão belo que ele se comoveu à piedade, como nunca acontecera até então. Beren ele convocou,

A FORMAÇÃO DA TERRA-MÉDIA

e assim, como Lúthien jurara ao beijá-lo na hora da morte, eles se encontraram além do mar ocidental. E Mandos permitiu que partissem, mas disse que Lúthien deveria tornar-se mortal assim como seu amado, e deveria deixar a terra mais uma vez à maneira das mulheres mortais, e sua beleza se tornaria somente uma lembrança nas canções. Assim foi, mas dizem que depois, como recompensa, Mandos concedeu a Beren e a Lúthien uma longa duração de vida e felicidade, e vagaram sem conhecer sede nem frio na bela terra de Broseliand, e depois disso nenhum Homem mortal falou com Beren ou sua esposa.[15] Contudo, ele voltou a estas histórias quando uma mais triste que a sua se encerrou.

❧

[1] *Segunda > Terceira* (mudança tardia); ver §9, nota 19.
[2] *Broseliand > Beleriand*, como anteriormente.
[3] *Montanhas de Sombra > Montanhas de Terror* (ver III. 206).
[4] *Curufin* foi riscado e *Cele[gorm]* foi escrito acima (mudança tardia).
[5] *Grande > de Cá* (cf. §3, nota 8).
[6] Essa frase, a partir de *Thingol, irado*, foi emendada para: *Thingol ficou irado, e teria ido à guerra com eles, como é contado mais tarde.*
[7] *Himling > Himring*, como em §9, nota 21 (mudança tardia).
[8] *Carcharas > Carcharoth* em todas as ocorrências.
[9] Acrescentado aqui: *Atroz e terrível era aquela besta; e canções também o chamavam de Borosaith, Sempre-faminto, e Anfauglin, Bocarra Sedenta.*
[10] Acrescentado aqui: *antes da queda de Angband*
[11] Acréscimo tardio na margem: *Thorndor os carregou por sobre Gondolin até Brethil.*
[12] *exceto por Maglor, filho de Fëanor, e Tinfang Trinado > e apenas Maglor, filho de Fëanor, e Tinfang Gelion são nomeados ao seu lado.*
[13] Acrescentado aqui: *onde por muito tempo fez música secreta em memória de Lúthien.*
[14] Acrescentado aqui: *e lhe disse adeus, e essa foi a terceira e última vez que Huan falou.*
[15] Essa frase foi emendada para: *e vagaram sem conhecer sede nem frio nos confins de Geleidhian na bela Ossiriand, Terra dos Sete Rios, Gwerth-i-cuina, os Mortos que Vivem; e depois disso nenhum Homem mortal etc.*

11

Ora,[1] é preciso contar que Maidros, filho de Fëanor, percebeu que Morgoth não era invulnerável depois dos feitos de Huan e Lúthien e da destruição das torres de Thû,[2] mas que haveria de destruí-los a todos, um a um, se não formassem de novo uma liga e conselho. Essa foi a União de Maidros, sabiamente planejada.

135

O QUENTA

Os Ilkorins e os Homens dispersos foram reunidos, enquanto as forças de Maidros faziam ataques cada vez mais ferozes a partir de Himling,[3] e rechaçavam os Orques e capturavam seus espiões. As forjas de Nogrod e Belegost muito se ocupavam naqueles dias fazendo cotas de malha e espadas e lanças para muitos exércitos, e muito da riqueza e das joias de Elfos e Homens eles granjearam naquela época, apesar de eles próprios não irem para a guerra. "Pois não sabemos os direitos dessa querela", diziam, "e não somos amigos de lado algum — até que este prevaleça." Assim, grande e esplêndido era o exército de Maidros, mas o juramento e a maldição feriram os seus desígnios.

Todas as hostes de Hithlum, Gnomos e Homens, estavam prontas ao seu chamado, e Finweg[4] e Turgon e Huor e Húrin eram seus chefes.[5] Orodreth não marcharia de Narog seguindo as palavras de Maidros, por causa da morte de Felagund, e dos atos de Curufin e Celegorm.[6] Contudo, permitiu que uma pequena companhia dos mais bravos, que não suportariam ficar ociosos enquanto a guerra estivesse em andamento, fosse para o Norte. Seu líder era o jovem Flinding, filho de Fuilin, mais ousado dos batedores de Nargothrond; mas tomaram para si as divisas da casa de Finweg e seguiram sob as suas bandeiras, e nunca mais voltaram, exceto um.[7]

De Doriath não veio ninguém.[8] Pois Maidros e seus irmãos tinham antes enviado mensagens a Doriath e lembraram Thingol, com palavras por demais soberbas, de seu juramento, e o convocaram a ceder a Silmaril. Isso Melian o aconselhou que fizesse, e talvez o teria feito, mas as palavras deles foram demasiado orgulhosas, e ele pensava em como a joia havia sido adquirida pelas tristezas do povo de Thingol,[9] e apesar dos atos torpes dos filhos de Fëanor; e a cobiça[10] também, é possível, tinha alguma parte no coração de Thingol, como se mostrou mais tarde. Donde ele despediu os mensageiros de Maidros com escárnio. Maidros nada disse, pois naquele tempo estava começando a ponderar[11] a reunião das forças dos Elfos. Mas Celegorm e Curufin juraram em alta voz matar Thingol ou qualquer um de seu povo que viessem a ver, de dia ou de noite, na guerra ou na paz.[12]

Por essa razão Thingol não partiu,[13] nem nenhum outro de Doriath, salvo Mablung e Beleg, que não obedeciam a homem algum.

Ora, chegou o dia em que Maidros enviou sua convocação e os Elfos-escuros, exceto os de Doriath, marcharam à sua bandeira, e Homens do Leste e do Sul. Mas Finweg e Turgon e os Homens

136

A FORMAÇÃO DA TERRA-MÉDIA

de Hithlum foram reunidos no Oeste nas fronteiras da Planície Sedenta, aguardando o sinal dos estandartes que avançavam do Leste. Pode ser que Maidros tenha tardado por demais reunir suas forças; é certo que emissários secretos de Morgoth foram ter entre os acampamentos, Gnomos-servos ou seres em forma élfica, e espalharam presságios e pensamentos de desunião. Com os Homens iam ter amiúde, e o fruto de suas palavras foi visto mais tarde.

Longamente o exército aguardou no Oeste, e o medo da traição abateu-se sobre eles, quando Maidros não veio, e os corações ardentes de Finweg e Turgon ficaram impacientes.[14] Enviaram seus arautos através da planície e suas trombetas de prata ressoaram; e convocaram as hostes de Morgoth a virem para fora. Então Morgoth enviou uma força, grande e, ainda assim, não grande demais. E Finweg estava determinado a atacar das matas aos pés das Montanhas Sombrias, onde jazia escondido. Mas Húrin falou contra isso.

Então Morgoth trouxe um dos arautos de Finweg que ele iniquamente fizera prisioneiro e o matou na planície, de forma que aqueles que observavam de longe pudessem ver — pois longe e nítidas os olhos dos Gnomos divisam coisas no ar claro. Então a ira de Finweg rompeu os grilhões e seu exército saltou avante em investida repentina. Isso estava de acordo com os desígnios de Morgoth, mas diz-se que ele não contou com o verdadeiro número das forças dos Gnomos, nem conhecia ainda a medida da bravura deles, e quase seu plano foi frustrado. Antes que o seu exército pudesse ser socorrido, ele foi sobrepujado, e naquele dia houve uma matança maior dos serviçais de Morgoth do que tinha havido até então, e as bandeiras de Finweg foram erguidas diante das muralhas de Angband.

Flinding, diz-se, e os homens de Nargothrond, atravessaram mesmo os portões; e o medo chegou a Morgoth em seu trono. Mas eles foram mortos ou capturados, pois não chegou nenhum auxílio.[15] Por outros portões secretos Morgoth fez sair a hoste principal, que deixara a esperar, e Finweg e os Homens de Hithlum foram rechaçados das muralhas.

Então, na planície, começou a Batalha das Lágrimas Inumeráveis,[16] da qual nenhuma canção ou conto conta por completo, pois a voz do contador é embargada pela lamentação. A hoste dos Elfos foi cercada. Porém, naquela hora, em marcha enfim as bandeiras de Maidros e seu aliados vieram do Leste. Mesmo então os Elfos poderiam ter sido vitoriosos, pois os Orques hesitaram. Mas, na hora em que a vanguarda de Maidros enfrentava os Orques, Morgoth despejou suas últimas forças, e toda Angband foi esvaziada. Vieram lobos e serpentes, e vieram Balrogs como fogo, e veio o primeiro de todos os dragões, a mais antiga de todas as Serpes de Cobiça. Glómund era seu nome e longamente seu terror fora apregoado, embora não tivesse chegado ao seu crescimento e mal plenos, e raras vezes fora visto.[17] De tal modo Morgoth se esforçou para impedir a união das hostes dos Elfos, mas isso os Eldar dizem ele nem assim teria conseguido não tivessem os capitães dos Homens nas hostes de Maidros se virado e fugido, e seu número era muito grande. Traição ou covardia, ou ambas, foi a causa daquele duro agravo. Mas há coisa pior a se contar, pois os Homens tisnados, a quem Uldor, o Maldito, liderava, passaram para o lado do inimigo e caíram sobre o flanco de Maidros. Desde esse dia os Elfos alhearam-se dos Homens, com exceção dos filhos dos filhos de Hador.[18]

Ali Finweg tombou em meio a chamas de espadas, e um fogo, diz-se, brotou de seu elmo quando foi rachado; mas ele foi abatido na terra e suas bandeiras foram pisoteadas. Então o exército do Oeste, apartado de Maidros, recuou da melhor maneira que pôde abrir caminho, passo a passo, em direção às Montanhas Sombrias, ou mesmo às terríveis orlas de Taur-na-Fuin. Mas Húrin não recuou,[19] e ele ficou na retaguarda, e todos os Homens de Hithlum e seu irmão Huor foram mortos ali à sua volta, de forma que nenhum retornou com novas ao seu lar. A valente defesa de Húrin é ainda lembrada pelos Elfos, pois por ela Turgon foi capaz de abrir caminho para longe do campo e salvar parte de sua batalha, e resgatar seu povo dos montes, e escapar para o sul até o Sirion. Renomado em canção é o machado de Húrin que matou uma centena de Orques, mas o elmo mágico que Gumlin, seu pai, lhe deixara ele não usou naquele dia. Nele foi colocada em zombaria a imagem da cabeça de Glómund, e amiúde saíra para a vitória, de forma que os Homens de Hithlum diziam: "Temos um dragão de mais valor que o deles." Era obra de Telchar, o grande ferreiro de Belegost, mas de nada teria valido a Húrin naquele campo, pois por ordem de Morgoth ele foi capturado vivo, agarrado pelos braços hediondos de incontáveis Orques, até que foi enterrado debaixo deles.

Maidros e os filhos de Fëanor realizaram uma grande matança de Orques, Balrogs e Homens traidores naquele dia, mas o dragão não mataram, e o fogo de seu hálito foi a morte de muitos. E foram empurrados no fim para longe, e a Garganta de Aglon ficou repleta de Orques e a colina de Himling com o povo de Morgoth. Mas os sete filhos de Fëanor, apesar de cada um ter sido ferido, não foram mortos.[20]

Grande foi o triunfo de Morgoth. Os corpos de seus inimigos que foram mortos foram empilhados em um teso como um grande morro em Dor-na-Fauglith, mas ali a relva surgiu e cresceu verdejante naquele lugar, o único em todo o deserto, e nenhum Orque dali por diante pisou sobre a terra debaixo da qual as espadas gnômicas se desfaziam em ferrugem. O reino de Finweg não mais existia, os filhos de Fëanor vagavam no Leste, fugitivos nas Montanhas Azuis.[21] Os exércitos de Angband andavam por todo o Norte. A Hithlum Morgoth enviou Homens que eram seus serviçais ou que tinham medo dele. Ao Sul e Leste seus Orques iam em saque e destruição; quase toda Broseliand[22] eles devastaram. Doriath ainda resistia onde Thingol vivia, e Nargothrond. Mas ele ainda não lhes dava muita atenção, talvez porque pouco sabia deles. Mas uma coisa maculava seu triunfo, e grande era sua ira quando pensava nela. Esta era a fuga de Turgon, e de nenhuma maneira conseguiu descobrir para onde o rei tinha ido.[23]

Húrin foi agora trazido diante de Morgoth e o desafiou. Ele foi agrilhoado em tormento. Mais tarde Morgoth, lembrando-se que apenas a traição ou o medo dela, e especialmente a traição dos Homens, causaria a ruína[24] dos Gnomos, veio ter com Húrin e lhe ofereceu honra e liberdade e riqueza de joias, caso liderasse um exército contra Turgon, ou mesmo lhe dissesse para onde o rei tinha ido; pois sabia que Húrin era íntimo dos conselhos dos filhos de Fingolfin. Mas Húrin zombou dele. Portanto, Morgoth planejou um castigo cruel. Sobre o pico mais elevado das Thangorodrim acorrentou Húrin a uma cadeira de pedra, e o amaldiçoou com uma maldição de visão de vigília perene como a dos Deuses, mas sua família e semente ele amaldiçoou com um fado de pesar e má fortuna, e ordenou que Húrin sentasse lá e contemplasse o desenrolar da maldição.

☙

A primeira parte dessa seção foi bastante emendada, às pressas e com rabiscos por cima das alterações cuidadosas que pertencem a uma "camada" mais antiga. Em três das notas a seguir (7, 14 e 15) apresento o texto final das passagens que mais foram mudadas.

O QUENTA

1   *Homens Tisnados* está rabiscado na margem, aparentemente com uma marca de inserção nesse ponto na narrativa.

2   *das torres de Thû* > *da torre de Sauron* (mudança tardia).

3   Essa frase foi emendada para: *Os Elfos-escuros foram convocados novamente de longe, e Homens do Leste foram congregados; e as forças de Maidros saíram de Himling* (mudança tardia). *Himling* > *Himring* subsequentemente.

4   *Finweg* > *Fingon* do início ao fim, como anteriormente.

5   Acrescentado aqui: *Contudo, menor foi o auxílio que Maidros teve dos Homens do que deveria ter sido, por causa do ferimento de Beren na mata; e* (*Orodreth não marcharia* etc.)

6   *Celegorm* > *Celegorn* em ambas as ocorrências (essa mudança não havia sido feita anteriormente).

7   Esse parágrafo, após as mudanças apresentadas nas notas 4–6, foi reescrito posteriormente (introduzindo a história tardia da fundação de Gondolin), assim:

> Todas as hostes de Hithlum, Gnomos e Homens, estavam prontas ao seu chamado; e Fingon e Huor e Húrin eram seus chefes. E Turgon, ele próprio julgando que por acaso a hora da libertação estava próxima, veio sem ser esperado, e trouxe um grande exército, e acamparam diante do Passo Oeste à vista das muralhas de Hithlum, e houve júbilo entre o povo de Fingon, seu irmão. [*Um acréscimo aqui foi riscado, sem dúvida na época da composição, e substituído por uma afirmação diferente abaixo sobre o povo de Haleth:* O povo de Haleth preparou-se na floresta de Brethil.] Contudo, menor foi o auxílio que Maidros teve dos Homens do que deveria ter sido, por causa do ferimento de Beren na mata; pois o povo de Haleth morava na floresta, e poucos foram à guerra. Orodreth, além disso, não marcharia de Narog seguindo as palavras de Maidros, por causa da morte de Felagund, e dos atos de Curufin e Celegorn. Contudo, permitiu que uma pequena companhia dos mais bravos, que não suportariam ficar ociosos enquanto a grande guerra estivesse em andamento, fosse para o Norte. Seu líder era Gwindor, filho de Guilin, um príncipe muito valente; mas tomaram para si as divisas da casa de Fingon e seguiram sob as suas bandeiras, e nunca mais voltaram, exceto um.

8   *De Doriath não veio ninguém* > *De Doriath veio pouco auxílio.*

9   Acrescentado aqui: *e na angústia de Lúthien*

10 *cobiça* > *concupiscência*

11 *começando a ponderar* > já começando a planejar (mudança tardia).

12 Essa frase foi mudada para: *juraram em alta voz matar Thingol e destruir o seu povo, se voltassem vitoriosos da guerra, e se a joia não fosse entregue de livre vontade.*

13 *Thingol não partiu* > *Thingol fortificou seu reino e não partiu*

14 A partir do início do parágrafo anterior (*Ora, chegou o dia...*), o texto foi reescrito extensamente na "camada" tardia de mudanças:

> Por fim, tendo então reunido toda a força que podia, Maidros designou um dia, e mandou mensagens a Fingon e Turgon. Ora, por um tempo os Gnomos tiveram a vitória, e os Orques foram varridos de Beleriand, e a esperança foi renovada; mas Morgoth estava ciente de tudo que fora feito, e precaveu-se contra o levante deles, e enviou seus espiões e emissários

140

em meio a Elfos e Homens, mas esses foram especialmente aos Homens Tisnados e aos filhos de Ulfang. No Leste, sob a bandeira de Maidros, estava todo o povo dos filhos de Fëanor, e eram muitos; e os Elfos-escuros, vindos do Sul, estavam com ele, e os batalhões dos Lestenses, com os filhos de Bor e Ulfang. Mas Fingon e Turgon e os Homens de Hithlum e os que vieram da Falas e de Nargothrond foram reunidos de pronto no Oeste nas fronteiras da Planície Sedenta, aguardando sob a bandeira de Fingon o sinal dos estandartes que avançavam do Leste. Mas Maidros foi atrasado na estrada pelos ardis de Uldor, o Maldito, filho de Ulfang, e constantemente os emissários secretos de Morgoth iam ter entre os acampamentos, Gnomos-servos ou seres em forma élfica, e espalharam presságios e pensamentos de traição.

Longamente o exército esperou no Oeste, e o medo da traição cresceu em seus pensamentos quando Maidros não chegou. Então os corações ardentes de Fingon e Turgon ficaram impacientes.

[15] Essa passagem, a partir de *Flinding, diz-se*, foi emendada por uma alteração posterior para:

Gwindor, filho de Guilin, diz-se, e os homens de Nargothrond, estavam na vanguarda da batalha e atravessaram os portões; e mataram os Orques nos próprios salões de Morgoth, e o medo chegou a Morgoth em seu trono. Mas por fim Gwindor e seus homens foram todos mortos ou capturados, pois nenhum auxílio veio até eles.

[16] Acrescentado aqui: *Nirnaith Arnediad* (mudança tardia).

[17] Acrescentado aqui: *desde a segunda batalha do Norte*.

[18] Acrescentado aqui: *e de Bëor* (mudança tardia)

[19] *Mas Húrin não recuou > Mas ali Húrin foi cercado*

[20] A seguinte passagem foi acrescentada aqui:

Mas suas forças estavam dispersas, e seu povo minguado e dispersado, e sua liga, despedaçada; e passaram a levar uma vida selvática nas matas, sob os pés das Eryd-luin [*posteriormente* > Ered-luin], misturando-se aos Elfos--escuros, e esquecendo-se do poder e da glória de outrora.

[21] *vagavam no Leste, fugitivos nas Montanhas Azuis > vagavam como folhas ao vento*.

[22] *Broseliand > Beleriand*, como anteriormente.

[23] A seguinte passagem foi acrescentada aqui:

e sua fúria foi imensa, pois diz-se que, de todos o Gnomos, ele temia e odiava mais a casa e o povo de Fingolfin, que jamais deram ouvido às suas mentiras e lisonjas, e que chegaram ao Norte, como se contou, somente por lealdade à sua própria gente.

[24] *a ruína > a ruína final*

12

Morwen,[1] a esposa de Húrin, foi deixada em Hithlum, e com ela ficaram apenas dois idosos velhos demais para a guerra, e donzelas e meninos. Um desses meninos era o de Húrin, Túrin, filho de

Húrin, renomado em canção. Mas Morwen carregava uma criança de novo, e assim ela permaneceu e lamentou-se em Hithlum, e não foi como Rían, esposa de Huor, em busca de novas de seu senhor. Os Homens[2] da raça fiel foram mortos, e Morgoth empurrou para lá no lugar deles aqueles que haviam traído os Elfos, e os confinou por atrás das Montanhas Sombrias, e os matava se tentassem ir para Broseliand[3] ou além; e isso foi tudo o que receberam do amor e recompensas que ele lhes prometera. Contudo, seus corações eram voltados para o mal, e pouco amor demonstraram às mulheres e crianças dos fiéis que tinham sido mortos, e a maioria eles escravizaram. Grande era a coragem e majestade de Morwen, e muitos a temiam, e sussurravam que ela aprendera magias negras dos Gnomos.[4] Mas ela era pobre e praticamente sozinha, e era socorrida em segredo por sua parenta Airin, a quem Brodda, um dos homens de fora, e poderoso entre eles, tomara como esposa. Donde entrou no coração dela a ideia de enviar Túrin, que tinha então sete anos, a Thingol, para que não crescesse grosseiro ou como um serviçal; pois Húrin e Beren haviam sido amigos outrora. A sina de Túrin é contada no "Filhos de Húrin", e não precisa ser contada por completo aqui, embora esteja entrelaçada com as sinas das Silmarils e dos Elfos. É chamado de Conto do Pesar, pois é cheio de tristeza, e nele são vistas as piores das obras de Morgoth Bauglir.

Túrin cresceu na corte de Thingol, mas, passado algum tempo, conforme o poder de Morgoth crescia, cessaram as novas de Hithlum e não soube mais de Nienor, sua irmã, que nasceu depois que ele partiu do lar, nem de Morwen, sua mãe; e seu coração ficou sombrio e pesaroso. Ele ia à luta amiúde nas divisas do reino, onde Beleg, o Arqueiro, era seu amigo, e pouco ia à corte, e desgrenhado era o seu cabelo e desalinhados seus trajes, apesar de doce sua voz e tristes suas canções. Certa feita, à mesa do rei, ele foi provocado por um Elfo tolo, Orgof de nome, em virtude de sua vestimenta grosseira e aparência estranha. E Orgof, em zombaria, desdenhou das donzelas e esposas dos Homens de Hithlum. Mas Túrin, não tomando conhecimento de sua força crescente, matou Orgof com uma taça à mesa do rei.

Ele fugiu da corte e, pensando ser um proscrito, passou a guerrear contra todos, Elfos, Homens ou Orques, que cruzassem o caminho do bando desesperado que reuniu à sua volta nas divisas do reino, Homens e Ilkorins e Gnomos perseguidos. Certo dia, quando não

A FORMAÇÃO DA TERRA-MÉDIA

estava entre eles, seus homens capturaram Beleg, o Arqueiro, e o amarraram a uma árvore, e o teriam matado; mas Túrin, ao retornar, foi premido pelo remorso, e libertou Beleg e se negou a fazer guerra ou pilhagem contra todos, exceto os Orques. Por Beleg soube que Thingol perdoara seu ato no dia em que fora cometido. Ainda assim ele não voltou às Mil Cavernas, mas os feitos que eram realizados nas marcas de Doriath por Beleg e Túrin eram apregoados nos salões de Thingol, e em Angband eles eram conhecidos.

Ora, um do bando de Túrin era Blodrin, filho de Ban, um Gnomo,[5] mas ele tinha vivido entre os Anãos e era de coração maligno e juntou-se a Túrin pelo amor à pilhagem. Amava pouco a nova vida em que feridas eram mais abundantes do que os espólios. No fim, ele delatou os esconderijos de Túrin[6] aos Orques, e o acampamento de Túrin foi surpreendido. Blodrin foi morto por uma flecha fortuita de seus aliados malignos na penumbra, mas Túrin foi capturado vivo, como Húrin havia sido, por ordem de Morgoth. Pois Morgoth começou a temer que em Doriath, por trás dos labirintos de Melian, onde seus atos estariam ocultos dele, salvo por relatos,[7] Túrin burlaria a sina que ele concebera. Beleg foi deixado como morto sob uma pilha de cadáveres. Ali foi encontrado por mensageiros de Thingol que chegaram para chamá-los a um banquete nas Mil Cavernas. Levado para lá, ele foi curado por Melian, e partiu sozinho para ir ao encalço de Túrin. Beleg era o maior de todos os mateiros que já existiram, e seu engenho era pouco menor que o de Huan no seguimento de um rastro, apesar de seguir por olho e astúcia, não pelo cheiro. Não obstante, ele ficou desorientado nos labirintos da Sombra Mortal da Noite e vagou por lá em desespero, até que avistou a lanterna de Flinding, filho de Fuilin,[8] que escapara das minas de Morgoth, uma sombra curvada e tímida de sua antiga forma e temperamento. Por Flinding teve notícias do bando de Orques que capturara Túrin; e o bando tardara por muito tempo nas terras saqueando a Leste entre os Homens, mas agora chegara com grande pressa, em virtude da mensagem furiosa de Morgoth, e estava passando pela estrada-órquica através da própria Taur-na-Fuin.

Próximo à saída dessa estrada, onde ela alcança a borda da floresta na face das encostas íngremes[9] que jazem ao sul da Planície Sedenta, Flinding e Beleg deitaram-se e observaram os Orques passarem. Quando os Orques deixaram a floresta e

143

O QUENTA

desceram as encostas para acampar em um vale desnudo à vista das Thangorodrim, Beleg e seu companheiro os seguiram. À noite Beleg flechou os lobos-sentinelas do acampamento-órquico, e se esgueirou com Flinding para o meio deles. Com a maior das dificuldades e correndo o maior dos perigos, eles ergueram Túrin, desacordado em um sono de cansaço total, e o levaram para fora do acampamento e o puseram no chão num vale de espinheiros densos no alto da encosta. Ao cortar[10] as amarras, Beleg picou o pé de Túrin; e ele, despertado num medo e fúria súbitos, pois os Orques amiúde o atormentavam, viu-se livre. Então, em sua loucura, agarrou a espada de Beleg e matou seu amigo, pensando que fosse um inimigo. A cobertura da lamparina de Flinding caiu naquele momento, e Túrin viu o rosto de Beleg; e sua loucura o deixou e ele ficou como que petrificado.

Os Orques, despertados pelos gritos que dera ao saltar sobre Beleg, descobriram a fuga de Túrin, mas foram dispersados por uma terrível tempestade de trovões e um aguaceiro de chuva. Pela manhã Flinding os viu marchando para longe por sobre as areias ferventes de Dor-na-Fauglith. Porém, durante a tempestade Túrin permaneceu sentado sem se mover; e mal pôde ser instigado a ajudar no enterro de Beleg e seu arco no vale de espinhos. Flinding depois o conduziu, atordoado e sem juízo, à segurança; e sua mente foi curada ao beber da nascente do Narog às margens do lago de Ivrin. Pois suas lágrimas puderam escorrer, e ele chorou, e após chorar fez uma canção para Beleg, a Amizade do Arqueiro, que se tornou uma canção de batalha dos inimigos de Morgoth.

☙

[1] *Inserir o Elmo de Gumlin da página 34* está escrito na margem junto a abertura dessa seção. A página 34 do texto datilografado contém a passagem a respeito do Elmo em §11, p. 138.

[2] *Os Homens > A maioria dos Homens*

[3] *Broseliand > Beleriand*, como anteriormente.

[4] *sussurravam que ela aprendera magias negras dos Gnomos > sussurravam que ela era uma bruxa* (mudança tardia).

[5] *um Gnomo > um Gnomo da casa de Fëanor*

[6] *os esconderijos de Túrin > os esconderijos de Túrin além das orlas de Doriath*

[7] *salvo por relatos > ou em suas divisas, de onde viam somente relatos incertos*

[8] *Flinding, filho de Fuilin > Gwindor, filho de Guilin*, e subsequentemente *Flinding > Gwindor* (mudanças tardias; ver §11, nota 15).

[9] íngremes > *longas*

[10] Acrescentado após *no alto da encosta*:

> Então Beleg sacou sua espada renomada, feita de ferro que caíra do céu como estrela cadente, podia fender todo ferro tirado da terra. Mas a sina foi naquele dia mais forte, pois ao cortar etc.

13

Flinding[1] conduziu no fim Túrin a Nargothrond. Ali, em dias há muito idos,[2] Flinding amara Finduilas, filha de Orodreth, e a chamava de Failivrin, que é o resplendor nas águas do belo lago de onde o Narog vem. Mas o coração dela voltou-se contra sua vontade para Túrin, e o dele para ela. Por lealdade[3] ele lutou contra seu amor e Finduilas ficou abatida e pálida, mas Flinding, compreendendo seus corações, ficou amargurado.

Túrin se tornou grande e poderoso em Nargothrond, mas não gostava da maneira secreta deles de confrontos e emboscadas, e começou a ansiar por golpes valentes e batalhas abertas. Então ele mandou que fosse reforjada a espada de Beleg, e os artífices de Narog fizeram dela uma lâmina negra com gumes luzentes de fogo pálido; por essa espada tornou-se conhecido entre eles como Mormaglir.[4]

Com essa espada pensou em vingar a morte de Beleg, o Arqueiro, e com ela realizou muito feitos magnos; de forma que a fama de Mormaglir, o Espada-Negra de Nargothrond, chegou mesmo a Doriath e aos ouvidos de Thingol, mas o nome de Túrin não foi ouvido. Por muito tempo a vitória esteve com Mormaglir e a hoste dos Gnomos de Nargothrond que o seguiam; e seu reino se estendia mesmo às nascentes do Narog, e do mar do oeste aos confins de Doriath; e houve uma interrupção nos ataques de Morgoth.

Nesse tempo de alívio e esperança, Morwen soergueu-se e, deixando seus bens aos cuidados de Brodda, que tinha por esposa[5] sua parenta Airin, levou consigo Nienor, sua filha, e se aventurou na longa jornada para os salões de Thingol. Lá uma nova tristeza a aguardava, pois soube da perda e desaparecimento de Túrin; e mesmo enquanto ela habitava por enquanto como hóspede de Thingol, em pesar e dúvida, chegaram a Doriath as novas da queda de Nargothrond; ao que toda a gente chorou.

Esperando sua hora, Morgoth soltou sobre o povo de Narog de modo imprevisto um grande exército que longamente preparara, e com a hoste veio aquele pai dos dragões, Glómund, que causou

O QUENTA

ruína na Batalha das Lágrimas Inumeráveis. O poderio de Narog foi sobrepujado na Planície Protegida, ao norte de Nargothrond; e ali tombou Flinding, filho de Fuilin,[6] mortalmente ferido, e, moribundo, recusou o socorro de Túrin, repreendendo-o e lhe pedindo, caso quisesse corrigir o mal que causara ao seu amigo, que voltasse depressa a Nargothrond para resgatar mesmo com sua própria vida, se pudesse, Finduilas, a quem amavam, ou então matá-la.

Mas a hoste-órquica e o poderoso dragão chegaram a Nargothrond antes que Túrin pudesse lhe preparar as defesas, e sobrepujaram Orodreth e todo o povo remanescente, e os grandes salões sob a terra foram saqueados e pilhados, e todas as mulheres e donzelas do povo de Narog foram arrebanhadas como escravas e levadas à servidão de Morgoth. Somente a Túrin não puderam dominar, e os Orques recuaram diante dele em terror e assombro, e ele ficou sozinho. Assim sempre Morgoth conseguia a queda de homens por seus próprios atos; pois em pouca conta teriam os homens tido as dores de Túrin tivesse ele tombado em defesa valorosa diante das magnas portas de Nargothrond.

Fogo havia nos olhos de Túrin, e os gumes de sua espada brilhavam como em chamas, e caminhou à batalha mesmo com Glómund, sozinho e sem medo. Mas não era seu fado naquele dia livrar o mundo daquele mal rastejante; pois ele caiu sob o feitiço de contenção dos olhos sem pálpebra de Glómund, e ficou imóvel; mas Glómund[7] o provocou, chamando-o de desertor de sua gente, assassino de amigo, e ladrão de amor. E o dragão lhe ofereceu a liberdade para tentar resgatar seu "amor roubado", Finduilas, ou cumprir seu dever e ir ao resgate de sua mãe e sua irmã, que estavam vivendo em grande desdita em Hithlum (como disse e mentiu) e à beira da morte. Mas ele deve jurar abandonar uma ou outra.

Então Túrin, em angústia e dúvida, abandonou Finduilas contra seu coração, e contra sua última palavra a Flinding[8] (que se tivesse obedecido seu fado último não teria lhe sobrevindo) e, crendo nas palavras da serpente, cujo feitiço estava sobre ele, deixou o reino de Narog e rumou para Hithlum. E canta-se que ele cobriu em vão os ouvidos para não ouvir o eco dos gritos de Finduilas chamando pelo seu nome ao ser levada embora; e esse som o perseguiu pelas matas. Mas Glómund, quando Túrin havia partido, rastejou de volta a Nargothrond e reuniu à sua volta a maior parte da riqueza de ouro e gemas, e jazeu sobre elas no salão mais profundo, e havia desolação ao seu redor.

Diz-se que Túrin chegou afinal a Hithlum, e não encontrou sua mãe ou sua gente; pois o salão deles estava vazio e a terra espoliada, e Brodda juntara os bens deles aos seus. No salão de madeira dele e à sua própria mesa, Túrin matou Brodda; e abriu caminho lutando para fora da casa, mas teve depois de fugir de Hithlum.[9]

Havia uma habitação de Homens livres na floresta, o remanescente do povo de Haleth, filho de Hador e irmão e Gumlin, avô de Túrin. Eram os últimos dos Homens que eram Amigos-dos-Elfos a permanecer em Beleriand,[10] nem subjugados por Morgoth, nem confinados em Hithlum além das Montanhas Sombrias. Eram pequenos em número, mas destemidos, e suas casas ficavam nas matas verdes ao redor do Rio Taiglin, que adentra a terra de Doriath antes de se juntar às grandes águas do Sirion, e quiçá alguma magia de Melian ainda os protegesse. Descendo as nascentes do Taiglin, que brota das Montanhas Sombrias, Túrin veio em busca do rastro dos Orques que haviam saqueado Nargothrond e tinham de atravessar aquele rio no caminho de volta ao reino de Morgoth.

Assim, ele topou com os homens-da-floresta e teve notícias de Finduilas; e então pensou já ter provado infortúnios o suficiente, mas não foi assim. Pois os Orques tinham marchado próximo às fronteiras dos homens-da-floresta, e os homens-da-floresta os haviam emboscado, e chegaram perto de resgatar os prisioneiros deles. Mas poucos retomaram, pois os guardas-órquicos mataram a maioria com crueldade; e dentre eles Finduilas foi trespassada por lanças,[11] como os poucos que foram salvos lhe contaram em meio às lágrimas. Assim pereceu a última da raça de Finrod, mais belo dos reis-élficos, e desapareceu do mundo dos Homens.

Sombrio estava o coração de Túrin e todos os feitos e dias de sua vida pareciam vis; porém, a coragem da raça de Hador era como um âmago de aço que não se dobrava. Ali Túrin jurou renunciar ao seu passado, sua gente, seu nome e tudo o que fora seu, salvo o ódio por Morgoth; e tomou para si um novo nome, Turambar (Turumarth[12] nas formas da fala gnômica), que é Conquistador do Destino; e os homens-da-floresta se reuniram à sua volta, e ele se tornou senhor deles, e governou por um tempo em paz.

Notícias chegaram agora mais claras a Doriath sobre a queda de Orodreth e a destruição de todo o povo de Narog, embora fugitivos que podiam ser contados nas mãos continuavam a chegar à segurança do reino protegido, e incertos eram seus relatos. Contudo, dessa forma Thingol e Morwen vieram a saber que Mormaglir era Túrin; e ainda assim tarde demais; pois alguns diziam que ele escapara e fugira,[13] e alguns contavam que fora transformado em pedra pelos terríveis olhos de Glómund e ainda vivia em servidão em Nargothrond.

Por fim Thingol cedeu de tal modo às lágrimas e súplicas de Morwen que enviou uma companhia de Elfos na direção de Nargothrond para explorar a verdade. Com eles cavalgou Morwen, pois não podia ser impedida; mas a Nienor foi ordenado que permanecesse para trás. Contudo, tinha ela também o destemor de sua casa, e, numa hora desafortunada, disfarçou-se como alguém do povo de Thingol e foi também naquela expedição malfadada.

Avistaram o Narog ao longe do topo do Monte dos Espiões coberto de árvores a leste da Planície Protegida, e de lá desceram a cavalo em grande ousadia em direção às margens do Narog. Morwen permaneceu no monte com pouca guarda e os observou de longe. Ora, nos dias de vitória, quando o povo de Narog saíra mais uma vez para guerrear abertamente, uma ponte fora construída sobre o rio diante das portas da cidade oculta (e isso mostrara-se a sua perdição). Rumo a essa ponte os Elfos de Doriath agora iam, mas Glómund estava ciente da vinda deles, e ele saiu de súbito e se deitou dentro do rio, e vastos vapores sibilantes subiram e os engolfaram. Isso Morwen viu do alto do monte, e seus guardas não iriam permanecer por mais tempo e fugiram de volta para Doriath levando-a consigo.

Naquela névoa os Elfos foram sobrepujados, e seus cavalos entraram em pânico, e correram de um lado para o outro e não conseguiram encontrar seus companheiros; e a maioria jamais retornou a Doriath. Mas quando a névoa se dissipou, Nienor descobriu que sua andança somente a levara de volta às margens do Narog, e diante dela jazia Glómund, e o olho dele estava sobre ela. Horrendo era o seu olho, como o olho de Morgoth, seu mestre, que o fizera; e quando Nienor o fitou forçosamente, um feitiço de escuridão e total esquecimento foi posto em sua mente. De lá ela vagou em desatino pelas matas, como uma criatura selvagem sem fala ou pensamento.

Quando a loucura a deixou, ela estava longe das fronteiras de Nargothrond, não sabia onde; e não se lembrava de seu nome ou lar. Assim ela foi encontrada por um bando de Orques e perseguida como uma fera pelas matas; mas foi salva pelo destino. Pois um grupo de homens-da-floresta de Turambar, em cuja terra estavam, caiu sobre os Orques e os matou; e o próprio Turambar a colocou em seu cavalo e a levou até as moradas aprazíveis dos homens-da--floresta. Ele a chamou de Níniel, Donzela-das-lágrimas, pois a vira primeiro chorando. Havia uma garganta estreita e uma cascata alta e espumante no rio Taiglin, que os homens-da-floresta chamavam de as Quedas da Bacia-de-prata;[14] e por esse lugar passaram ao cavalgarem de volta para casa, e acampariam lá, como lhes era de costume; mas Níniel não queria ficar, pois um frio e um tiritar mortal tomaram conta dela naquele local.

Contudo, mais tarde ela encontrou alguma paz nas habitações dos homens-da-floresta, que a trataram com bondade e honra. Lá ela ganhou o amor de Brandir, filho de Handir, filho de Haleth; mas ele era manco, tendo sido ferido por uma flecha-órquica quando menino, e de menos beleza e força que muitos, donde cedera a governança a Túrin por escolha do povo-da-floresta. Ele era gentil de coração e sábio de pensamento, e grande era o seu amor, e era sempre fiel a Turambar; porém, amargurada ficou sua alma quando não conseguiu conquistar o amor de Níniel. Pois Níniel jamais se apartava de Turambar, e um grande amor sempre houve entre aqueles dois desde a hora de seu primeiro encontro. Assim Túrin Turambar, pensando em livrar-se de seus antigos pesares, desposou Nienor Níniel, e bela foi a festa nos bosques do Taiglin.

Ora, o poder e a malícia de Glómund cresciam depressa e quase todo o reino de Nargothrond de outrora ele devastara, tanto a oeste do Narog como para além dele no leste; e ele reuniu Orques à sua volta e governou como um rei-dragão; e houve batalhas nas marcas da terra dos homens-da-floresta, e os Orques fugiram. Donde, tomando conhecimento da habitação deles, Glómund saiu de Nargothrond e veio rastejando, repleto de fogo, por sobre as terras e até as orlas das matas do Taiglin, deixando atrás de si um rastro de queimadas. Mas Turambar ponderou como o horror podia ser desviado de seu povo; e marchou com seus homens, e Níniel cavalgou com eles, seu coração pressagiando o mal, até poderem divisar ao longe o rastro de destruição do dragão e o local que fumegava onde agora jazia, a oeste do fundo leito escavado do Taiglin. Entre eles estava a ravina íngreme do rio, cujas águas haviam naquele ponto caído, pouco antes, sobre a cascata espumante da Bacia-de-prata.

Ali Turambar pensou num plano desesperado, pois conhecia muito bem o poder e a malícia de Glómund. Resolveu ficar à espera na ravina sobre a qual o dragão deveria passar caso desejasse alcançar a terra deles. Seis de seus homens mais destemidos imploraram para acompanhá-lo; e ao entardecer escalaram o outro lado da ravina e permaneceram escondidos entre os arbustos que agarravam da beirada. À noite o grande dragão aproximou-se do rio, e o rumor de sua vinda os encheu de medo e repugnância. De fato, pela manhã, todos tinham escapulido, deixando Turambar sozinho.

No entardecer seguinte, quando Turambar se encontrava agora quase exausto, Glómund deu início à passagem por sobre a ravina, e sua imensa forma passou sobre a cabeça de Turambar. Ali Turambar trespassou Glómund com Gurtholfin, Vara-da-Morte, sua espada negra; e Glómund se contorceu para trás em agonia e jazeu, moribundo, próximo à beira do rio e não adentrou a terra dos homens-da-floresta. Mas o dragão arrancou a espada da mão de Turambar em seus espasmos, e Turambar saiu então do esconderijo, e colocou o pé sobre Glómund e, em júbilo, desentranhou sua espada. Sequiosa era aquela lâmina e encravada na ferida, e quando Turambar a puxou com toda sua força, o veneno do dragão lhe jorrou na mão e, na aflição da queimadura, caiu em um desmaio.

Assim foi que os que observavam de longe perceberam que Glómund fora morto, porém Turambar ainda não retornara. À luz do luar Níniel partiu sem dizer palavra para buscá-lo, e antes que tivesse ido longe Brandir deu por sua falta e a seguiu. Mas Níniel encontrou Turambar jazendo como morto ao lado do corpo de Glómund. Ali, enquanto ela chorava junto a Turambar e tentava tratá-lo, Glómund abriu os olhos pela última vez, e falou, contando-lhe o verdadeiro nome de Turambar; e depois disso morreu, e com sua morte o feitiço de esquecimento foi retirado de Níniel, e ela se lembrou da família. Tomada de horror e agonia, pois carregava uma criança, ela fugiu e se jogou sobre as alturas da Bacia--de-prata, e ninguém jamais encontrou seu corpo. Seu último lamento antes de se jogar às águas foi ouvido somente por Brandir; e suas costas se curvaram e sua cabeça ficou grisalha naquela noite.

Pela manhã Túrin despertou e viu que alguém tratara de sua mão. Embora a mão lhe doesse terrivelmente, ele retornou em triunfo cheio de júbilo após a morte de Glómund, seu antigo inimigo; e perguntou por Níniel, mas ninguém ousou lhe contar, exceto Brandir. E Brandir, assoberbado de pesar, repreendeu-o; donde Túrin o matou, e, tomando Gurtholfin, vermelha de sangue, pediu à espada que matasse seu mestre; e a espada respondeu que seu sangue era tão doce como qualquer outro, e lhe trespassou o coração ao cair sobre ela.

Túrin enterraram próximo à beira da Bacia-de-prata, e seu nome Túrin Turambar foi entalhado ali numa rocha. Abaixo estava escrito Nienor Níniel. Os Homens mudaram o nome daquele lugar depois disso para Nen-Girith, a Água do Estremecer.

Assim terminou o conto de Túrin, o infeliz; e para sempre foi considerado como a pior das obras de Morgoth no mundo antigo. Alguns dizem que Morwen, saindo a vagar pesarosa dos salões de Thingol, quando não encontrou Nienor lá ao retornar, chegou certa feita àquela pedra e a leu, e ali morreu.

ℛ

[1] *Flinding > Gwindor* em todas as ocorrências, como anteriormente (mudanças tardias).

[2] *em dias há muito idos > em dias de outrora* (mudança tardia).

[3] *Por lealdade > Por lealdade a Gwindor* (mudança tardia).

[4] Acrescentado aqui: *mas a espada ele chamou de Gurtholfin, Vara-da-Morte.*

[5] As palavras *Brodda, que tinha por esposa* foram riscadas (mudança tardia), de modo que a frase fica *deixando seus bens aos cuidados de sua parenta Airin*

[6] *Flinding, filho de Fuilin > Gwindor, filho de Guilin* (mudança tardia).

[7] Essa passagem, a partir de *e ficou imóvel*, foi estendida:

> e por muito tempo permaneceu ali de pé como imagem gravada em pedra em silêncio diante do dragão, até só restarem os dois diante das portas de Nargothrond. Então Glómund o provocou etc.

[8] *e contra sua última palavra a Flinding* foi riscado.

[9] Essa frase foi reescrita para:

> Então Túrin soube da mentira de Glómund, e em sua angústia e ira pelo mal que havia sido feito à sua mãe ele matou Brodda em sua própria mesa e abriu caminho lutando para fora da casa; e à noite, um homem caçado, fugiu de Hithlum.

[10] *Beleriand* aqui como datilografada originalmente, e não emendada de *Broseliand*; e subsequentemente.

[11] *e dentre eles Finduilas foi trespassada > e Finduilas prenderam a uma árvore e trespassaram*

[12] *Turumarth > Turamarth*

[13] Essa passagem, a partir de *continuavam a chegar à segurança do reino protegido*, foi alterada da seguinte maneira:

... continuavam a chegar à segurança de Doriath. Dessa forma Thingol e Morwen vieram a saber que Mormaglir era o próprio Túrin; e ainda assim tarde demais souberam disso; pois alguns diziam que ele estava morto, e alguns contavam etc.

[14] *Quedas da Bacia-de-prata > Quedas do Celebros, Prata-de-espuma*; e subsequentemente *Bacia-de-prata > Celebros.*

14

Mas após a morte de Túrin e Nienor, Húrin foi libertado por Morgoth, pois Morgoth pensava ainda em usá-lo; e acusou Thingol de ter coração fraco e de descortesia, dizendo que somente desse modo seus propósitos se cumpriram; e Húrin perturbado, vagando curvado pelo pesar, ponderou essas palavras, e ficou amargurado por elas, pois tal é a maneira das mentiras de Morgoth.

Húrin, portanto, reuniu alguns proscritos das matas à sua volta, e chegaram a Nargothrond, que ainda ninguém, Orque, Elfo ou Homem, ousara saquear, por pavor do espírito de Glómund e de sua própria lembrança. Mas um certo Mîm, o Anão, encontraram lá. Essa é a primeira aparição dos Anãos nestas histórias[1] do mundo antigo; e diz-se que os Anãos primeiro se espalharam para o oeste desde as Erydluin,[2] as Montanhas Azuis, e entraram em Beleriand após a Batalha das Lágrimas Inumeráveis. Ora, Mîm encontrara desprotegidos os salões e o tesouro de Nargothrond; e tomou posse deles, e sentou-se ali, contente, manuseando o ouro e as gemas, e deixando-os sempre correr por entre as mãos; e ligou-os a si com muitos feitiços. Mas a gente de Mîm era pouco numerosa, e os proscritos, repletos de desejo pelo tesouro, os mataram, apesar de Húrin ter preferido detê-los; e ao morrer Mîm amaldiçoou o ouro.

E a maldição abateu-se sobre os possuidores desta maneira. Cada um dos membros da companhia de Húrin morreu ou foi morto em querelas na estrada; mas Húrin foi ter com Thingol e buscou seu auxílio, e a gente de Thingol levou o tesouro às Mil Cavernas. Então Húrin mandou que o tesouro fosse lançado aos pés de Thingol, e repreendeu o rei-élfico com palavras agrestes e amargas. "Recebe", disse, "tua paga pelo belo cuidado que tiveste com minha esposa e minha família."

Contudo, Thingol não quis tomar o tesouro, e foi indulgente para com Húrin; mas Húrin escarneceu dele, e partiu em busca de Morwen, sua esposa, mas não é dito que algum dia a encontrou sobre a terra; e alguns dizem que ele se lançou, enfim, no mar do oeste; e esse foi o fim do mais poderoso dos guerreiros dos Homens mortais.

Então o encantamento do maldito ouro do dragão começou a se abater sobre o próprio rei de Doriath, e por longo tempo ele esteve sentado contemplando-o, e a semente do amor pelo ouro que estava em seu coração foi despertada e cresceu. Portanto, convocou os maiores dentre todos os artífices que havia então no mundo ocidental, visto que Nargothrond não mais existia (e Gondolin não era conhecida), os Anões de Nogrod e Belegost, para que moldassem o ouro e a prata e as gemas (pois muita coisa ainda estava por elaborar) em incontáveis recipientes e belos objetos; e haveriam de fazer um maravilhoso colar de grande beleza, no qual seria suspensa a Silmaril.

Mas os Anões, ao chegarem, foram imediatamente acometidos pela cobiça e pelo desejo do tesouro, e conspiraram traição. Disseram um ao outro: "Acaso esta fortuna não é direito dos Anões tanto quanto do rei élfico e não foi ela arrebatada maldosamente de Mîm?" Porém cobiçavam também a Silmaril.

E Thingol, caindo mais fundo na servidão do feitiço, de sua parte restringiu a recompensa prometida pelo trabalho; e ergueram-se entre eles palavras amargas e houve batalha nos salões de Thingol. Ali foram mortos muitos Elfos e Anões, e a colina tumular onde foram postos em Doriath foi chamada Cûm-nan-Arasaith, o Morro da Avareza. Mas o restante dos Anões foi expulso sem recompensa nem paga.

Portanto, reunindo novas forças em Nogrod e em Belegost, eles acabaram voltando e, auxiliados pela traição de certos Elfos nos quais recaíra a cobiça do tesouro maldito, entraram secretamente em Doriath. Ali surpreenderam Thingol numa caçada, apenas com pequena companhia armada; e Thingol foi morto, e a fortaleza das Mil Cavernas foi tomada de surpresa e saqueada; e assim foi levada muito próxima da ruína a glória de Doriath, e somente um baluarte dos Elfos contra Morgoth restava ainda, e se avizinhava o crepúsculo deles.

A rainha Melian os Anões não conseguiram prender nem ferir, e ela partiu em busca de Beren e Lúthien. Ora, a Estrada-anânica para Nogrod e Belegost nas Montanhas Azuis passava por Beleriand Leste e pelas matas em redor do Rio Ascar,[3] onde foram outrora os campos de caça de Damrod e Díriel, filhos de Fëanor. Ao sul dessas terras, entre o rio e as montanhas, ficava a terra de Assariad, e ali[4] viviam e vagavam, ainda em paz e contentamento, Beren e Lúthien, naquele tempo de prorrogação que Lúthien ganhara antes que ambos morressem, e sua gente era os Elfos Verdes do Sul, que não eram dos Elfos de Côr,[5] nem de Doriath, embora muitos tivessem lutado na Batalha das Lágrimas Inumeráveis. Mas Beren não ia mais à guerra, e sua terra estava repleta de graça e abundância de flores; e enquanto Beren viveu e Lúthien permaneceu, os Homens costumavam chamá-la Cuilwarthien,[6] a Terra dos Mortos que Vivem.

Ao norte dessa região está um vau que atravessa o rio Ascar, próximo à sua confluência com o Duilwen,[7] que cai em torrentes das montanhas; e esse vau chama-se Sarn-athra,[8] o Vau das Pedras. Esse vau os Anãos precisavam atravessar antes de alcançarem seus lares;[9] e ali Beren combateu seu último combate, alertado por Melian da chegada deles. Nessa batalha os Elfos Verdes atacaram os Anãos de surpresa quando estes estavam no meio da travessia, carregados de butim; e os chefes anânicos foram mortos, assim como quase toda a sua hoste. Mas Beren tomou o Nauglafring,[10] o Colar dos Anãos, do qual pendia a Silmaril; e dizem e cantam que Lúthien, envergando no peito branco esse colar e essa joia imortal, era a visão de maior beleza e glória que jamais foi vista fora dos reinos de Valinor, e que por um momento a Terra dos Mortos que Vivem se tornou como uma visão da terra dos Deuses, e desde então nenhum lugar foi tão belo, tão fecundo ou tão cheio de luz.

Porém Melian os alertava sempre da maldição que residia no tesouro e na Silmaril. O tesouro, de fato, haviam afundado no rio Ascar e deram a este o novo nome de Rathlorion,[11] Leito-D'Ouro, porém guardaram a Silmaril. E logo partiu a breve hora de graça da terra de Rathlorion. Pois Lúthien minguou como Mandos dissera, bem como minguaram os Elfos de dias posteriores, quando os Homens se tornaram fortes e usurparam o que era de bom da terra; e ela desapareceu do mundo; e Beren morreu, e ninguém sabe onde será o seu reencontro.[12]

Depois disso Dior, herdeiro de Thingol, filho de Beren e Lúthien, foi rei na floresta: o mais belo de todos os filhos do mundo, pois sua raça era tríplice: dos mais belos e excelentes entre os Homens, e dos Elfos, e dos espíritos divinos de Valinor; porém isso não o preservou do destino da jura dos filhos de Fëanor. Pois

A FORMAÇÃO DA TERRA-MÉDIA

Dior retornou a Doriath e por algum tempo parte da sua antiga glória ergueu-se de novo, apesar de Melian não mais habitar ali, e ela partiu para a terra dos Deuses além do mar ocidental, para refletir sobre seus pesares nos jardins de onde provinha.

Mas Dior usava a Silmaril no peito, e a fama dessa joia ia a todas as partes; e a jura imortal foi mais uma vez desperta do sono. Os filhos de Fëanor, quando ele não quis lhes ceder a joia, o[13] atacaram com toda a sua hoste; e assim ocorreu a segunda matança de Elfos por Elfos, e a mais dolorosa. Tombaram ali Celegorm e Curufin e o moreno Cranthir, mas Dior foi morto,[14] e Doriath foi destruída e jamais se reergueu.

No entanto, os filhos de Fëanor não conquistaram a Silmaril; pois servos fiéis fugiram deles e levaram consigo Elwing, filha de Dior, e ela escapou, e carregaram consigo o Nauglafring e chegaram por fim à foz do rio Sirion junto ao mar.

ᥱᏉ

[1] *Essa é a primeira aparição dos Anãos nestas histórias > Agora pela primeira vez os Anãos tomaram parte nestas histórias*

[2] *Eryd-luin > Ered-luin* (mudança tardia).

[3] *Ascar > Flend > Gelion* nas duas primeiras ocorrências, mas deixado inalterado na terceira.

[4] Essa frase foi emendada para: *Ao sul dessas terras, entre o rio Flend* [> *Gelion*] *e as montanhas ficava a terra de Ossiriand, banhada por sete rios, Flend* [> *Gelion*], *Ascar, Thalos, Loeglin* [> *Legolin*], *Brilthor, Duilwen, Adurant. Ali viviam* etc.

   (Os rios foram primeiro escritos *Flend, Ascar, Thalos, Loeglin, Brilthor, Adurant. Duilwen* foi então acrescentado entre *Thalos* e *Loeglin*; então *Legolin* substituiu *Loeglin* e *Duilwen* foi movido para ficar entre *Brilthor* e *Adurant*.)

[5] *Côr > Kôr*, como anteriormente.

[6] *os Homens costumavam chamá-la Cuilwarthien > os Elfos costumavam chamá-la Gwerth-i-cuina* (ver §10, nota 15).

[7] *Duilwen > Ascar* (ver p. 276, verbete *Estrada-anânica*).

[8] *Sarn-athra > Sarn-athrad.*

[9] *antes de alcançarem seus lares > antes de alcançarem as passagens das montanhas que conduziam aos seus lares*

[10] *Nauglafring > Nauglamír* em ambas as ocorrências (mudanças tardias).

[11] *Rathlorion > Rathloriel* em ambas as ocorrências (mudanças tardias).

[12] Acrescentado aqui:

   Porém tem sido cantado que apenas Lúthien, dentre os Elfos, foi contada entre os de nossa raça e vai aonde vamos nós, a um destino além do mundo.

   Um X grande a lápis foi feito na margem junto à frase no texto datilografado que começa por *Pois Lúthien mingou...*; nos manuscritos de meu pai isso sempre implica que há alguma afirmação errônea no texto que necessita de revisão.

155

O QUENTA

[13] As palavras *Os filhos de Fëanor, quando* foram riscadas, e a frase foi expandida da seguinte forma:

Pois, enquanto Lúthien usava essa gema sem par, nenhum Elfo ousava acometê-la, e nem mesmo Maidros ousava ponderar tal pensamento. Mas agora, ouvindo acerca da renovação de Doriath e da altivez de Dior, os sete voltaram a se reunir de suas andanças e mandaram dizer a Dior que reivindicavam o que era deles. Mas ele não quis lhes ceder a joia, e eles o etc.

[14] Acrescentado aqui: *e seus jovens filhos Eldûn e Elrûn* (mudança tardia).

15

[Existem dois textos datilografados para a maior parte dessa seção, e o mais tardio dos dois é mais longo. Subsequentemente há muito mais substituições, e irei chamar o primeiro texto "Q I" e o segundo "Q II". Q II é apresentado após as notas acerca do Q I.]

Aqui há que se contar de Gondolin. O grande rio Sirion, o maior nas canções dos Elfos, corria por toda a terra de Beleriand e seu curso ia para o sudoeste; e em sua foz havia um grande delta e seu curso inferior passava por terras verdes e férteis, pouco povoadas salvo por aves e feras. Mas os Orques pouco iam até lá, pois ficava longe dos bosques e montes do norte, e o poder de Ulmo crescia sempre naquela água, conforme se aproximava do mar; pois as embocaduras daquele rio eram no mar do oeste, cujas fronteiras últimas são as costas de Valinor.

Turgon, filho de Fingolfin, tinha uma irmã, Isfin, a de mãos brancas. Ela se perdeu em Taur-na-Fuin depois da Batalha das Lágrimas Inumeráveis. Lá foi capturada pelo Elfo-escuro Eöl, e dizem que ele era de ânimo sombrio e havia desertado das hostes antes da batalha; contudo, não lutara do lado de Morgoth. Mas Isfin ele tomou por esposa, e o filho deles era Meglin.

Ora, o povo de Turgon, escapando da batalha, ajudado pela valentia de Húrin, como já foi contado, ocultou-se do conhecimento de Morgoth e desapareceu da vista de todos os homens; e apenas Ulmo sabia para onde tinham ido. Seus batedores, escalando as alturas, tinham chegado a um lugar secreto nas montanhas: um largo vale[1] inteiramente cercado pelos montes, protegido por uma cerca contínua em anel, mas que ficava cada vez mais baixa conforme se aproximava do meio. No centro desse anel maravilhoso havia uma terra ampla e uma planície verde, na qual não se via monte, exceto por uma única elevação pedregosa. Essa se

A FORMAÇÃO DA TERRA-MÉDIA

erguia escura sobre a planície, não bem no centro, mas mais próxima daquela parte da muralha externa que ficava perto das margens do Sirion. Mais altas eram as Montanhas Circundantes na direção do Norte e da ameaça de Angband, e em suas encostas exteriores, no Leste e no Norte, começava a sombra da horrenda Taur-na-Fuin, mas elas eram coroadas com o marco de Fingolfin e nenhum mal chegava ali, por enquanto.

Nesse vale os Gnomos acharam refúgio,[2] e feitiços de esconderijo e encantamento tinham sido postos em todos os montes em volta, para que inimigos e espiões nunca achassem o lugar. Nisso Turgon tinha a ajuda das mensagens de Ulmo, que então subiam o rio Sirion; pois a voz dele ouve-se em muitas águas e alguns dos Gnomos tinham ainda o saber para escutá-la. Naqueles dias, Ulmo estava cheio de misericórdia pelos Elfos exilados em sua necessidade, e pela ruína que agora havia quase avassalado a todos eles. Previu que a fortaleza de Gondolin resistiria mais do que todos os refúgios dos Elfos contra o poderio de Morgoth,[3] e que, como Doriath, nunca seria sobrepujada, salvo por traição de dentro dela. Por causa de seu poderio protetor, os feitiços de encobrimento eram mais fortes naquelas partes mais próximas do Sirion, embora ali as Montanhas Circundantes fossem as mais baixas. Naquela região os Gnomos escavaram um grande túnel cheio de meandros debaixo das raízes dos montes, e sua saída ficava em uma encosta íngreme, coberta de árvores e escura, de uma garganta pela qual o Sirion corria, naquele ponto ainda um riacho jovem, mas forte, descendo o vale estreito que há entre os ombros das Montanhas Circundantes e as Montanhas Sombrias, em cujas elevações do norte ele tinha sua nascente.

A entrada externa daquela passagem, que construíram de início para ser uma via de saída secreta para si mesmos e para seus batedores e espiões, e uma via de retorno à segurança para fugitivos, era guardada pela magia e pelo poder de Ulmo,[4] e nenhuma coisa maligna a encontrou; porém, seu portão mais interno, que dava para o vale de Gondolin, era vigiado incessantemente pelos Gnomos.[5]

Thorndor, Rei das Águias, removeu seus ninhos das Thangorodrim para as elevações ao norte das Montanhas Circundantes, e lá vigiava, sentando-se sobre o marco do Rei Fingolfin. Mas no monte pedregoso em meio ao vale, Amon Gwareth, o Monte de Vigia, cujas encostas foram polidas feito a lisura do vidro, e

157

cujo topo aplanaram, os Gnomos construíram a grande cidade de Gondolin com portões de aço, cuja fama e glória é a maior entre todas as moradas dos Elfos nas Terras de Fora. A planície circunvizinha eles aplanaram, de modo que era tão lisa e plana como um gramado até quase aos pés dos montes; e nada podia caminhar ou rastejar através dela sem ser visto.

Naquela cidade o povo se fez poderoso e seus arsenais estavam repletos de armas e de escudos, pois pretendiam ainda sair para a guerra, quando a hora fosse propícia. Mas, conforme os anos se arrastavam, passaram a amar aquele lugar, e nada desejavam de melhor, e poucos alguma vez o deixaram;[6] trancaram-se detrás de seus montes impenetráveis e encantados e não permitiam que ninguém entrasse, fugitivo ou inimigo, e notícias do mundo exterior chegavam-lhes vagas e distantes, e davam-lhes pouco ouvido, e esqueceram as mensagens de Ulmo. Não socorreram nem Nargothrond nem Doriath, e os Elfos andarilhos não sabiam como encontrá-los; e quando Turgon soube da morte de Dior, jurou não marchar nunca ao lado de qualquer filho de Fëanor, e fechou seu reino, proibindo qualquer um de seu povo de jamais sair de lá.[7]

Gondolin então era a única que restava de todas as fortalezas dos Elfos. Morgoth não se esqueceu de Turgon, e sabia que sem conhecimento daquele rei seu triunfo não poderia ser atingido; sua busca incessante, porém, era em vão. Nargothrond estava vazia, Doriath desolada, os filhos de Fëanor forçados a levar uma vida selvagem nos bosques do Sul e do Leste, Hithlum enchera-se de homens malignos, e Taur-na-Fuin era um lugar de horror sem nome; a raça de Hador estava no fim, e a casa de Finrod; Beren não saía mais à guerra e Huan estava morto; e todos os Elfos e Homens se curvavam à vontade dele ou trabalhavam como escravos nas minas e forjas de Angband, salvo apenas os selvagens e andarilhos, e poucos havia desses, salvo longe no Leste da Beleriand que um dia fora bela. O triunfo dele era quase completo e, contudo, ainda não era de todo pleno.[8]

❦

[1] Essa frase foi reescrita da seguinte maneira:

> e apenas Ulmo sabia para onde tinham ido; pois retornaram para a cidade oculta de Gondolin, que Turgon construíra. Em um lugar secreto das montanhas havia um largo vale etc.

[2] *os Gnomos acharam refúgio > Turgon tinha achado refúgio*

A FORMAÇÃO DA TERRA-MÉDIA

[3] Nesse ponto o texto substituto Q II tem início.

[4] *pelo poder de Ulmo > pelo poder do Sirion, amado por Ulmo*

[5] A seguinte passagem foi acrescentada a lápis na margem sem indicações para inserção. Quanto ao seu lugar no Q II, onde está incorporada ao texto, ver abaixo.

> Pois Turgon julgava, após a Batalha das Lágrimas Inumeráveis, que Morgoth tornara-se poderoso demais para Elfos e Homens, e que era melhor buscar o perdão e a ajuda dos Valar antes que tudo se perdesse. Donde alguns de seu povo desciam por vezes o Sirion, e um porto pequeno e secreto lá fizeram, de onde por vezes navios partiam para o Oeste. Alguns houve que voltaram, empurrados por ventos contrários, mas muitos nunca mais retornaram; e nenhum alcançou Valinor.

[6] Acrescentado aqui: *e não mandaram mais mensageiros para o Oeste*;

[7] Aqui o texto substituto Q II termina.

[8] Acrescentado no final: *Assim se deu a queda de Gondolin.*

§15 na versão Q II

(ver nota 3 acima)

e, como Doriath, jamais será sobrepujada salvo por traição de dentro dela. Por causa de seu poderio protetor, os feitiços de encobrimento eram mais fortes naquelas partes mais próximas do Sirion, embora ali as Montanhas Circundantes fossem as mais baixas. Naquela região os Gnomos escavaram um grande túnel cheio de meandros debaixo das raízes dos montes, e sua saída ficava em uma encosta íngreme, coberta de árvores e escura, de uma garganta pela qual o rio ditoso corria. Ali ele era ainda um riacho jovem, mas forte, descendo o vale estreito que há entre os ombros das Montanhas Circundantes e as Montanhas de Sombra, Eryd-Lómin,[1] as muralhas de Hithlum, em cujas elevações do norte ele tinha sua nascente.[2]

Aquela passagem eles construíram de início para ser uma via de retorno para fugitivos e para aqueles que escapavam do cativeiro de Morgoth; e mormente como saída para seus batedores e mensageiros. Pois Turgon julgava, quando pela primeira vez chegaram àquele vale depois da batalha terrível,[3] que Morgoth Bauglir tornara-se poderoso demais para Elfos e Homens e que era melhor buscar o perdão e a ajuda dos Valar, se algum deles pudesse ser obtido, antes que tudo se perdesse. Donde alguns de seu povo desciam o rio Sirion por vezes, antes que a sombra de Morgoth inda se estendesse pelas partes mais distantes de Beleriand, e um porto pequeno e secreto fizeram na foz; de lá, de quando em quando, navios

159

partiam para o Oeste levando a embaixada do rei dos Gnomos. Alguns houve que voltaram, empurrados por ventos contrários; mas a maioria nunca mais retornou e nenhum alcançou Valinor.

A saída daquela Via de Escape era guardada e ocultada pelos feitiços mais poderosos que conseguiram fazer e pelo poder que habitava no Sirion, amado por Ulmo, e nenhuma coisa maligna a encontrou; porém, seu portão mais interno, que dava para o vale de Gondolin, era vigiado incessantemente pelos Gnomos.

Naqueles dias, Thorndor,[4] Rei das Águias, removeu seus ninhos das Thangorodrim, por causa do poder de Morgoth, e do fedor e dos fumos e do mal nas nuvens escuras que jaziam então sempre sobre as torres das montanhas acima dos salões cavernosos. Mas Thorndor habitava sobre as elevações ao norte das Montanhas Circundantes, e ele vigiava e via muitas coisas, sentando-se sobre o marco do Rei Fingolfin. E no vale abaixo habitava Turgon, filho de Fingolfin. Sobre o Amon Gwareth, o Monte da Defesa, uma elevação rochosa em meio à planície, foi construída Gondolin, a grande, cuja fama e glória é a maior nas canções entre todas as moradas dos Elfos nestas Terras de Fora. De aço eram seus portões e de mármore, suas muralhas. As encostas do monte os Gnomos poliram até alcançar a lisura do vidro negro e o topo eles nivelaram para a construção de sua cidade, salvo no centro, onde ficava a torre e o palácio do rei. Muitas fontes havia naquela cidade e águas brancas caíam fulgurantes pelas encostas lustrosas do Amon Gwareth. A planície circunvizinha eles alisaram até que se tornasse como um gramado de relva cortada, das escadarias diante dos portões até os pés da muralha das montanhas, e nada podia caminhar ou rastejar através dela sem ser visto.

Naquela cidade o povo se fez poderoso e seus arsenais estavam repletos de armas e de escudos; pois pretendiam de início sair para a guerra, quando a hora fosse propícia. Mas, conforme os anos se arrastavam, passaram a amar aquele lugar, a obra de suas mãos, como fazem os Gnomos, com um grande amor, e nada desejavam de melhor. Então raro era que alguém deixasse Gondolin em missão de guerra ou de paz de novo. Não mandaram mais mensageiros para o Oeste e o porto do Sirion estava abandonado. Trancaram-se detrás de seus montes impenetráveis e encantados, e não permitiam que ninguém entrasse, ainda que fugisse de Morgoth, perseguido pelo ódio; notícias das terras de fora chegavam-lhes vagas e distantes e davam-lhes pouco ouvido; e sua habitação tornou-se como que um rumor e um segredo que nenhum homem podia descobrir. Não socorreram nem Nargothrond nem Doriath e os Elfos andarilhos os buscavam em vão; e apenas Ulmo sabia onde o reino de Turgon poderia ser achado. Notícias Turgon ouviu de Thorndor acerca da morte de Dior, herdeiro de Thingol, e dali em diante cerrou seus ouvidos a palavras sobre as dores fora de Gondolin; e jurou não marchar nunca ao lado de qualquer filho de Fëanor; e seu povo ele proibiu de jamais passar a barreira dos montes.

Mudanças feitas nessa passagem

[1] *Eryd-Lómin > Eredwethion*
[2] *em cujas elevações do norte ele tinha sua nascente* foi riscado.
[3] Essa frase foi marcada com um X na margem.
[4] *Thorndor > Thorondor* do início ao fim.

16

[Uma parte substancial desta seção mais uma vez encontra-se preservada no texto datilografado original (Q I) e em um texto substituto (Q II).]

Certa vez, Eöl perdeu-se em Taur-na-Fuin e Isfin veio, atravessando grande perigo e terror, a Gondolin, e depois de sua chegada ninguém entrou até o último mensageiro de Ulmo, de quem os contos falam mais antes de seu fim. Com ela veio seu filho, Meglin, e ele foi lá recebido por Turgon, o irmão de sua mãe,[1] e, embora tivesse metade de sangue élfico-escuro,[2] foi tratado como um príncipe da linhagem de Fingolfin. Era moreno, mas formoso, sábio e eloquente e sagaz na conquista dos corações e mentes dos homens.

Ora, Húrin de Hithlum tinha um irmão, Huor. O filho de Huor era Tuor. Rían, esposa de Huor, procurou seu marido entre os mortos no campo das Lágrimas Inumeráveis, e lá o pranteou, antes de morrer. Seu filho não era mais que uma criança e, permanecendo em Hithlum, caiu nas mãos dos Homens infiéis que Morgoth levara àquela terra depois da batalha e se tornou um servo. Já crescido, belo de rosto e de grande estatura e, apesar de sua triste vida, valente e sábio, ele escapou para as matas, e lá tornou-se um proscrito e um solitário, vivendo sozinho e sem se comunicar com ninguém, salvo, raramente, Elfos andarilhos e escondidos.[3]

Então Ulmo, como está contado no *Conto da Queda de Gondolin*, fez com que ele fosse levado a um curso de rio que fluía debaixo da terra, a partir do Lago Mithrim, no centro de Hithlum, para dentro de um grande abismo, Cris-Ilfing,[4] a Fenda do Arco--íris, através do qual uma água turbulenta corria enfim para o mar do oeste. E o nome desse abismo foi assim cunhado pela razão do arco-íris que brilhava sempre ao sol naquele lugar, por causa da abundância dos respingos das cachoeiras e quedas d'água.

Desse modo, a fuga de Tuor não foi vista por nenhum Homem ou Elfo; nem era conhecida dos Orques ou de qualquer espião de Morgoth, dos quais a terra de Hithlum estava cheia.

Tuor vagou longamente pelas costas do oeste, viajando sempre para o Sul; e chegou enfim às fozes do Sirion, e aos deltas arenosos povoados por muitas aves do mar. Lá topou com um Gnomo, Bronweg,[5] que tinha escapado de Angband e, sendo outrora do povo de Turgon, buscava sempre achar o caminho para os lugares ocultos de seu senhor, sobre os quais corriam rumores entre todos os cativos e fugitivos. Ora, Bronweg chegara até ali por caminhos distantes e cheios de meandros do Leste e, embora pouco lhe agradasse dar qualquer passo para mais perto da servidão da qual viera, dispôs-se então a subir o Sirion e procurar Turgon em Beleriand. Temeroso e muito prevenido era ele, e auxiliou Tuor na marcha secreta deles, de noite e no crepúsculo, de maneira que não foram descobertos pelos Orques.

Chegaram primeiro à bela Terra dos Salgueiros, Nan-Tathrin, que é regada pelo Narog e pelo Sirion; e lá todas as coisas ainda eram verdes e as campinas eram ricas e cheias de flores e havia canto de muitas aves; de modo que Tuor se demorou lá como alguém sob encanto e parecia-lhe doce habitar ali depois das terras duras do Norte e suas andanças exaustivas.

Para lá foi Ulmo e apareceu diante dele, quando estava em meio à grama alta no entardecer; e o poderio e a majestade daquela visão estão contados na canção de Tuor, que ele fez para seu filho, Eärendel. Dali por diante o som do mar e o anseio pelo mar estiveram sempre no coração e nos ouvidos de Tuor; e uma inquietação vinha-lhe por vezes, a qual o levou enfim às profundezas do reino de Ulmo.[6] Mas naquela hora Ulmo ordenou que ele partisse com toda presteza a Gondolin, e ensinou-lhe como achar a porta oculta; e palavras foram postas em sua boca para que as levasse até

Turgon, mandando que o rei se preparasse para a guerra e para a batalha contra Morgoth antes que tudo se perdesse, e prometendo que Ulmo conquistaria os corações dos Valar para lhe enviarem socorro. Esse seria um conflito mortal e terrível, mas, se Turgon assim ousasse, o poder de Morgoth seria quebrado e seus serviçais pereceriam e nunca mais atormentariam o mundo. Mas, se Turgon não partisse para essa guerra, então deveria abandonar Gondolin e liderar seu povo Sirion abaixo, antes que Morgoth pudesse se opor a ele, e na foz do Sirion Ulmo lhe faria amizade, e auxiliaria na construção de uma magna frota com a qual os Gnomos deveriam voltar enfim a Valinor, mas então triste seria o fado das Terras de Fora. O papel de Tuor, caso Turgon aceitasse os conselhos de Ulmo, seria de ir quando Turgon marchasse para a guerra e liderar uma força até Hithlum e trazer os Homens uma vez mais para uma aliança com os Elfos, pois "sem os Homens, os Elfos não hão de prevalecer contra os Orques e os Balrogs".

Essa demanda o próprio realizou Ulmo por seu amor aos Elfos e aos Gnomos, e porque sabia que, antes que doze anos passassem, a sina de Gondolin viria, por mais forte que parecesse a cidade, se seu povo se sentasse detrás de suas muralhas.

Obedientes a Ulmo, Tuor e Bronweg viajaram para o Norte, e chegaram enfim à porta escondida; e, descendo o túnel sob os montes, alcançaram o portão interno e viram o vale de Gondolin, a cidade de sete nomes, brilhando branca ao longe, com o rubor rosado da aurora sobre a planície. Mas foram feitos prisioneiros pela guarda do portão e levados diante do rei. Tuor deu a conhecer a embaixada a Turgon na grande praça de Gondolin diante dos degraus de seu palácio; mas o rei tornara-se orgulhoso e Gondolin, tão formosa e bela, e tanto confiava em seu segredo e força inexpugnável que ele e a maior parte de seu povo não queriam se incomodar com os Gnomos e Homens de fora, nem mais desejavam retornar às terras dos Deuses.

Meglin falava contra Tuor nos conselhos do rei, e Turgon rejeitou a ordem de Ulmo, e não saiu para a guerra, nem procurou fugir para as fozes do Sirion; mas alguns de seus mais sábios conselheiros ficaram cheios de inquietação, e a filha do rei falava sempre em favor de Tuor. Ela se chamava Idril, uma das mais belas das donzelas dos Elfos de outrora, e o povo a chamava de Celebrindal, Pé-de-Prata, pela brancura de seus pés esguios, e ela andava e dançava sempre descalça.

O QUENTA

Dali em diante Tuor permaneceu em Gondolin, e tornou-se homem poderoso em forma e sabedoria, aprendendo profundamente o saber dos Gnomos; e o coração de Idril voltou-se para ele e o dele, para ela. Com o que Meglin rangia seus dentes, pois amava Idril e, apesar do parentesco próximo, pretendia desposá-la; de fato, em seu coração, já estava planejando derrubar Turgon e tomar o trono, mas Turgon o amava e confiava nele. Tuor desposou Idril mesmo assim, pois ele passou a ser amado por todos os Gnomos de Gondolin, mesmo por Turgon, o orgulhoso, salvo por Meglin e seu séquito secreto. Tuor e Beren apenas, entre os Homens mortais, já desposaram Elfas de outrora, e, uma vez que Elwing, filha de Dior, filho de Beren depois desposou Eärendel, filho de Tuor e de Idril, apenas deles veio o sangue élfico aos Homens mortais. Mas por enquanto Eärendel era uma criancinha; e era muitíssimo belo: uma luz estava em seu rosto como a luz do céu e tinha a beleza e a sabedoria de Elfinesse[7] e a força e o vigor dos Homens antigos, e o mar sempre falava em seus ouvidos e coração, assim como a Tuor, seu pai.

Certa vez, quando Eärendel ainda era novo, e os dias de Gondolin estavam cheios de júbilo e paz (e, contudo, o coração de Idril alertava-a, e agouros vinham sobre seu espírito como uma nuvem), Meglin perdeu-se. Ora, Meglin amava minerar e procurar metais acima de outras artes; e era mestre e líder dos Gnomos que trabalhavam nas montanhas distantes da cidade, buscando metais para suas forjas, para coisas de paz e de guerra. Mas Meglin amiúde ia com alguns de seu povo para além da barreira dos montes, embora o rei não soubesse que suas ordens eram desafiadas; e assim veio a acontecer, como quis o destino, que Meglin foi feito prisioneiro pelos Orques e levado diante de Morgoth. Meglin não era nenhum fracote ou poltrão, mas o tormento com o qual foi ameaçado acovardou sua alma, e ele comprou sua vida e liberdade revelando a Morgoth o local de Gondolin e as vias pelas quais poderia ser achada e atacada. Grande, de fato, foi o regozijo de Morgoth; e a Meglin ele prometeu o senhorio de Gondolin, como seu vassalo, e a posse de Idril, quando aquela cidade fosse tomada. O desejo por Idril e ódio a Tuor levaram Meglin com mais facilidade à sua imunda traição. Mas Morgoth mandou-o de volta a Gondolin, para que não suspeitassem da perfídia, e para que Meglin ajudasse no assalto de dentro quando a hora chegasse; e Meglin viveu nos salões do rei com um sorriso no rosto e o mal em seu coração, enquanto a treva se juntava cada vez mais profunda sobre Idril.

Enfim, e Eärendel tinha então sete anos de idade, Morgoth estava pronto, e soltou sobre Gondolin seus Orques e Balrogs e suas serpentes; e, dessas, dragões de muitas e tremendas formas foram feitos para a tomada da cidade. A hoste de Morgoth veio dos montes do Norte, onde a altura era maior e a guarda, menos vigilante, e veio à noite em um tempo de festival, quando todo o povo de Gondolin estava sobre as muralhas para esperar o sol nascente e cantar suas canções à sua subida; pois de manhã era a festa que eles chamavam de Portões do Verão. Mas a luz vermelha elevou-se nos montes do Norte, e não no Leste, e não houve parada no avanço do inimigo até que eles estivessem sob as próprias muralhas de Gondolin e a cidade foi sitiada sem esperança.

Dos feitos de valor desesperado que se deram lá, pelos chefes das casas nobres e seus guerreiros, e não menos por Tuor, muito está contado n'*A Queda de Gondolin*; da morte de Rog fora dos muros; e da batalha de Ecthelion da Fonte com Gothmog, senhor de Balrogs, na própria praça do rei, onde um matou o outro; e da defesa da torre de Turgon pelos homens de sua casa, até que a torre foi derrubada; grande foi sua queda e a queda de Turgon em sua ruína.

Tuor buscou resgatar Idril do saque da cidade, mas Meglin deitara mãos sobre ela e Eärendel, e Tuor lutou sobre as muralhas com ele, e lançou-o para sua morte. Então Tuor e Idril conduziram tais remanescentes do povo de Gondolin como os que conseguiram reunir na confusão do incêndio para uma via secreta que Idril mandara preparar nos dias de seus agouros. Essa ainda não estava completa, mas sua saída já estava muito além das muralhas e no norte da planície, onde as montanhas já estavam bem distantes do Amon Gwareth. Aqueles que não quiseram vir com eles, mas fugiram para a antiga Via de Escape que levava para a garganta do Sirion, foram emboscados e destruídos por um dragão que Morgoth mandara para vigiar aquele portão, sabendo dele por Meglin. Mas da nova passagem Meglin não ouvira falar, e não se pensava que fugitivos fossem seguir um caminho na direção do Norte e das partes mais altas das montanhas, mais próximas de Angband.

Os fumos do incêndio e o vapor das belas fontes de Gondolin secando sob as chamas dos dragões do Norte caíram sobre o vale em brumas enlutadas; e assim teve auxílio a fuga de Tuor e sua companhia, pois havia ainda uma estrada longa e aberta a seguir

O QUENTA

da boca do túnel para os sopés das montanhas. Chegaram, apesar disso, às montanhas, em dores e desgraça, pois os lugares altos eram frios e terríveis, e tinham entre eles muitas mulheres e crianças e muitos homens feridos.

Há um passo terrível, Cristhorn[8] era chamado, a Fenda da Águia, onde, sob a sombra dos picos mais altos, um caminho estreito serpenteia, espremido entre um precipício à direita e à esquerda uma queda terrível que desce ao vazio. Ao longo daquela via estreita a marcha deles foi detida quando foram emboscados por forças de um posto avançado do poder de Morgoth; e um Balrog liderava-as. Então terrível foi o apuro deles e dificilmente teriam sido salvos pelo valor imortal de Glorfindel dos cabelos louros, chefe da Casa da Flor Dourada de Gondolin, se Thorndor[9] não tivesse vindo ao auxílio dos exilados.

Já se cantaram muitas canções sobre o duelo de Glorfindel com o Balrog sobre um pináculo de rocha naquele lugar alto; e ambos caíram para sua ruína no abismo. Mas Thorndor carregou o corpo de Glorfindel e ele foi enterrado em um teso de pedras ao lado do passo, e lá mais tarde cresceu uma relva verde e pequenas flores semelhantes a estrelas amarelas floresceram ali em meio à esterilidade da pedra. E as aves de Thorndor desceram sobre os Orques e eles fugiram aos gritos; e todos foram mortos ou lançados nas profundezas, e rumores da fuga de Gondolin não chegaram aos ouvidos de Morgoth até muito tempo depois.

Assim, por marchas cansativas e perigosas, o remanescente de Gondolin chegou a Nan-Tathrin e ali repousaram um pouco e curaram-se de suas feridas e cansaço, mas seu pesar não podia ser curado. Lá fizeram uma celebração em memória de Gondolin e daqueles que tinham perecido, belas donzelas, esposas e guerreiros e seu rei; mas para Glorfindel, o bem-amado, muitas e doces foram as canções que cantaram. E lá Tuor falou em canção a Eärendel, seu filho, da vinda de Ulmo muito antes, da visão do mar no meio da terra firme, e o anseio pelo mar despertou em seu coração e no de seu filho. Donde se mudaram, com a maior parte do povo, para as embocaduras do Sirion à beira-mar, e ali habitaram e uniram seu povo à minguada companhia de Elwing, filha de Dior, que fugira para lá pouco antes.

Então Morgoth pensou em seu coração que seu triunfo estava completo, pouco cuidando dos filhos de Fëanor e de seu juramento, que nunca o ferira e se tornava sempre seu maior auxílio. E em seu pensamento negro ele riu, sem remoer a única Silmaril que perdera, pois por ela julgava que os últimos restos da raça élfica ainda haviam de sumir da terra e não mais incomodá-lo. Se sabia da morada à beira das águas do Sirion, não deu sinal disso, aguardando o tempo propício e esperando a ação da jura e da mentira.

&

[1] *irmão de sua mãe > filho de sua irmã*; sem dúvida a intenção era que fosse *filho de sua irmã.*
[2] *Dark-elfin > Dark-elven**
[3] Esse parágrafo foi quase totalmente riscado, assim como algumas emendas apressadas que foram feitas nele (introduzindo a ideia de Tuor nascer "nos ermos" e ser adotado por Elfos-escuros, e a morte de Rían no Monte dos Mortos — que aqui é chamado *Amon Dengin*). A passagem foi então reescrita:

> Ora, Húrin de Hithlum tinha um irmão, Huor, e, como se contou, Rían, sua esposa, partiu para os ermos e lá seu filho Tuor nasceu, e ele foi adotado pelos Elfos-escuros; mas Rían deitou-se no Monte dos Mortos e morreu. Mas Tuor cresceu nas matas de Hithlum, e era belo de rosto e de grande estatura, e valente e sábio; ele andou e caçou sozinho nas matas, e tornou-se um solitário, vivendo sozinho e sem se comunicar com ninguém, salvo, raramente, Elfos andarilhos e escondidos.

[4] *Cris-Ilfing > Kirith Helvin*
[5] *Bronweg > Bronwë* nas duas primeiras ocorrências, mas não na terceira, que ocorre na parte substituída pelo texto Q II.
[6] Nesse ponto o texto substituto Q II tem início.
[7] Aqui o texto substituto Q II termina.
[8] *Cristhorn > Kirith-thoronath*
[9] *Thorndor > Thorondor*, como anteriormente.

§16 na versão Q II
(ver nota 6 acima)

Mas naquela hora Ulmo ordenou que ele partisse com toda presteza a Gondolin, e ensinou-lhe como achar a porta oculta; e uma mensagem deu-lhe para que a levasse de Ulmo, amigo dos Elfos, para Turgon, mandando que o rei se preparasse para a guerra e para a batalha contra Morgoth antes que tudo se perdesse; e que enviasse de novo seus mensageiros para o Oeste. Chamados também ele deveria lançar para o Leste e reunir, se pudesse,

---

* Ambas as formas se traduzem em português como "élfico-escuro". [N. T.]

Homens (que estavam agora se multiplicando e se espalhando pela terra) sob suas bandeiras; e para essa tarefa Tuor era o mais apto. "Esquece", aconselhou Ulmo, "a traição de Uldor, o maldito, e lembra-te de Húrin; pois sem os Homens mortais os Elfos não hão de prevalecer contra os Balrogs e os Orques." Nem deveria a contenda com os filhos de Fëanor permanecer sem cura; pois esse seria o último ajuntamento da esperança dos Gnomos, quando cada espada contaria. Um conflito terrível e mortal Ulmo previa, mas também a vitória se Turgon assim ousasse, a quebra do poder de Morgoth, e a cura de contendas, e amizade entre Elfos e Homens, donde o maior dos bens viria ao mundo, e os serviçais de Morgoth não mais iriam atormentá-lo. Mas, se Turgon não partisse para essa guerra, então deveria abandonar Gondolin e liderar seu povo Sirion abaixo e construir lá suas frotas e buscar a Valinor e a misericórdia dos Deuses. Mas nesse segundo conselho havia perigo mais tremendo do que no outro, embora assim não parecesse; e triste dali por diante seria o fado das Terras de Fora.[1]

Essa demanda realizou Ulmo por seu amor aos Elfos, e porque sabia que, antes que muitos anos passassem, a sina de Gondolin viria se seu povo se sentasse detrás de suas muralhas; e assim nada de júbilo ou beleza no mundo ficaria intocado pela maldade de Morgoth.

Obedientes a Ulmo, Tuor e Bronweg[2] viajaram para o Norte e chegaram enfim à porta escondida; e, descendo o túnel, alcançaram o portão interno e foram feitos prisioneiros pela guarda. Lá viram o belo vale de Tumladin[3] posto feito uma joia verdejante em meio aos montes; e, em meio a Tumladin, Gondolin, a grande, a cidade de sete nomes, branca, brilhando ao longe, com o rubor rosado da aurora sobre a planície. Para lá foram conduzidos e passaram os portões de aço, e foram levados diante dos degraus do palácio do rei. Lá Tuor deu a conhecer a embaixada de Ulmo e algo do poder e da majestade do Senhor das Águas sua voz tomara, de forma que toda a gente olhou para ele em assombro, e duvidou que esse era um Homem de raça mortal, como declarara. Mas soberbo Turgon tornara-se e Gondolin, tão bela quanto uma memória de Tûn, e ele confiava em seu segredo e força inexpugnável; de modo que ele e a maior parte de seu povo não queriam colocá-la em perigo ou deixá-la, e não desejavam misturar-se às dores de Elfos e Homens de fora; nem mais desejavam retornar sofrendo com o terror e o perigo ao Oeste.

A FORMAÇÃO DA TERRA-MÉDIA

Meglin falava sempre contra Tuor nos conselhos do rei, e suas palavras pareciam mais pesadas por seguir o que ia no coração de Turgon. Donde Turgon rejeitou a ordem de Ulmo; embora houvesse entre seus mais sábios conselheiros os que ficassem cheios de inquietação. De coração sábio até mesmo além da medida das filhas de Elfinesse era a filha do rei, e falava sempre em favor de Tuor, embora isso não fosse de valia alguma, e o coração da princesa estava pesaroso. Muito bela e alta era ela, quase da estatura de um guerreiro, e seu cabelo era uma fonte d'ouro. Idril era seu nome, e chamavam-lhe Celebrindal, Pé-de-Prata, pela brancura de seu pé, e caminhava e dançava sempre descalça nas vias brancas e gramados verdejantes de Gondolin.

Dali em diante Tuor permaneceu em Gondolin, e não saiu a convocar os Homens do Leste, pois a bem-aventurança de Gondolin, a beleza e a sabedoria de seu povo tinham se assenhorado dele. E cresceu muito nos favores de Turgon; pois tornou-se homem poderoso em estatura e mente, aprendendo profundamente o saber dos Gnomos. O coração de Idril voltou-se para ele e o dele, para ela; com o que Meglin rangia seus dentes, pois desejava Idril e, apesar do parentesco próximo, pretendia possuí-la; e ela era a única herdeira do rei de Gondolin. De fato, em seu coração, já estava planejando como poderia derrubar Turgon e tomar o trono; mas Turgon o amava e confiava nele. Mesmo assim, Tuor tomou Idril por esposa; e o povo de Gondolin fez uma festa alegre, pois Tuor conquistara os corações deles, de todos, menos o de Meglin e de seu séquito secreto. Tuor e Beren apenas, entre os Homens mortais, tomaram Elfas por esposas e, uma vez que Elwing, filha de Dior, filho de Beren depois desposou Eärendel, filho de Tuor e de Idril de Gondolin, apenas deles veio o sangue élfico[4] para uma raça mortal. Mas por enquanto Eärendel era uma criancinha: muitíssimo belo era ele, uma luz estava em seu rosto como a luz do céu, e tinha a beleza e a sabedoria de Elfinesse

Mudanças feitas nessa passagem

1 *de Fora > de Cá*
2 *Bronweg > Bronwë* (ver nota 5 acima).
3 *Tumladin > Tumladen*
4 *elfin > elven**

---

* Ambas as formas se traduzem em português como "élfico". [N. T.]

169

17

[Esta seção inteira encontra-se preservada nas duas versões datilografadas, Q I e Q II.]

Contudo, junto ao Sirion cresceu um povo élfico, rebusca de Doriath e Gondolin, e se fez ao mar e construiu belos navios e habitou perto de suas margens e sob a sombra da mão de Ulmo.

Mas em Valinor, Ulmo falou graves palavras aos Valar e aos Elfos, os parentes dos Gnomos exilados e arruinados, e chamou-os a perdoá-los e a resgatar o mundo do poder avassalador de Morgoth, e recuperar as Silmarils, somente nas quais então floria a luz dos dias de antiga bem-aventurança, quando as Duas Árvores ainda brilhavam. E os filhos dos Valar prepararam-se para a batalha, Fionwë, filho de Tulcas, era o capitão da hoste. Com ele marchou a hoste dos Quendi, os Elfos-da-luz, o povo de Ingwë, e entre eles aqueles da raça dos Gnomos [que] não tinham partido de Valinor; mas, recordando Porto Cisne, os Teleri não partiram. Tûn ficou deserta e o monte de Côr não mais teve conhecimento dos pés dos filhos mais velhos do mundo.

Nesses dias Tuor sentiu a velhice insinuar-se nele, e não pôde resistir ao anseio pelo mar que o possuía; portanto construiu um grande navio, Eärámë, Ala de Águia, e com Idril zarpou para o ocaso e o Oeste, e não fez mais parte de nenhum conto. Mas o luzente Eärendel tornou-se senhor do povo do Sirion e desposou a bela Elwing; e ainda assim não conseguia repousar. Em seu coração havia dois pensamentos fundidos em um só: o anseio pelo amplo mar; e pensava navegar nele seguindo Tuor e Idril Celebrindal, que não retornavam, e pensava talvez encontrar a praia derradeira e levar, antes que morresse, uma mensagem aos Deuses e Elfos do Oeste que lhes comovesse os corações em compaixão com o mundo e os pesares da Humanidade.

Construiu Wingelot, mais belo dos navios das canções, a Flor-de-Espuma; brancos eram seus lenhos como a lua argêntea, dourados eram seus remos, de prata eram seus panos, seus mastros eram coroados de joias como estrelas. Na Balada de Eärendel canta-se muita coisa de suas aventuras nas profundezas e em terras ignotas, e em muitos mares e muitas ilhas; e mormente como enfrentou e matou Ungoliant, no Sul, e sua escuridão pereceu, e a luz chegou a muitos lugares que por muito tempo tinham ficado ocultos. Mas Elwing sentava-se em pesar em sua casa.

Eärendel não encontrou Tuor, nem jamais chegou, nessa jornada, às praias de Valinor; e, por fim, foi impelido pelos ventos de volta para o Leste e, certa noite, chegou aos portos do Sirion, inesperado, sem boas-vindas, pois eles estavam desolados. Somente Bronweg estava lá sentado em pesar, o companheiro de outrora de seu pai, e suas novas estavam repletas de uma nova dor.

A habitação de Elwing na foz do Sirion, onde ela ainda possuía o Nauglafring e a gloriosa Silmaril, chegaram ao conhecimento dos filhos de Fëanor; e eles se ajuntaram de suas trilhas de caça errantes. Mas o povo do Sirion não entregou a joia que Beren conquistara e Lúthien usara, e pela qual o belo Dior fora morto. E assim ocorreu a última e mais cruel matança de Elfos por Elfos, o terceiro pesar produzido pela jura amaldiçoada; pois os filhos de Fëanor se abateram sobre os exilados de Gondolin e o remanescente de Doriath e, apesar de parte da sua gente se abster e alguns poucos se rebelarem e serem mortos do outro lado, auxiliando Elwing contra seus próprios senhores, ainda assim foram vitoriosos. Damrod foi morto e Díriel, e agora apenas Maidros e Maglor restavam dentre os Sete; mas o restante do povo de Gondolin foi destruído ou obrigado a partir e se juntar à gente de Maidros. E mesmo assim os filhos de Fëanor não obtiveram a Silmaril; pois Elwing lançou o Nauglafring ao mar, de onde não há de voltar antes do Fim; e ela própria saltou nas ondas e tomou a forma de uma branca ave marinha, e partiu em voo, lamentando e buscando Eärendel por todas as costas do mundo.

Mas Maidros apiedou-se de seu filho Elrond, e levou-o consigo e abrigou-o e sustentou-o, pois seu coração estava enfermo e cansado com a carga do medonho juramento.

Sabendo desses fatos, Eärendel foi dominado pelo pesar; e com Bronweg mais uma vez zarpou em busca de Elwing e de Valinor. E conta-se na Balada de Eärendel que ele chegou por fim às Ilhas Mágicas, e por pouco escapou ao seu encantamento, e reencontrou a Ilha Solitária e os Mares Sombrios e a Baía de Feéria nas margens do mundo. Ali aportou na praia imortal, o único dos Homens viventes, e seus pés subiram pela maravilhosa colina de Côr; e andou nos caminhos desertos de Tûn, onde o pó em suas vestes e seus sapatos era pó de diamantes e gemas. Mas não se aventurou a entrar em Valinor. Ele chegou tarde demais para levar mensagens aos Elfos, pois os Elfos haviam partido.[1]

Construiu uma torre nos Mares do Norte à qual todas as aves marinhas do mundo podiam às vezes se dirigir, e lamentava sempre pela bela Elwing, esperando que voltasse para ele. E Wingelot foi erguido em suas asas e agora navegava mesmo nos ares em busca de Elwing; maravilhoso e mágico era esse navio, uma flor iluminada pelas estrelas no firmamento. Mas o Sol o chamuscou e a Lua o caçou no céu, e por longo tempo Eärendel vagou sobre a Terra, reluzindo como estrela fugitiva.

❧

[1] A seguinte anotação foi feita às pressas e levemente a lápis ao pé da página:

Fazer *Eärendel* comover os Deuses. E diz-se que havia Homens de Hithlum arrependidos de seu próprio mal naquele dia, e que assim se cumpriram as palavras de Ulmo, pois pela embaixada de Eärendel e o auxílio valoroso dos Homens os Orques e os Balrogs foram destruídos, porém não tão completamente como poderiam ter sido.

No alto da página seguinte está escrito: *Os Homens vivaram a [maré]* (a última palavra é ilegível).

§17 na versão Q II

Contudo, à beira do Sirion e do mar, crescia ali uma gente élfica,[1] rebusca de Gondolin e Doriath, e eles foram às ondas e se puseram a fazer belas naus, habitando sempre perto das costas e sob a sombra da mão de Ulmo.

Em Valinor, Ulmo falou aos Valar da necessidade dos Elfos, e chamou-os a perdoá-los e mandar socorro a eles e resgatá-los do poder avassalador de Morgoth, e recuperar as Silmarils, somente nas quais então floria a luz dos dias de bem-aventurança, quando as Duas Árvores ainda estavam brilhando. Ou assim se diz, entre os Gnomos, que mais tarde tiveram notícias de muitas coisas de seus parentes, os Quendi, os Elfos-da-luz, bem-amados de Manwë, que sempre sabiam algo da mente do Senhor dos Deuses. Mas naquele tempo Manwë não agiu, e dos conselhos de seu coração que história se há de contar? Os Quendi dizem que a hora ainda não era chegada, e que apenas alguém falando em pessoa pela causa de Elfos e Homens, suplicando perdão por seus malfeitos e piedade por suas dores, poderia mudar os conselhos dos Poderes; e o juramento de Fëanor, quiçá, nem mesmo Manwë podia afrouxar, até que chegasse a seu fim, e os filhos de Fëanor deixassem de lado as Silmarils, as quais, de modo desapiedado, exigiam para si. Pois a luz que acendia as Silmarils os Deuses tinham feito.

Naqueles dias, Tuor sentiu a idade avançada vir sobre si, e sempre um anseio pelas profundezas do mar ficava mais forte em seu coração. Donde construiu um grande navio, Eärámë, Ala de Águia,[2] e com Idril içou vela na direção do pôr do sol e do Oeste, e não constou mais de qualquer história ou canção.[3] O luzente Eärendel era então senhor do povo do Sirion e de seus muitos navios; e tomou por esposa Elwing, a bela, e ela deu à luz Elrond Meio-Elfo.[4] Contudo, Eärendel não conseguia descansar, e suas viagens em torno das costas das Terras de Fora[5] não acalmavam sua inquietação. Dois propósitos cresciam em seu coração, misturados em um só em anseio pelo vasto mar: buscava navegar adiante, procurando Tuor e Idril Celebrindal, que não retornavam; e pensava achar talvez a última costa e levar, antes que morresse, a mensagem de Elfos e Homens aos Valar do Oeste, para que se comovessem os corações de Valinor e dos Elfos de Tûn e tivessem piedade do mundo e dos pesares da Raça dos Homens.

Construiu Wingelot,[6] mais belo dos navios das canções, a Flor--de-Espuma; brancos eram seus lenhos como a lua argêntea, dourados eram seus remos, de prata eram seus panos, seus mastros eram coroados de joias como estrelas. Na Balada de Eärendel canta-se muita coisa de suas aventuras nas profundezas e em terras ignotas, e em muitos mares e muitas ilhas. Ungoliant,[7] no Sul, ele matou, e sua escuridão foi destruída, e a luz chegou a muitas regiões que por muito tempo tinham ficado ocultas. Mas Elwing sentava-se em pesar em sua casa.

Eärendel não achou Tuor nem Idril, nem chegou ele jamais naquelas jornadas às costas de Valinor, derrotado por sombras e encantamento, varrido por ventos que o repeliam, até que, com saudade de Elwing, voltou-se para casa, na direção do Leste. E seu coração mandava-lhe ter pressa, pois um medo repentino caíra sobre ele em sonho, e os ventos com os que antes lutara não conseguiam levá-lo de volta tão rápido quanto era seu desejo.

Sobre os portos do Sirion uma nova desdita caíra. A habitação de Elwing ali e o fato de que ela ainda possuía o Nauglafring[8] e a gloriosa Silmaril chegaram ao conhecimento dos filhos de Fëanor que restavam, Maidros e Maglor e Damrod e Díriel; e eles se ajuntaram de suas trilhas de caça errantes, e mensagens de amizade e, contudo, de severa demanda enviaram à terra do Sirion. Mas Elwing e o povo do Sirion não queriam ceder aquela joia que Beren ganhara e Lúthien usara, e pela qual Dior, o Belo, morrera; e menos ainda enquanto Eärendel, senhor deles, estivesse no mar, pois lhes parecia que naquela joia estava a dádiva de bem-aventurança e cura que sobreviera a suas casas e a seus navios.

E assim veio a se dar, no fim, a última e mais cruel das matanças de Elfos por Elfos; e essa foi a terceira das grandes injustiças que vieram do juramento maldito. Pois os filhos de Fëanor caíram sobre os exilados de Gondolin e os remanescentes de Doriath e destruíram-nos. Embora alguns do povo deles tenham ficado de lado, e uns poucos tenham se rebelado e morrido do outro lado, ajudando Elwing contra seus próprios senhores (pois tais eram o pesar e a confusão nos corações de Elfinesse naqueles dias), ainda assim Maidros e Maglor venceram. Apenas eles então restavam dos filhos de Fëanor, pois naquela batalha Damrod e Díriel foram mortos; mas a gente do Sirion pereceu ou fugiu ou foi forçada a partir para se juntar ao povo de Maidros, que reivindicava então o senhorio de todos os Elfos das Terras de Fora. E, contudo, Maidros não ganhou a Silmaril, pois Elwing, vendo que tudo estava perdido e que seu filho Elrond[9] fora feito cativo, evadiu-se da hoste de Maidros e, com a Nauglafring em seu peito, lançou-se no mar e pereceu, ou assim pensaram as gentes.

Mas Ulmo não a deixou afundar e lhe deu a semelhança de uma grande ave branca, e sobre seu peito brilhava como estrela a luzente Silmaril, conforme ela voava por sobre a água a buscar Eärendel, seu bem-amado. E, em certa hora da noite, Eärendel, no leme, viu que ela vinha na direção dele, como uma nuvem branca sob a lua, sobremaneira veloz, como uma estrela sobre o mar que se move em curso estranho, uma chama pálida nas asas da tempestade. E canta-se que ela caiu do ar sobre o lenho de Wingelot, em um desmaio, perto da morte pela urgência de sua velocidade, e Eärendel a tomou no colo. E, n'alvorada, com olhos maravilhados, ele contemplou sua mulher, com a forma que ela sempre tivera, a seu lado, com o cabelo sobre o rosto; e ela dormia.

Mas grande foi o pesar de Eärendel e Elwing pela ruína dos portos do Sirion, e pelo cativeiro de seu filho, cuja morte temiam, e, entretanto, não foi assim. Pois Maidros teve piedade de Elrond e acalentou-o, e cresceu o amor entre eles, por mais impensável que isso fosse; mas o coração de Maidros estava enfermo e cansado[10] com o fardo do terrível juramento. Contudo, Eärendel não via mais chance de auxílio nas terras do Sirion, e voltou-se de novo em desespero e não foi para casa, mas buscou outra vez a Valinor com Elwing a seu lado. Postava-se agora amiúde na proa e a Silmaril ele atou à sua testa; e a luz dela ficava cada vez mais intensa conforme iam para o Oeste. Talvez tenha sido em parte por causa do poderio daquela sacra joia que eles chegaram após certo tempo a águas que, até então, nenhuma nave além daquelas dos Teleri conhecera; e chegaram até as Ilhas Mágicas e escaparam de sua magia;[11] e chegaram aos Mares Sombrios e passaram por suas sombras; e viram a Ilha Solitária e lá não se demoraram; e lançaram âncora na Baía de Feéria[12] sobre as fronteiras do mundo. E os Teleri viram a chegada daquele navio e ficaram cheios de assombro, fitando de longe a luz da Silmaril, e ela era muito grande.

Mas Eärendel desembarcou nas costas imortais, único a fazê--lo entre os Homens viventes; e nem Elwing nem ninguém de sua pequena companhia quis ele que o seguissem para que não caíssem sob a ira dos Deuses, e ele chegou em um tempo de festival, tal como Morgoth e Ungoliant haviam chegado em eras passadas, e os vigias sobre o monte de Tûn eram poucos, pois os Quendi, em sua maioria, estavam nos salões de Manwë nas alturas de Tinbrenting.[13, 14]

Os vigias partiram, portanto, apressados para Valmar, ou se esconderam nos passos dos montes; e todos os sinos de Valmar soaram; mas Eärendel subiu o maravilhoso monte de Côr[15] e encontrou-o desnudo, e entrou nas ruas de Tûn, e elas estavam vazias; e seu coração pesava. Caminhava então pelas vias desertas de Tûn, e o pó em sua vestimenta e seus sapatos era um pó de diamantes, mas ninguém ouvia seu chamado. Donde voltou para as costas e ia subir uma vez mais a Wingelot, seu navio; mas veio alguém à praia e gritou-lhe: "Salve, Eärendel, estrela radiantíssima, mensageiro mais belo![16] Salve, ó tu, portador da luz antes do Sol e da Lua, esperado que vens repentino, ansiado que vens para além da esperança! Salve, ó tu, esplendor dos filhos do mundo, tu, destruidor da escuridão! Estrela do pôr do sol, salve! Salve, arauto d'alvor!"

O QUENTA

E aquele era Fionwë, o filho de Manwë, e ele convocou Eärendel a vir diante dos Deuses; e Eärendel foi até Valinor e aos salões de Valmar, e nunca mais voltou às terras dos Homens.[17] Mas Eärendel apresentou a embaixada das duas raças[18] diante dos rostos dos Deuses, e pediu perdão para os Gnomos e piedade para os Elfos exilados e para os infelizes Homens, e socorro para sua necessidade.

Então os filhos dos Valar prepararam-se para a batalha, e o capitão de sua hoste era Fionwë, filho de Manwë. Sob sua bandeira branca marchou também a hoste dos Quendi, os Elfos-da-luz, o povo de Ingwë, e entre eles aqueles dos Gnomos de outrora que nunca tinham partido de Valinor;[19] mas, recordando Porto Cisne, os Teleri não partiram, salvo uns poucos, e esses tripulavam os navios com os quais a maioria daquele exército chegou às terras do Norte; mas eles próprios não pisaram jamais naquelas costas.

Eärendel era o guia deles; mas os Deuses não permitiriam que ele retornasse, e ele construiu para si uma torre branca nos confins do mundo exterior, nas regiões do Norte dos Mares Divisores; e para lá todas as aves marinhas da terra por vezes se dirigiam. E amiúde tinha Elwing a forma e semelhança de uma ave; e ela construiu asas para o navio de Eärendel, e ele foi elevado até mesmo aos oceanos do ar. Maravilhoso e mágico era aquele navio, uma flor estrelada no céu, trazendo uma chama sacra e ondeante; e o povo da terra a contemplava de longe e ficava absorto, e deixava de lado o desespero, dizendo, decerto uma Silmaril está no céu, uma nova estrela ergueu-se no Oeste. Maidros disse a Maglor:[20] "Se for aquela a Silmaril que se alevanta por algum divino poder do mar onde a vimos cair, então alegremo-nos, pois que sua glória é vista agora por muitos." Assim surgiu esperança e uma promessa de melhora; mas Morgoth ficou cheio de dúvida.

Contudo, diz-se que ele não esperava o ataque que lhe sobreveio do Oeste. Tão grande seu orgulho se tornara que julgava que ninguém jamais viria de novo contra ele em guerra aberta; além do mais, pensava que tinha apartado para sempre os Gnomos dos Deuses e de seus parentes e que, contentes em seu Reino Ditoso, os Valar não mais dariam ouvido a seus domínios no mundo de fora. Pois coração desapiedado não conta com o poder que tem a piedade, da qual fúria severa pode ser forjada, e um aceso relâmpago diante do qual tombam montanhas.

176

A FORMAÇÃO DA TERRA-MÉDIA

❧

[1] *elfin > elven**
[2] *Eärámë, Ala de Águia > Eärrámë, Ala-do-mar*
[3] Acrescentado aqui:

> Mas Tuor apenas, entre os homens Mortais, foi contado entre a raça mais antiga e unido aos Noldoli, a quem amava, e depois disso habitava ainda, ou assim se diz, [*riscado*: em Tol Eressëa] em seu navio, viajando pelos mares da Terra-das-fadas [> das Terras-élficas], ou descansando por um tempo nos portos dos Gnomos de Tol Eressëa; e seu destino foi separado do destino dos Homens.

[4] *e ela deu à luz Elrond Meio-Elfo > e ela deu à luz Elros e Elrond, que são chamados os Meio-Elfos.*
[5] *de Fora > de Cá* em ambas as ocorrências.
[6] *Wingelot > Vingelot* em todas as três ocorrências; somente na primeira, *Vingelot* posteriormente > *Wingilot*
[7] *Ungoliant > Ungoliant* em ambas as ocorrências.
[8] *Nauglafring > Nauglamír* em ambas as ocorrências (cf. §14, nota 10).
[9] *seu filho Elrond > seus filhos Elros e Elrond*
[10] Essa passagem foi reescrita assim:

> Mas grande foi o pesar de Eärendel e Elwing pela ruína dos portos do Sirion e pelo cativeiro de seus filhos; e temiam que fossem mortos. Mas não foi assim. Pois Maglor teve piedade de Elros e Elrond, e acalentou-os, e o amor cresceu depois entre eles, por mais impensável que isso fosse; mas o coração de Maglor estava enfermo e cansado etc.

[11] *e chegaram até as Ilhas Mágicas e escaparam de sua magia > e chegaram às Ilhas Encantadas e escaparam de seu encantamento*
[12] *Baía de Feéria > Baía de Casadelfos*
[13] *de Tinbrenting > de Tindbrenting*
[14] Esse parágrafo foi emendado em momentos diferentes, e não está perfeitamente claro o que se pretendia. A primeira mudança foi o acréscimo, após *para que não caíssem sob a ira dos Deuses*, de: *E ele disse adeus a todos que amava na última costa, e foi apartado deles para sempre.* Subsequentemente, *nem ninguém de sua pequena companhia* parece ter sido removido, com este resultado: *e Elwing ele não quis que o seguisse para que não caísse sob a ira dos Deuses* — mas o acréscimo anterior não foi riscado.
[15] *Côr > Kôr*, como anteriormente.
[16] Essa passagem foi alterada para:

> Donde voltou em direção às costas pensando em zarpar uma vez mais em Vingelot, seu navio; mas veio alguém até ele e gritou-lhe: "Salve, Eärendel, estrela radiante, mensageiro mais belo!

[17] *nunca mais voltou às terras dos Homens > nunca mais pôs o pé sobre as terras dos Homens*

---

* Ver §16, na versão Q II, nota 4, nota de rodapé. [N. T.]

O QUENTA

[18] *raças > gentes*

[19] Acrescentado aqui: *e Inguiel, filho de Ingwë, era seu chefe;*

[20] Essa passagem, a partir do início do parágrafo, foi reescrita extensamente:

> Naqueles dias, o navio de Eärendel foi levado pelos Deuses para além da borda do mundo, e foi elevado até mesmo aos oceanos do ar. Maravilhoso e mágico era aquele navio, uma flor estrelada no céu, trazendo uma chama sacra e ondeante; e o povo da Terra o contemplou de longe e ficou absorto, e deixou de lado o desespero, dizendo, decerto uma Silmaril está no céu, uma nova estrela ergueu-se no Oeste. Mas Elwing pranteou Eärendel; contudo, nunca mais o achou, e eles estão separados até que o mundo finde. Portanto, ela construiu uma torre branca nos confins do mundo exterior, nas regiões do Norte dos Mares Divisores; e para lá todas as aves marinhas da terra por vezes se dirigiam. E Elwing fez asas para si, e desejava voar até o navio de Eärendel. Mas [?ela caiu para trás]........ Mas quando a chama apareceu nas alturas, Maglor disse a Maidros:

18

[Esta seção inteira mais uma vez encontra-se preservada nas duas versões datilografas, Q I e Q II.]

Da marcha de Fionwë para o Norte pouco se diz, pois naquela hoste não havia nenhum dos Elfos que tinham habitado e sofrido nas Terras de Fora, e que fizeram estas histórias; e notícias só muito depois esses tiveram de tais coisas de seus parentes distantes, os Elfos de Valinor. O encontro das hostes de Fionwë e de Morgoth no Norte recebe o nome de Última Batalha, a Terrível Batalha, a Batalha da Ira e do Trovão. Grande foi o assombro de Morgoth quando essa hoste lhe sobreveio do Oeste, e toda Hithlum estava em chamas com suas glória, e as montanhas ressoavam; pois pensava que tinha apartado para sempre os Gnomos dos Deuses e de seus parentes e que, contentes em seu reino ditoso, os Deuses não mais dariam ouvido a seus domínios no mundo de fora. Pois coração desapiedado não conta com o poder que tem a piedade; nem prevê que da compaixão gentil pela angústia e pelo valor sobrepujados fúria severa pode ser forjada, e um aceso relâmpago diante do qual tombam montanhas.[1]

Lá se reuniu o poderio inteiro do Trono de Ódio, e quase imensurável tinha se tornado, de modo que Dor-na-Fauglith não o podia por nenhuma maneira conter, e todo o Norte estava em chamas com a guerra. Mas de nada valeu. Todos os Balrogs foram destruídos, e as hostes incontáveis dos Orques pereceram feito palha no fogo, ou foram varridas feito folhas despedaçadas diante de um vento ardente. Poucos restaram para atormentar o mundo desde então. E o próprio Morgoth veio, e todos os seus dragões estavam à sua volta; e Fionwë por um momento foi rechaçado. Mas os filhos dos Valar no fim sobrepujaram a todos, e apenas dois escaparam. Morgoth não escapou. Ao chão o jogaram, e o ataram com a corrente Angainor, com a qual Tulkas o prendera outrora, e da qual em hora infeliz os Deuses o libertaram; mas sua coroa de ferro deram forma de coleira para seu pescoço, e curvaram-lhe a cabeça até os joelhos. As Silmarils Fionwë tomou e as guardou.

Assim pereceu o poder e o opróbio de Angband no Norte, e sua multidão de prisioneiros saiu à luz do dia para além de toda a esperança, e contemplaram um mundo que estava mudado. As Thangorodrim foram partidas e derrubadas, e as covas de Morgoth destroçadas e destelhadas, para jamais serem reerguidas; mas tão grande foi a fúria daqueles adversários que todas as partes do norte e do oeste do mundo foram rasgadas e fendidas, e o mar entrou rugindo por muitos lugares; os rios pereceram ou acharam novos leitos, os vales foram soerguidos e os montes desabaram; e Sirion não mais existia. Então os Homens fugiram, aqueles que não pereceram na ruína daqueles dias, e muito tardou antes que voltassem pelas montanhas onde Beleriand existira antes, e não antes que a história daqueles dias se esvanecesse em um eco que pouco se ouvia.

Mas Fionwë marchou pelas terras convocando os remanescentes dos Gnomos e os Elfos-escuros que jamais tinham visto Valinor a se unir aos cativos libertados de Angband, e partir; e com os Elfos apenas àqueles da raça de Hador e Bëor seria permitido partir, se quisessem. Mas desses apenas Elrond agora restava, o Meio-Elfo; e [ele] escolheu permanecer, estando unido por seu sangue mortal em amor àqueles da raça mais jovem; e apenas por Elrond o sangue da raça mais antiga e da semente divina de Valinor chegou aos Homens mortais.

Mas Maidros não quis obedecer ao chamado, preparando-se para cumprir mesmo assim as obrigações de seu juramento, ainda que com desgosto cansado e desespero. Pois ele teria batalhado pelas Silmarils, se lhe fossem negadas, ainda que estivesse sozinho em todo o mundo, apenas com a exceção de Maglor, seu irmão. E mandou dizer a Fionwë que lhe cedesse aquelas joias que outrora Morgoth roubara de Fëanor. Mas Fionwë disse que o direito que Fëanor e seus filhos tinham sobre aquilo que tinham obrado havia perecido, por causa dos muitos e malignos feitos que realizaram cegados por seu juramento e, mais do que tudo, pela morte de Dior e o ataque deles a Elwing. Para Valinor deviam Maidros e Maglor retornar e aguardar o julgamento dos Deuses, por cujo decreto apenas Fionwë cederia as joias a qualquer cuidado que não o seu próprio.

Maidros tinha em mente se submeter, pois estava triste em seu coração, e disse: "O juramento não decreta que não aguardemos nossa hora, e pode ser que em Valinor tudo seja perdoado e esquecido, e que tenhamos nossa herança." Mas Maglor respondeu que, se chegassem a retornar e o favor dos Deuses não lhes fosse concedido, então seu juramento mesmo assim permaneceria, e seria cumprido em desespero ainda maior; "e quem pode dizer a que fim horrendo chegaremos, se desobedecermos os Poderes em sua própria terra, ou pretendermos trazer a guerra a seu Reino Guardado de novo?" E assim se deu que Maidros e Maglor se insinuaram nos acampamentos de Fionwë, e deitaram mãos sobre as Silmarils; e sacaram suas armas quando foram descobertos. Mas os filhos dos Valar se alevantaram em ira e os detiveram, e fizeram Maidros prisioneiro; porém Maglor evadiu-se deles e escapou.

Ora, a Silmaril que Maidros detinha — pois os irmãos tinham concordado em cada um tomar uma, dizendo que apenas dois irmãos restavam agora, e apenas duas joias — queimou a mão de Maidros, e ele tinha apenas uma mão, como [se] contou antes, e ele soube então que seu direito se tornara nulo, e que o juramento era vão. Mas ele jogou a Silmaril no chão, e Fionwë a pegou; e por causa da agonia de sua dor e do remorso de seu coração, ele tirou a própria vida, antes que pudesse ser impedido.

Conta-se também de Maglor que ele fugiu para longe, mas outrossim não podia suportar a dor com a qual a Silmaril o atormentava; e em agonia lançou-a em uma grande fenda cheia de fogo, no destroçamento das terras ocidentais, e a joia desapareceu no seio da Terra. Mas Maglor nunca mais voltou ao meio do povo de Elfinesse, e vagou a cantar em dor e arrependimento à beira do mar.

Naqueles dias houve uma grande armação de navios nas costas do Mar do Oeste, e mormente nas grandes ilhas, as quais, na ruptura do mundo do Norte, foram formadas a partir da antiga Beleriand.

De lá, em muitas frotas, os sobreviventes dos Gnomos e das companhias ocidentais dos Elfos-escuros içaram vela para o Oeste e não mais voltaram às regiões de pranto e de guerra; e os Elfos-da-luz marcharam para casa sob as bandeiras de seu rei, no séquito vitorioso de Fionwë. Porém, nem todos retornaram, e alguns se demoraram por muitas eras no Oeste e no Norte, e especialmente nas Ilhas Ocidentais. Contudo sempre, conforme as eras passavam e o povo dos Elfos se esvanecia na Terra, ainda içavam vela ao anoitecer de nossas costas do Oeste; como ainda fazem, quando agora se demoram poucas em qualquer lugar das companhias solitárias.

Mas no Oeste os Gnomos que retornaram habitaram em sua maior parte na Ilha Solitária, que olha tanto para o Leste quanto para o Oeste; e a eles se misturaram os Elfos-escuros, especialmente aqueles que outrora pertenceram a Doriath. E alguns retornaram até mesmo a Valinor, e foram bem recebidos em meio às luzentes companhias dos Quendi, e admitidos ao amor de Manwë e ao perdão dos Deuses; e os Teleri perdoaram sua antiga mágoa, e a maldição foi posta de lado. Mas Tûn nunca mais foi habitada; e Côr permanece um monte de verde silencioso sem ser pisado.

⁊

[1] O conteúdo dessa passagem, a partir *Grande foi o assombro de Morgoth...*, foi apresentado ao final de §17 na versão Q II, visto que aparece lá antes das palavras *Da marcha da hoste de Fionwë* com as quais inicio §18.

§18 na versão Q II

Da marcha da hoste de Fionwë para o Norte pouco se diz, pois em seus exércitos não vinha nenhum daqueles Elfos que tinham habitado e sofrido nas Terras de Fora,[1] e que fizeram estas histórias, e notícias só muito depois esses tiveram de tais coisas de seus parentes, os Elfos-da-luz de Valinor. Mas Fionwë veio, e o desafio de suas trombetas encheu o céu, e ele convocou todos os Homens e Elfos, de Hithlum até o Leste; e Beleriand inflamou-se com a glória de suas armas, e as montanhas ecoaram.

O encontro das hostes do Oeste e do Norte recebe o nome de Grande Batalha, a Terrível Batalha, a Batalha da Ira e do Trovão. Lá se reuniu o poderio inteiro do Trono de Ódio, e quase imensurável tinha se tornado, de modo que Dor-na-Fauglith não o

O QUENTA

podia conter, e todo o Norte estava em chamas com a guerra. Mas de nada valeu. Todos os Balrogs foram destruídos, e as hostes incontáveis dos Orques pereceram feito palha no fogo, ou foram varridas feito folhas despedaçadas diante de um vento ardente. Poucos restaram para atormentar o mundo desde então. E se diz que lá muitos Homens de Hithlum, arrependidos de sua servidão maligna, operaram feitos de valor, além de muitos Homens recém-saídos do Leste;[2] e assim foram cumpridas, em parte, as palavras de Ulmo; pois por Eärendel, filho de Tuor, foi o auxílio dado aos Elfos, e pelas espadas dos Homens foram eles fortalecidos nos campos de guerra.[3] Mas Morgoth tremeu e não veio à luta; e lançou seu último ataque, e era o dos dragões alados.[4] Tão repentino e rápido e ruinoso foi o avanço daquela frota, como uma tempestade de cem trovões com asas de aço, que Fionwë foi rechaçado; mas Eärendel veio, e uma miríade de aves estava à volta dele, e a batalha durou toda uma noite de dúvida. E Eärendel matou Ancalagon, o negro, mais poderoso de toda a horda dos dragões, e o lançou do céu, e em sua queda as torres das Thangorodrim foram derrubadas. Então nasceu o sol do segundo dia e os filhos[5] dos Valar prevaleceram, e todos os dragões foram destruídos, salvo dois apenas; e fugiram para o Leste. Então foram todas as covas de Morgoth destroçadas e destelhadas, e o poderio de Fionwë desceu até as profundezas da Terra, e lá Morgoth foi derrubado. Foi atado[6] com a corrente Angainor, que há muito estava preparada, e à sua coroa de ferro deram forma de coleira para seu pescoço, e curvaram-lhe a cabeça até os joelhos. Mas Fionwë tomou as duas Silmarils que restavam e guardou-as.

Assim pereceu o poder e o opróbrio de Angband no Norte, e sua multidão de servos saiu, para além de toda a esperança, à luz do dia e viram um mundo de todo mudado; pois tão grande foi a fúria daqueles adversários que as regiões do Norte do Mundo Ocidental foram rasgadas e quebradas, e o mar rugiu para dentro de muitos abismos, e houve confusão e grande barulho; e os rios pereceram ou acharam novos leitos, e os vales foram elevados, e os montes, derrubados; e Sirion não existia mais. Então os Homens fugiram, aqueles que não pereceram na ruína daqueles dias, e muito tardou antes que voltassem pelas montanhas onde Beleriand existira antes, e não antes que a história daquelas guerras se esvanecesse em um eco que pouco se ouvia.

A FORMAÇÃO DA TERRA-MÉDIA

Mas Fionwë marchou pelas terras do Oeste convocando os remanescentes dos Gnomos, e os Elfos-escuros que ainda não tinham visto Valinor, a se unir aos servos libertados e partir. Mas Maidros não quis ouvir e preparou-se, ainda que com desgosto cansado e desespero, para realizar mesmo assim as obrigações de seu juramento. Pois Maidros e Maglor teriam batalhado pelas Silmarils, se lhes fossem negadas, mesmo contra a hoste vitoriosa de Valinor, e ainda que estivessem sozinhos contra o mundo todo. E mandaram dizer a Fionwë que lhes cedesse então aquelas joias que outrora Morgoth roubara de Fëanor. Mas Fionwë disse que o direito à obra de suas mãos o qual Fëanor e seus filhos antes tinham possuído havia perecido, por causa de seus muitos e malignos feitos, cegados por seu juramento e, mais do que tudo, pela morte de Dior e o ataque deles a Elwing; a luz das Silmarils deveria agora ir para os Deuses, de onde viera, e para Valinor deviam Maidros e Maglor retornar e lá aguardar o julgamento dos Deuses, por cujo decreto apenas Fionwë cederia as joias a seus cuidados.

Maglor tinha em mente se submeter, pois estava triste em seu coração, e disse: "O juramento não diz que não podemos aguardar nossa hora, e pode ser que em Valinor tudo seja perdoado e esquecido, e que tenhamos nossa herança." Mas Maidros respondeu que, se chegassem a retornar e o favor dos Deuses lhes fosse recusado, então seu juramento mesmo assim permaneceria a ser cumprido em desespero ainda maior; "e quem pode dizer a que sina horrenda chegaremos, se desobedecermos os Poderes em sua própria terra, ou pretendermos de novo trazer a guerra a seu Reino Guardado?" E assim se deu que Maidros e Maglor se insinuaram nos acampamentos de Fionwë e deitaram mãos sobre as Silmarils, e mataram os guardas; e ali se preparam para se defender até a morte. Mas Fionwë deteve sua gente; e os irmãos partiram e fugiram para longe.

Cada um tomou uma única Silmaril, dizendo que uma se perdera para eles, e duas restavam, havendo só dois irmãos. Mas a joia queimou a mão de Maidros com dor insuportável (e ele tinha apenas uma mão, como se contou antes); e ele percebeu que era como Fionwë dissera, e que seu direito se tornara nulo, e que o juramento era vão. E, estando cheio de angústia e desespero, lançou-se em um abismo que se abria cheio de fogo, e esse foi seu fim; e sua Silmaril foi levada ao seio da Terra.

O QUENTA

E conta-se também de Maglor que ele não podia suportar a dor com a qual a Silmaril o atormentava; e lançou-a enfim ao mar e depois disso vagou sempre pela costa cantando em dor e arrependimento à beira das ondas; pois Maglor era o mais poderoso dos cantores de outrora, mas nunca mais voltou ao meio do povo de Elfinesse.

Naqueles dias houve uma grande armação de navios nas costas do Mar do Oeste, e especialmente nas grandes ilhas, as quais, na ruptura do mundo do Norte, foram formadas a partir da antiga Beleriand. De lá, em muitas frotas, os sobreviventes dos Gnomos e das companhias ocidentais dos Elfos-escuros içaram vela para o Oeste e não mais voltaram às regiões de pranto e de guerra; mas os Elfos-da-luz marcharam para casa sob as bandeiras de seu rei, no séquito vitorioso de Fionwë, e foram levados em triunfo a Valinor.[7] Mas no Oeste os Gnomos e Elfos-escuros habitaram de novo, em sua maior parte, na Ilha Solitária, que olha tanto para o Leste quanto para o Oeste; e mui bela tornou-se aquela terra, e assim permanece. Mas alguns retornaram até mesmo a Valinor, como todos eram livres para fazer se desejassem; e os Gnomos foram de novo admitidos ao amor de Manwë e ao perdão dos Valar, e os Teleri perdoaram sua antiga mágoa e a maldição foi posta de lado.

Porém, nem todos queriam abandonar as Terras de Fora, onde longamente sofreram e habitaram; e alguns se demoraram por muitas eras no Oeste e no Norte, e especialmente nas ilhas ocidentais e nas terras de Leithien. E entre esses estava Maglor, como foi contado; e com ele Elrond, o Meio-Elfo,[8] que depois veio entre os Homens mortais de novo, e por quem apenas o sangue da raça mais antiga[9] e a divina semente de Valinor chegou à Gente dos Homens (pois ele era filho de Elwing, filha de Dior, filho de Lúthien, filha de Thingol e Melian; e Eärendel, que o gerou, era filho de Idril Celebrindal, a bela donzela de Gondolin). Mas sempre, conforme as eras passavam e o povo dos Elfos se esvanecia na Terra, ainda içavam vela ao anoitecer de nossas costas do Oeste; como ainda fazem, quando agora se demoram poucas em qualquer lugar de suas companhias solitárias.

&

[1]   *de Cá* escrito sobre ou em substituição a *de fora* em ambas as ocorrências.

[2]   Nessa frase, na primeira "camada" de emendas, *muitos Homens* > *alguns poucos Homens* e *além de muitos Homens* > *além de alguns Homens*. Posteriormente, a frase foi reescrita rapidamente a lápis:

A FORMAÇÃO DA TERRA-MÉDIA

E se diz que todos os que restavam das três Casas dos Pais de Homens lutaram por Fionwë, e a eles se uniram alguns dos Homens de Hithlum que, arrependidos de sua servidão maligna, operaram feitos de valor contra os Orques; e assim foram cumpridas, etc.

Ver nota 3.

3 Acrescentado na mesma época que a reescrita mencionada na nota 2:

Mas a maioria dos Homens, e especialmente aqueles que tinham acabado de sair do Leste, ficou do lado do Inimigo.

4 Acrescentado aqui:

pois até então não tinha nenhuma dessas criaturas de seu pensamento cruel assolado o ar.

5 sons > children* (mudança tardia).

6 e lá Morgoth foi derrubado foi alterado e expandido da seguinte forma:

e lá Morgoth estava enfim encurralado; e, contudo, não tinha valentia. Fugiu para a mais profunda de suas minas e suplicou paz e perdão. Mas seus pés foram-lhe cortados debaixo de si, e lançaram-no sobre sua face. Então foi atado etc.

7 Acrescentado aqui:

Contudo, pouco júbilo tiveram em seu retorno, pois vieram sem as Silmarils, e essas não podiam ser achadas outra vez, a menos que o mundo fosse despedaçado e refeito de todo.

8 Half-elfin > Half-elven† (cf. §17 na versão Q II, nota 4).

9 da raça mais antiga > dos Primogênitos

19

[Q I chega ao fim logo após o início desta seção.]

Assim os Deuses julgaram quando Fionwë e os filhos dos Valar retornaram a Valmar: as Terras de Fora dali por diante seriam dos Homens, os filhos mais novos do mundo; mas apenas para os Elfos os portões do Oeste ficariam sempre abertos; mas se não fossem para lá e tardassem no mundo dos Homens, então deveriam desvanecer e fraquejar lentamente. E assim tem sido; e esse é o mais doloroso dos frutos das obras e das mentiras de Morgoth. Por um tempo seus Orques e seus Dragões, procriando de novo em lugares

---

* Ambas as palavras se traduzem em português como "filhos". [N. T.]

† Quanto a elfin/elven, ver §16, na versão Q II, nota 4, nota de rodapé. Tanto Half-elfin como Half-elven tiveram suas traduções patronizadas como "Meio-Elfo(s)". [N. T.]

escuros, atormentaram o mundo, como em lugares distantes ainda o fazem; mas, antes do Fim, todos hão de perecer pelo valor dos Homens mortais.

Mas Morgoth os Deuses lançaram através da Porta da Noite Atemporal que dá para o Vazio para além das Muralhas do Mundo; e uma guarda está a postos sempre naquela porta. Contudo, as mentiras que

> [Aqui o texto Q I acaba, ao pé de uma página datilografada, mas Q II continua até o fim.]

Este foi o julgamento dos Deuses, quando Fionwë e os filhos dos Valar tinham retornado a Valmar: dali por diante as Terras de Fora seriam da Gente dos Homens, os filhos mais novos do mundo; mas apenas para os Elfos os portões do Oeste ficariam sempre abertos, e, se não fossem para lá e tardassem no mundo dos Homens, então deveriam desvanecer e fraquejar lentamente. Este é o mais doloroso dos frutos das mentiras e das obras de Morgoth, que os Eldalië fossem apartados e alheados dos Homens. Por um tempo seus Orques e seus Dragões, procriando de novo em lugares escuros, aterraram o mundo e, em regiões várias, ainda o fazem; mas, antes do Fim, todos hão de perecer pelo valor dos Homens mortais.

Mas Morgoth os Deuses lançaram através da Porta da Noite Atemporal que dá para o Vazio, para além das Muralhas do Mundo; e uma guarda está a postos sempre naquela porta, e Eärendel mantém vigia sobre os baluartes do céu. Contudo, as mentiras que Melko,[1] Moeleg, o poderoso e amaldiçoado, Morgoth Bauglir, o Terrível e Sombrio Poder semeou nos corações de Elfos e Homens não morreram todas, e não podem pelos Deuses ser mortas, e vivem a operar muito mal até mesmo nestes dias posteriores. Alguns dizem também que Morgoth, por vezes, secretamente como uma nuvem que não pode ser vista nem sentida, mas ainda assim o é, e o veneno é,[2] insinua-se, escalando as Muralhas e visita o mundo; mas outros dizem que essa é a sombra negra de Thû, que foi feito por Morgoth e que, escapando da Terrível Batalha, habita em lugares escuros e perverte os Homens[3] para seu domínio horrendo e seu culto imundo.

Depois do triunfo dos Deuses, Eärendel navegava ainda os mares do firmamento, mas o Sol o queimava e a Lua o caçava

A FORMAÇÃO DA TERRA-MÉDIA

no céu, [e partia por muito tempo por trás do mundo, viajando pela Escuridão de Fora, uma estrela faiscante e fugidia.][4] Então os Valar trouxeram seu navio branco, Wingelot,[5] por sobre a terra de Valinor, e o encheram de radiância e o abençoaram, e lançaram-no através da Porta da Noite. E por longo tempo Eärendel içou velas na vastidão sem estrelas, Elwing a seu lado,[6] a Silmaril sobre sua fronte, viajando pelas Trevas detrás do mundo, uma estrela faiscante e fugidia. E de quando em vez ele retorna e brilha atrás dos cursos do Sol e da Lua acima dos baluartes dos Deuses, mais brilhante que todas as outras estrelas, o marinheiro do céu, montando guarda contra Morgoth sobre os confins do mundo. Assim ele há de velejar até que veja a Última Batalha ser lutada sobre as planícies de Valinor.

Assim falou a profecia de Mandos, que ele declarou em Valmar no julgamento dos Deuses, e o rumor dela virou um sussurro entre todos os Elfos do Oeste: quando o mundo for velho e os Poderes estiverem cansados, então Morgoth há de voltar pela Porta da Noite Atemporal; e ele há de destruir o Sol e a Lua, mas Eärendel há de vir sobre ele como uma chama branca e tirá-lo dos ares. Então há de se ajuntar a última batalha nos campos de Valinor. Naquele dia, Tulkas há de combater com Melko, e à sua direita há de estar Fionwë e à sua esquerda, Túrin Turambar, filho de Húrin, Conquistador do Destino;[7] e há de ser a espada negra de Túrin a dar a Melko sua morte e fim definitivo; e assim hão de ser vingados os filhos de Húrin e todos os Homens.

Depois disso, haverão as Silmarils[8] de ser recuperadas do mar e da terra e do ar; pois Eärendel há de descer e abrir mão daquela chama que está sob sua guarda. Então Fëanor levará as Três para dá-las a Yavanna Palúrien; e ela vai quebrá-las e, com seu fogo, reacenderá as Duas Árvores, e uma grande luz virá; e as Montanhas de Valinor serão aplainadas, de modo que a luz chegue a todo o mundo. Naquela luz os Deuses ficarão jovens de novo, e os Elfos despertarão, e todos os seus mortos levantar-se-ão, e o propósito de Ilúvatar acerca deles será cumprido. Mas dos Homens naquele dia a profecia não fala, exceto apenas de Túrin, e a ele nomeia entre os Deuses.[9]

Tal é o fim das histórias dos dias antes dos dias nas regiões do Norte do Mundo Ocidental. Algumas dessas coisas são cantadas e ditas ainda pelos Elfos minguantes; e mais ainda é cantado pelos

O QUENTA

Elfos desaparecidos que habitam agora na Ilha Solitária. A Homens da raça de Eärendel foram por vezes contadas, e mormente a Eriol[10] que, único dos mortais de dias posteriores, e, contudo, agora há muito tempo, navegou até a Ilha Solitária, e retornou à terra de Leithien[11] onde vivia, e lembrava-se de coisas que ouvira na bela Cortirion, a cidade dos Elfos em Tol Eressëa.

&

1 *Melko* > *Melkor* (mas somente na primeira ocorrência).
2 *mas ainda assim o é, e o veneno é* > *mas ainda assim é venenosa*
3 Essa frase foi reescrita:

> mas outros dizem que essa é a sombra negra de Sauron, que servia a Morgoth e se tornou o maior e mais maligno de seus lacaios; e Sauron escapou da Grande Batalha, e habitou em lugares escuros e perverteu os Homens etc.

4 Essa frase foi preservada de um ponto anterior na narrativa no Q I (final da §17, p. 171); no Q II, a última parte dela, *e partia por muito tempo por trás do mundo, viajando pela Escuridão de Fora, uma estrela faiscante e fugidia*, foi riscada, visto que ocorre mais uma vez imediatamente abaixo.
5 *Wingelot* não foi emendado aqui (como em §17 na versão Q II, nota 6) para *Vingelot*.
6 *Elwing a seu lado* foi riscado.
7 Acrescentado aqui a lápis: *vindo dos salões de Mandos*
8 *Depois disso, haverão as Silmarils* > *Depois disso, a Terra há de ser partida e refeita, e as Silmarils*
9 *entre os Deuses* emendado a lápis para *entre os filhos dos Deuses*
10 Aparentemente mudado, a lápis, para *Ereol*.
11 *Leithien* emendada a lápis para *Bretanha*.

Comentário sobre o *Quenta*

Seção de Abertura

Essa passagem, à qual não há nada que corresponda no Esb, pode ser comparada aos *Contos Perdidos* I. 78, 86–7 por um lado e ao *Valaquenta* (*O Silmarillion* pp. 51 ss.) por outro. Essa seção de abertura do Q é a origem e a precursora do *Valaquenta*, como pode-se ver pela cadência de suas frases e por muitos detalhes de redação; ainda que breve, não apresenta contradições reais ao texto dos *Contos Perdidos*, salvo em alguns detalhes de nomes. Os Nove Valar, mencionados em Esb §1 e no poema aliterante *Fuga dos Noldoli* (III. 160), são agora pela primeira vez identificados. Esse número continuaria nos Oito *Aratar* (oito, porque "um foi retirado de seu número", *O Silmarillion*, pp. 56–7), embora tenha havido

A FORMAÇÃO DA TERRA-MÉDIA

muitas mudanças na composição do número em escritos tardios; nos *Contos Perdidos* havia "quatro grandes" entre os Valar: Manwë, Melko, Ulmo e Aulë (I. 78).

O nome de Mandos nos *Contos Perdidos*, Vefántur "Fantur da Morte", que "chamava o salão com seu próprio nome, Vê" (I. 87, 98), agora se torna *Nefantur*. Em lugar algum há qualquer indicação sobre o significado do primeiro elemento; mas o novo nome possui uma curiosa semelhança com o nome em inglês antigo de Mandos encontrado em uma lista de tais nomes dos Valar (pp. 241–42): *Néfréa* (inglês antigo *né(o)* "cadáver", *fréa* "senhor"). A mudança tardia de *Tavros* para *Tauros* também é feita no texto B da *Balada de Leithian* (III. 233, 332).

Vána (aqui especificamente escrito como *Vána*) é agora a irmã mais nova de Varda e Palúrien (nos *Contos Perdidos* não é dito que essas deusas são "aparentadas"); em *O Silmarillion* Vána permanece a irmã mais nova de Yavanna. Encontramos aqui o nome gnômico de Melko, *Moeleg*, que os Gnomos não usam; cf. o *Valaquenta* (p. 58): "os Noldor, que entre os Elfos sofreram mais por sua malícia, não o pronunciam [Melkor] e dão-lhe o nome de Morgoth, o Sombrio Inimigo do Mundo". A forma gnômica original era *Belcha* (II. 59, 87).

1

Nessa seção do Q, antes que a página substituta (ver nota 2) fosse escrita, os únicos desenvolvimentos importantes a partir do Esb são a redução dos períodos das Árvores, de catorze horas para sete (e isso só ocorreu com uma alteração no texto datilografado, ver nota 1), e a afirmação explícita de que Silpion era a mais velha das Árvores e que brilhou sozinha por um tempo (a Hora Inicial). Também é dito que os Gnomos posteriormente chamaram as Árvores de Bansil e *Glingol*. No conto de *A Queda de Gondolin*, esses nomes eram expressamente os das Árvores de Gondolin (ver II. 258–60), mas (especialmente uma vez que *Glingol* ocorre em uma glosa rejeitada em *O Chalé do Brincar Perdido* (I. 33) como um nome da Árvore Dourada de Valinor) parece claro que eles eram os nomes gnômicos das Árvores originais, que foram transferidos para suas mudas em Gondolin; na *Balada dos Filhos de Húrin* e na *Balada de Leithian*, como aqui no Q, Glingol e Bansil (posteriormente emendados para *Glingal* e *Belthil*) são as Árvores de Valinor. Mas em

O QUENTA

O Silmarillion, Glingal e Belthil são os nomes específicos das imagens de Turgon das Árvores de Gondolin.

Com a página substituta nessa seção (nota 2) há diversos desenvolvimentos adicionais, e a passagem que descreve os períodos das Árvores e a mescla das luzes é efetivamente a forma final, diferindo apenas daquela em *O Silmarillion* (pp. 67–8) em algumas mudanças levemente rítmicas nas frases. Yavanna não mais "planta" as Árvores, e Nienna está presente no nascimento delas (substituindo Vána dos *Contos Perdidos*, I. 93); os Valar sentam-se em seus "tronos de concílio" no Círculo do Julgamento perto dos portões dourados de Valmar; e as sombras em movimento das folhas de Silpion, não mencionadas no Esb ou no Q como escritos inicialmente, reaparecem dos *Contos Perdidos* (ver I. 112). Aqui também aparecem os nomes de Taniquetil, *Ialassë* "Brancura Sempiterna", gnômico *Amon-Uilas*, e *Tinwenairin* "coroada de estrelas"; cf. *O Silmarillion* p. 66:

> Taniquetil é o nome dado pelos Elfos àquela montanha sacra; e Oiolossë, Brancura Sempiterna, Elerrína, Coroada de Estrelas e muitos nomes outros; mas os Sindar falam dela em sua língua mais recente com o nome de Amon Uilos.

"Elfos" ainda é usado aqui em contraste com "Gnomos"; quanto a esse uso, ver p. 54.

2

O Q permanece próximo ao Esb nessa seção. Ao comentar o Esb, notei a ausência de certas características que são encontradas tanto nos *Contos Perdidos* como em *O Silmarillion*: (1) a chegada dos três embaixadores élficos a Valinor, (2) os Elfos que não deixaram as Águas do Despertar, (3) as duas feituras das estrelas por Varda, e (4) a corrente Angainor, com a qual Morgoth foi preso; e ainda não há menção deles. Como eu disse (I. 98), o *Quenta*, embora escrito de uma maneira acabada, ainda é em essência um resumo, e é possível se pensar que a ausência desses elementos se deve meramente à sua natureza comprimida. Contudo, em contrapartida, no que diz respeito a (1), há a afirmação no Q de que Thingol "jamais chegou a Valinor", enquanto na história mais antiga (I. 145), assim como em *O Silmarillion* (p. 85), Tinwelint/Thingol era um dos

A FORMAÇÃO DA TERRA-MÉDIA

três embaixadores originais; e, a respeito de (3), é dito no Q que Varda salpicou "os céus às escuras" com estrelas. No tocante a (4), é dito posteriormente no Q (§18) que Morgoth foi atado após a Última Batalha "com a corrente Angainor, com a qual Tulkas o prendera outrora".

A constelação da Grande Ursa é chamada de Urze Ardente, e a Foice dos Deuses, na *Balada de Leithian*.

É dito aqui que os Elfos chamavam a si mesmos de *Eldar*, tanto em contraste com a ideia mais antiga (I. 282) de que *Eldar* foi o nome lhes dado pelos Deuses, como com *O Silmarillion* (p. 81), onde Oromë "lhes deu o nome, na própria língua deles, de Eldar, o povo das estrelas".

A afirmação original no Q de que Ingwë "jamais voltou para as Terras de Fora até estes contos chegarem perto do fim" é uma referência à sua liderança na Marcha dos Elfos de Valinor no segundo ataque a Morgoth, no qual ele pereceu (I. 160). A afirmação revisada apresentada na nota 6, dizendo que Ingwë jamais voltou do Oeste, é praticamente a mesma que a em *O Silmarillion* (p. 85); ver o Comentário sobre §17. As formas gnômicas dos nomes dos três líderes, *Ing, Finn* e *Elu*, foram removidas pelas reescritas apresentadas nas notas 6, 8 e 11; e o uso de *Quendi* para a Primeira Gente ("que por vezes são os únicos chamados de Elfos", ver p. 53) é substituído por *Lindar* em uma emenda tardia (nota 7), enquanto *Quendi* reaparece (nota 5) como o nome para todos os Elfos. Essas mudanças tardias pertencem a uma nova nomenclatura que surgiu após o Quenta ser completado.

3

Embora o Q mais uma vez siga aqui o Esb muito de perto, há um importante desenvolvimento narrativo: a primeira aparição da história de Ossë sentado nas rochas à beira-mar instruindo os Teleri, e de como persuadiu alguns a permanecerem "nas praias do mundo" (os Elfos posteriores dos Portos de Brithombar e Eglarest, governados por Círdan, o Armador). E com o acréscimo tardio apresentado na nota 7 aparece a remoção da Primeira Gente (aqui chamada Lindar) de Tûn e sua separação dos Gnomos; há aqui um detalhe não retomado em textos subsequentes (provavelmente porque passou despercebido) de que os Noldoli de Tûn deixaram a torre de Ingwë desabitada, embora cuidassem da lamparina.

Como em §2, *Finn* foi emendado para *Finwë* (e *Ing* para *Ingwë*), embora se diga que os nomes dos príncipes noldorin são dados na forma gnômica, e *Ylmir*, encontrado no Esb, não é retomado no Q (de modo similar, tem-se Óin em Esb §3, mas *Uinen* na seção de abertura do Q).

Na passagem sobre os príncipes noldorin (um acréscimo tardio ao Esb), Celegorm torna-se "o amigo de Oromë" (um desenvolvimento que surge da história posterior de Huan, ver §10); o terceiro filho de Finrod, *Anrod* no Esb, torna-se *Angrod*. Quanto à mudança *Finweg > Fingon*, ver p. 56.

4

Muitos detalhes encontrados na história em *O Silmarillion* aparecem agora no Q (como o fato de Fëanor usar as Silmarils em grandes festas, Morgoth avistar os domos de Valmar ao longe ao mesclar das luzes, sua risada "enquanto descia depressa as longas encostas ocidentais", seu grande grito que ecoou pelo mundo quando as teias de Ungoliant o enredaram). No meu comentário sobre o Esb, observei que "a história inteira da ida de Morgoth a Formenos (que ainda não é chamada assim) e sua fala com Fëanor diante das portas ainda não havia aparecido", e também não aparece no Q; mas a interpolação tardia apresentada na nota 6, onde se afirma que um mensageiro chegou ao concílio dos Deuses com novas de que Morgoth estava no Norte de Valinor e rumo à casa de Finwë, é a primeira indicação desse elemento. Em *O Silmarillion* (p. 109), mensageiros chegaram aos Valar enviados por Finwë em Formenos contando sobre a primeira ida de Morgoth até lá, e a isso se segue as notícias de Tirion de que ele passara pelo Calacirya — uma movimentação que aparece à essa altura no Esb e no Q ("ele escapou pelo passo de Kôr, e da torre de Ingwë os Elfos o viram passar em trovão e ira").

Não há menção em Esb §4 do grande festival nesse ponto da narrativa, e sua aparição em §5 parece ter sido uma lembrança posterior (ver p. 57); o fato de o mesmo valer para o Q mostra o quanto a versão tardia depende da primeira nesse estágio da obra.

5

Nessa seção o Q, como de costume, possui muitos detalhes e expressões duradouras que não são encontrados no Esb, tais como os gemidos dos Ginetes d'Ondas à beira do mar, o desprezo de Fëanor pelos Valar "que não conseguem nem mesmo manter a seu próprio reino a salvo de seu inimigo", as espadas desembainhadas dos que fazem o juramento, o combate no "grande arco do portão e nos ancoradouros e pilares iluminados por lamparinas" de Porto-cisne, e a insinuação de que o proclamador da Profecia pode ter sido o próprio Mandos. Não havia menção no Esb dos Gnomos que não se juntaram à Fuga (sendo aqueles que estavam em Taniquetil celebrando o festival): esse elemento agora reaparece dos *Contos Perdidos* (I. 213); tampouco foi dito que nem todos do povo de Fingolfin tomaram parte no Fratricídio de Porto-cisne.

A referência à "canção da Fuga dos Gnomos" pode ser ao poema aliterante *A Fuga dos Noldoli* (III. 159 ss.), apesar deste ter sido abandonado no Juramento Fëanoriano: talvez meu pai ainda pensasse em continuá-lo um dia, ou em escrever um novo poema sobre o tema.*

O acréscimo a lápis "Finrod retornou" (nota 8) indica a história posterior, de acordo com a qual Finarfin (Finrod) deixou a marcha dos Noldor após ouvir a Profecia do Norte (*O Silmarillion*, p. 130); no Esb como emendado (nota 9) e no Q, Finrod somente alcançou Fingolfin após a queima dos navios pelos Fëanorianos, e somente depois disso Finrod retornou a Valinor.

Helkaraksë reaparece no Q dos *Contos Perdidos*, mas é agora traduzido "o Estreito do Gelo Pungente", enquanto seu significado original era "Presa-de-Gelo", e se referia ao estreito braço de terra que "corria desde a terra ocidental quase até as praias orientais" e era separado das Grandes Terras pelo Qerkaringa ou Golfo do Frio (I. 203 e nota 5).

6

Se já houve uma "canção do Sol e da Lua" (chamada em *O Silmarillion*, p. 144, por um nome élfico, *Narsilion*), ela desapareceu. O relato no Q pouco expande a passagem extremamente breve no Esb; mas a razão dada agora para a mudança no plano

---

* Posteriormente essa se torna uma referência àquele "lamento que leva o nome de *Noldolantë*, a Queda dos Noldor, que Maglor compôs antes que se perdesse" (*O Silmarillion*, p. 129); mas não encontrei qualquer traço dele.

O QUENTA

divino não é a de que os Deuses "têm como mais seguro" enviar o Sol e a Lua sob a Terra: é mudado, isso sim, devido à "inconstância de Tilion e de sua rivalidade com Úrien", e ainda mais devido às reclamações de Lórien e Nienna contra a luz incessante. Esse elemento ressurge do *Conto do Sol e da Lua* (I. 228–29), onde os Valar que protestaram foram Mandos e Fui Nienna, Lórien, e Vána. Da mesma forma, os nomes *Rána* e *Ûr* dados pelos Deuses à Lua e ao Sol remontam à história mais antiga, onde, no entanto, é dito que Ûr é o nome élfico: os Deuses chamaram o Sol de *Sári* (I. 225).

A donzela do Sol agora se chama Úrien, emendado para Árien (seu nome em *O Silmarillion*), em substituição a *Urwendi* (< *Urwen*); é dito que ela "cuidara das flores douradas nos jardins de Vana", que claramente é derivado dos cuidados de Laurelin por Urwen(di) nos *Contos Perdidos* (I. 94). Tilion, o caçador com o arco prateado da companhia de Oromë, não Ilinsor, é agora o timoneiro da Lua; mas, como observei em I. 113, Tilion, que em *O Silmarillion* "jazia sonhando à beira das lagoas de Estë [esposa de Lórien], sob as luzes bruxuleantes de Telperion", talvez deva algo à figura de Silmo nos *Contos Perdidos*, o jovem que Lórien amava e que recebeu a tarefa de "regar" Silpion. As palavras no Q acerca de Tilion, "amiúde ele se desviava de seu curso indo ao encalço das estrelas nos campos celestiais", e a referência à sua rivalidade com Úrien (Árien), claramente derivam da passagem no conto mais antigo (I. 235), onde é contado que Ilinsor tinha "ciúmes da supremacia do Sol" e que "amiúde ele navega perseguindo [as estrelas]".

Um vestígio da antiga concepção da Lua está preservado na referência à "ilha flutuante da Lua", uma expressão ainda encontrada em *O Silmarillion* (ver I. 243).

A ocorrência do nome *Eruman* para a terra onde os Homens despertaram (Murmenalda no *Conto de Gilfanon*, "muito longe ao leste de Palisor", I. 279–80, *Hildórien* em *O Silmarillion*, "nas regiões a leste da Terra-média") é estranha, e só pode ser considerada como uma aplicação passageira do termo com um significado completamente diferente, pois ele na verdade foi mantido em um refinamento de seu sentido original — a terra entre as montanhas e o mar ao sul de Taniquetil e Kôr, também chamada nos *Contos Perdidos* de *Arvalin* (que é o nome dado a ela no Esb e no Q): *Eruman* (> *Araman*) posteriormente se tornou a terra desolada entre as montanhas e o mar ao norte de Taniquetil (ver I. 104–05).

194

A FORMAÇÃO DA TERRA-MÉDIA

Embora a frase no Q "aos dias antigos, antes do ocaso dos Elfos e do zênite dos mortais" tenha sido mantida em *O Silmarillion* (pp. 150–51), um acréscimo tardio ao Q (nota 6), que não foi mantido, é mais explícito: "pois o tempo medido chegara ao mundo, e o primeiro dos dias; e depois disso as vidas dos Eldar que permaneceram nas Terras de Cá foram diminuídas, e seu ocaso começou". O significado disso é sem dúvida de que o tempo medido chegara às Grandes Terras ou Terras de Cá, pois a frase "assim o tempo medido chegou às Terras de Cá" é encontrada na primeira versão dos *Anais de Beleriand* (p. 347). Isso parece relacionar o ocaso dos Elfos à chegada do "tempo medido" e, por sua vez, pode estar associado à seguinte passagem de *O Silmarillion* (p. 150):

> Desse tempo em diante, foram contados os Anos do Sol. Mais velozes e breves eram eles do que os longos Anos das Árvores em Valinor. Naquele tempo, o ar da Terra-média fez-se pesado com o fôlego do crescimento e da mortalidade, e o mudar e o envelhecer de todas as coisas apressou-se sobremaneira.

Nos escritos mais antigos, o ocaso ou desvanecer dos Elfos é sempre claramente, ainda que misteriosamente, uma concomitância necessária do zênite dos Homens.* Visto que os Homens vieram ao mundo com o nascer do Sol, é possível que as concepções não estejam fundamente em desacordo: os Homens, e o tempo medido, surgiram no mundo juntos, e foram o sinal para o declínio dos Elfos. Mas é preciso lembrar que a sina do "desvanecer" era, ou tornou-se, uma parte da Profecia do Norte (*O Silmarillion*, p. 130):

> E aqueles que resistirem na Terra-média e não vierem a Mandos hão de ficar cansados do mundo, como de um grande fardo, e hão de esvanecer e se tornar como sombras de arrependimento diante da raça mais jovem que virá depois.

---

* Ver II. 393. Em certo ponto é dito que os Elfos "não conseguem viver no ar que é respirado por um número de Homens igual ou maior que o deles" (II. 341). Na *Balada dos Filhos de Húrin* (ver III. 70) aparece a ideia daquilo que era de "bom da terra" sendo usurpado pelos Homens, e isso reaparece em §14 tanto no Esb como no Q (no Esb com a afirmação adicional de que "os Elfos tinham necessidade da luz das Árvores").

O QUENTA

Quanto à frase usada a respeito de Eärendel, "ele chegou tarde demais", ver II. 309; e cf. Q §17: "Ele chegou tarde demais para levar mensagens aos Elfos, pois os Elfos haviam partido."

7

Nessa seção o Q faz pouco mais que refinar o texto do Esb e incorporar as alterações tardias feitas nele, e o conteúdo foi discutido no comentário sobre o Esb. Na frase acrescentada ao final do Q (nota 6) há um eco claro da ideia antiga do desvanecer dos Elfos de Luthany, e dos Elfos de Tol Eressëa que se retiraram do mundo "e lá não mais desvanecem agora" (ver II. 363, 393).

8

O Q fornece aqui novos detalhes, mas, fora isso, segue o Esb de perto. O local da Primeira Batalha (por meio de uma interpolação tardia chamada "A Batalha sob as Estrelas") fica agora na grande planície setentrional, ainda sem nome antes de sua desolação, quando se tornou Dor-na-Fauglith; em *O Silmarillion* (pp. 154–55) os Orques atacaram através dos passos das Montanhas de Sombra e a batalha foi travada "nos campos cinzentos de Mithrim". O vislumbre das Thangorodrim por Fëanor ao morrer aparece agora, e sua maldição do nome de Morgoth enquanto contemplava as montanhas — transferida de Túrin, que fez o mesmo após a morte de Beleg na *Balada dos Filhos de Húrin* (III. 107).

Há uma mudança estrutural muito pequena na história da oferta dissimulada de um tratado de paz por Morgoth. No Esb ela foi feita antes da morte de Fëanor, e Fëanor de fato recusou-se a tratar da questão; após sua morte, Maidros "induziu os Gnomos a se encontrarem com Morgoth". No Q, "na hora exata de sua morte, chegou [aos seus filhos] uma embaixada de Morgoth reconhecendo a derrota, e oferecendo tratar com eles, e os tentando com uma Silmaril". É mencionada agora uma força maior enviada por Morgoth; e vê-se que o número dos Balrogs ainda era concebido como sendo muito grande: "mas Morgoth trouxe a maior, *e eram Balrogs*" (compare com *O Silmarillion*: "mas a de Morgoth era mais numerosa, *e havia Balrogs*").

Na história do resgate de Maidros por Finweg (Fingon), a afirmação explícita e intrigante do Esb de que foi só então que Manwë "deu feitio à raça das águias" é mudada para uma afirmação de que foi então que ele as enviou; com a mudança posterior de "enviou" para "enviara", chega-se ao texto final. No Q encontram-se os detalhes de que Finweg (Fingon) escalou sem auxílio até chegar a Maidros, mas não conseguiu alcançá-lo, e das trinta braças das asas estendidas de Thorndor, da mão de Finweg que foi detida do arco, do apelo repetido duas vezes por Maidros de que Finweg o matasse, e da cura de Maidros, de maneira que viveu para empunhar melhor sua espada com a mão esquerda do que o havia feito com a direita — cf. a *Balada dos Filhos de Húrin* (III. 83): "que lesto, com a esquerda, / empunha a espada". Mas obviamente ainda há muitos elementos da história final que não aparecem: como a antiga amizade estreita de Maidros e Fingon, a canção de Fingon e a resposta de Maidros, a prece de Fingon a Manwë, e o pedido de perdão de Maidros pelo abandono em Araman e a abdicação de sua reivindicação à realeza sobre todos os Noldor.

9

Nessa seção da narrativa, o Q apresenta uma ampliação extraordinária e inesperada do Esb, muito maior do que havia sido o caso até então, e muitos elementos da história no *Silmarillion* publicado aparecem aqui (notavelmente ainda ausentes estão toda a história da recepção fria que Thingol deu aos Noldor recém-chegados e, é claro, a origem nessa época de Nargothrond e Gondolin); mas o Esb, conforme emendado e interpolado, ainda era a base. Alguns dos novos elementos na verdade já haviam surgido nos poemas: assim, a torre de vigia élfica em Tol Sirion aparece pela primeira vez no Canto VII da *Balada de Leithian* (início de 1928); as mortes de Angrod e Egnor na batalha que pôs um fim ao Cerco de Angband, chamada Batalha da Chama Repentina em um dos acréscimos mais antigos nessa seção (nota 19), no Canto VI da Balada (ver p. 66); a Garganta de Aglon no Canto VII e Himling no Canto X (ambas as passagens escritas em 1928); Esgalduin já na *Balada dos Filhos de Húrin* (mas sua fonte em "nascentes secretas em Taur-na-Fuin" não havia sido mencionada antes). No entanto, boa parte do conteúdo do Q nessa seção introduz elementos completamente novos às lendas.

As alterações e os acréscimos tardios a lápis apresentados nas notas foram feitos consideravelmente mais tarde, e os nomes assim introduzidos (*Taur Danin, Eredlindon, Ossiriand* — que era *Assariad* em Q §14, *Dorthonion, Sauron*) pertencem a fases posteriores. Mas é possível observar aqui que a mudança de *Segunda*

O QUENTA

Batalha para *Terceira Batalha* (nota 19) é explicada pela evolução da Batalha Gloriosa (*Dagor Aglareb*, um acréscimo tardio apresentado na nota 15), de modo que a Batalha da Chama Repentina se tornou a terceira das Batalhas de Beleriand. Com "o Presságio dos Reis" na nota 15, cf. *O Silmarillion*, p. 166: "Uma vitória foi e, ademais, um aviso"; ou a referência pode ser aos sonhos de presságio de Turgon e Felagund (*ibid.*, p. 164).

Os nomes de Beleriand apresentados em um dos primeiros acréscimos (nota 2), *Noldórien*, *Geleidhian* e *Ingolondë*, "a bela e pesarosa", são interessantes. É possível compará-los com a lista de nomes fornecida em III. 195, que inclui *Noldórinan* e *Golodhinand*, sendo que esta última possui *Golodh*, o equivalente noldorin do quenya *Noldo*; *Geleidhian* obviamente contém o mesmo elemento (cf. *Annon-in-Gelydh*, o Portão dos Noldor). *Ingolondë* ocorre mais uma vez na versão seguinte de "O Silmarillion" (a versão em vias de ser completada em 1937, ver I. 17):

> E aquela região foi chamada outrora no idioma de Doriath *Beleriand*, mas após a chegada dos Noldor foi chamada também na língua de Valinor *Ingolondë*, a bela e pesarosa, o Reino dos Gnomos.

Se *Ingolondë* significa "o Reino dos Gnomos", esse nome provavelmente também deveria ser associado ao radical visto em *Noldo*, *Golodh*. Em um escrito muito mais tardio, meu pai deu a forma original da palavra como *ngolodō*, daí o quenya *ñoldo*, sindarin *golodh*, observando que ñ = "a letra fëanoriana para a nasal posterior, o *ng* de *king*". Ele também disse que o nome materno de Finrod (= Felagund) era *Ingoldo*: essa era "uma forma de *ñoldo* com um *n* silábico, e, por estar na forma completa e mais nobre, equivalente mais ou menos a "o Noldo", alguém de eminência na gente"; e ele ressaltou que "o nome nunca foi sindarizado (a forma teria sido *Angoloð*)".

Quão significativa é a semelhança de *Ingolondë* com *England* [Inglaterra]? Não posso responder com certeza; mas parece claro a partir da conclusão do Q que a Inglaterra era uma das grandes ilhas que restaram após a destruição de Beleriand (ver o comentário sobre §18).

O território dos outros filhos de Finrod (Finarfin), Orodreth, Angrod e Egnor, é agora situado nos planaltos cobertos de pinheiros que posteriormente se tornaram Taur-na-Fuin.

198

A FORMAÇÃO DA TERRA-MÉDIA

Bem nova no Q é a passagem acerca dos Anãos, com a afirmação notável de que os Fëanorianos "faziam guerra aos" Anãos de Nogrod e Belegost, posteriormente mudada para "mantinham colóquio com" eles; isso acabou levando ao cenário em *O Silmarillion* (p. 163) do comércio desdenhoso, porém altamente lucrativo de Caranthir com os Anãos em Thargelion. A concepção mais antiga dos Anãos (ver II. 295–96) ainda estava presente quando meu pai escreveu o *Quenta*: apesar de "não servirem a Morgoth", são "em muitas coisas mais como o povo dele" (uma declaração dura de fato); eram naturalmente hostis aos Gnomos, que de maneira igualmente natural faziam guerra a eles. As cidades-anânicas de Nogrod e Belegost remontam ao *Conto do Nauglafring*, onde os Anãos são chamados de *Nauglath* (*Nauglir* no Q, *Naugrim* em *O Silmarillion*); mas no *Conto* os Indrafangs são os Anãos de Belegost.

A Festa da Reunião, que remonta ao *Conto de Gilfanon* (I. 289), mas não é mencionada no Esb (onde há apenas uma referência ao "encontro" dos Gnomos com Ilkorins e Homens), reaparece no Q ("A Festa do Encontro"); ela é realizada na Terra dos Salgueiros, não próximo às lagoas de Ivrin como em *O Silmarillion*. A presença de Homens na festa foi cortada, e agora surge a história da passagem dos Homens por sobre as Montanhas Azuis (chamadas em um acréscimo de *Erydluin*, nota 3) e do encontro de Felagund, que caçava no Leste com Celegorm, e Bëor. Essa passagem no Q é a precursora daquela em *O Silmarillion* (p. 140), com a estranheza da língua dos Homens aos ouvidos de Felagund, o momento em que pega a harpa de Bëor, a sabedoria que havia na canção de Felagund, de modo que os Homens o chamaram de "Gnomo, ou Sabedoria" (nota 12). É interessante nota que, após meu pai ter abandonado o uso da palavra "Gnomo" (ver I. 59–60), ele manteve Nóm como a palavra para "sabedoria" no idioma do povo de Bëor (*O Silmarillion* p. 198). A permanência de Bëor com Felagund até a sua morte é mencionada (e em um acréscimo tardio os Bëorianos habitando em Dorthonion, nota 14).

Hador, chamado de o Alto e, através de uma mudança tardia (nota 11), o de Cabelos Dourados, surge agora pela primeira vez, e ele é um dos dois líderes dos Homens que atravessam as Montanhas e entram em Beleriand. Posteriormente, enquanto na Casa de Bëor o líder original continuou o mesmo, e novas gerações foram introduzidas abaixo dele, no caso da Casa de Hador o líder original foi deslocado para baixo e substituído por Marach; mas as duas Casas continuaram conhecidas como a Casa de Bëor e a Casa de Hador.

Além de Gumlin (que apareceu na segunda versão da *Balada dos Filhos de Húrin* como pai de Húrin, III. 140, 152), Hador tem outro filho, Haleth; e essa ocorrência de Haleth não é meramente uma aplicação inicial do nome sem um significado em particular, mas indica que originalmente as casas "hadoriana" e "halethiana" de Amigos-dos-Elfos eram uma única casa: a afinidade dos nomes *Hador* e *Haleth* (apesar de Haleth ter se tornado no fim a Senhora Haleth) remonta à origem deles como pai e filho. As palavras escritas a lápis "Haleth, o caçador, e pouco depois" (nota 11) muito provavelmente deveriam vir após as palavras "Depois deles vieram", isto é,

> Eram eles os primeiros Homens a chegarem a Beleriand. Depois deles vieram Haleth, o caçador, e pouco depois Hador etc.

Isso obviamente mostra o desenvolvimento da terceira casa dos Amigos-dos-Elfos, posteriormente chamado de Haladin; e com a transferência de Haleth a uma posição independente como o líder de um terceiro povo, o outro filho de Hador tornou-se Gundor (nota 11). Assim:

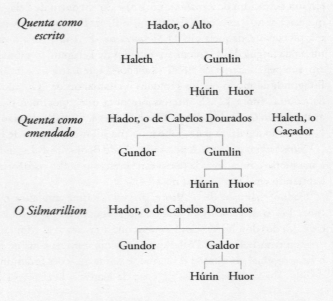

Morwen agora recebe o nome "Brilho-élfico", e a associação da Casa de Hador com Fingolfin em Hithlum aparece.

A batalha que pôs um fim ao Cerco de Angband já havia sido descrita no Canto VI (III. 252–53) da *Balada de Leithian* (março de 1928); uma segunda descrição dela encontra-se no Canto XI da Balada (III. 324; setembro de 1930). Por meio de acréscimos tardios, o nome "A Batalha da Chama Repentina" (nota 19) e a presença de Glómund nela (nota 16) são introduzidos (quanto ao nome *Glómund*, ver p. 73). Há também aqui a fuga de muitos Elfos-escuros (não Gnomos como no Esb) para Doriath, que causa o aumento no poder de Thingol.

É sugerido agora que Celegorm e Curufin chegaram a Nargothrond após a Batalha da Chama Repentina como a um refúgio já existente, e com eles foi Orodreth, seu amigo; isso está relacionado à passagem anterior no Q (§5): "Orodreth, Angrod e Egnor tomaram o partido de Fëanor" (no debate antes da Fuga dos Noldoli). Também é sugerido que os salóes de Thingol em Doriath foram a inspiração para Nargothrond.

Com o relato aqui do desafio de Fingolfin e sua morte, compare-se com a *Balada de Leithian*, Canto XII. Data do final de setembro de 1930 e é posterior a essa seção do Q (ver o comentário sobre §10), como se vê pela referência ao "bico de ouro" de Thorndor (verso 3616, já encontrado no texto A da Balada), em contraste com a sua "garra" no Q, emendada para "bico" (nota 23). *

10

Essa versão da lenda de Beren e Lúthien é diferente das seções anteriores do *Quenta*: pois enquanto o texto até então havia sido uma ampliação independente do Esb, aqui (por boa parte de sua extensão) é uma condensação da *Balada de Leithian*. Diferenças muito sutis entre o Q e a Balada na minha opinião não são significativas, mas são meramente o resultado de uma sumarização.

Contudo, no final da luta com Celegorm e Curufin, o Q e a Balada divergem. Na Balada a cura de Beren (não mencionada no Q) é seguida por uma discussão entre ele e Lúthien (3148 ss.), pelo

---

* Cf. também "trinta pés" como a envergadura das asas de Thorndor emendado para "trinta braças" em Q §8 (nota 7), "trinta braças" na Balada (verso 3618).

O QUENTA

retorno deles às fronteiras de Doriath e pela partida de Beren, sozinho, no cavalo de Curufin, deixando Huan para proteger Lúthien (3219 ss.). A narrativa no Canto XI começa com Beren chegando a Dor-na-Fauglith e sua Canção de Despedida; segue-se então (3342 ss.) Lúthien alcançando Beren, tendo cavalgado atrás dele montada em Huan, a ida de Huan até eles com o pelame de lobo e o couro de morcego da Ilha do Mago, e seu conselho aos dois. No Q, por outro lado, a história é essencialmente diferente, e a diferença não pode ser explicada pela condensação (severa a essa altura, é bem verdade): pois Huan partiu rumo à Ilha do Mago para obter o pelame de lobo e o couro de morcego e *depois* Beren e Lúthien partiram juntos para o Norte *a cavalo*, até chegarem a um ponto em que precisaram vestir os disfarces. Essa é claramente a forma da história apresentada na Sinopse IV para essa parte da Balada (III. 321):

Lúthien cura Beren. Eles falam a Huan sobre suas dúvidas e discussões e ele parte e traz o pelo-de-lobo e o couro de morcego da Ilha do Mago. Então, fala pela última vez.
Preparam-se para partir a Angband.

Mas o Q é posterior à Sinopse IV, pois já havia surgido a ideia de que Huan falou três vezes, a terceira ao morrer.

Parece então ao menos extremamente provável que Q §10 foi escrita quando a *Balada de Leithian* chegava até mais ou menos o ponto em que a narrativa se volta para os eventos após Celegorm e Curufin serem afugentados e Huan abandonar seu mestre. Ora, ao lado do verso 3031 está escrita a data de novembro de 1929, provavelmente uma referência adiante no tempo (ver a nota desse verso), e a data seguinte, ao lado do verso 3220 (o retorno de Beren e Lúthien a Doriath), é 25 de setembro de 1930. Na última semana de setembro daquele ano meu pai compôs o pouco que restava do Canto X, e os Cantos XI e XII, que levam a história da partida solitária de Beren no cavalo de Curufin até o enfeitiçamento de Carcharoth nos portões de Angband; e, de acordo com a análise acima, essa parte não foi composta quando Q §10 foi escrita.* Essas considerações tornam 1930 uma data praticamente

---

* Cf. também as evidências internas apresentadas no comentário sobre §9 de que a Queda de Fingolfin no Canto XII é posterior ao relato do Q.

202

A FORMAÇÃO DA TERRA-MÉDIA

certa para a composição do Q, ou pelo menos a maior parte dele; e isso se encaixa bem com a afirmação de meu pai (ver p. 18) de que o "Esboço" foi escrito "c. 1926–30", pois vimos que a composição original do Esb data de 1926 (III. 11), e as interpolações e emendas feitas nele, que foram levadas para o Q, pertenceriam aos anos seguintes. A declaração no Q de que "na balada de Lúthien conta-se tudo sobre como chegaram ao portão de Angband" deve ser uma antecipação de redações adicionais da Balada que meu pai nessa época estava premeditando.

Desse ponto em diante há divergências narrativas menores entre o Q e a Balada. Assim, na prosa Morgoth "deu feitio" (em vez de criou) Carcharoth (cf. a Sinopse III "deu feitio", Sinopse V "deu feitio" > "escolheu", III. 344–45). Os nomes do lobo, *Borosaith*, Sempre-faminto, e *Anfauglin*, Bocarra Sedenta (um acréscimo apresentado na nota 9), não são encontrados nas Sinopses ou na Balada, mas o segundo, na forma *Anfauglir*, reaparece em *O Silmarillion* (p. 246) com o mesmo significado.

Na prosa, Lúthien é louvada por lançar fora seu disfarce e declarar o próprio nome, fingindo "ter sido trazida cativa pelos lobos de Thû", enquanto na Balada ela afirma primeiro ser Thuringwethil, enviada a Morgoth por Thû como mensageira, e parece que sua vestimenta de morcego cai de seu corpo ao comando de Morgoth (versos 3959–965), e que ele adivinha quem ela é sem que Lúthien declare o próprio nome. Nesses elementos o Q está mais de acordo com a Sinopse III, onde Lúthien diz quem é e "deixa cair seu traje de morcego" (III. 357). Não é dito na Balada que ela "arremessou-lhe à face o manto mágico" (mas em *O Silmarillion*, p. 247, "lançou seu manto diante dos olhos de Morgoth"), e há na prosa o detalhe notável do riso secreto dos Orques diante da queda de Morgoth do trono. No Q Beren surge com um salto, lançando fora o pelame de lobo, quando Morgoth tomba, enquanto na Balada Lúthien precisa despertá-lo de seu desmaio. No entanto, a atribuição da quebra do punhal de Curufin à "traição" anânica está de acordo com o poema ("feita em Nogrod por ferreiros", verso 4161) — esse elemento não se encontra em *O Silmarillion*, é claro; enquanto o despertar dos adormecidos com o som do punhal se partindo está de acordo com o texto A da Balada (versos 4163–166), e não com a versão revisada de B, onde o pedaço atingiu a fronte de Morgoth.

O relato no Q pode ser comparado com as Sinopses a partir do ponto em que a Balada acaba, com a mão de Beren sendo arrancada

O QUENTA

com uma mordida pelo Lobo. As "perambulações e desespero" de Beren e Lúthien e "seu resgate por Huan" claramente associam o Q com a Sinopse V (III. 365), e o acréscimo marginal (nota 11) acerca de seu resgate por Thorndor, seu voo por sobre Gondolin e seu pouso em Brethil tem seu lugar no breve resumo tardio apresentado em III. 362. A estrutura dos eventos em Doriath, com a incursão de Boldog precedendo a embaixada de Celegorm a Thingol, está de acordo com a Sinopse IV (III. 363) em vez da Sinopse V (III. 364), onde a hoste de Thingol, marchando de encontro a Nargothrond, depara-se com Boldog; mas o Q está de acordo com a Sinopse V em muitos detalhes, como a presença de Beleg e Mablung na batalha com Boldog, e a mudança de opinião de Thingol a respeito de Beren.

Ao final dessa seção, a Terra dos Mortos que Vivem alcança, na emenda apresentada na nota 15, sua posição final em Ossiriand, e o nome *Gwerth-i-cuina* aparece para os Mortos que Vivem (mais adiante no Q, tal como escrito originalmente, §14, os nomes são *Assariad* e *Cuilwarthien*, cf. *i•Cuilwarthon* dos *Contos Perdidos*). Quanto ao nome *Geleidhian* para Broseliand/Beleriand, que ocorre nessa emenda, ver o comentário sobre §9.

Quanto às afirmações no final dessa seção acerca do destino de Lúthien, e da "longa duração de vida e felicidade" concedida a Beren e Lúthien por Mandos, ver o comentário sobre §14.

Uma questão não relacionada à história de Beren e Lúthien surge no início dessa seção, onde é dito que Bëor foi morto na Batalha da Chama Repentina; por outro lado, em §9, "morou com Felagund até morrer". A interpretação que pode ser feita é de que ele morreu a serviço de Felagund na época em que seu filho Barahir resgatou Felagund, mas essa explicação é forçada (especialmente porque, na forma tardia de sua lenda, sua morte foi nitidamente devido à velhice, e foi motivo de grande espanto para os Elfos que a testemunharam, *O Silmarillion*, p. 208). Parece mais provável que haja aqui uma inconsistência dentro do Q, sem dúvida surpreendente uma vez que as duas passagens não estão muito distantes uma da outra.

Quanto à emenda de "Segunda Batalha" para "Terceira Batalha" (nota 1), ver o comentário sobre §9; e com a mudança de *Tinfang Trinado* para *Tinfang Gelion* (nota 12) cf. o verso 503 na *Balada de Leithian*, onde a mesma mudança foi feita.

204

11

Nessa seção o Quenta torna-se, tanto em estrutura como em boa parte de seu fraseado propriamente dito, o primeiro rascunho do Capítulo 20 ("Da Quinta Batalha") de *O Silmarillion*.

Aparece agora a demonstração insensata e prematura de Maidros do ajuntamento de suas forças, alertando Morgoth para o que estava em andamento entre os seus inimigos e lhe dando tempo de enviar seus mensageiros para terem com os Homens do Leste — embora isso esteja menos claro e explícito no Q tal como escrito originalmente do que se tornou com a reescrita apresentada na nota 14, e mesmo assim as duas fases da guerra não estão claramente distinguidas. Ainda tinham de surgir alguns desenvolvimentos adicionais acerca desse elemento: em *O Silmarillion*, a chegada dos Lestenses a Beleriand é contada em um ponto anterior (p. 218; cf. a nota 1 desta seção no Q), e é dito que alguns deles, ainda que não todos, "já estavam secretamente sob o domínio de Morgoth e vieram ao seu chamado"; a entrada de seus "espiões e obreiros de traição" foi facilitada "pois os Homens infiéis que o seguiam em segredo ainda sabiam muito dos segredos dos filhos de Fëanor" (p. 258). Embora se diga no Q (conforme reescrito, nota 14) que esses agentes de Morgoth foram ter especialmente com os filhos de Ulfang, e apesar de Bor e seus filhos serem mencionados, não há indícios aqui da boa-fé dos filhos de Bor, que mataram Ulfast e Ulwarth no meio da batalha (*O Silmarillion*, p. 262).

Os Anãos agora desempenham um papel nesses eventos, ainda que apenas como fornecedores de armas; mas são mostrados no Q como calculistas e de fato cínicos ("não somos amigos de lado algum — até que este prevaleça"), movidos unicamente pelo desejo de acumular riquezas. Em *O Silmarillion*, os Anãos na verdade entraram na guerra pelo lado de Maedhros, e "ganharam renome": Azaghâl, Senhor de Belegost, feriu Glaurung quando o dragão rastejou por sobre ele (pp. 262–63). Porém, não creio que nessa época meu pai tivesse concebido que os Anãos das montanhas desempenhassem qualquer papel ativo nas guerras dos Elfos.

Ainda que no Esb (conforme emendado, §11, nota 1) se diga apenas que "Orodreth, por causa de Felagund, seu irmão, não irá", aparece agora no Q a pequena companhia vinda de Nargothrond que foi à guerra sob as bandeiras de Finweg (Fingon) "e nunca mais voltaram, exceto um"; o líder é Flinding, filho de Fuilin, que sai do *Conto de Turambar* mais antigo e da *Balada dos Filhos de Húrin*, e que assim recebe uma história mais detalhada antes de fugir das Minas de Melko e encontrar Beleg na Floresta da Noite. No conto, assim como no poema (ver III. 68), é dito somente que ele havia sido do povo dos Rodothlim (de Nargothrond) e que foi capturado por Orques. Por meio de uma mudança tardia no Q (nota 7), ele se torna Gwindor, filho de Guilin. Mas é notável que, embora a investida desvairada dos Gnomos de Nargothrond, que os levou para dentro da própria Angband e fez Morgoth estreme-cer em seu trono, tenha sido liderada por Flinding/Gwindor, sua fúria heroica ainda não tinha uma causa especial: pois o arauto de Finweg/Fingon que foi assassinado em Dor-na-Fauglith para instigar os Elfos de Hithlum a atacarem a força de Morgoth que serviu de isca não é nomeado.* O estágio seguinte e final era o arauto tornar-se Gelmir de Nargothrond, irmão de Gwindor, que fora capturado na Batalha da Chama Repentina: foi de fato a dor pela perda de Gelmir que fez Gwindor sair de Nargothrond contra a vontade de Orodreth (*O Silmarillion*, p. 257). Assim, Flinding/ Gwindor, criado muito tempo antes para uma história diferente, acaba sendo, em sua vida anterior, a causa involuntária da perda da grande batalha e da ruína dos reinos dos Noldor na Terra-média.

O relato do comportamento do povo de Haleth na passagem reescrita apresentada na nota 7 mostra meu pai em dúvida: eles se prepararam para a guerra, e então habitaram na floresta e pou-cos saíram para lutar "por causa do ferimento de Beren na mata" (cf. "os Homens recordaram essa chaga contra os filhos de Fëa-nor", Q §10; "dos Homens dita em alta voz", a *Balada de Leithian*, verso 3103). No fim, a ideia anterior prevaleceu: "Na floresta de Brethil, Halmir, senhor do Povo de Haleth, reuniu seus homens, e eles afiaram seus machados", e na batalha "tombou a maioria dos Homens de Brethil, e eles nunca voltaram para seus bosques" (*O Silmarillion*, pp. 258, 261).

Nessa mesma passagem reescrita, a história posterior da funda-ção de Gondolin *antes* da Batalha das Lágrimas Inumeráveis está

---

* Creio que a declaração de que "Morgoth trouxe um dos arautos... e o matou na planície" certamente não significa que o próprio Morgoth apareceu e cometeu o ato; mais propriamente, "Morgoth" aqui significa "os serviçais de Morgoth, obe-decendo suas ordens".

A FORMAÇÃO DA TERRA-MÉDIA

presente, com Turgon vindo "sem ser esperado" com uma grande hoste. Talvez seja estranho que na passagem subsequente da reescrita (nota 14) Maidros "designou um dia, e mandou mensagens a Fingon *e Turgon*" e "Fingon *e Turgon* e os Homens de Hithlum... foram reunidos de pronto no Oeste nas fronteiras da Planície Sedenta", o que de modo algum sugere que Turgon havia acabado de chegar, parecendo antes reverter à história mais antiga (no Esb, nota 1, e no Q tal como escrito originalmente), segundo a qual ele era um dos líderes dos Elfos do Oeste desde o início dos preparativos para a guerra ("todas as hostes de Hithlum... estavam prontas ao seu chamado, e Finweg e Turgon e Huor e Húrin eram seus chefes"). Parece que a narrativa emendada no Q representa um estágio intermediário: Turgon surge agora vindo de Gondolin, que há muito já existia, mas não marcha no último momento, no próprio dia, como na história posterior; ele chega, sem dúvida de forma inesperada, mas a tempo de tomar parte nos preparativos estratégicos finais.

O desafio a Morgoth, convocando com trombetas prateadas sua hoste a se apresentar, foi posteriormente abandonado, mas a força que serviu de isca, "grande e, ainda assim, não grande demais", foi preservada, assim como o aviso de Húrin contra um ataque prematuro. A investida incontrolável dos Elfos de Hithlum e seus aliados ocorre da mesma maneira que na história posterior, embora ainda esteja ausente no Q o detalhe de que aquele morto diante dos olhos deles era o irmão de Gwindor de Nargothrond; e na narrativa do Q estão presentes o sucesso inicial das hostes de Hithlum, o quase fracasso dos planos de Morgoth e as bandeiras de Finweg (Fingon) que passam em disparada por sobre a planície até as muralhas de Angband. Os estágios finais da batalha são tratados com menos detalhes no Q, mas toda a estrutura essencial se encontra lá; vários elementos de fato ainda estão ausentes, como a morte de Fingon pelas mãos de Gothmog (mas a chama de seu elmo ao ser rachado é mencionada, um elemento que remonta à *Balada dos Filhos de Húrin*, e de onde derivam as palavras Finweg (Fingon) "tombou na flama de espadas", ver III. 127), a queda dos Homens de Brethil na retaguarda (ver acima), a presença dos Anãos de Belegost (com a morte de Azaghâl e o ferimento do dragão), as palavras fatídicas entre Huor e Turgon que foram ouvidas por Maeglin (*O Silmarillion*, p. 263).

O QUENTA

A presença de Glómund na Batalha das Lágrimas Inumeráveis foi introduzida em um acréscimo tardio ao texto do Esb (§13, nota 3) e é agora incorporada à narrativa do Q; sua aparição anterior na Batalha da Chama Repentina é inserida com um acréscimo a Q §9 (nota 16), e é mencionada de novo aqui (nota 17) — "a segunda batalha do Norte", pois a Batalha Gloriosa, Dagor Aglareb, que se tornou a segunda batalha, ainda não havia sido elaborada. Porém, de acordo com o Q, o dragão "ainda não havia chegado ao seu crescimento pleno" na Batalha das Lágrimas Inumeráveis; posteriormente, ele já atingira seu poderio pleno na Batalha da Chama Repentina (*O Silmarillion*, p. 210), e sua primeira e imatura saída de Angband foi colocada no texto ainda antes (*ibid.*, p. 167).

O Elmo-de-dragão de Dor-lómin reaparece aqui da *Balada dos Filhos de Húrin* (ver III. 38, 152–53), onde na segunda versão é dito que fora obra de Telchar e

Quisera que [Húrin] o tivesse   na alvura da cabeça
naquele dia terrível,   dando-lhe guarida!   (665–66)

Mas só agora a cimeira de dragão se torna a imagem de Glómund. Posteriormente, a história do elmo foi muito ampliada: no *Narn i Hîn Húrin* (*Contos Inacabados*, p. 110) é contado que Telchar (de Nogrod, não, como no Q, de Belegost) fez o elmo para Azaghâl de Belegost, e que foi dado por ele a Maedhros, por Maedhros a Fingon e por Fingon a Hador, passando então para Húrin, neto de Hador. No *Narn* é dito que Húrin na verdade jamais o usou; e também que o povo de Hithlum dizia "Mais vale o Dragão de Dor-lómin que a serpe dourada de Angband!" — que teve origem nesta passagem do Q: "Temos um dragão de mais valor que o deles". Uma indicação a lápis junto ao início da §12 no Q (nota 1) adia a introdução do Elmo até o ponto em que Morwen o envia a Thingol, tal como o trecho está localizado em *O Silmarillion* (p. 269).

Alguns outros elementos menores entram em cena agora, como o conselho de Melian para devolver a Silmaril aos filhos de Fëanor (*O Silmarillion*, p. 257), e em acréscimos ao texto a presença dos Elfos da Falas entre as hostes ocidentais na grande batalha (nota 14) e o ódio e o medo particulares que Morgoth sentia da Casa de Fingolfin (nota 23; *O Silmarillion*, p. 267, onde, no entanto, as razões para tal são a amizade com Ulmo e as feridas que Fingolfin lhe fizera — e

208

Turgon, filho de Fingolfin). Em emendas ao Q (nota 6), o nome *Celegorm* começa uma longa incerteza entre essa forma e *Celegorn*.

A menção de "Elfos-escuros, *exceto os de Doriath*" marchando às bandeiras de Maidros mostra que meu pai naturalmente ainda usava esse termo para o povo de Thingol; cf. o Índice de Nomes de *O Silmarillion*, verbete *Elfos Escuros*.

12

Pelas muitas repetições de fraseado, fica imediatamente evidente que quando meu pai compôs a versão do Q do conto de Túrin Turambar ele tinha o "Esboço" na frente dele, enquanto muitas das frases que ocorrem na versão de *O Silmarillion* são aqui encontradas pela primeira vez. Há também elementos na narrativa do Q que derivam da *Balada dos Filhos de Húrin*, mas que foram omitidos no Esb. A declaração no Q, repetida do Esb, de que "a sina de Túrin é contada no 'Filhos de Húrin'" sem dúvida demonstra que meu pai ainda não havia abandonado a intenção de terminar aquele poema algum dia.

Nessa primeira de duas seções em que o conto de Túrin é dividido, há alguns pontos menores a serem considerados. O Q, muito mais detalhado do que o Esb, ainda é claramente uma sinopse, e todo o elemento do Elmo-de-dragão foi omitido (ver nota 1 e o comentário sobre §11), assim como os dois velhos que guiam Túrin e retorno de um deles a Morwen: os nomes dos guias (Halog e Mailgond no Esb) não são mencionados aqui. Rían, esposa de Huor, já havia aparecido posteriormente no Esb (§16).

Airin, esposa de Brodda e parenta de Morwen, ressurge do *Conto* antigo (ela é mencionada em Esb §13, mas não o seu nome),* e a ajuda que ela dá a Morwen é secreta, o que talvez sugira um movimento na direção do pioramento do caráter de Brodda como tirano e opressor (ver II. 155), embora posteriormente no Q ainda se conte que Morwen lhe confiou os seus bens quando ela foi embora de sua casa (o texto foi subsequentemente alterado aqui, §13, nota 5). Encontramos aqui a expressão "homens de fora", que foi preservada no termo "Forasteiros" usada no *Narn*, e também o elemento de que os Lestenses tinham medo de Morwen, sussurrando que ela era uma bruxa versada em magia élfica.

---

* No *Conto*, Airin era amiga de Morwen (II. 117); no Esb e no Q, ela era parenta de Morwen; em *O Silmarillion* (p. 268) e no *Narn* (p. 102), ela era parenta de Húrin.

O QUENTA

Praticamente não houve mais desenvolvimentos na história de Túrin em Doriath, no assassinato de Orgof e no bando de proscritos. Blodrin, o traidor, agora é descrito como um Gnomo, e por meio de um acréscimo tardio (nota 5) um membro da Casa de Fëanor; na Balada (assim como no Esb) não está claro quem ele era, além do fato de que era um Elfo que se voltara para o mal durante sua criação entre os Anãos (III. 67).

Na passagem que trata de Taur-na-Fuin há o novo detalhe de que o bando de Orques que capturou Túrin "tardara por muito tempo nas terras saqueando a Leste entre os Homens", que se encontra em *O Silmarillion* (p. 279): os Orques "se demoravam na estrada, caçando pelas terras e sem temer perseguição alguma conforme iam no rumo norte". Esse elemento nitidamente surgiu da percepção de que Beleg jamais teria alcançado os Orques se eles tivessem retornado depressa para Angband, mas tanto no Esb como no Q eles estavam se movendo apressados através de Taur-na-Fuin, e no Q isso é explicado pela "mensagem furiosa de Morgoth".

O acréscimo acerca da espada de Beleg (nota 10) é a primeira indicação de que ela era de uma natureza estranha; a frase "feita de ferro que caíra do céu como estrela cadente" é encontrada em *O Silmarillion* num ponto diferente (p. 272), onde a origem da espada é contada em maiores detalhes.

13

Há vários desenvolvimentos substanciais na segunda parte da história de Túrin no Q.

O nome de Finduilas, *Failivrin*, é agora atribuído a Flinding (Gwindor); na Balada, os seguintes versos ocorrem:

> a frágil Finduilas,   a quem "Failivrin",
> o brilho cintilante   nas bordas vítreas
> do lago de Ivrin,   em loas os Elfos
> agora chamavam.   (III. 95, versos 2175–178)

Em Nargothrond, Túrin, como o Espada Negra, é *Mormaglir*, não *Mormakil* como no Esb (cf. o *Conto de Turambar*, II. 107: "Donde o nome de Túrin entre os Gnomos, que o chamavam de Mormagli ou Mormakil, conforme sua fala"). A forma final foi *Mormegil*. É agora expressamente afirmado que, embora rumores do Espada

A FORMAÇÃO DA TERRA-MÉDIA

Negra de Nargothrond tivessem chegado até Thingol, "o nome de Túrin não foi ouvido"; mas ainda não há qualquer indicação de que Túrin ocultou sua identidade deliberadamente.

Não é dito que o local onde os Gnomos de Nargothrond foram derrotados ficava entre os rios Ginglith e Narog (*O Silmarillion*, p. 286), mas sim "na Planície Protegida, ao norte de Nargothrond", e, como se verá mais tarde, o campo de batalha nessa época ficava a leste do Narog, não no triângulo de terra entre ele e o Ginglith. A impressão que se passa é de que as repreensões de Flinding (Gwindor) ao morrer eram por causa de Finduilas. De fato, não há nenhuma indicação aqui de que a política de guerra aberta de Túrin tenha tido oposição em Nargothrond, nem de que foi essa política que revelou Nargothrond a Morgoth; mas uma vez que esses elementos estavam presentes na íntegra no *Conto de Turambar* (II. 106–07), sua ausência no Q precisa ser atribuída à condensação. Também não há menção nesse ponto do Q da ponte sobre o Narog (ver Esb §13, notas 1 e 5), mas ela é mencionada mais adiante nessa seção como tendo se provado a perdição dos Elfos de Nargothrond. Orodreth foi morto em Nargothrond, e não no campo de batalha como em *O Silmarillion*.

Em uma alteração do Q (nota 9) está implícita uma mudança no motivo para Túrin matar Brodda. No *Conto*, Túrin decapitou Brodda por vingança explícita contra "o homem rico que soma o pouco da viúva ao seu muito" (II. 114); na passagem revisada no Q (assim como posteriormente em *O Silmarillion*, p. 290, e mais claramente no *Narn*, pp. 153–54), a ação de Túrin teve origem em parte na fúria e na agonia que sentiu ao compreender que o dragão o havia enganado.[*]

Enquanto no Esb os Homens-da-floresta estão localizados a "leste de Narog", no Q é dito que eles habitam "nas matas verdes ao redor do Rio Taiglin, que adentra a terra de Doriath antes de se juntar às grandes águas do Sirion" — essas são as primeiras ocorrências de Taiglin e de "Doriath além do Sirion" nos textos (embora ambos estejam marcados na primeira versão do mapa do "Silmarillion", ver pp. 256, 263). Ressaltei com relação à passagem no Esb que é estranho que, enquanto no *Conto* os Homens-da-floresta tinham

---

[*] No *Narn* não está claro que Túrin realmente pretendia matar Brodda quando o jogou por sobre a mesa.

211

O QUENTA

um líder (Bethos) quando Túrin se juntou a eles, assim como na história posterior, no Esb Túrin "reuniu um novo povo". Agora no Q os Homens-da-floresta têm uma identidade, "o remanescente do povo de Haleth", sendo Haleth nessa época o filho de Hador e tio de Húrin, e as casas "hadoriana" e "halethiana" uma única casa, tal como já o eram em §9; mas, ainda como no Esb, Túrin torna-se de imediato o líder deles. Brandir, o Coxo, filho de Handir, filho de Haleth, de fato surge aqui, substituindo Tamar (filho de Bethos, o governante) do *Conto de Turambar*, que ainda está presente no Esb, e é dito que Brandir "cedera a governança a Túrin por escolha do povo-da-floresta"; mas é um elemento importante na história posterior Brandir ter permanecido o governante titular até morrer, ainda que desconsiderado por Túrin.

Há aqui a primeira menção da busca em vão de Túrin por Finduilas quando desceu de Hithlum, e o primeiro relato do destino de Finduilas; no *Conto* e no Esb não há qualquer indicação do que lhe sucedeu. Finduilas é "a última da raça de Finrod" (posteriormente Finarfin) porque Galadriel ainda não havia surgido.

A narrativa do Q também avança à forma tardia ao fazer com que Nienor acompanhe disfarçada a expedição que parte de Doriath (ver II. 159); e o "local elevado [...] coberto de árvores" do *Conto* e o "topo de um monte" do Esb agora se tornam o "Monte dos Espiões coberto de árvores". Mas no Q foi apenas Morwen que foi colocada em segurança no Monte dos Espiões: não há menção do que Nienor fez até ser confrontada por Glómund nas margens do Narog (e não, como posteriormente, no Monte). Tal desdobramento se afasta tanto do *Conto* como da história posterior, onde Morwen e Nienor permaneceram juntas até o aparecimento da névoa do dragão; mas também se aproxima da história posterior com o encontro de Nienor, sozinha, com o dragão (quanto ao tratamento desse elemento no Esb, ver o comentário). Devemos supor que nesse estágio do desenvolvimento da lenda a presença de Nienor jamais foi revelada, seja à sua mãe, seja a qualquer outro, salvo o dragão; na história posterior, ela foi descoberta na passagem dos Alagados do Crepúsculo (*O Silmarillion*, p. 293, *Narn* pp. 162–63). O "elemento-Mablung" ainda se encontra completamente ausente; e note-se que Morwen foi levada de volta em segurança às Mil Cavernas, de onde ela mais tarde partiu quando soube que Nienor desparecera. — Parece que a ponte sobre o Narog ainda estava de pé após o saque (em *O Silmarillion*, Glaurung a despedaçou, p. 289).

A FORMAÇÃO DA TERRA-MÉDIA

Por meio de uma emenda no Q (nota 14) aparece pela primeira vez o nome *Celebros*, traduzido "Prata-de-espuma", para a Bacia--de-prata; mas no Q (como no Esb), as quedas ainda ficam no próprio Taiglin (ver II. 162–63). Posteriormente, *Celebros* se tornou o nome do afluente no qual ficavam as quedas; e as quedas foram chamadas de *Dimrost*, a Escada Chuvosa.

Na história da morte do dragão, os seis (e não, como posteriormente, dois) companheiros de Turambar ainda são preservados do Esb, com origem no *Conto* (II. 131); ainda que no Q não fossem tanto os únicos companheiros que Turambar pôde encontrar, e sim os que "imploraram para acompanhá-lo". No *Conto*, o bando de sete escalou com dificuldade o lado oposto da ravina ao anoitecer e permaneceu lá a noite toda; ao amanhecer do segundo dia, quando o dragão se deslocou para atravessar, Turambar viu que agora tinha apenas três companheiros, e quando tiveram de descer de novo até o leito do rio para subirem e se posicionarem debaixo do ventre de Glórund, esses três não tiveram coragem de subir de novo. Turambar matou o dragão antes do nascer do sol; Níniel foi até a ravina no *segundo* anoitecer e jogou-se nas quedas ao nascer do sol do *terceiro* dia; e Turambar se matou na tarde daquele dia. No Esb, a única indicação de tempo é a de que todos os seis companheiros de Turambar o abandonaram durante a noite passada agarrados à orla oposta da ravina. No Q, todos os seis abandonaram Turambar durante a primeira noite, como no Esb, mas ele passou todo o dia seguinte agarrado ao penhasco; Glómund deslocou-se para passar por sobre a ravina na *segunda* noite (meu pai claramente queria fazer com que o assassinato do dragão ocorresse na escuridão, mas conseguiu isso inicialmente estendendo o tempo que Turambar passou na garganta). Porém, Níniel desceu até a ravina e o encontrou, e lançou-se às quedas, naquela mesma noite. Assim, no Q a história aproximou-se da presente em *O Silmarillion* e no *Narn*, e necessitava apenas do encurtamento do tempo antes de o dragão atravessar a ravina, de maneira que tudo transcorresse numa única noite e na manhã seguinte. — Parece ser sugerido no Q que Glómund, nos espasmos da morte, jogou-se para trás na borda de onde vinha: ele "*se contorceu para trás em agonia... e não adentrou a terra dos homens-da-floresta*". Nesse caso, então Níniel deve ter atravessado a ravina para chegar até Turambar. No *Conto* (II. 133) está explícito que "[o dragão] havia quase atravessado o precipício

O QUENTA

quando Gurtholfin o perfurou, e então se atirou na margem oposta e devastou tudo à volta", tal como nas versões posteriores.

Que Níniel estava grávida de Turambar é agora afirmado no texto tal como escrito (no *Conto* e no Esb isso só aparece em acréscimos tardios).

No *Conto* (II. 137–38) Turambar se matou na clareira da Bacia de Prata; não é dito no Esb ou no Q onde ele morreu, embora em ambos os textos ele tenha sido enterrado junto à Bacia de Prata. — No final aparece no Q o nome *Nen-Girith*, sua primeira ocorrência: "Os Homens mudaram o nome daquele lugar depois disso para Nen-Girith, a Água do Estremecer." Em *O Silmarillion* (p. 296) é dito, na passagem que descreve o grande estremecimento que sobreveio Nienor em Dimrost, as quedas do Celebros, que — por esse motivo — "depois disso, aquele lugar passou a ser chamado de Nen Girith"; e no *Narn* (p. 173) que "depois daquele dia" passou a ser chamado Nen Girith. Essas passagens podem significar que as quedas do Celebros foram renomeadas Nen Girith simplesmente devido ao estremecimento de Nienor quando lá chegou pela primeira vez. Mas isso sem dúvida é absurdo; o evento, por si só e sem consequências, foi pequeno demais para uma renomeação — pequeno demais, de fato, para uma menção na narrativa ou lembrança lendária, se não teve consequências; lugares não são renomeados em lendas porque uma pessoa, por mais importante que seja, pegou um resfriado lá. Obviamente o elemento profético é a ideia principal, e ele remonta ao *Conto*, onde, antes mesmo de o nome Nen Girith ser criado, Nienor "sem saber por quê, encheu-se de pavor e não conseguiu olhar para a beleza daquela água espumante" (II. 126), e na história original tanto Nienor como Turambar morreram naquele exato local (ver II. 164–66). Creio que a expressão "depois daquele dia" no *Narn* deva ser interpretada como "depois daquele tempo", "depois que os eventos que agora serão descritos ocorreram". Ressaltei em *Contos Inacabados* (p. 206, nota 25):

Poder-se-ia supor que, somente quando tudo estivesse acabado, e Túrin e Nienor estivessem mortos, o ataque de tremores dela seria lembrado, seu significado reconhecido, e Dimrost receberia o nome de Nen Girith; mas na lenda Nen Girith é usado como o nome em toda parte.

A FORMAÇÃO DA TERRA-MÉDIA

É quase certo que o uso do nome "Nen Girith" nas narrativas posteriores *antes* do relato dos eventos que devem ter dado origem ao nome pode ser explicado da mesma forma que a proposta por meu pai para *Mablung* — a respeito do qual ele ressaltou, em um ensaio bastante tardio, que quando Mablung tomou a Silmaril do ventre de Carcharoth

> a mão [de Beren] e joia pareciam ser tão pesadas que a própria mão de Mablung foi puxada para baixo e aberta à força, deixando a outra cair no chão. Dizia-se que o nome de Mablung ("com mão pesada") era profético; mas pode ter sido um título derivado de um episódio que *posteriormente se tornou aquele pelo qual o herói era mormente lembrado em lendas.*

Não tenho dúvida de que a história no Q apresenta a ideia original: Nienor estremeceu com medo profético, mas inconsciente, quando chegou às quedas do Celebros; lá ela e o irmão morreram de forma horrenda; e após suas mortes as quedas foram renomeadas Nen Girith, a Água do Estremecer, pois o significado era compreendido. "Depois disso", "Depois daquele dia", esse se tornou o nome das quedas; mas na história lendária, quando tudo já era bem conhecido pelo historiador e seu público, o nome posterior tornou-se generalizado, como o de Mablung.

14

No início dessa seção fica claro que a presença de Mîm em Nargothrond não remontava à época do dragão, uma vez que ele "encontrara desprotegidos os salões e o tesouro de Nargothrond". Nos *Contos Perdidos*, meu pai sem dúvida não viu nenhuma necessidade em particular para "explicar" Mîm; ele simplesmente estava lá, um elemento da situação da narrativa, como Andvari, o Anão, na lenda volsunga nórdica. Mas no Q é dado o primeiro passo para relacioná-lo à concepção em evolução dos Anãos da Terra-média: eles se dispersaram por Beleriand vindos das Montanhas Azuis após a Batalha das Lágrimas Inumeráveis. (Em última análise, a necessidade de "explicar" Mîm levou à concepção dos Anãos-Miúdos.) Mas a afirmação do Q de que os Anãos só agora entram nas histórias do mundo antigo parece contradizer passagens anteriores: a §9, onde é dito que os Fëanorianos faziam guerra aos Anãos de Nogrod e Belegost, e a §11, no tocante ao fornecimento de armas pelos Anãos aos exércitos da União de Maidros.

Aqui Mîm tem alguns companheiros, mortos com ele pelos proscritos do bando de Húrin, apesar deste "ter preferido detê-los"; no *Conto de Turambar* (II. 139) Mîm estava sozinho, e foi o próprio Úrin que desferiu o golpe que o matou. Enquanto no *Conto* o bando de Úrin — grande o bastante para ser chamado de hoste — levou o tesouro de Nargothrond às cavernas de Tinwelint num grande número de sacos e caixas toscas (ao passo que no Esb não há qualquer indicação de como o tesouro chegou a Doriath, e os proscritos não são mais mencionados após a morte de Mîm), no Q o texto se livra dos proscritos de Húrin tão uma maneira tão conveniente quanto o seu surgimento: "cada um morreu ou foi morto em querelas na estrada", mortes atribuídas à maldição de Mîm; e visto que Húrin agora vai sozinho até Doriath e consegue a ajuda de Thingol no transporte do tesouro, o bando de proscritos parece servir a um propósito narrativo muito ínfimo. A luta nos salões de Tinwelint entre os Elfos da floresta e os proscritos, não mencionada no Esb, foi agora por conseguinte omitida (o surgimento no Q de uma nova luta nos salões, entre os Elfos e os Anãos, exigiria sua remoção, de qualquer forma, para que Menegroth não parecesse um campo de batalha permanente).

Porém, permanecia o problema: como o ouro chegou a Doriath? Era uma ideia essencial que Húrin, destruído pelo que vira (ou pelo que Morgoth permitiu que visse) e atormentado pela amargura e pesar, lançasse o tesouro de Nargothrond aos pés de Thingol em um gesto de desprezo supremo pelo rei covarde e ganancioso, tal como ele o concebia; mas a nova história no Q é obviamente insatisfatória: o gesto é arruinado se for preciso que Húrin consiga fazer com que o rei mande buscar o ouro com o qual ele *então* será humilhado, e é difícil imaginar a conversa entre Húrin e Thingol quando Húrin apareceu pela primeira vez em Doriath, anunciando que o tesouro ficara disponível.

Seja como for, o ouro chega a Doriath, e em todas as versões Húrin parte: mas agora no Q com o intuito de afogar-se no mar do oeste, sem jamais reencontrar Morwen.

Ao comentar a seção correspondente no Esb, eu disse que acho ser provável que meu pai já havia decidido simplificar a história intricada no *Conto do Nauglafring* acerca do ouro de Nargothrond.

A FORMAÇÃO DA TERRA-MÉDIA

No Q, que é uma narrativa plenamente articulada, ainda que breve, a ausência de Ufedhin pode ser considerada uma indicação clara de que o personagem fora abandonado, e com ele, necessariamente, muitas das complexidades do trato do rei com os Anãos. A história então se tornou bastante simples. Thingol deseja que o ouro bruto trazido por Húrin seja trabalhado; ele manda buscar os maiores artífices da terra, os Anãos de Nogrod e Belegost; e ao chegarem desejam o tesouro para si mesmos, a Silmaril também e tramam para obtê-la. O argumento que usam — de que o tesouro pertencia por direito aos Anãos, já que fora tomado de Mîm — reaparece do *Conto do Nauglafring*, onde ocorre num contexto diferente (II. 277: um argumento usado por Naugladur, senhor de Nogrod, para justificar sua intenção de atacar Tinwelint).

A riqueza de Thingol, relativa ou não, não foi mencionada no Q, mas suas riquezas são relatadas na *Balada dos Filhos de Húrin* (ver III. 38) e na *Balada de Leithian* (III. 195); e essa sem dúvida é a força das palavras "o próprio" em "Então o encantamento do maldito ouro do dragão começou a se abater sobre *o próprio* rei de Doriath".

Em Esb o rei expulsa os Anãos sem qualquer pagamento; não há menção de qualquer disputa nesse ponto, e seria de se supor que mesmo a condensação mais extrema dificilmente deixaria de mencioná-la. Mas no Q a narrativa agora toma um rumo bem diferente. Thingol "restringiu a recompensa prometida", e isso levou à luta nas Mil Cavernas, com muitos mortos de ambos os lados; e "o Morro da Avareza", que no *Conto do Nauglafring* cobriu os corpos dos Elfos mortos de Artanor após a batalha com os proscritos do bando de Húrin, agora cobre os corpos dos Anãos e dos Elfos; a forma do nome élfico é mudada de *Cûm an-Idrisaith* (II. 269) para *Cûm-nan-Arasaith*.

Como no Esb, o saque de Menegroth pelos Anãos ainda é tratado no Q com a máxima brevidade, e os elementos centrais da história no *Conto do Nauglafring não reaparecem, nem jamais tornariam a reaparecer. Porém (além da perda de Ufedhin), parece provável que a "grande hoste" de Orques, paga e armada por Naugladur de Nogrod* (II. 277–78), a essa altura teria sido abandonada. É claro, a história inteira surgiu em termos, e continua a depender, da visão hostil dos Anãos que é tão proeminente nos escritos mais antigos.

A passagem geográfica muito emendada que se segue agora no Q é mais bem compreendida em relação ao primeiro mapa do

"Silmarillion", e adio a discussão dos rios de Ossiriand e da Estrada-
-anânica para o Capítulo IV, pp. 273 ss. É suficiente salientar aqui
que os cursos dos seis rios tributários do Gelion (aqui chamado
Ascar,* antes da emenda para *Flend* e então para *Gelion*, nota 3)
estão traçados naquele mapa precisamente da mesma forma que o
foram no mapa publicado em *O Silmarillion*, e o primeiro mapa
os nomeia na ordem da emenda original no Q (nota 4), antes que
esta mesma fosse mudada: isto é, Ascar, Thalos, Duilwen, Loeglin,
Brilthor, Adurant.

Agora fica explícito que foi Melian que avisou Beren da aproximação dos Anãos (ver p. 75); e a transferência da Terra dos Mortos que
Vivem das "florestas de Doriath e [do] Descampado dos Caçadores,
a oeste de Nargothrond", onde ainda fica situada no Esb (§10), para
Assariad (Ossiriand) no Leste torna a interceptação dos Anãos muito
mais simples e natural: o Vau Pedregoso (que remonta ao *Conto do
Nauglafring* e é chamado lá de *Sarnathrod*) agora fica no rio que faz
o limite daquela própria terra. A mudança e a evolução geográficas
tornaram toda a organização da história aqui muito mais fácil.

O povo de Beren agora torna-se enfim "os Elfos Verdes"
(ver p. 75); mas a história da emboscada no vau é abordada no Q de
forma tão esboçada quanto o foi no Esb: agora não há sequer menção
do Nauglafring (> Nauglamír) ser tomado do rei morto. A história
da submersão do tesouro permanece basicamente a mesma do Esb,
mas há indícios de implicações mais amplas pelo uso do Nauglafring:
de que a Terra dos Mortos que Vivem se tornou tão fecunda e tão bela
por causa da presença de Lúthien usando a Silmaril. Essa passagem
foi mantida quase palavra por palavra em *O Silmarillion* (p. 315). Ela
claramente está associada com uma passagem posterior, encontrada
tanto no Q (pp. 173–74) como em *O Silmarillion* (p. 328), onde o
povo que habitava nos Portos do Sirion após a queda de Gondolin
não queria ceder a Silmaril aos Fëanorianos "pois lhes parecia que
na Silmaril estavam a cura e a bênção que tinham vindo sobre suas
casas e seus navios". Mas a Silmaril era amaldiçoada (e esse pode
parecer um conceito suficientemente estranho), e Melian advertiu

---

* Parece provável que as duas primeiras ocorrências de *Ascar* nessa seção tenham
sido meros deslizes, para *Flend* (> *Gelion*). Na terceira ocorrência o nome é usado,
assim como no mapa, para o mais setentrional dos rios que descem das Montanhas
Azuis, posteriormente renomeado *Rathlorion* (> *Rathloriel*).

Beren e Lúthien sobre ela. No Q não é dito, como o é no Esb, que a Silmaril foi mantida em segredo por Beren, apenas que ele e Lúthien a "guardaram". Em ambos os textos, o desvanecer de Lúthien ocorre imediatamente depois; mas ainda que o Q mais uma vez não faça nenhuma ligação de fato (ver p. 78), a própria disposição das frases sugere que tal ligação estava presente: "a Terra dos Mortos que Vivem se tornou como uma visão da terra dos Deuses... Porém Melian os alertava sempre da maldição... porém guardaram a Silmaril. E logo partiu a breve hora de graça da terra de Rathlorion. Pois Lúthien minguou como Mandos dissera..."

As declarações feitas em Esb §§10 e 14 acerca dos destinos de Beren e Lúthien foram discutidas mais minuciosamente (pp. 77–8). Ao analisarmos o Q, vemos que na passagem anterior (§10, onde a primeira morte de Beren e a súplica de Lúthien a Mandos são mencionadas), apesar de haver menção a canções que diziam que Lúthien foi levava viva a Valinor por Thorndor, elas não são levadas em conta, e "há muito se diz que Lúthien minguou e desvaneceu depressa e desapareceu da terra", e assim chegou a Mandos: ela morrera, como os Elfos podiam morrer, de pesar (cf. o antigo *Conto de Tinúviel*, II. 54). E a licença de Mandos exigia que "Lúthien deveria tornar-se mortal assim como seu amado, *e deveria deixar a terra mais uma vez à maneira das mulheres mortais*". Isso parece preciso: certamente só pode significar que Lúthien se tornara não uma Elfa com um destino peculiar, mas uma mulher mortal. Sua natureza mudara.[*]

Ainda assim, o Q mantém a concepção na presente passagem do desvanecer de Lúthien — seu segundo desvanecer. Creio que agora é possível compreender por que meu pai escreveu um X ao lado dessa frase (nota 12); e note-se também o acréscimo marginal neste ponto: "Porém tem sido cantado que *apenas Lúthien, dentre os Elfos, foi contada entre os de nossa raça*[†] *e vai aonde vamos nós, a um destino além do mundo*" (cf. *O Silmarillion*, p. 316: "Beren Erchamion e Lúthien Tinúviel tinham morrido de fato e partido para onde vai a raça dos Homens, para um fado além do mundo").

---

[*] A sentença adicional de Mandos em §10, de que "como recompensa" ele "concedeu a Beren e Lúthien uma longa duração de vida e felicidade", parece contradizer o que é sugerido aqui no Q. Ver III. 152.

[†] "nossa raça": o *Quenta*, de acordo com o seu título (p. 95), foi "extraído do Livro dos Contos Perdidos que Eriol de Leithien escreveu".

O QUENTA

Chegando enfim à história de Dior e ao fim de Doriath, agora são Celegorm, Curufin e Cranthir que foram mortos, como em *O Silmarillion* (p. 317); e por meio de um acréscimo tardio ao texto (nota 14) Dior tem filhos, Eldûn e Elrûn, que foram mortos com o pai. Em *O Silmarillion* eles eram Eluréd e Elurín, que foram deixados pelos serviçais de Celegorm para morrer de fome na floresta.

15

Nessa versão da história de Eöl e Isfin é contado que Eöl "era de ânimo sombrio e havia desertado das hostes antes da batalha [das Lágrimas Inumeráveis]". Nada foi dito antes sobre como Eöl veio a habitar na terrível floresta (e mais tarde sua história anterior seria completamente mudada de novo: *O Silmarillion*, p. 188).

A descrição geral da planície e da cidade de Gondolin no Q obviamente se baseia de perto no Esb, e apresenta pouco mais do que evolução estilística. Mas é dito aqui que Thorndor habitara nas Thangorodrim antes de mudar seus ninhos para as Montanhas Circundantes (ver p. 81); e há uma referência interessante à intenção original do povo de Gondolin de ir à guerra novamente quando a hora fosse propícia. A alteração mais importante aqui é o acréscimo a lápis (nota 5), retomado no texto Q II, que conta que Turgon, após a Batalha das Lágrimas Inumeráveis, enviava por vezes Elfos pelo Sirion até o mar, onde construíram um pequeno porto e zarpavam, em vão, em busca de Valinor. Essa é a precursora da passagem em *O Silmarillion* (p. 221), onde, no entanto, a construção de navios pelos Gondolindrim e a partida para Valinor "para pedir o perdão e o auxílio dos Valar" é situada após a Dagor Bragollach e o rompimento do Sítio de Angband (pois a fundação de Gondolin ocorreu séculos antes da Batalha das Lágrimas Inumeráveis). Mas em *O Silmarillion* (p. 266) houve também mais uma tentativa de Turgon de chegar a Valinor na época após a grande batalha, quando Círdan da Falas construiu para ele sete navios, dos quais o único sobrevivente foi Voronwë. A origem dessa ideia das viagens infrutíferas dos Gondolindrim é encontrada no conto *A Queda de Gondolin* (II. 198), onde Ulmo, pela boca de Tuor, aconselhou Turgon a fazer tais viagens, e Turgon respondeu que ele assim fizera "por anos incontáveis" e agora não faria mais isso.

No texto substituto Q II (pp. 159–61), onde a história mais antiga da fundação de Gondolin ainda está presente, há pouco a se

A FORMAÇÃO DA TERRA-MÉDIA

registrar no que diz respeito ao desenvolvimento narrativo, exceto que o envio de Elfos à foz do Sirion e a partida de navios de um porto secreto agora estão incorporados ao texto; e é dito que, conforme os anos se arrastavam, essas partidas cessaram e o porto foi abandonado. Agora é explicado por que Thorndor (> Thorondor) mudou seus ninhos das Thangorodrim.

A passagem de tempo é deixada inteiramente vaga nessas narrativas. Não há indicação de quantos anos se passaram entre a Batalha das Lágrimas Inumeráveis ou o período logo após — quando nos primeiros anos de Gondolin Turgon tentava enviar suas mensagens a Valinor — e a chegada de Tuor, altura na qual o porto na foz do Sirion estava desolado, ninguém podia entrar em Gondolin vindo do mundo de fora e nem o rei, nem a maioria de seu povo desejavam mais retornar a Valinor (p. 163). Mas a mudança de opinião em Gondolin — e todas as grandes obras de nivelamento e construção de túneis — deixa implícito um longo espaço de tempo ("conforme os anos se arrastavam", pp. 158, 160). Esse conceito remonta à *Queda de Gondolin* original (ver meus comentários, II. 250); mas naquela época Tuor não possuía associações que o ligariam a uma estrutura cronológica. Contudo, já no Esb (§16) Huor, irmão de Húrin, se tornara o pai de Tuor, e Huor foi morto na Batalha das Lágrimas Inumeráveis. Claramente havia uma dificuldade cronológico-narrativa considerável à espreita aqui, e não demorou muito para que meu pai passasse a fundação de Gondolin (e com ela a de Nargothrond) para um ponto muito anterior na história. Infelizmente, como mencionei antes (II. 250, nota de rodapé), o relato do *Quenta* foi o último que meu pai escreveu acerca da história de Gondolin, da chegada de Tuor à sua destruição; e, portanto, embora a estrutura cronológica seja perfeitamente clara, a narrativa elaborada mais recente mantém a história mais antiga da fundação de Gondolin após a Batalha das Lágrimas Inumeráveis. Ao lado das palavras "Pois Turgon julgava, *quando pela primeira vez chegaram àquele vale depois da batalha terrível*" no substituto Q II, meu pai escreveu um X (nota 3); mas nos anos seguintes ele jamais retomou o trecho.*

---

* A passagem em *O Silmarillion* (p. 321) é uma tentativa editorial de usar a antiga narrativa dentro da estrutura posterior.

221

O nome Eryd-Lómin ocorre pela primeira vez[*] no texto substituto Q II, mas sua referência é às Montanhas de Sombra que cercam Hithlum, e esse nome foi emendado posteriormente (nota 1) para *Eredwethion* (*Ered Wethrin* em *O Silmarillion*). O nome *Eryd-Lómin* nessa época significava "Montanhas Sombrias", assim como *Dor-lómin* significava "Terra das Sombras" (ver I. 141, e I. 308, verbete *Hisilómë*). Subsequentemente, *Eryd-Lómin*, *Ered Lómin* foi modificado tanto em significado (de "Montanhas Sombrias" para "Montanhas Ressoantes", com *lóm* "ressoar, eco", como também em *Dor-lómin* "Terra de Ecos") como em aplicação, tornando-se o nome da cadeia costeira de montanhas a oeste de Hithlum.

16

No início dessa seção encontramos os primórdios da história posterior da chegada de Isfin e Meglin (Aredhel e Maeglin) a Gondolin, em vez (como ainda ocorre no Esb) do envio de Meglin por sua mãe; Eöl se perdeu em Taur-na-Fuin, e sua esposa e filho chegaram em Gondolin durante a sua ausência. Ainda havia muitos desenvolvimentos adicionais por vir (a história de Maeglin em *O Silmarillion* é um dos elementos mais tardios do livro).

Na passagem reescrita apresentada na nota 3 aparece o nascimento de Tuor "nos ermos" (ver p. 82); a implicação sem dúvida é de que, como em *O Silmarillion* (p. 268) e com mais detalhes no "*Tuor* tardio" (*Contos Inacabados*, p. 35), ele nasceu nos ermos de Hithlum e que foi após o seu nascimento que Rían foi para o leste até o Monte dos Mortos (que na reescrita rudimentar da passagem no Q I recebeu pela primeira vez um nome élfico, *Amon Dengin*). Mas é estranho que na reescrita a servidão de Tuor entre "os Homens infiéis", encontrada no Esb e no Q como escrito inicialmente, tenha sido excluída.

No relato da fuga de Tuor de Hithlum, o nome da Fenda do Arco-íris como escrito originalmente era *Cris-Ilfing* (no conto *A Queda de Gondolin* era *Cris Ilbranteloth* ou *Glorfalc*), emendado para *Kirith Helvin* (*Cirith Ninniach* em *O Silmarillion*).

---

[*] Pela primeira vez nos textos narrativos. A primeira ocorrência de fato provavelmente é na legenda da ilustração de meu pai de Tol Sirion (*Pictures by J.R.R. Tolkien*, nº 36) de julho de 1928, a qual, embora não esteja legível na reprodução, diz o seguinte: "O Vale do Sirion, dando para Dor-na-Fauglith, com as Eryd Lómin (as Montanhas Sombrias) à esquerda e as orlas de Taur-na-Fuin à direita".

A FORMAÇÃO DA TERRA-MÉDIA

A jornada de Tuor permanece inalterada. Já foi dito no Esb que Bronweg "antes tinha estado em Gondolin"; agora é acrescentado que ele escapara de Angband e que chegara ao Sirion após muito vagar no Leste. O fato de ele ter estado em Angband na verdade já aparece na *Balada da Queda de Gondolin* (III. 180), e é implícito no *Conto* (II. 191–92). A história de que foi o único sobrevivente do último dos navios que partiram por ordens de Turgon ainda não havia surgido; e sua fuga de Angband o torna um paralelo bastante óbvio de Flinding (Gwindor), ou pelo menos salienta uma seme-lhança geral entre as histórias de Túrin e Tuor nesse ponto. Em cada caso um Homem é guiado por um Elfo que escapou de Angband até a cidade oculta da qual o Elfo foi um cidadão no passado. — A visita de Ulmo a Tuor "quando estava em meio à grama alta no entardecer" na Terra dos Salgueiros remonta ao *Conto*, onde ele ficou "com a grama até os joelhos" (II. 190). Esse era um elemento essencial que nunca foi abandonado; ver II. 247. A canção de Tuor que ele fez para o seu filho Eärendel foi preservada e é apresentada no Apêndice 2 deste capítulo (p. 249).

As instruções de Ulmo para Tuor no Q permanecem as mesmas do Esb; mas no substituto Q II há diferenças importantes. Aqui, a grande guerra entre Gondolin e Angband prevista por Ulmo recebe um escopo maior, e seu resultado favorável é tornado mais plausível: a missão de Tuor a Hithlum, onde deveria convencer os ("malignos" e "infiéis") Homens de Hithlum (uma terra repleta de espiões de Morgoth) a se aliarem aos Elfos, aparentemente uma tarefa impos-sível, é agora abandonada, e Tuor deve viajar para o Leste e instigar as novas nações dos Homens; a rixa com os Fëanorianos deve ser sanada. Mas, por outro lado, Ulmo não faz mais qualquer promessa de auxílio ao povo de Gondolin na construção de uma frota. Sua presciência da sina de Gondolin que se avizinhava é tornada pro-gressivamente menos precisa: no Esb ele sabe que ela ocorrerá atra-vés de Meglin em sete (> doze) anos, no Q I que ocorrerá em doze anos, mas sem mencionar Meglin, no Q II somente que ocorrerá após muitos anos se passarem se nada for feito.

Na história da traição de Meglin no Q, é afirmado expressa-mente (como não o é no Esb, embora seja quase certo que esteja implícito) que ele revelou a situação real de Gondolin, a qual Morgoth até então ignorava.

Há fortes indícios nesse relato condensado de que a rica herál-dica de casas e emblemas de Gondolin estava apenas ausente, não

O QUENTA

abandonada. Os sete nomes de Gondolin são mencionados, apesar de não serem dados, e Ecthelion da Fonte e Glorfindel da Casa da Flor Dourada são nomeados. De fato, tantos elementos antigos reaparecem — os Portões do Verão, a "morte de Rog fora dos muros"[*] — não é preciso a referência no texto à *Queda de Gondolin* para demonstrar que meu pai tinha o *Conto* de forma muito completa em mente. Na referência à "feitura" (em vez de "procriação") de novos dragões por Morgoth para o ataque à cidade há até mesmo um indício das construções (aparentemente) inanimadas do *Conto* (ver II. 257).

A relação entre a presente versão curta da escapada dos fugitivos e a emboscada na Cristhorn (> Kirith-thoronath), que é efetivamente aquela em *O Silmarillion* (pp. 324–25), e a do *Conto* foi discutida em II. 257–58. A ausência em *O Silmarillion* dos fugitivos que seguiram para a Via de Escape e lá foram destruídos pelo dragão que jazia à espera, um elemento presente no Esb e no Q, deve-se a uma remoção editorial, baseada em evidências em um texto muito posterior de que a antiga entrada de Gondolin havia sido bloqueada. Aquele texto foi a base para a passagem em *O Silmarillion* (p. 306) onde Húrin, após ser libertado das Thangorodrim, chegou ao sopé das Montanhas Circundantes:

> ele olhou à sua volta com pouca esperança, postado aos pés de um grande desmoronamento de pedras sob uma muralha de rocha íngreme; e não soube que isso era tudo o que restava de visível da antiga Via de Escape: o Rio Seco estava bloqueado, e o portão com arcos, enterrado.

A frase em *O Silmarillion*, p. 321, "Portanto, naquele tempo, a própria entrada da porta oculta nas Montanhas Circundantes foi bloqueada", foi um acréscimo editorial.

No Q reaparece do *Conto* a estada dos sobreviventes de Gondolin na Terra dos Salgueiros, e o retorno do "anseio pelo mar" de Tuor, levando à sua partida de Nan-Tathrin, descendo o Sirion até o Mar.

Por fim, pode-se notar descrição de Idril Celebrindal no Q II (p. 169) — alta, "quase da estatura de um guerreiro", de cabelos

---

[*] Para a ausência de Rog da passagem em *O Silmarillion* (p. 324), ver II. 255, primeira nota de rodapé.

A FORMAÇÃO DA TERRA-MÉDIA

dourados: o protótipo de Galadriel (ver especialmente a descrição dela em *Contos Inacabados*, p. 311).

17

No texto Q original nessa seção a estrutura do Esb é seguida de perto, e em muitos aspectos a história ainda se encontra inalterada em pontos onde muito em breve haveria mudanças.

Todos os vestígios da insistência de Ulmo para que Eärendel fizesse a viagem para Valinor desapareceram (ver o Esb, §17, nota 3); mas ainda são as "graves palavras" de Ulmo aos Valar que levam à investida dos Filhos dos Valar contra Morgoth, e Eärendel ainda "chegou tarde demais para levar mensagens aos Elfos, pois os Elfos haviam partido" (cf. Q §6: "ele chegou tarde demais"). Por outro lado, agora aparece o *desejo* de Eärendel de levar "uma mensagem aos Deuses e Elfos do Oeste que lhes comovesse os corações em compaixão com o mundo", ainda que, ao chegar, não houve ninguém em Kôr para recebê-la. Mas a história final foi anotada a lápis no texto (nota 1).

No relato da hoste que veio de Valinor, Fionwë ainda é o filho de Tulkas (ver p. 83); mas agora nenhum dos Teleri deixa Valinor, enquanto que, por outro lado, faz-se menção aos Gnomos que não partiram de Valinor na época da Rebelião — cf. a passagem anterior no Q (§5): "Alguns ficaram para trás... Longo tempo se passou antes que voltassem a essa história das guerras e andanças de seu povo."

Bronweg ainda está presente, como no Esb, vivendo sozinho na foz do Sirion após o ataque dos Fëanorianos, e ele ainda navega com Eärendel na segunda viagem de Wingelot que os levou a Kôr. Eärendel nesse ponto da história ainda constrói a Torre das Aves Marinhas; seu navio é elevado, como no Esb, nas asas de aves, enquanto procura por Elwing do céu, de onde é perseguido pela Lua e vaga por sobre a terra como uma estrela fugidia. Elwing ainda lança a Silmaril no mar e salta atrás dela, assumindo a forma de uma ave marinha para buscar Eärendel, buscando-o "por todas as costas do mundo". Desenvolvimentos menores são a desavença entre os Fëanorianos, de modo que alguns ficaram de lado e outros ajudaram Elwing; as mortes de Damrod e Díriel (ver p. 85); a explicação da piedade de Maidros pelo menino Elrond ("pois seu coração estava enfermo e cansado com o fardo do terrível juramento"); e a descrição de Wingelot. O nome do navio de Tuor,

O QUENTA

Eärámë, é traduzido como "Ala de Águia" (a antiga explicação do nome, quando era o navio de Eärendel), e não como "Ala-do-mar" (ver p. 84). A passagem no Esb acerca da escolha de Elrond Meio--Elfo é omitida aqui, mas a questão reaparece em §18.

Com essa seção, a reescrita do Q (como "Q II") se torna contínua com o final da obra, e o texto original ("Q I") na verdade acaba antes do fim. Visto que trechos substanciais do Q I permanecem inalterados no Q II, não creio que muito tempo tenha se passado entre eles; mas certos detalhes novos e consideráveis foram introduzidos na lenda na reescrita.

Esses desenvolvimentos consideráveis na presente seção são, primeiro, que as palavras de Ulmo aos Valar *não* causaram a guerra contra Morgoth ("Manwë não agiu"); segundo, que Elwing, transformada numa ave marinha, *levou a Silmaril sobre o peito*, e foi até Eärendel, que retornava de sua primeira viagem em Wingelot: de modo que a Silmaril de Beren não se perdeu, mas se tornou a Estrela Vespertina; e, terceiro, que Eärendel, viajando para Valinor *com Elwing*, chegou diante dos Valar, e foi sua "embaixada das duas gentes" que levou ao ataque a Morgoth.[*]

Mas há também muitas mudanças de um caráter menos estrutural no Q II, como: as primeiras viagens de Eärendel pelas costas das Terras de Fora antes de construir Wingelot; seus sonhos de aviso para retornar depressa às Fozes do Sirion, para as quais acabou nunca voltando, sendo interceptado pela chegada de Elwing como uma ave marinha e por suas notícias do que acontecera lá durante sua ausência — daí o desaparecimento de Bronweg da história; o poder curativo da Silmaril sobre o povo de Sirion (ver p. 218); a grande luz da Silmaril à medida que Wingelot se aproximava de Valinor, e a indicação de que foi o poder da joia que conduziu o navio através dos encantamentos e das sombras; a recusa de Eärendel em permitir que qualquer um dos que viajaram com ele entrassem com ele em Valinor; a nova explicação do despovoamento de Tûn sobre Kôr (pois ainda persistia a história de que a cidade dos Elfos estava desabitada quando Eärendel chegou lá);

---

[*] A primeira aparição dessa ideia central ocorre em uma anotação apressada a lápis no Q I (nota 1): "Fazer *Eärendel* comover os Deuses."

A FORMAÇÃO DA TERRA-MÉDIA

a saudação de Fionwë (agora mais uma vez o filho de Manwë) a Eärendel como a Estrela Matutina e Vespertina; a condução pelos Teleri dos navios que levaram as hostes do Oeste; e a Silmaril avistada no céu por Maidros e Maglor e pelo povo das Terras de Fora.

Alguns elementos adicionais foram inseridos por emendas subsequentes no Q II. A Tuor é atribuído um destino (nota 3) não menos espantoso do que o de se primo Túrin Turambar. O irmão de Elrond, Elros, aparece (notas 4 e 9); e Maglor assume o papel de Maidros como salvador deles, e como o menos cruel e obcecado dos dois irmãos (nota 10; ver o comentário sobre §18). O acréscimo na nota 19 que afirma que o líder dos Gnomos que jamais partiram de Valinor era Ingwiel, filho de Ingwë, à primeira vista é surpreendente: seria de se esperar Finrod (> Finarfin), como em *O Silmarillion* (p. 333). No entanto, creio que esse acréscimo foi acomodado de forma imperfeita ao texto: o significado pretendido era o de que Ingwiel fosse o chefe dos Quendi (os Elfos-da-luz, os Vanyar), entre os quais os Gnomos de Valinor marcharam.* Em uma revisão de Q §2 (nota 6), o texto original, que dizia que Ingwë jamais voltou às Terras de Fora "até este contos chegarem perto do fim", foi mudado para uma afirmação de que ele nunca retornou. Ingwiel substitui Ingil, filho de Inwë, dos *Contos Perdidos*, que construiu a Torre de Ingil em Tol Eressëa (I. 27) após o seu retorno das Grandes Terras.

Tal como o Q II foi escrito inicialmente

> Eärendel era o guia deles [isto é, da frota das hostes de Valinor]; mas os Deuses não permitiriam que ele retornasse[†] e ele construiu para si uma torre branca nos confins do mundo exterior, nas regiões do Norte dos Mares Divisores; e para lá todas as aves marinhas da terra por vezes se dirigiam.

---

* Na versão final dessa passagem meu pai notou o (aparente) erro e mudou *Ingwiel, filho de Ingwë* para *Finarfin, filho de Finwë* (daí o trecho tal como aparece em *O Silmarillion*). O resultado é que, enquanto no Q II somente o líder da Primeira Gente é mencionado pelo nome, Ingwiel, na versão final somente o líder dos Noldor de Valinor é mencionado pelo nome, Finarfin; mas acredito que um não deveria ter substituído o outro: ambos deveriam ter sido mencionados pelos nomes.

† Cf. a carta de 1967 citada em II. 319: "*Eärendil*, sendo em parte descendente de Homens, não teve permissão para colocar novamente os pés na Terra".

O QUENTA

A Torre das Aves Marinhas é assim preservada no mesmo lugar da narrativa que no Esb e no Q, onde Eärendel constrói a torre após sua visita infrutífera a Kôr. No final dessa seção no Esb, Eärendel

> navega, com o auxílio das asas [das aves marinhas], até mesmo sobre os ares em busca de Elwing, mas é chamuscado pelo Sol e caçado do céu pela Lua e por muito tempo vaga pelo céu como estrela fugitiva.

Praticamente a mesma coisa é dita no final da seção no Q I. Contudo, no Q II, como escrito inicialmente, Elwing estava com Eärendel nessa época,[*] na forma de uma ave, e foi ela quem construiu asas para o navio dele, de modo que "foi elevado até mesmo aos oceanos do ar".

No Esb e no Q I, Eärendel ainda não porta a Silmaril quando vaga pelo céu "como uma estrela fugitiva" (pois a Silmaril de Beren afundou com o Nauglafring, e as outras ainda estão na Coroa de Ferro de Morgoth); enquanto no Q II é nessa época que a Silmaril aparece no céu e dá esperança às pessoas das Terras de Fora.

Com a revisão do Q II apresentada na nota 20 é inserida a ideia de que foram os próprios Deuses que colocaram Eärendel e seu navio no céu. Agora é Elwing que constrói a Torre das Aves Marinhas, fazendo asas para si mesma para tentar alcançá-lo, em vão; *e eles estão separados até o fim do mundo.* Isso sem dúvida está de acordo com a revisão do Q II apresentada na nota 14: "E ele disse adeus a todos que amava na última costa, e foi apartado deles para sempre."

Em *O Silmarillion*, o elemento da companhia de um pequeno navio permanece: os três marinheiros Falathar, Erellont e Aerandir (p. 329). Eärendil recusou-se a permitir que esses, e Elwing, pusessem os pés na costa de Aman; mas Elwing pulou no mar e correu até ele, dizendo: "Então seriam nossos caminhos separados para sempre". Ali Eärendil e Elwing "disseram adeus aos companheiros de sua viagem e foram apartados deles para sempre"; mas mesmo então Elwing não acompanhou Eärendil até Tirion. Ela permaneceu entre os Teleri de Alqualondë, e Eärendil foi até ela lá após ter

---

[*] Não é dito de fato no Q II que Elwing retornou a Eärendel após ele ter lhe pedido que ficasse para trás quando desembarcou nas "costas imortais" e foi até Kôr; mas é evidente que ela fez isso, pelo fato de ela ter construído asas para o navio dele.

"apresentado a mensagem das Duas Gentes" diante dos Valar; e então foram juntos a Valmar e ouviram o decreto de Manwë, e a escolha de destino que lhes foi dada e aos seus filhos.

Uma questão curiosa aparece no relato do Q II da viagem de Eärendel e Elwing que os levou à costa de Valinor. Enquanto no Q I é dito que Eärendel "reencontrou a Ilha Solitária e os Mares Sombrios", no Q II "eles chegaram aos Mares Sombrios *e passaram por suas sombras*; e viram a Ilha Solitária..." Isso sugere que os Mares Sombrios haviam se tornado uma região do Grande Mar a leste de Tol Eressëa; e a mesma ideia parece estar presente na §6, tanto no Esb como no Q, pois é dito lá que, na Ocultação de Valinor, "as Ilhas Mágicas foram [...] dispostas pelos confins dos Mares Sombrios, *antes que a Ilha Solitária seja alcançada* por quem navegue para o Oeste". Bem diferente é o relato nos *Contos Perdidos*, onde "*além de Tol Eressëa* [a oeste das Ilhas Mágicas] está a muralha brumosa e as grandes trevas marítimas sob as quais jazem os Mares Sombrios" (I. 156); e os Mares Sombrios se estendem até as costas da terra ocidental (I. 88–9). Esse desenvolvimento está concebivelmente relacionado à mudança de posição de Tol Eressëa — ancorada na Baía de Feéria, à vista distante das Montanhas de Valinor, e não, como nos *Contos Perdidos*, no meio do Oceano: uma mudança que foi inserida na geografia em Esb §3.

Em emendas do Q II, as Ilhas Mágicas se tornam as Ilhas Encantadas (nota 11; ver II. 390–91) e a Baía de Feéria se torna a Baía de Casadelfos (nota 12); também o nome *Eärámë* para o navio de Tuor se torna *Eärrámë*, com a interpretação posterior de "Ala-do-mar" (nota 2).

18

Há vários desenvolvimentos interessantes na história da Última Batalha e suas consequências tal como contada no texto Q I original dessa seção. O relato muito breve do Esb é bastante expandido aqui, e boa parte da versão final aparece, ainda que com muitas diferenças (notavelmente a ausência de Eärendel). O fato de Morgoth ter sido atado muito antes por Tulkas com a corrente Angainor reaparece agora dos *Contos Perdidos* (esse elemento está ausente em Q §2; ver pp. 87, 190–91).

A passagem que descreve o destroçamento de Beleriand é preservada quase que inalterada em *O Silmarillion* (p. 335), que na verdade nada mais acrescenta. Há uma afirmação notável (mantida no Q II) de que

> os Homens fugiram, aqueles que não pereceram na ruína daqueles dias, e muito tardou antes que voltassem pelas montanhas onde Beleriand existira antes, e não antes que a história daqueles dias se esvanecesse em um eco que pouco se ouvia.

Não sei exatamente ao que isso se refere (ver abaixo, pp. 231–32). Infelizmente, as evidências para a evolução do conceito da submersão de Beleriand são extremamente escassas. Posteriormente, foi apenas uma pequena região (Lindon) que permaneceu acima do mar a oeste das Montanhas Azuis; mas esse de modo algum precisa ter sido o caso até então. Também é dito no Q (novamente mantido no Q II) que

> houve uma grande armação de navios nas costas do Mar do Oeste, e mormente nas grandes ilhas, as quais, na ruptura do mundo do Norte, foram formadas a partir da antiga Beleriand.

Não nos é contado acerca do tamanho e do número dessas "grandes ilhas". Em um dos mapas esboçados que meu pai fez para *O Senhor dos Anéis*, há a ilha de Himling, isto é, o topo do Monte de Himring, e também Tol Fuin, isto é, a parte mais elevada de Taur-na-Fuin (ver *Contos Inacabados*, p. 30); e em *O Silmarillion* (pp. 308–09) é dito que a pedra dos Filhos de Húrin e o túmulo de Morwen acima do Cabed Naeramarth ficam em Tol Morwen, que "está sozinha na água, além das novas costas que foram feitas nos dias da ira dos Valar". Mas parece óbvio que meu pai nessa época estava imaginando ilhas muitos maiores do que essas, visto que foram nelas que as grandes frotas foram construídas no final da Guerra da Ira. Lúthien (> Leithien) como a terra de onde os Elfos zarparam, mencionada pelo nome em Esb §18 e explicada como "Bretanha ou Inglaterra", não é mencionada pelo nome no Q; mas as palavras que se seguem no Esb, "De lá eles ainda, de tempos em tempos, içam vela e deixam o mundo antes que desvaneçam", estão claramente refletidas no Q:

> Porém, nem todos retornaram, e alguns se demoraram por muitas eras no Oeste e no Norte, e especialmente nas Ilhas Ocidentais.

A FORMAÇÃO DA TERRA-MÉDIA

Contudo sempre, conforme as eras passavam e o povo dos Elfos se esvanecia na Terra, ainda içavam vela ao anoitecer de nossas costas do Oeste; como ainda fazem, quando agora se demoram poucas em qualquer lugar das companhias solitárias.

A relação entre essas passagens sugere fortemente que as "Ilhas Ocidentais" eram as Ilhas Britânicas,* e de que a Inglaterra ainda tinha um lugar na geografia mitológica em si, tal como tem explicitamente no Esb. Em relação a isso, a abertura de Ælfwine da Inglaterra, no texto final Ælfwine II (II. 377–78), é interessante:

Havia uma terra chamada Inglaterra, e era uma ilha do Oeste, e antes de ela ser arrebentada na guerra dos Deuses, era a mais occidental de todas as terras do Norte, e olhava para o Grande Mar que Homens outrora chamavam de Garsecg; mas aquela parte rompida foi chamada de Irlanda, e de muitos outros nomes além desse, e seus habitantes não entram nestes contos.

Toda aquela terra os Elfos chamaram de Lúthien e ainda o fazem. Somente em Lúthien habitava ainda a maior parte das Companhias Desvanecentes, as Fadas Sagradas que ainda não tinham zarpado do mundo, para além do horizonte do conhecimento dos Homens, rumo à Ilha Solitária, ou mesmo para a Colina de Tûn sobre a Baía de Feéria que banha as costas ocidentais do reino dos Deuses.

É possível, como sugeri (II. 390), que essa passagem se refira ao cataclismo, e suas consequências, que de outra forma é mencionado pela primeira vez em Esb §18. Não é possível datar Ælfwine II, mas Ælfwine I, no qual foi baseado, provavelmente foi escrito em 1920 ou não muito depois. Também é concebível, ainda que não mais que isso, que o significado das palavras no Q, de que ocorreu muito antes de os Homens voltarem por sobre as montanhas para onde Beleriand outrora estivera, refira-se às sangrentas invasões da Inglaterra em dias posteriores descritas em Ælfwine II; pois há muito

---

* Pode parecer que isso se torna menos provável pela forma da passagem no Q II, onde a primeira frase é expandida: "e especialmente nas ilhas ocidentais *e nas terras de Leithien*". Mas não acho que essa frase precise ser considerada de modo tão preciso, e acredito que a equivalência se sustente.

231

O QUENTA

pouco naquele texto que não possa ser prontamente acomodado à presente passagem no Esb e no Q, com a imagem dos Elfos minguantes de Lúthien "partindo de nossas costas do Oeste".* Mas uma dificuldade séria com essa ideia se encontra na vinda dos Homens "por sobre as montanhas" para onde Beleriand outrora estivera.

Certamente o elemento mais notável, até mesmo surpreendente, do período logo após a Última Batalha no Q (I) é a declaração de que, quando Fionwë marchou pelas terras convocando os Gnomos e os Elfos-escuros a deixarem as Terras de Fora, aos Homens das Casas de Hador e Bëor seria "permitido partir, se quisessem". Mas só restava Elrond; e de sua escolha, como Meio-Elfo, é contado o mesmo que fora contado em Esb §17. As implicações dessa passagem são intrigantes. É óbvio que "a raça de Hador e Bëor" significa aqueles que descendiam diretamente de Hador e Bëor; posteriormente o conceito dessas Casas foi muito expandido: elas se tornaram clãs. Mas visto que dos descendentes diretos só restava Elrond, o que essa permissão significa? É uma maneira (muito curiosa) de oferecer a escolha da partida ao(s) Meio-Elfo(s), caso ele(s) desejasse(m)? Pois os Meio-Elfos só passaram a existir nas Casas de Hador e Bëor. Porém, isso parece legalístico e convoluto demais para ser provável. Então isso significa que, caso tivesse havido outros descendentes — se, por exemplo, Gundor, filho de Hador, tivesse tido filhos —, eles teriam tido permissão para partir? E o que aconteceria depois? Teriam terminado seus dias como Homens mortais em Tol Eressëa? A permissão parece muito obscura em qualquer interpretação; e ela foi removida do Q II. Não obstante, ela representa, como acredito, o primeiro germe da história da partida dos sobreviventes dos Amigos-dos-Elfos para Númenor.

---

* Duas pequenas semelhanças podem ser observadas: em Ælfwine II, os navios dos Elfos levantam âncora do porto ocidental "ao anoitecer" (II. 380), como no Q; e com "as companhias solitárias" do Q cf. "the Fading Companies" de Ælfwine II na passagem citada acima.

Uma outra dedução atraente, de que essa foi a origem do porto de *Belerion* em Ælfwine da Inglaterra, a enseada ocidental "whence the Elves at times set sail" (um remanescente do antigo nome *Beleriand* entre os Homens de dias posteriores, quando sua referência original havia sido esquecida, e "the tale of those days had faded to an echo seldom heard"), não pode ser sustentada: pois Ælfwine II certamente foi escrito muito tempo antes das primeiras ocorrências de *Beleriand* (em vez de *Broseliand*).

A história do destino das Silmarils no Q I é expandida a partir daquela no Esb, e aqui alcança um estágio transicional interessante entre o Esb e o Q II, onde se chega na resolução final. Maidros permanece, como no Esb, o menos encarniçadamente resoluto dos dois filhos sobreviventes de Fëanor no cumprimento do juramento: no Esb é apenas Maglor que rouba a Silmaril da guarda de Fionwë, e no Q I é Maidros que "tinha em mente se submeter", mas é persuadido por Maglor. No Q II os argumentos permanecessem, mas os papéis de Maidros e Maglor são invertidos, assim como na §17 (por meio de uma emenda tardia no Q II, nota 10) Maglor se torna aquele que salvou Elrond e Elros. No Q I os dois irmãos partem para roubar as Silmarils de Fionwë, como na versão final da lenda; mas, como no Esb, somente Maglor leva embora a sua joia — pois na nova história Maidros é capturado. Ainda assim, enquanto, como no Esb, somente uma das duas Silmarils remanescentes é consignada às profundezas pelo ato de um dos irmãos (Maglor), e a outra é mantida por Fionwë e no fim se torna a estrela de Eärendel — com Maidros, até onde se pode ver, não desempenhando nenhum outro papel no destino da joia —, no Q I a queimadura da mão iníqua, e a compreensão de que o direito dos filhos de Fëanor sobre as Silmarils agora é nulo, passa a ser de Maidros; e, prisioneiro de Fionwë, ele se mata, jogando a Silmaril no chão (e embora o texto do Q I não chegue até esse ponto, a lógica da narrativa deve conduzir à entrega dessa Silmaril a Eärendel, como no Esb). A versão emendada no Esb (notas 6 e 7), de que Maglor lança sua Silmaril numa cova em chamas e depois sai a vagar cantando em pesar perto do mar (em vez de também se lançar na cova), é retomada no Q I.

No Q II a história mudou de novo, para a estrutura harmoniosa e simétrica final: a Silmaril de Beren não é perdida e se torna a estrela de Eärendel: tanto Maglor como Maidros levam uma Silmaril do acampamento de Fionwë, e ambos as lançam em locais inacessíveis. Maidros ainda tira a própria vida, mas o faz jogando-se na cova em chamas — e esse é um retorno à história original de Maglor contada no Esb. Maglor agora lança a sua Silmaril no mar — e assim as Silmarils da terra, do mar e do céu são mantidas, mas são Silmarils diferentes; pois nas versões anteriores era uma das joias da Coroa de Ferro de Morgoth que se tornava a Estrela Vespertina.

O QUENTA

Essa evolução narrativa extraordinariamente complexa, mas altamente característica, talvez possa ser mostrada com mais clareza em uma tabela:

Esb	Q I	Q II
A Silmaril de Beren é lançada no mar por Elwing e é perdida	Como no Esb	A Silmaril de Beren é levada por Elwing a Eärendel no Wingelot; com a joia ele vai para Valinor
—	*Maidros* tem em mente se submeter, mas *Maglor* o persuade do contrário	*Maglor* tem em mente se submeter, mas *Maidros* o persuade do contrário
Maglor rouba sozinho uma Silmaril de Fionwë e foge	*Maidros* e *Maglor* roubam juntos as duas Silmarils de Fionwë, mas *Maidros* é capturado	Como no Q I, mas tanto *Maidros* como *Maglor* têm permissão de partir levando as Silmarils
Maglor sabe pela dor da Silmaril que não tem mais direito a ela	*Maidros* sabe pela dor da Silmaril que não tem mais direito a ela	Como no Q I
Maglor joga a si mesmo e a Silmaril em uma cova em chamas > Ele lança a Silmaril em uma cova em chamas e vaga pelas costas	*Maidros* joga a sua Silmaril no chão e tira a própria vida *Maglor* lança a sua Silmaril em uma cova em chamas e vaga pelas costas	*Maidros* joga a si mesmo e a Silmaril em uma cova em chamas *Maglor* lança a sua Silmaril no mar e vaga pelas costas
A Silmaril de *Maidros* é decretada pelos Deuses a ser de Eärendel	[Como no Esb, embora o Q I não chegue até esse ponto]	A Silmaril de Beren, jamais perdida, é mantida por Eärendel

Ainda encontramos nas duas versões do Q, assim como no Esb, a afirmação de que alguns dos Elfos que retornavam passaram para além de Tol Eressëa e habitaram em Valinor ("como todos eram livres para fazer se desejassem", Q II) — e fica claro no textos do Q que se incluíam entre esses alguns dos Noldoli exilados, "admitidos

A FORMAÇÃO DA TERRA-MÉDIA

ao amor de Manwë e ao perdão dos Deuses". Também mantida no Q I (mas não no Q II) é a afirmação de que Tûn permaneceu desolada, mais uma vez sem que seja dada uma explicação (ver p. 89). Mas enquanto no Esb Tol Eressëa foi repovoada pelos "Gnomos e muitos dos Ilkorins e Teleri e Qendi", nos textos do Q os Teleri e os Quendi não são mencionados aqui, somente os Gnomos e os Elfos-escuros ("especialmente aqueles que outrora pertenceram a Doriath", Q I).

Em uma anotação apressada a lápis no Q I (§17, nota 1), há uma referência a alguns Homens de Hithlum estarem arrependidos e à realização da predição de Ulmo (isto é, "sem os Homens, os Elfos não hão de prevalecer contra os Orques e os Balrogs", §16): tanto pelo valor os Homens de Hithlum como pela embaixada de Eärendel aos Valar. Isso é retomado no Q II na presente seção, com o acréscimo de que muitos Homens recém-chegados do Leste lutaram contra Morgoth; mas revisões adicionais (notas 2 e 3) alteraram esse fato, dizendo que a maioria dos Homens, e especialmente esses recém-chegados do Leste, lutaram pelo lado do Inimigo, e também que, além dos Homens arrependidos de Hithlum, "todos os que restavam das três Casas dos Pais de Homens lutaram por Fionwë". Essa última frase indica que tanto a casa de Hador tinha agora sido dividida (ver o comentário sobre §9) como também que as casas dos Amigos-dos-Elfos agora foram aumentadas, de maneira que não estão restritas àqueles descendentes dos Pais que foram mencionados na narrativa. A estranha permissão de Fionwë para que os Homens das casas de Hador e Bëor partissem para o Oeste despareceu no Q II.

Outros desenvolvimentos no Q II são a incapacidade de Morgoth de sair à luta no final; a vinda dos dragões alados, dos quais o maior era Ancalagon, o negro; a morte de Ancalagon por Eärendel, descendo dos céus com incontáveis aves ao seu redor; e a destruição das Thangorodrim pela queda de Ancalagon.

19

Nessa seção final, a narrativa, agora quase inteiramente apenas no texto Q II, retorna mais uma vez a Eärendel; e, de forma muito curiosa, o fato de ser chamuscado pelo Sol e caçado pela Lua, e sua viagem como "uma estrela fugitiva", reaparecem *após* a Última Batalha e a derrubada de Morgoth; no Esb e no Q, é dito que isso

235

O QUENTA

ocorre quando ele foi erguido pela primeira vez aos céus, no final da §17. É somente agora que

> os Valar trouxeram seu navio branco, Wingelot, por sobre a terra de Valinor, e o encheram de radiância e o abençoaram, e lança-ram-no através da Porta da Noite.

Parece evidente que, nesse relato, esse ato dos Valar foi para prote-ger Eärendel, colocando-o para navegar no Vazio, acima dos traje-tos do Sol e da Lua e das estrelas (ver o diagrama no *Ambarkanta*, p. 287), onde ele também poderia guardar a Porta contra o retorno de Morgoth. E no Q II Elwing estava ao seu lado em suas viagens "na vastidão sem estrelas" (sendo esse trecho riscado posterior-mente, nota 6).

Na verdade, já encontramos, na passagem reescrita apresentada na nota 20 da §17 no Q II, a história final de que Wingelot foi abençoado pelos Deuses e colocado nos céus *antes* da partida das hostes do Oeste; mas esse trecho data de um período posterior à composição da conclusão do Q II. Nessa passagem a própria Elwing constrói a Torre das Aves Marinhas, fazendo asas para tentar alcan-çar Eärendel, mas eles jamais se reencontram; e assim o elemento das aves marinhas é removido de qualquer associação direta com Eärendel. No relato da Última Batalha em Q II §18, Eärendel desce do céu acompanhado por "uma miríade de aves", mas isso, é claro, pertence à história em Q II §17, na qual foi Eärendel que construiu a Torre e Elwing que fez as asas para o seu navio. Seria de se esperar que as aves que desceram com Eärendel sobre Ancalagon, o negro, desapareceriam na história posterior, onde são os Valar que erguem Wingelot, e as asas de aves pelas quais o navio antes fora içado são rejeitadas; mas na versão final da história das "coisas últimas" elas ainda estão presentes, assim como em *O Silmarillion* (p. 334).

Apresento a seguir (p. 237) uma tabela que pode servir para ilus-trar com mais clareza a evolução da história de Eärendel e Elwing nesses textos.

A versão final da história é ainda mais mudada ao dizer que Elwing permaneceu com Eärendel em Valinor; a Torre das Aves Marinhas foi construída para ela, e de lá ela voava para se encontrar com Eärendel quando seu navio retornava a Valinor (*O Silmarillion*, p. 332).

236

Esb e Q	Q II	Revisões no Q II
Eärendel (com Bronweg) visita Kôr em vão, pois os Elfos já haviam partido (§17)	Eärendel (com Elwing, e portando a Silmaril) vai para Valinor, e, proibindo Elwing de acompanhá-lo dali em diante, declara "a embaixada das Duas Gentes" (§17)	Eärendel despede-se de Elwing para sempre na costa de Valinor (§17, nota 14)
Ele constrói a Torre à qual todas as aves marinhas se dirigem (Q: e sofre pela perda de Elwing) (§17)	Ele guia a frota do Oeste; constrói a Torre das Aves Marinhas, e Elwing está com ele (§17)	O navio de Eärendel é abençoado pelos Valar e colocado no céu (§17, nota 20)
Wingelot é erguido ao céu por meio de asas de aves (§17)	Elwing faz asas para Wingelot (§17)	Elwing constrói a Torre e faz asas de ave para si mesma, mas não consegue alcançar Eärendel, e os dois são separados para sempre (§17, nota 20)
Ele é chamuscado pelo Sol e caçado pela Lua, e vaga como uma estrela fugitiva. Ele não porta uma Silmaril. (§17)	Ele navega pelo céu portando a Silmaril (?com Elwing), e a estrela é vista pelas pessoas das Terras de Fora (§17) Ele desce do céu para a Última Batalha com incontáveis aves ao seu redor, e mata Ancalagon (§18)	(Elwing não está com ele)
Após a Última Batalha, a Silmaril de Maidros é dada a Eärendel e Elwing lhe é devolvida; ele navega para a Escuridão de Fora com Elwing, portando a Silmaril (§19) [O texto Q I termina antes de chegar nesse ponto]	Ele é chamuscado pelo Sol e caçado pela Lua, e navega como uma estrela fugitiva (§19) Seu navio é abençoado pelos Valar e lançado através da Porta da Noite. Elwing está com ele (§19)	(Elwing não está com ele; §19, nota 6)

Fora a passagem acerca de Eärendel, o Q II segue o Esb (presumivelmente agora o precursor imediato) muito de perto, no seu relato da crença de que Morgoth volta em segredo de tempos em tempos, enquanto outros declaram que é Thû (> Sauron), que sobreviveu à Última Batalha; e no teor da profecia das Coisas Últimas — que agora recebe uma existência formal como "a Profecia de Mandos", que Mandos declarou em Valmar no julgamento dos Deuses. Contudo, há certas mudanças e desenvolvimentos na Profecia: Morgoth, quando retornar, destruirá o Sol e a Lua (o que certamente contém pelo menos uma reminiscência da passagem do conto da *Ocultação de Valinor* citado na p. 90); Tulkas é agora chamado de o principal antagonista de Melko na batalha final nas planícies de Valinor, junto com Fionwë e Túrin Turambar; Eärendel entregará a sua Silmaril, e Fëanor levará as Três até Yavanna para quebrá-las (no Esb elas são quebradas por Maidros); e com o despertar dos Elfos e o renascimento de seus mortos, o propósito de Ilúvatar estará cumprido no que diz respeito a eles. O aparecimento de Túrin no fim permanece profundamente misterioso; e aqui é dito que a Profecia o nomeia entre os Deuses, o que claramente está relacionado à passagem no antigo *Conto de Turambar* (II. 142), onde é dito que Túrin e Nienor "habitaram como Valar luzentes entre os sagrados", após terem passado por Fôs'Almir, o banho de chamas. Em mudanças no texto do Q II é dito que Túrin é nomeado entre "os filhos dos Deuses" e não entre os próprios Deuses, e também que ele "vem dos salões de Mandos" para a batalha final; sobre isso não posso dizer mais do que Túrin Turambar, apesar de ser um Homem mortal, não foi, como vai a raça dos Homens, para um destino além do mundo.

∽

APÊNDICE 1
Fragmento de uma tradução do Quenta Noldorinwa em inglês antigo, feita por Ælfwine ou Eriol; junto com equivalentes em inglês antigo de nomes élficos

Há dois fragmentos preservados de versões em inglês antigo (anglo-saxão) dos *Anais de Valinor* (três), dos *Anais de Beleriand* e do *Quenta Noldorinwa*. Todos começam no início das respectivas obras, e apenas um, uma versão dos *Anais de Valinor*, constitui um

A FORMAÇÃO DA TERRA-MÉDIA

texto substancial. A versão em inglês antigo do *Quenta* apresentada aqui não tinha título, mas meu pai posteriormente inseriu a lápis o título *Pennas*; cf. *Qenta Noldorinwa* ou *Pennas-na-Ngoelaidh*, p. 95. Em uma breve lista à parte de nomes e palavras élficos que pertencem a esse período ocorre este verbete:

> *Quenta* história, conto (*quete-* "dizer") n[oldorin] *pent.*
> *pennas* história (*quentassë*).

Nessa época, *Eriol* e *Ælfwine* reaparecem juntos como os nomes élfico e inglês do marinheiro que chegou a Tol Eressëa e lá traduziu várias obras élficas para a sua própria língua: no preâmbulo dos *Anais de Valinor* (p. 310) ele é "Eriol de Leithien, que é Ælfwine dos Angelcynn", e em uma das versões em inglês antigo desses *Anais* é dito que a obra (p. 330) foi traduzida por "Ælfwine, que os Elfos chamavam de Eriol". (Quanto às relações antigas dos dois nomes, ver II. 362–63.)

A versão em inglês antigo do *Quenta* é um equivalente muito próximo do texto em inglês moderno, desde sua abertura "Após a feitura do Mundo pelo Pai-de-Tudo" até "a sombra é seu reino e a noite, seu trono" (pp. 96–7), onde termina o texto em inglês antigo. É um manuscrito à tinta, obviamente um primeiro rascunho, com emendas a lápis (principalmente pequenas alterações da ordem das palavras e semelhantes) que incorporei ao texto; o último parágrafo foi escrito a lápis muito rapidamente. Acentos agudos em vogais longas foram inseridos de forma um tanto esporádica e tornei o uso consistente, assim como nos outros textos em inglês antigo, do início ao fim.

Pennas

Æfter þám þe Ealfæder, se þe on elfisc Ilúuatar hátte, þás worolde geworhte, þá cómon manige þá mihtegostan gǽstas þe mid him wunodon hire to stíeranne; for þon þe hí híe feorran ofsáwon fægre geworhte and hí lustfollodon on hire
5 wlitignesse. Þás gǽstas nemdon þá Elfe *Valar*, þæt is þá Mægen, þe men oft siððan swáþéah nemdon Godu. Óþre gǽstas manige hæfdon hí on hira folgoðe, ge máran ge lǽssan, 7 þára sume tealdon men siþþan gedwollice mid þǽm Elfum; ac híe lugon, for þám þe ǽr séo worold geworht wǽre
10 hí wǽron, 7 Elfe and Fíras (þæt sindon men) onwócon ǽrest

239

on worolde æfter þára Valena cyme. Ealfæder ána geworhte
Elfe and Fíras ond ǽgþerum gedǽlde hira ágene gifa; þý
hátað hí woroldbearn oþþe Ealfæderes bearn.

Þara Valena ealdoras nigon wǽron. Þus hátað þá nigon
15 godu on elfiscum gereorde swá swá þa elfe hit on Valinóre
sprǽcon, þéah þe hira naman sind óþre 7 onhwerfede on
nold-elfisc, and missenlice sind hira naman mid mannum.

Manwe wæs goda hláford, and winda and wedera wealdend
and heofones stýrend. Mid him wunede to his geféran séo
20 undéadlice héanessa hlǽfdige, úprodera cwén, *Varda*
tunglawyrhte. Him se nyxta on mægene, and on fréondscipe
se cúðesta, wæs *Ulmo* ágendfréa ealra wætera, se þe ána
wunað on Útgársecge, 7 stýreð swáþéah eallum wǽgum 7
wæterum, éam 7 stréamum, wyllum ond ǽwelmum geond
25 eorðan ymbhwyrfte. Him underþýded, þéah he him oft
unhold bið, is *Osse*, se þe manna landa sǽm stýreð, 7 his
geféra is *Uinen* merehlǽfdige. Hire feax líþ gesprǽdd geond
ealle sǽ under heofenum.

On mægene wæs *Aule* Ulmo swíðost gelíc. He wæs smiþ
30 and cræftiga, 7 *Yavanna* wæs his geféra, séo þe ofet and
hærfest and ealle eorðan wæstmas lufode. Nyxt wæs héo on
mægene þára Valacwéna Vardan. Swíþe wlítig wæs héo, and
híe þá Elfe nemdon oft Palúrien þæt is 'eorþan scéat'.

Þá gebróþru *Mandos* 7 *Lórien* hátton *Fanturi*. *Nefantur*
35 háteð se ǽresta, neoærna hláford, and wælcyriga, se þe
samnode ofslægenra manna gǽstas. *Olofantur* háteð se óðer,
swefna wyrhta 7 gedwimora; 7 his túnas on goda landum
wǽron ealra stówa fægroste on worolde 7 wǽron gefylde mid
manigum gǽstum wlitigum and mihtigum.

40 Ealra goda strengest 7 leoþucræftigost and foremǽrost
ellendǽdum wæs *Tulkas*; þý háteð he éac þon *Poldórea* se
ellenrófa (se dyhtiga); and he wæs Melkoes unwine and his
wiþerbroca.

Orome wæs mihtig hláford and lýtle lǽssa maegenes þonne
45 Tulkas sylf. Orome wæs hunta 7 tréowcynn lufode – þý hátte
he *Aldaron*, 7 þá noldielfe hine *Tauros* nemdon, þæt is
Wealdafréa – 7 him wǽron léofe hors and hundas. Húru he
éode on huntoð þurh þá deorce land ǽr þám þe séo sunne
wurde gýt atend /onǽled; swíþe hlúde wǽron his hornas, 7
50 swá béoð gíet on friðum and feldum þe Orome áh on

A FORMAÇÃO DA TERRA-MÉDIA

Valinóre. *Vana* hátte his geféra, séo wæs gingra sweostor
hira Vardan 7 Palúrienne, 7 séo fægernes ge heofenes ge
eorðan bið on hire wlite and hire weorcum. Hire mihtigre
swáþéah bið *Nienna*, séo þe mid Nefantur Mandos eardað.

55 Mildheort bið héo, hire bið geómor sefa, murnende mód;
sceadwa bið hire scír 7 hire þrymsetl þéostru.

NOTAS

6 *Mægen* ("Poderes") foi emendado para *Reg.* . (?*Regen* ?*Regin*). Inglês antigo *regn-*
em palavras compostas "grande, poderoso", relacionado ao nórdico antigo
regin "Deuses" (que ocorre em *Ragnarök*).

10 *Fíras* é uma emenda de *Elde* (ambas são antigas palavras poéticas para
"homens"). Na linha 12, *Fíras* foi escrito ao lado de *Elde*, que foi emendado
para Ælde (e *Elfe* aparentemente para *Ælfe*).

11 O plural genitivo *Valena* é uma emenda de *Vala*; também na linha 14.

23 *on Útgársecge*: *Ut-gársecg* "os Mares de Fora". *Gársecg*, um dos muitos nomes
em inglês antigo do mar, é usado frequentemente em *Ælfwine da Inglaterra*
para o Grande Mar do Oeste (em um dos textos escrito *Garsedge* para representar a pronúncia).

35 *wælcyriga*: "escolhedor dos mortos (*wæl*)", o equivalente em inglês antigo do
nórdico antigo *valkyrja* (valquíria).

49 *atend, onæled*: essas palavras são alternativas, mas nenhuma está marcada como
rejeitada.

55 Cf. *Beowulf*, versos 49–50: *him wæs geómor sefa, murnende mód* ("soturno era
seu coração e lamento n'alma").

☙

Associadas aos textos em inglês antigo há várias listas de nomes
élficos com equivalente em inglês antigo, alguns dos quais são
muito interessantes pela luz que lançam no significado de nomes
élficos, embora muitos não sejam de fato traduções, como veremos.

Há em primeiro lugar uma lista dos Valar:

Os principais deuses são Fréan. ós (ése)

[Ing.ant. *fréa* "governante, senhor"; ós "deus" (em nomes próprios
como *Oswald*), com vogal mutada no plural.]

Manwë é Wolcenfréa [Ing.ant. *wolcen* "céu"; cf. inglês moderno
welkin.]

Ulmo é Gársecges fréa e ealwæter-fréa [Quanto a *Gársecg*, ver
a nota à linha 23 do *Quenta* em inglês antigo. Naquele texto
Ulmo é chamado de *ágendfréa ealra wætera* "Senhor das Águas"
(literalmente "senhor possuidor de todas as águas").]

O QUENTA

Aulë é Cræftfréa

Tulkas é Afoðfréa [Ing.ant. *afoð, eafoð* "poderio, força".]

Oromë é Wáðfréa e Huntena fréa [Ing.ant. *wáð* "caçada'; "Senhor das Caçadas e Senhor dos Caçadores". No *Quenta* em inglês antigo ele é *Wealdafréa* "Senhor das Florestas", tradução de *Tauros*.]

Mandos é Néfréa [Ing.ant. *né(o)* "cadáver"; cf. *néarna hláford* "mestre das casas dos mortos" no *Quenta* em inglês antigo. Quanto ao nome élfico *Nefantur*, ver p. 189.]

Lórien é Swefnfréa [Ing.ant. *swefn* "sonho".]

Melko é Mánfréa, Bolgen, Malscor [Ing.ant. *mán* "mal, perversidade"; *bolgen* "iracundo". Há registro de um substantivo verbal *malscrung*, com o significado de "desnorteamento, encantamento"; ver o Oxford English Dictionary, verbete *masker* (verbo), "desnortear".]

Ossë é Sæfréa Também há várias listas de equivalentes em inglês antigo de nomes élficos de pessoas e lugares, e visto que todos eles obviamente pertencem ao mesmo período, combinei-os e os apresento em ordem alfabética:

Aldaron: Béaming [Ing.ant. *béam* "árvore".]

Amon Uilas: Sinsnáw, Sinsnæwen [Ing.ant. *sin-* "perpétuo"; *snáw* "neve", *snæwen* (não registrado) "nevado". *Amon Uilas* aparece no *Quenta*, p. 99, nota 2.]

Ancalagon: Anddraca [Ing.ant. *and-* como o primeiro elemento em palavras compostas denota oposição, negação (*anda* "inimizade, ódio, inveja"); *draca* "dragão" (ver II. 421).]

Angband: Engbend, Irenhell [*Engbend* contém o ing.ant. *enge* "estreito, opressivo, cruel" e *bend* "elo, grilhão"; assim, não é uma tradução, mas um trocadilho entre os dois idiomas.]

Asgar: Bæning [Esse rio, *Ascar* no Q como em *O Silmarillion*, também é *Asgar* nos *Anais de Beleriand* (p. 359). Não posso

242

interpretar *Bæning*. Se for um derivado do ing.ant. *bán* "osso" (cf. *bænen* "de osso"), pode significar algo como "o lugar (isto é, o rio) repleto de ossos", com referência aos Anãos que se afogaram no rio na batalha do Vau Pedregoso; mas isso não parece nem um pouco provável.]

Balrog: Bealuwearg, Bealubróga [Ing.ant. *bealu* "maligno", cf. inglês moderno *bale(ful)* "maligno, pernicioso"; *wearg* "criminoso, proscrito, ser amaldiçoado" (nórdico antigo *vargr* "lobo, proscrito", daí os *Wargs*); *bróga* "terror". Esses nomes em ing. ant. são dessa forma, como *Engbend*, correspondências sonoras engenhosas elaboradas a partir de palavras do ing.ant.]

Bansil: Béansíl, Béansigel [O segundo elemento é o ing.ant. *sigel* "sol, joia" (cf. J.R.R. Tolkien, *Sigelwara land*, em *Medium Ævum III*, junho de 1934, p. 106); o primeiro é presumivelmente *béam* "árvore". Esse é outro caso em que Ælfwine usou palavras em inglês antigo para dar uma semelhança de som (com um significado adequado, é claro) em vez de uma tradução. — Na Lista de Nomes de *A Queda de Gondolin*, *Bansil* é traduzida "Belo--cintilar", II. 258–59.]

Baragund, Barahir: Beadohun, Beadomær [Ing.ant. *beadu* "batalha".]

Bauglir: Bróga [Ing.ant. *bróga* "terror".]

Beleg: Finboga [Ing.ant. *boga* "arco".]

Belegar: Ingársecg, Westsæ, Wídsæ [O nome gnômico do Grande Mar, ainda não apareceu nos textos. *Ingársecg* = Gársecg; Útgársecg é o Mar de Fora (ver nota à linha 23 do *Quenta* em inglês antigo).]

Belegost: Micelburg ["Grande fortaleza", o significado original (ver II. 405).]

Blodrin, filho de Ban: Blodwine Banan sunu [*Blodwine* presumivelmente contém o ing.ant. *blód* "sangue", enquanto *bana* é "matador".]

O QUENTA

Doriath: Éaland, Folgen(fold), Infolde, Wudumǽraland [Ing. ant. éaland, terra junto a água ou à margem de um rio — sem dúvida com referência aos rios Sirion e Esgalduin. *Folgen(fold)*: ing.ant. *folgen* é o particípio passado de *féolan* "penetrar, abrir caminho, chegar a", mas os verbos cognatos em gótico e em nórdico antigo possuem o significado de "ocultar", e pode ser que *folgen* receba aqui o sentido do nórdico antigo *fólginn* "oculto", isto é, "a (terra) oculta". Gondolin é chamada *Folgenburg*. *Infolde*, uma palavra não registrada, talvez tenha algum significado como "a terra interior", "a terra de dentro". *Wudumǽraland* sem dúvida contém *mǽre* "divisa, fronteira".]

Dor-lómen: Wómanland [Ver *Ered-lómen*.]

Drengist: Nearufléot [*Drengist* ainda não apareceu nos textos. Ing. ant. *nearu* "estreito", *fléot* "braço de mar, estuário".]

Ered-lómen: Wómanbeorgas [Ing.ant. *wóma* 'som, barulho", *beorg* "montanha"; isto é, as Montanhas Ressoantes, e de modo similar *Wómanland* para Dor-lómen, Terra de Ecos. Essa é a etimologia tardia desses nomes; ver p. 222.]

Gelion: Glæden [*Gelion* aparece por meio de uma emenda de *Flend* no *Quenta* §14. Ing.ant. *glædene* "íris, lis", como nos Campos de Lis e no Rio de Lis em *O Senhor dos Anéis*.]

Gondolin: Stángaldor(burg), Folgenburg, Galdorfæsten [Ing. ant. *stán* "pedra"; *galdor* "feitiço, encantamento"; *fæsten* "praça--forte, fortaleza". Quanto a *Folgenburg* (? "a cidade oculta"), ver *Doriath*.]

Hithlum: Hasuglóm, Hasuland (Hasulendingas) [Ing.ant. *hasu* "cinzento'; *glóm* "crepúsculo". *Hasulendingas* "o povo de Hasuland".]

Laurelin: Gleng(g)old [Ing.ant. *gleng* "ornamento, esplendor"; *Glengold* não é uma tradução, mas uma imitação sonora de *Glingol* ("Ouro-cantante", II. 260]

Mithrim: Mistrand, Mistóra [Ing.ant. óra "margem, costa", e *rand* do mesmo significado.]

244

Nargothrond: Hlýdingaburg, Stángaldor(burg) [*Hlýdingaburg* é a cidade dos *Hlýdingas*, o povo de Narog (*Hlýda*). *Stángaldor (burg)* também é dado como um nome em ing.ant. para Gondolin.]

Narog: Hlýda [*Hlýda* "o estrondoso" (Ing.ant. *hlúd* "alto, estrondo"; ver III. 108).]

Silmaril: Sigel, Sigelmǽrels [Quanto a *sigel*, ver *Bansil* acima. Ing. ant. *mǽrels* "corda"; *Sigelmǽrels* é outro caso de imitação — mas se refere ao Colar dos Anãos.]

Sirion: Fléot (Fléwet), Scírwendel [*Fléot* deve ter aqui o significado de "rio", que possui pouquíssimas evidências em inglês antigo, embora seja o significado geral da palavra em idiomas cognatos (cf. *Drengist* acima). *Scírwendel*: ing.ant. *scír* "brilhante"; *wendel* não ocorre, mas certamente se refere ao formato sinuoso do curso de um rio — cf. *Withywindle* [Voltavime], o rio na Floresta Velha, acerca do qual meu pai observou: "-*windle* na verdade não ocorre (*Withywindle* foi baseado em *withywind*, um nome do convóvulo ou trepadeira)" (*Guide to the Names in The Lord of the Rings*, em *A Tolkien Compass*, p. 196).]

Taur-na-Danion: Furhweald [Em um acréscimo ao *Quenta* §9 (nota 1) *Taur Danin* é dado como o antigo nome de Taur-na-Fuin, quando a floresta até então era "salubre, ainda que densa e escura"; *Taur-na-Danion* aqui foi mudado para *Taur-na-Donion*, precursor de *Dorthonion* "Terra dos Pinheiros". Ing. ant. *furh* "abeto, pinheiro", *weald* "floresta".]

Taur-na-Fuin: Nihtsceadu, Nihtsceadwesweald, Atol Nihtegesa, Nihthelm unfæle [Ing.ant. *sceadu* "sombra"; *weald* "floresta"; *atol* "atroz, terrível"; *egesa* "terror"; *niht-helm* "coberta da noite", uma palavra composta poética encontrada em *Beowulf* e outros poemas; *unfæle* "maligno, mau". Cf. a tradução em inglês moderno, encontrada nas Baladas longas e no *Quenta*, "Forest of Deadly Nightshade" (Floresta da Sombra Mortal da Noite).]

Tindbrenting þe þa Brega Taniquetil nemnað ["Tindbrenting, que os Valar chamam de Taniquetil": ver III. 154, e quanto a *Brega*, ver Vala.]

Vala: Bregu [Ing.ant. *bregu* "governante, senhor", plural (não registrado) *brega*. Duas outras palavras foram acrescentadas à lista: *Mægen* "Poderes", que é usada no Quenta em inglês antigo, linha 6, e Ése (ver p. 241).]

Valinor: Breguland, Godéðel [Ing.ant. *éðel* "país, terra natal".]

Valmar: Godaburg, Bregubold [Ing.ant. *bold* "morada".]

Outra página fornece equivalentes em inglês antigo dos nomes das Gentes dos Elfos e dos príncipes dos Noldoli dispostos em uma tabela genealógica. Essa página tem o seguinte cabeçalho:

Fíras. Inclui tanto Homens como Elfos.

Isso contradiz o uso de *Fíras* no *Quenta* em ing.ant., onde a palavra aparece como uma emenda de *Elde* (linhas 10 e 12), usada como distinta de *Elfe*.

Depois, temos:

Fíra bearn
§I. Þæt eldre cyn: *Elfe* oþþe *Wine*

1. *Ingwine: lyftelfe, héahelfe, hwítelfe, Líxend.*   Godwine
2. *Éadwine: goldelfe, eorðelfe, déopelfe, Rǽdend.*   Finningas
3. *Sǽwine: sǽelfe, merepyssan, flotwine, Nówend.*   Elwingas

Wine só pode ser o ing.ant. *wine* (antigo plural *wine*) "amigo" (uma palavra usada por iguais, superiores e inferiores); mas o seu uso aqui como um termo geral equivalente a *Elfe* é curioso.

Dos nomes fornecidos para a Primeira Gente, *lyftelfe* contém o ing.ant. *lyft* "céu, ar"; *Líxend* "Brilhantes". A Segunda Gente: Éad no contexto dos Noldoli sem dúvida pode ser interpretado como "riquezas". Não tenho certeza do significado de *Rǽdend*, embora claramente se refira ao conhecimento e ao desejo por conhecimento dos Noldoli sob algum aspecto. *Finningas* "o povo de Finn" (*Ing* e *Finn* como as formas gnômicas de Ingwë e Finwë ainda eram encontradas em Q §2, apesar de terem sido removidas por

A FORMAÇÃO DA TERRA-MÉDIA

mudanças tardias no texto). A Terceira Gente: ing.ant. *merepyssa* "corredor-do-mar" (usado em poesias registradas em ing.ant. para navios); *flotwine* contém o ing.ant. *flot* "mar"; *Nówend* "marinheiros, capitães de navio".

Na tabela genealógica que se segue, Fëanor recebe em inglês antigo o nome de *Finbrós Gimwyrhta* ("Artífice-de-joias, Joalheiro"); visto que seus filhos são chamados aqui de *Brósingas* (de *Brósinga mene* "o colar dos Brósings" em *Beowulf*, verso 1199), *-brós* é presumivelmente uma derivação regressiva de *Brósingas*. Eles também são chamados de *Yrfeloran*: uma palavra composta não registrada, "aqueles privados de sua herança", os Despossuídos. Os *Brósingas*, ou filhos de Fëanor, são apresentados da seguinte forma:

1. *Dægred Winsterhand* [Ing.ant. *dægred* "alvorada, aurora"; *winsterhand* "canhoto" (pois a mão direita de Maidros foi decepada ao ser resgato das Thangorodrim, Q §8). Não posso esclarecer o equivalente em ing.ant. *Dægred* para Maidros, a não ser que uma anotação extremamente tardia sobre Maidros (Maedhros) seja relevante (pois ideias há muito enterradas, até onde se estendem os registros escritos, podiam emergir de novo muitos anos mais tarde): de acordo com essa anotação, ele herdou "o raro cabelo ruivo-acastanhado da família de Nerdanel" (Nerdanel era a esposa de Fëanor, *O Silmarillion*, p. 100), e era chamado "por seus irmãos e outros familiares" de *Russandol* "cocuruto-de-cobre".]
2. *Dægmund Swinsere* [Não posso explicar *Dægmund* para Maglor. O ing.ant. *mund* é "mão", e também "proteção"; *swinsere* (não registrado) "músico, cantor" (cf. *swinsian* "fazer música").]
3. *Cynegrim Fægerfeax* [Celegorm "Mechalva", isto é, louro. *Cynegrim* é provavelmente uma substituição por um nome em ing.ant. com alguma similaridade sonora.]
4. *Cyrefinn Fácensearo* [Curufin, o Matreiro. Ing.ant. *cyre* "escolha"; *fácen* "engodo, logro, manha, perversidade" (uma palavra de significado inteiramente ruim); *searu* "engenho, astúcia" (também com o significado ruim de "intriga, ardil, traição"); *fácensearu* "traição".]
5. *Colpegn Nihthelm* [Cranthir, o Moreno. Ing.ant. *col* "carvão"; quanto a *nihthelm*, ver *Taur-na-Fuin* acima.]

247

6. *Déormód* ⎫
7. *Tirgeld* ⎬ *huntan* [Damrod e Díriel, os caçadores. Ing.ant.
déormód "de coração valente"; *tír* "glória"; *-geld* (*-gild*) em
nomes, "de valor".]

Fingolfin aparece como *Fingold Fengel* (ing.ant. *fengel* "rei,
príncipe"; cf. III. 172), e seus filhos são *Finbrand* (isto é, Finweg/
Fingon) e *Finstán* (isto é, Turgon); o elemento *stán* "pedra" presumivelmente mostrando que *-gon* em *Turgon* é *gond* (*gonn*) "pedra",
ver I. 307. A filha de Fingolfin é *Finhwít* (isto é, Isfin), e Eöl é *Éor*;
Meglin é *Mánfrið* (uma palavra não registrada composta por *mán*
"ato maligno, perversidade" e *frið* "paz").

Finbrand* (isto é, Finweg/Fingon) aqui tem um filho, *Fingár*;
e a filha de *Finstán* (isto é, Turgon) é *Ideshild Silfrenfót* (isto é,
Idril Celebrindal).

Finrod* (isto é, o Finarfin tardio) é chamado *Finred Felanóþ*
(*felanóþ* "muito destemido"), e seus filhos são *Ingláf Felahrór* (isto
é, Felagund; *felahrór* possui o mesmo significado de *felanóþ*),
Ordred (isto é, Orodreth), *Angel* (isto é, Angrod), e *Eangrim* (isto
é, Egnor).

Ordred* (isto é, Orodreth) tem dois filhos, *Ordhelm* e *Ordláf*; sua
filha é *Friþuswíþ Fealuléome* (isto é, Finduilas *Failivrin*; *fealuléome*
talvez seja "luz dourada").

Por fim, há um quarto filho de Finwë mencionado nessa tabela:
Finrún Felageómor (*felageómor* "muito pesaroso").

O nome dado a Felagund, *Ingláf Felahrór*, é notável; pois
Felagund se tornaria o seu "apelido", e seu nome verdadeiro, *Inglor*
(como permaneceu até ser substituído muito mais tarde por Finrod,
quando o Finrod original se tornou Finarfin); ver p. 400.

℘

APÊNDICE 2
As Trompas de Ylmir

Este poema é inquestionavelmente o mencionado no *Quenta*,
p. 162: "o poderio e a majestade daquela visão estão contados na
canção de Tuor, que ele fez para seu filho, Eärendel". Ele existe em
três versões e cinco textos. A primeira versão, encontrada somente
em um manuscrito, consiste em 40 versos, que começam:

A FORMAÇÃO DA TERRA-MÉDIA

Lá do mar de voz profunda sento à ruinosa beira

e terminam:

e desperto na caverna, areia rasa, paz enfim.

(versos 15 e 66 no texto apresentado abaixo). Ao manuscrito à tinta meu pai acrescentou a lápis o título *As Marés*, junto com a anotação *4 de dez. de 1914* e *Na Costa da Cornualha*. Para a sua visita à Península Lizard na Cornualha no versão de 1914, ver Humphrey Carpenter, *Biografia*, pp. 101–02. Mas apesar de eu não ter encontrado nada mais antigo do que este texto, está claro pelas anotações de meu pai das versões subsequentes que ele se lembrava da origem do poema como sendo anterior àquela época.

A segunda versão tem o título *Cântico do Mar de Dias Antigos* (e, em inglês antigo, *Fyrndaga Sǽléoþ*), e existe em dois manuscritos que diferem somente em pequenos detalhes. O segundo possui algumas emendas menores e a data: *mar. de 1915 < dez. de 1914 < 1912*, e também *Clube de Ensaios* [do Exeter College, Oxford], *março de 1915*. Essa versão começa:

Num lugar obscuro e ermo, pelas sendas de procela,
Voz humana já não ouço, é dos dias o mais velho,
Lá do mar de voz profunda sento à ruinosa beira...

(isto é, ela começa no verso 13 no texto, p. 252) e possui dois versos adicionais após "areia rasa, paz enfim" (onde *As Marés* termina):

Encantado à luz do sol, em velhas vias de desordem
Voz humana não faz eco, é dos dias o mais velho.

É dessa versão, e não a de 1914, que Humphrey Carpenter cita os primeiros seis versos (*ibid.*, p. 105). O *Cântico do Mar* difere de *As Marés* tanto em extensão (possui 50 versos, enquanto o outro possui 40) como na reconstrução de muitos versos.

Junto ao segundo texto do *Cântico do Mar*, meu pai escreveu a lápis:

Essa é a canção que Tuor cantou a Eärendel, seu filho, na época em que os Exilados de Gondolin habitaram por um tempo em Dor Tathrin, a Terra dos Salgueiros, após o incêndio de sua cidade. Ora, Tuor foi o primeiro dos Homens a ver o Grande Mar, mas, guiado por Ulmo em direção a Gondolin, ele deixou as costas do Oceano e, passando pela Terra dos Salgueiros, ficou encantando com a beleza do lugar, e esqueceu-se tanto de sua demanda como de seu antigo amor pelo mar. Ora, Ulmo, senhor de Vai, vindo em seu carro do mar profundo, sentou-se ao crepúsculo nos caniços do Sirion e tocou para ele em sua flauta mágica de conchas ocas. Depois disso, Tuor sempre ansiou pelo mar e não tinha paz no coração se habitasse em lugares agradáveis afastados da costa.[*]

Esse trecho evidentemente tem seu lugar no conto *A Queda de Gondolin* (ver especialmente II. 188–91), e sem dúvida foi acrescentado na época da composição daquele conto (e da terceira versão do poema), uma vez que o *Cântico do Mar* não possui qualquer ponto de contato com a lenda de Tuor, nem mesmo com qualquer elemento da mitologia.

A terceira versão, intitulada *As Trompas de Ulmo*, existe em um manuscrito e em um texto datilografado feito diretamente com base nele, e é só agora que as referências a Ulmo e Ossë (e ao despedaçamento da Terra pelos Deuses na escuridão primeva) aparecem no poema. Uma anotação no manuscrito, escrita na mesma época que o poema, diz o seguinte:

> 1910–11–12 reesc[rito] & remodelado com frequência. Forma atual se deve à reescrita e ao acréscimo da introd[ução] & fim numa casa solitária perto de Roos, Holderness (Acampamento Thistle Bridge), primavera de 1917

(Quanto a Roos, ver Humphrey Carpenter, *Biografia*, p. 137.) Uma anotação adicional a lápis acrescenta: "poema para 'A Queda de Gondolin'".

---

[*] *Dor Tathrin* ocorre na Lista de Nomes de *A Queda de Gondolin*, II. 415, e o "carro do mar profundo" de Ulmo no conto *O Acorrentamento de Melko*, I. 128–29.

A FORMAÇÃO DA TERRA-MÉDIA

Assim, a absorção do poema na lenda de Tuor e Eärendel ocorreu praticamente ao mesmo tempo em que o conto de *A Queda de Gondolin* era escrito (ver I. 245, II. 179–80); ele deveria ter sido apresentado em *O Livro dos Contos Perdidos, Parte II*.

Algumas pequenas emendas foram feitas no manuscrito de *As Trompas de Ulmo*, notavelmente *Ulmo > Ylmir* (sendo este último a forma gnômica, encontrada na *Balada dos Filhos de Húrin* e no "Esboço"), e a segunda referência a Ossë (versos 41–2, em substituição a dois versos anteriores). O texto datilografado é essencialmente o mesmo do manuscrito (com as palavras "de 'A Queda de Gondolin'" acrescentadas abaixo do título), mas possui algumas pequenas alterações feitas com uma caneta esferográfica vermelha que, portanto, pertencem a uma época muito posterior. Essas mudanças tardias não foram incorporadas ao texto apresentado aqui, mas são dadas nas notas após o poema.

As Trompas de Ylmir
de
"A Queda de Gondolin"

"Tuor recorda num canto, cantado a seu filho Eärendel,
as visões que as conchas de Ylmir outrora lhe despertaram
ao crepúsculo, na Terra dos Salgueiros."

É na Terra dos Salgueiros, longa e verde a relva ali —
Eu dedilho minha harpa; sem ser visto vem um vento
A falar nas verdes copas, e as vozes pelas canas
Como canas lá sussurram, já se põe o sol no prado,
5   Mágicas canções da terra que só tecem os caniços —
É na Terra dos Salgueiros, Ylmir chega no ocaso.

Junto ao rio, ao pôr do sol, tem de concha a sua trompa,
Toca música imortal pro coração sob seu encanto
No crepúsculo romper-se, se desfazem turvos prados
10   Na enorme água cinza, junto às rochas onde há aves.

Em meu derredor lá choram, junto ao penhasco negro,
A primeva luz dos astros reluz pálida no céu.
Num lugar obscuro e ermo, pelas sendas de procela,

O QUENTA

Voz humana já não ouço, é dos dias o mais velho,
15   Lá do mar de voz profunda sento à ruinosa beira,
Seu rugido, sua espuma esvai-se ali em ritmo infindo
Sobre a terra sitiada em ataque que é eterno,
Rota em torres, rota em covas de caverna abobadada;
No trovão fremem os arcos, a seus pés se juntam vultos
20   Rotos em marinho prélio com os negros promontórios.

Eis! procela aguerrida vem rugir após as vagas
E dos ventos soa a trompa, e o mar gris já canta e brada,
Ira branca ali desperta, sua hoste ergue em guerra,
Qual tropel de fortes ondas vai bater na margem-muro.
25   Mas o forte em vento armado dessa alta, virgem costa
Já rechaça o apalpar das velhas hostes da maré;
Já rechaça o assalto inquieto que, tentáculo de polvo,
O enrola, o arrasta, sem cessar suga e agarra.
Um suspiro, um murmúrio já se ergue na vanguarda,
30   E reúnem-se as torrentes, saltam, correm lá as vagas,
Té corcéis de branca espuma irromperem, vaga verde —
Maré doida que atropela — belicoso canto ardente.

Vêm com ira grandes ondas, cristas, torres de escuma,
E o que cantam esses mares é de ira insondada,
35   No tumulto enorme sopram lá de Ossë as trombetas,
Da maré a voz é intensa, mais intenso o Alto Vento;
Com zumbidos, com apitos do oceano o ar profundo,
Branca espuma, branco sopro sobre o estrondo em voz
aguda;
A rajada sopra a trança do alto mar por sobre a terra
40   E o ar de espuma pleno rodopia em seu percurso
De batalha em batalha té o poder do oceano
Em montanha se unir junto aos medonhos pés de Ossë,
Domo d'água retumbante se chocar à negra penha
E a calamitosa fonte se abater em grã cascata.

*   *   *

45   Ouço o hino do Oceano que se ergue e decai,
Como pio das gaivotas e a vaga a trovejar;
E das águas o volume, e das ondas ouço o canto

A FORMAÇÃO DA TERRA-MÉDIA

Cujas vozes voltam sempre, nas cavernas se embrenham,
E de ecos uma fuga em rocha úmida se abate
50 Ergue-se, depois se mescla em uníssono zumbido —
Melodia das mais graves que no fundo se agitam,
E dos mares cada voz àquele som se vem unir;
Ylmir, o Senhor das Águas, cuja mão a todos cala,
Faz o mar obedecer à sua possante harmonia,
55 Já se escoa aquela água, alça os ombros nus a Terra,
Entre os ares, nuvens vagas e a chuva rumo ao mar,
Té que verdes remoinhos e a batida das marolas
Minha pedra ilhada alcançam, e só resta o chamado
Dumas olvidadas aves, do arrastar de velhas asas.
60 Com murmúrios vem o sono, sonho antigo, mais
longínquo
(Solitário à meia-luz, em velhas vias de desordem
Voz humana já não ouço, é dos dias o mais velho,
Mundo em caos, os Grandes Deuses nossa Terra dilaceram
Na procela e na treva antes de nascermos nós),
65 Té partirem as marés, morrer o Vento e o canto,
E desperto na caverna, areia rasa, paz enfim.

De mim foge a magia, a canção solta as amarras —
Clamam conchas muito longe — eis! de volta estou na
terra
E no prado dos salgueiros que lá crescem em meu torno,
70 Lá se agita a longa relva, os meus pés andam no orvalho
Só farfalham os caniços, mas a névoa sobre os rios
Fumo é do mar longínquo, resto de salgado sonho.
É na Terra dos Salgueiros que ouço sopro desmedido
Que de Ylmir são as Trompas — eu as ouço até morrer.[A]

NOTAS

Abaixo estão as mudanças tardias feitas no texto datilografado,
mencionadas na p. 251:

1 e 6 *'Twas* para *It was*
16 O verso foi mudado para: *Whose endless roaring music crashed in foaming
harmony,* e marcado com um X
21 *roaring* para *rolling*

O QUENTA

28 O verso foi marcado com um X, sendo mais provável principalmente em virtude do uso de *did* (*cf.* III. 187)

65 O verso foi mudado para: *Till the tides went out, and the Wind ceased, and all sea musics died* (mas isso destrói a rima).

72 "sea-roke": *roke* é uma palavra em inglês medieval preservada até recentemente em dialeto com o significado de "bruma, neblina, garoa".

4

O PRIMEIRO MAPA
DO "SILMARILLION"

Este mapa foi feito em uma folha de prova da Universidade de Leeds (assim como a maioria do texto A da *Balada dos Filhos de Húrin*, III. 12), que sugere que o mapa teve origem relacionado com a Balada, ou talvez com o "Esboço da Mitologia", que foi escrito para acompanhá-lo (p. 18). Por outro lado, alguns nomes que parecem pertencer à primeira elaboração do mapa não aparecem nos textos antes do *Quenta*. Apesar de inicialmente não ter sido desenhado de um modo que sugerisse que meu pai pretendia que ele durasse, esse foi o seu mapa de trabalho por muitos anos, e foi muito manuseado e alterado. Nomes foram emendados e locais reposicionados; a escrita foi feita à tinta vermelha, preta, verde, lápis e giz de cera azul, frequentemente se sobrepondo uns aos outros. Linhas que representam contornos e outras que representam rios misturam-se com linhas de redirecionamento e linhas que anulam outras linhas. No entanto, é surpreendente que os cursos de rios como traçados nesse primeiro mapa praticamente não foram modificados posteriormente.

Há duas folhas suplementares associadas ao mapa que fornecem uma extensão oriental e uma ocidental ao mapa principal ou central; essas folhas são reproduzidas abaixo e anotadas subsequentemente (pp. 269 ss.). O mapa principal encontra-se numa única folha, mas é reproduzido aqui em duas metades, norte e sul. Os nomes à tinta vermelha parecem todos pertencer à "camada" original de nomes, como também alguns (por exemplo, *Huan*, *Mavwin*, *Turgon*) daqueles à tinta preta; mas *Taiglin* e *Geleidhian*, em vermelho, não ocorrem de outra forma antes do *Quenta*. Há poucos escritos em verde: *Broseliand*; *Gnomes* [Gnomos] na metade norte ao lado de Gondolin, e na metade sul ao lado de Nargothrond; e *Wandering Gnomes* [Gnomos Errantes] no Sudeste.

O PRIMEIRO MAPA DO "SILMARILLION"

Na lista em ordem alfabética abaixo, analiso uma metade de cada vez* e comento quase todos os itens, salientando especialmente onde o nome em questão aparece pela primeira vez nos textos narrativos.

A Metade Norte do Mapa

Aglon, Gorge of [Aglon, Garganta de] O nome em si é um acréscimo apressado tardio. A Garganta de Aglon ocorre pela primeira vez na *Balada de Leithian* (versos 2062, 2995, passagens compostas em 1928). Na Balada e no Q (§§9, 10), a Garganta é a morada dos Filhos de Fëanor, que são colocados no mapa ao Norte dela (e circulados com uma seta apontando para o Leste).

Angband O posicionamento de Angband em relação às Thangorodrim mostra como meu pai as visualizava na época das longas Baladas e do "Esboço". Na *Balada dos Filhos de Húrin* (versos 712–14), os "infames salões do Inferno" são

presos às raízes   das hórridas ravinas
das Thangorodrim,   montanhas trovejantes.

Na *Balada de Leithian* (versos 3526 ss.) o portão de Angband parece claramente ficar situado abaixo das Thangorodrim; e no Esb (§8) as Thangorodrim são "as maiores das Montanhas de Ferro ao redor da fortaleza de Morgoth". Ver mais no comentário sobre o *Ambarkanta*, pp. 306–07.

Angeryd As Montanhas de Ferro. Cf. *Angorodin* no *Conto de Turambar* (II. 99).

Angrin Aiglir *Aiglir Angrin* ocorre duas vezes na *Balada dos Filhos de Húrin* (versos 711, 1055), emendado posteriormente para *Eiglir Engrin* (em *O Silmarillion, Ered Engrin*).

---

* A lista de nomes da metade norte inclui nomes que seguem para o sul até a dobra no mapa original, que pode ser vista nas reproduções; assim, *Ginglith, Esgalduin, Thousand Caves* [Mil Cavernas] aparecem na primeira lista, mas *Doriath beyond Sirion* [Doriath além do Sirion], *Aros* na segunda.

256

A FORMAÇÃO DA TERRA-MÉDIA

Aryador   Esse nome reaparece, de forma um tanto surpreendente, dos *Contos Perdidos*, como um terceiro nome de Hithlum. No conto *A Vinda dos Elfos* (I. 148), é dito que Aryador é o nome de Hisilómë entre os Homens; ver também I. 302.

Battle of Unnumbered Tears [Batalha das Lágrimas Inumeráveis]   O Monte dos Mortos fica situado na *Balada dos Filhos de Húrin* (versos 1439 ss.) "na última ponta das dunas ressequidas de Dor-na-Fauglith" (Flinding e Túrin estavam vagando para o oeste, verso 1436); cf. também Q §11: "Finweg e Turgon e os Homens de Hithlum foram reunidos no Oeste nas fronteiras da Planície Sedenta".

Beleg e Túrin   Esses nomes marcam a fronteira norte de Doriath, onde Beleg e Túrin lutaram juntos contra os Orques, um elemento que entrou na história pela primeira vez na *Balada dos Filhos de Húrin* (ver III. 39).

Cristhorn   Situada nas montanhas ao norte (e não, como o era originalmente, ao sul) de Gondolin, tal como já era no fragmento da *Balada de Eärendel* aliterante (III. 173).

Deadly Nightshade, Forest of [Sombra Mortal da Noite, Floresta da]   Ver *Taur-na-Fuin*.

Dorlómin   Ver *Hithlum*.

Dor-na-Fauglith   Esse nome surgiu durante a composição da *Balada dos Filhos de Húrin* (ver III. 72), onde também se encontra *the Thirsty Plain* [a Planície Sedenta]. No mapa essa é uma emenda de *The Black Plain* [A Planície Negra].

Dwarf-road to Belegost and Nogrod in the South [Estrada-anânica para Belegost e Nogrod no Sul]   É interessante que a Estrada--anânica seja mostrada indo desde Nogrod e Belegost no Sul distante até as próprias portas das Mil Cavernas. É possível, ainda que não muito provável, que a "Estrada-anânica" no mapa simplesmente indique o caminho que os Anãos de fato tomaram quando foram convocados a Doriath, e não uma estrada usada com frequência.

O PRIMEIRO MAPA DO "SILMARILLION"

Eredwethion   Uma substituição tardia de *Eryd Lómin*, como também em Q II §15 (nota 1).

Eryd Lómin   Esse nome ocorre na legenda da pintura de Tol Sirion de julho de 1928, onde, como no mapa e em Q II §15, refere-se às Montanhas Sombrias; ver p. 222.

Esgalduin   Encontrado pela primeira vez na *Balada dos Filhos de Húrin* (III. 116). É dito no Q (§9) que ele "vinha de nascentes secretas em Taur-na-Fuin"; ver *Shadowy Spring* [Nascente Sombria]. O curso do Esgalduin não foi mudado posteriormente.

Ginglith   Ocorre pela primeira vez na *Balada dos Filhos de Húrin* (III. 108–09). Seu curso nunca foi mudado.

Gondolin   Situada onde viria a permanecer. As linhas que passam ao sul e a oeste das Montanhas Circundantes talvez representem a "Via de Escape" oculta.

Hithlum   Obviamente a intenção não era de que Hithlum se estendesse ao sul das *Shadowy Mountains* [Montanhas Sombrias], apesar do posicionamento do M. As linhas de contorno mostram que as Montanhas de Mithrim ainda não existiam. *Dorlómin* é dado como um nome alternativo, como o é no Esb e no Q (§8), onde o Lago Mithrim fica situado em Hisilómë/ Hithlum/Dorlómin; no mapa, *Mithrim* é simples e unicamente o nome do lago (cf. III. 127).

Huan   O fato de um território, ao sul e a leste de Ivrin, ser designado a Huan mostra um estágio muito antigo da lenda de Beren e Lúthien, quando Huan era independente de qualquer senhor (ver III. 288).

Isle of the Werewolves [Ilha dos Lobisomens]   A Ilha aparece pela primeira vez na *Balada de Leithian* na passagem escrita em março de 1928 (ver III. 277). Originalmente marcado no mapa a S.O. de Gondolin, e com o rio Sirion dividindo de maneira ampla e circundando uma grande ilha, esse local foi riscado, e uma seta aponta daqui para uma posição mais ao norte, não

O Mapa

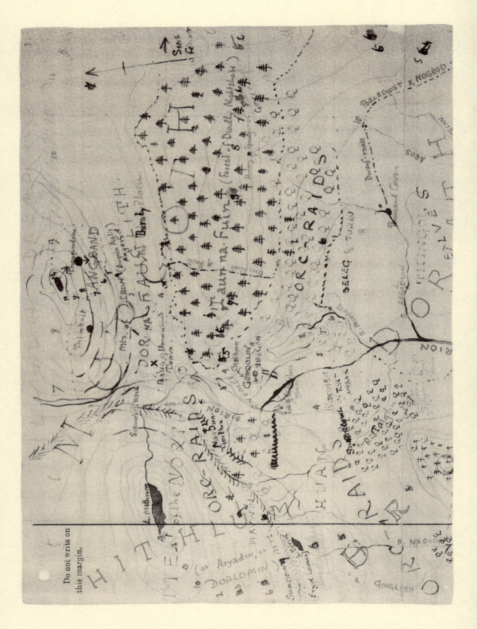

A Metade Norte do Primeiro Mapa do "Silmarillion"

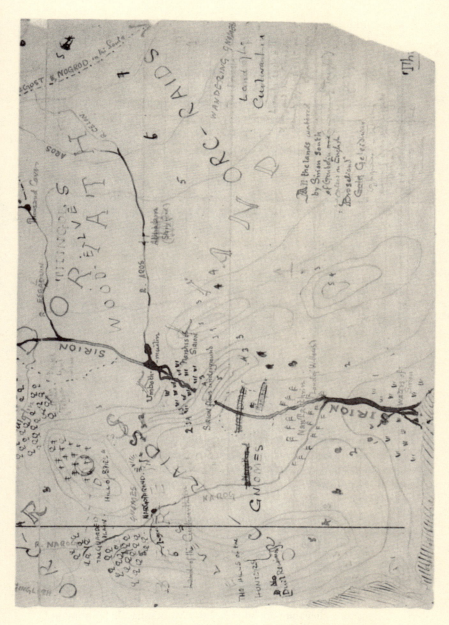

A Metade do Sul do Primeiro Mapa do "Silmarillion"

O PRIMEIRO MAPA DO "SILMARILLION"

muito ao sul do campo de batalha das Lágrimas Inumeráveis. O mapa posterior a trouxe de volta um tanto para o sul.

Ivrin, Lago   Ocorre pela primeira vez na *Balada dos Filhos de Húrin* (verso 1526); está situado no mapa na posição que creio ser indicada na Balada (ver III. 108), e onde permaneceu.

Land of Dread [Terra do Terror]   Ocorre duas vezes na *Balada de Leithian* (versos 49, 383) referindo-se ao reino de Morgoth.

Mavwin   É curioso que o mapa preserve o nome antigo, que remonta ao *Conto de Turambar*, pois já se encontra *Morwen* na segunda versão da *Balada dos Filhos de Húrin* (III. 117) e no Esb. No Esb (§9) Húrin e Morwen "viviam nos bosques nas fronteiras de Hithlum".

Mindeb   Ocorre pela primeira vez na *Balada de Leithian*, verso 2924 (abril de 1928).

Mithrim, Lago   Ver *Hithlum*.

Mountains of Iron [Montanhas de Ferro]   Ver *Angeryd, Angrin Aiglir*.

Nan Dun-Gorthin   Conforme o mapa foi originalmente desenhado, o vale ficava situado a oeste do Sirion, a S.O. de Gondolin e muito próximo da Ilha dos Lobisomens (tal como esta ficava situada originalmente). Esse não pode ser o mesmo posicionamento do presente na *Balada da Queda de Gondolin* (III. 180), onde a porta oculta de Gondolin na verdade ficava "em Dungorthin".

Subsequentemente *Nan-Dungorthin* foi riscado e o nome foi escrito de novo mais ao norte, ainda a oeste do Sirion, mas logo abaixo das *Shadowy Mountains* [Montanhas Sombrias]. Essa posição é claramente a da *Balada dos Filhos de Húrin*, onde Túrin e Flinding passaram pelo local da Batalha das Lágrimas Inumeráveis, atravessaram o Sirion não muito longe de sua nascente e chegaram ao "sopé [...] das Montanhas de Sombra onde entraram no vale de Nan Dungorthin (ver III. 76, 107–08).

A FORMAÇÃO DA TERRA-MÉDIA

Posteriormente de novo, uma seta foi traçada movendo Nan Dungorthin para uma posição a leste do Sirion e ao norte de Doriath, e assim mais ou menos para a posição de Nan Dungorthin (Nan Dungortheb) no mapa posterior.

Orcs' Road of Haste [Estrada-órquica de Presteza]   Cf. Esb §12: "[a] estrada-órquica... que os Orques usam quando necessitam de presteza".

Shadowy Mountains [Montanhas Sombrias]   Ocorre pela primeira vez na *Balada dos Filhos de Húrin* (ver III. 42). Ver *Eryd Lómin*.

Shadowy Spring [Nascente Sombria]   É notável que os rios Aros e Esgalduin nasçam no mesmo lugar, na Nascente Sombria (não mencionada previamente por nome nos textos; ver *Esgalduin*). No mapa posterior, no qual foi baseado o meu mapa no *Silmarillion* publicado, esse ainda é o caso, e o meu mapa, que mostra as duas nascentes separadas, infelizmente está errado.

Silver Bowl [Bacia de Prata]   Mostrada no próprio Taiglin (e não, como posteriormente, no afluente Celebros), como no *Conto de Turambar* e ainda no Esb e no Q (§13).

Sirion   O curso do rio nunca foi mudado; no mapa posterior meu pai seguiu precisamente o mais antigo.

Sirion's Well [Nascente do Sirion]   É mencionada na *Balada dos Filhos de Húrin* (verso 1460). O local permaneceu inalterado.

Sons of Fëanor [Filhos de Fëanor]   Ver *Aglon*.

Taiglin   Esse parece ser um elemento original no mapa, embora o nome não ocorra de outra maneira até o *Quenta*, §13 (ver pp. 211–12).

Taur-na-Fuin   Esse nome (para *Taur Fuin* dos *Contos Perdidos*) e sua tradução *Deadly Nightshade* [Sombra Mortal da Noite] ocorrem pela primeira vez na *Balada dos Filhos de Húrin* (III. 72).

Thangorodrim   Ver *Angband*.

263

O PRIMEIRO MAPA DO "SILMARILLION"

Thimbalt   Esse nome não ocorre em nenhum outro lugar. Não é está claro pelo mapa o que ele representa, mas visto que uma área marcada por pontilhado cerca Angband e uma área similar cerca Thimbalt, parece provável que essa fosse outra fortaleza. Thimbalt foi riscado a lápis.

Thirsty Plain [Planície Sedenta]   Ver *Dor-na-Fauglith. Thirsty* [Sedenta] é uma emenda à tinta preta de *Black* [Negra] à tinta vermelha.

Thousand Caves [Mil Cavernas]   Ocorre pela primeira vez na *Balada dos Filhos de Húrin.* O local está situado aqui onde viria a permanecer, onde o Esgalduin volta-se para oeste na direção do Sirion.

Woodmen of Turambar [Homens-da-floresta de Turambar]   Esse é o segundo e posterior posicionamento dos Homens-da-floresta no mapa; ver as notas acerca da metade sul.

A Metade Sul do Primeiro Mapa

Aros, Rio   *Aros* só havia sido mencionado por nome até então no *Conto do Nauglafring,* onde, após o saque de Artanor (Doriath), os Anãos, na jornada de lá até os seus lares no Sul (II. 271–72), tiveram de passar pelo "torrente feroz" Aros em Sarnathrod, o Vau Pedregoso (II. 284). Também é dito no mesmo lugar que o Aros, próximo à sua nascente, passava pelas portas da Cavernas dos Rodothlim, embora ao lado disso meu pai tenha escrito posteriormente (II. 292 nota 15) "Não [?este] é o Narog"; enquanto no *Conto de Turambar* é dito (II. 104) que as Cavernas ficavam acima de uma torrente que "descia, alimentando o rio Sirion". Não tenho certeza sobre como interpretar isso. Caso se suponha que o Vau Pedregoso no *Conto do Nauglafring* ficava no Aros (posterior), então as Cavernas dos Rodothlim também ficavam naquele rio, o que é mais improvável. Por outro lado, se Aros fosse simplesmente o nome anterior do Narog, surge a questão de por que os Anãos, ao fugirem de Artanor, estariam indo nessa direção.

De modo geral, estou inclinado a pensar que a frase no *Conto do Nauglafring* que diz que o Aros passava pelas Cavernas dos Rodothlim foi uma confusão momentânea num texto escrito numa rapidez muito grande (II. 267), e que o Vau Pedregoso (mas *não* as Cavernas) sempre ficou no Aros, tendo esse rio sempre possuído esse nome. Sendo assim, essa ainda é a geografia do mapa (tal como originalmente indicada nesse particular), onde *Athrasarn* (*Stony Ford* [Vau Pedregoso]) foi colocado no Aros entre Umboth-muilin e a confluência do Celon. Nessa época, a *Land of the Cuilwarthin* [Terra dos Cuilwarthin] ficava ao Norte dos *Hills of the Hunters* [Morros dos Caçadores]; e, portanto, na história sugerida pelo mapa, Beren e os seus Elfos atravessaram o Sirion a partir dessa terra e emboscaram os Anãos nos confins meridionais de Doriath. Não está claro por que os Anãos não tomaram a Estrada-anânica a partir das Mil Cavernas, que cruzava o Aros muito mais acima; quanto a essa questão, ver a nota sobre a *Dwarf-road* [Estrada-anânica] na metade norte do mapa.

Antes de o primeiro mapa ser deixado de lado a ideia havia mudado, e quando a *Land of the Cuilwarthin* [Terra dos Cuilwarthin] foi movida para leste (ver a nota sobre *Beren*), o *Stony Ford* [Vau Pedregoso] também foi movido para leste; quanto à história tardia, ver a Expansão a Leste deste mapa.

Athrasarn (*Stony Ford* [Vau Pedregoso])   Ver *Aros*.

Beren   O primeiro posicionamento de *Beren* e *Land of the Cuilwarthin* [Terra dos Cuilwarthin] (Terra dos Mortos que Vivem), ao Norte dos *Hills of the Hunters* [Morros dos Caçadores] e nas proximidades de Nargothrond, está de acordo com a *Balada dos Filhos de Húrin*, versos 1545–546 (ver III. 110), e também ainda se encontra assim no Esb (§10). Nos *Contos Perdidos*, os Mortos que Vivem de Novo eram (*i•)Guilwarthon*, mudado no *Conto de Tinúviel* (II. 55) para *i•Cuilwarthon*; no Q (§14) a terra é chamada *Cuilwarthien*, mudada para *Gwerth-i-cuina*.

Subsequentemente, *Beren* e *Land of the Cuilwarthin* foram riscados nessa posição, e *Land of the Cuilwarthin* foi reinserido muito mais a Leste, nas terras vazias entre o Sirion e o Gelion. Esse nome foi mais uma vez riscado, a lápis, com a anotação "*Lies to the east of this and beyond the Great Lands of the East and of wild men*" ["Situa-se a leste daqui e além das Grandes Terras do Leste e dos homens selvagens"] (sobre a qual ver *Beren e Lúthien* e *Great Lands* [Grandes Terras] na Expansão a Leste do mapa).

O PRIMEIRO MAPA DO "SILMARILLION"

No Q (§14) a Terra dos Mortos que Vivem fica em Assariad (> Ossiriand), "entre o rio [Gelion] e as montanhas [Azuis]".

Broseliand Esse nome ocorre pela primeira vez na *Balada de Leithian*, com a grafia *Broceliand* (III. 192–93, 204); *Beleriand* aparece pela primeira vez (isto é, como datilografada originalmente, e não como uma emenda de *Broseliand*) em Q §13, e na *Balada de Leithian* no verso 3957. *Broseliand* também ocorre na anotação à tinta vermelha no canto sudeste do mapa; o nome é apresentado com suas alterações posteriores ao final destas notas acerca da metade sul.

Celon, Rio Esse nome não ocorreu em nenhum texto até então. O curso do Celon é o mesmo que o do mapa posterior, com o rio subindo (na Expansão a Leste do presente mapa) em Himling.

Cuilwarthin, Land of the [Terra dos Cuilwarthin] Ver *Beren*.

Doriath Creio que os limites de Doriath estão representados pelo Mindeb, pela linha pontilhada (acima de "Beleg e Túrin") entre o Mindeb e o Aros, então pelo Aros e o Sirion até a linha pontilhada que circunda "*Doriath beyond Sirion*" [Doriath além do Sirion], voltando ao Mindeb.

Doriath beyond Sirion [Doriath além do Sirion] É dito no Q (§13) que o Taiglin "adentra a terra de Doriath *antes de se juntar* às grandes águas do Sirion". Como um nome, "Doriath além do Sirion" só ocorreu em uma anotação sobre o manuscrito do *Conto do Nauglafring* (II. 298–99).

Duil Rewinion Esse nome dos Morros dos Caçadores (também na Expansão a Oeste do mapa) não é encontrado em nenhum outro lugar.

Dwarf-road [Estrada-anânica] Ver *Aros*.

Geleidhian Ocorre na anotação no canto do mapa, como o nome gnômico de Broseliand. É encontrado em acréscimos ao Q, §9 (nota 2) e §10 (nota 15); ver p. 198.

Guarded Plain, The [Planície Protegida, A] Ocorre pela primeira vez na *Balada dos Filhos de Húrin* (III. 109). No mapa posterior o nome está escrito sobre uma área muito maior mais para o Nordeste, e fora dos limites do reino de Nargothrond como mostrado naquele mapa (ver *Realm of Narog beyond Narog* [Reino de Narog além do Narog]).

Hill of Spies [Monte dos Espiões] Esse nome aparece pela primeira vez em Q §13 (ver p. 212). Se, como pareceria natural, o Monte dos Espiões for a elevação marcada por linhas radiais um pouco a leste de Nargothrond, o nome em si está colocado estranhamente distante do monte, e parece antes se referir ao planalto que se eleva a N.E. de Nargothrond, entre o Narog e o Taiglin.

Hills of the Hunters, The [Morros dos Caçadores, Os] Mencionados por nome pela primeira vez na *Balada dos Filhos de Húrin*, embora tenham sido descritos sem serem nomeados no *Conto de Turambar*; ver minha discussão, III. 108–09. No mapa, os Morros dos Caçadores são mostrados estendendo-se bastante para o sul na direção do litoral, com o Narog virando-se para o sudeste ao longo da linha dos Morros; e há uma elevação afastada acima do cabo sem nome no canto S.O. do mapa (posteriormente o Cabo de Balar).

Ingwil Ocorre pela primeira vez na *Balada dos Filhos de Húrin* (III. 109–10).

Lúthien caught by Celegorm [Lúthien capturada por Celegorm] Na *Balada de Leithian* (versos 2342–347), Celegorm e Curufin, em caçada vindos de Nargothrond com Huan, na ocasião da captura de Lúthien cavalgaram por "três dias", até que

> quase a Doriath seu avanço
> os leva; lá têm seu descanso.

Marshes of Sirion [Brejos do Sirion] No mapa posterior chamados de "Pântanos do Sirion".

Nan Tathrin (Land of Willows) [Terra dos Salgueiros] Quanto ao nome *Nan Tathrin*, ver III. 110. A região já se situava

O PRIMEIRO MAPA DO "SILMARILLION"

essencialmente dessa forma no conto *A Queda de Gondolin* (ver II. 188, 262), e em Q §16 Nan-Tathrin "é regada pelo Narog e pelo Sirion".

Nargothrond   Nargothrond primeiro se situava mais ao Sul e mais próximo da confluência com o Sirion; o segundo local foi onde ele permaneceu — mas é curioso que em ambos os locais o reino esteja marcado como situado do lado leste do rio: na *Balada dos Filhos de Húrin* ele ficava no lado oeste (cf. verso 1762), e, acredito, sempre ficou. (No mapa da Expansão a Oeste isso foi corrigido.)

Em Q §9, após a Batalha da Chama Repentina Barahir e Felagund "fugiram para os pântanos do Sirion, ao Sul"; e, após fazer o seu juramento a Barahir, Felagund "rumou para o Sul" (emendado para "Sul e Oeste") e fundou Nargothrond. Isso na verdade apontaria para o primeiro local de Nargothrond no mapa, visto que o segundo local fica a Oeste dos pântanos.

Narog   Ocorre pela primeira vez na *Balada dos Filhos de Húrin*. O curso do rio praticamente não foi mudado subsequentemente.

Realm of Narog beyond Narog [Reino de Narog além do Narog]   Essa anotação foi acrescentada ao mapa às presas em giz de cera azul, junto com a linha interrompida que indica suas fronteiras. No mapa posterior, o "Reino de Nargothrond além do rio" abrange um território muito maior ao Nordeste (ver *Guarded Plain* [Planície Protegida]).

Sirion   Ver notas acerca da metade norte.

Sirion flows underground [Sirion corre por baixo da terra]   Ver *Umboth-muilin*. A queda do Sirion também é mencionada na *Balada dos Filhos de Húrin*, versos 1467–468.

Umboth-muilin   O nome remonta ao *Conto do Nauglafring* (II. 271). Sabe-se pela *Balada de Leithian* (versos 1722 ss.) que os Alagados do Crepúsculo ficavam ao norte da queda e da passagem subterrânea do Sirion, enquanto no conto *A Queda de Gondolin* a localização era reversa (ver II. 262, III. 264).

268

A FORMAÇÃO DA TERRA-MÉDIA

Waters of Sirion [Águas do Sirion]   Cf. Esb §16 "O remanescente alcança o Sirion e viaja para a terra em sua foz — as Águas do Sirion", e §17 "Ele retornou para casa e achou as Águas do Sirion despovoadas".

Woodmen of Turambar [Homens-da-floresta de Turambar]   Os Homens-da-floresta inicialmente ficavam situados a uma distância muito grande de sua localização posterior — ao sul da passagem subterrânea do Sirion e ao norte de Nan Tathrin, com sua terra (mostrada por uma linha pontilhada) estendendo-se em ambos os lados do rio. Essa posição é bastante contraditória ao que foi dito no *Conto de Turambar* (II. 115): "aquele povo tinha casas [...] em terras que não estavam completamente distantes do Sirion ou das colinas relvadas no curso médio daquele rio", que, como eu disse (II. 173) "pode-se dizer que isso está em consonância aceitável com a situação da Floresta de Brethil". O primeiro posicionamento do nome foi riscado, e o segundo está de acordo com o Q (§13): "suas casas ficavam nas matas verdes ao redor do Rio Taiglin, que adentra a terra de Doriath antes de se juntar *às grandes águas do Sirion*".

Anotação no canto sudeste do mapa, à tinta vermelha com acréscimos posteriores a lápis:

Todas as terras banhadas pelo Sirion ao sul de Gondolin [*acrescentado*: ou mais comumente o R. Taiglin] são chamadas em inglês "Broseliand", *Geleidhian* pelos gnomos. [*Acrescentado*: — mas essas geralmente não incluem Doriath. Sua divisa oriental não aparece. É as Montanhas Azuis.]

É interessante ser dito que *Broseliand* é o nome inglês; e que Doriath geralmente não é incluída em Broseliand.

Por fim, pode-se mencionar que não há vestígio no mapa posterior dos planaltos que se erguem no lado oriental do curso inferior do Sirion.

AS EXPANSÕES A OESTE E A LESTE DO MAPA

Esses mapas suplementares foram desenhados em relação ao mapa principal ou central e com sobreposições substanciais a ele: estão consideravelmente de acordo com ele em todos os elementos onde se sobrepõem. Essas folhas foram traçadas com cuidado, mas as marcações em si foram feitas levemente a lápis e com extrema rapidez, e agora estão muito tênues; o papel é fino e os mapas estão desgastados. Algumas alterações e acréscimos foram feitos à tinta (alguns dos rios de Ossiriand estão escritos à tinta e alguns a lápis).

As anotações nesses mapas suplementares incluem quase todos os nomes que não ocorrem no mapa principal e alguns que ocorrem em ambos possuem características interessantes nas expansões.

A Expansão a Oeste

Bridge of Ice [Ponte de Gelo]   As palavras no canto N.O. "*Far north lies the bridge of Ice*" ["Longe ao norte fica a ponte de Gelo"] referem-se ao Helkaraksë, mas o significado da palavra "ponte" só é explicado no *Ambarkanta* (ver p. 282).

Brithombar (e *Eldorest*)   Esta é a primeira ocorrência dos Portos da Falas. O fato de Ossë ter persuadido alguns dos Teleri a permanecerem "nas praias do mundo" é mencionado em Q §3; e em uma reescrita tardia de uma passagem em Q §11 (nota 14) é feita uma referência à presença de Elfos "da Falas" antes da Batalha das Lágrimas Inumeráveis.

Brithon, Rio   A primeira ocorrência do nome, assim como de *Brithombar*, o porto em sua foz. Pode ser vista a imposição tardia sobre o litoral como desenhado originalmente da foz do rio e do longo cabo que dava proteção ao porto.

Celegorm e Curufin   São mostrados como senhores de um "feudo" a N.O. dos *Hills of the Hunters* [Morros dos Caçadores], com *Felagund* governando em Nargothrond.

Eldor, Rio   A primeira ocorrência do nome. O rio foi posteriormente chamado de *Eglor, Eglahir* e, por fim, *Nenning*, sendo que o seu curso permaneceu inalterado.

Eldorest, Haven of Eldorest [Porto de Eldorest]   A primeira ocorrência do nome (ver *Brithombar*). O porto na foz do Eldor tornou-se *Eglorest* quando o rio se tornou o *Eglor*, e assim permaneceu (*Eglarest* em *O Silmarillion*) quando o rio foi novamente renomeado para *Nenning*.

A FORMAÇÃO DA TERRA-MÉDIA

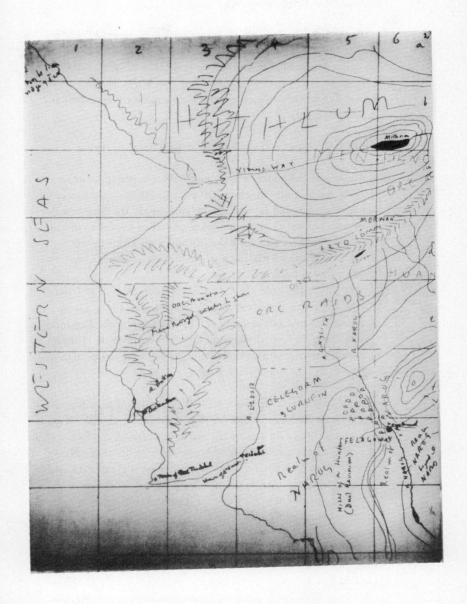

A Expansão a Oeste

O PRIMEIRO MAPA DO "SILMARILLION"

Felagund   Ver *Celegorm* e *Curufin*.

Hithlum   É mostrada a cadeia de montanhas que cerca Hithlum a Oeste (posteriormente *Ered Lómin* quando o nome foi transferido das Montanhas Sombrias, ver p. 222).

Morwen   O nome está escrito sobre *Mavwin* (ver esse verbete no mapa principal).

Nargothrond   agora está situada na margem oeste do Narog.

Orc-Mountains [Montanhas Órquicas]   Vastos planaltos cobrem toda a região entre Brithombar e a cordilheira que forma a barreira meridional da região que mais tarde foi chamada de Nevrast. No mapa posterior esses planaltos foram mantidos na região entre as nascentes do Brithon e do Eldor (Nenning), e são representados em menor quantidade no meu mapa no *Silmarillion* publicado.

Here Morgoth reaches the shores [Aqui Morgoth alcança as costas] provavelmente é uma referência à história que ainda não apareceu nos textos, a de que, no ano após a Batalha das Lágrimas Inumeráveis, "Morgoth mandou uma força através de Hithlum e Nevrast, e desceram os rios Brithon e Nenning, e devastaram toda a Falas" (*O Silmarillion*, p. 266).

Realm of Narog [Reino de Narog]   Das três ocorrências, a no centro entre os *Hills of the Hunters* [Morros dos Caçadores] e o rio foi feita na época da criação do mapa; as outras duas (*Realm of Narog* no Oeste e *Realm of Narog beyond Narog* [Reino de Narog além do Narog] a Leste do rio) foram feitas em giz de cera azul na mesma época que *Realm of Narog beyond Narog* no mapa principal, assim como também foi feita a continuação da linha interrompida, delineando o limite setentrional até o rio Eldor.

Tower of Tindobel [Torre de Tindobel]   A torre está localizada onde no mapa posterior se encontra Barad Nimras (a torre erguida por Felagund "para vigiar o mar ocidental", *O Silmarillion* pp. 172, 266). *Tindobel* é mencionada pela primeira nos *Anais de Beleriand* (posteriormente ao *Quenta*), p. 388.

272

A FORMAÇÃO DA TERRA-MÉDIA

Ylmir's Way [Caminho de Ylmir]   *Ylmir*, quase que com certeza a forma gnômica de *Ulmo*, é encontrado na *Balada dos Filhos de Húrin* (III. 116) e regularmente no Esb. Com "Caminho de Ylmir", cf. o conto *A Queda de Gondolin* (II. 184):

Depois disso, conta-se que a magia e o destino o levaram [isto é, Tuor] certo dia para uma abertura cavernosa, no fundo da qual um rio escondido corria a partir do Mithrim. E Tuor entrou naquela caverna buscando descobrir seus segredos, mas as águas do Mithrim o levaram adiante para o coração das rochas, e ele não podia voltar à luz. E isso, diz-se, era a vontade de Ulmo, Senhor das Águas, que levara os Noldoli a abrir aquele caminho escondido.

Não está claro por essa passagem em que ponto o rio que saía do Lago Mithrim passava por baixo da terra. Na história de Tuor escrita muito tempo depois e apresentada em *Contos Inacabados*, Tuor seguiu "uma súbita nascente d'água nas colinas" (p. 40), e

desceu das altas colinas de Mithrim e saiu para a planície de Dor-lómin ao norte; e a torrente crescia conforme ele a seguia para o oeste, até que ao final de três dias ele pôde descortinar no Oeste as longas cristas cinzentas das Ered Lómin... (p. 39).

O Portão dos Noldor, onde o rio seguia para baixo da terra, ficava nos sopés das Ered Lómin.

O Caminho de Ylmir sai num estreito sem nome no mapa (*Drengist* até então só ocorrera na lista de nomes em inglês antigo, p. 244).

Ver-se-á que o litoral ocidental é bastante similar àquele do mapa posterior.

A Expansão a Leste

Adurant, Rio   O mais meridional dos tributários do Gelion, mencionado por nome em um acréscimo a Q §14 (nota 4). Seu curso e relação às montanhas e aos outros rios não foram mudados.

Ascar, Rio   O nome do mais setentrional dos tributários do Gelion ocorre em Q §14 (ver o verbete *Flend* abaixo). Seu curso e relação às montanhas e aos outros rios não foram mudados.

O PRIMEIRO MAPA DO "SILMARILLION"

Beren e Lúthien   *Here dwelt Beren and Lúthien before destruction of Doriath in Land of Cuilwarthin* [Aqui habitaram Beren e Lúthien antes da destruição de Doriath, na Terra dos Cuilwarthin]. No mapa principal, o segundo posicionamento dessa terra, entre o Sirion e o Gelion, foi rejeitado com a anotação: "*Lies to the east of this and beyond the Great Lands of the East and of wild men*" ["Situa-se a leste daqui e além das Grandes Terras do Leste e dos homens selvagens"]. Isso deve significar que meu pai estava movendo a Terra dos Mortos que Vivem para longe nas regiões desconhecidas (ver o verbete *Great Lands* [Grandes Terras]); mas o mapa da Expansão a Leste a coloca na posição final, na região dos Sete Rios: ver *Gweirth-i-cuina*.

Blue Mountains [Montanhas Azuis]   Foram mencionadas por nome pela primeira vez em Q §9.

Brilthor, Rio   Este, o quinto tributário do Gelion, é mencionado por nome em um acréscimo a Q §14 (nota 4); emendas posteriores no Q moveram o Duilwen mais para o sul e colocaram o Brilthor na quarta posição.

Broseliand   *Here is end of Broseliand* [Aqui termina Broseliand], escrito entre os rios Ascar e Thalos, e junto aos sopés ocidentais das *Blue Mountains* [Montanhas Azuis]. Cf. o acréscimo à anotação no canto do mapa principal (p. 269): "Sua divisa oriental não aparece. É as Montanhas Azuis."

Cuilwarthin   Ver *Beren e Lúthien, Gweirth-i-cuina*.

Damrod e Díriel   A anotação acima do nome *Díriel* diz o seguinte: "*Here is a wide forest where many fugitive gnomes wander. Orcs come seldom.*" ["Aqui há uma vasta floresta onde vagam muitos gnomos fugitivos. Orques raramente aparecem."] Cf. Q §14: "pelas matas em redor do Rio [Flend/Gelion], onde foram outrora os campos de caça de Damrod e Díriel".

A anotação abaixo do nome *Díriel* diz o seguinte: "*Here also are many Ilkorins who do not live in Doriath but fought at Nirnaith Únoth.*" ["Aqui há também muitos Ilkorins que não vivem em Doriath, mas que lutaram nas Nirnaith Únoth."] *Nirnaith Únoth* ocorre na *Balada dos Filhos de Húrin*, substituída por

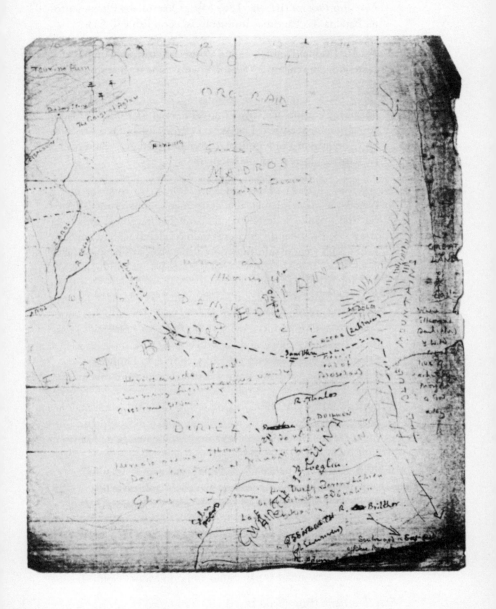

A Expansão a Leste

O PRIMEIRO MAPA DO "SILMARILLION"

Nirnaith Ornoth (III. 98, 126, 149). Quanto aos Elfos-escuros na Batalha das Lágrimas Inumeráveis, ver o Esb e Q §11.

Dolm, Mt. [Monte Dolm] Essa é a primeira aparição da montanha posteriormente chamada *Dolmed*, situada como no mapa posterior.

Duilwen Este, o terceiro dos tributários do Gelion, é mencionado por nome em um acréscimo a Q §14 (nota 4), onde é situado, como no mapa, entre o Thalos e o Loeglin. Emendas posteriores no Q definiram a ordem final, com o Duilwen deslocado para o sul e tornando-se o quinto tributário.

Dwarf-road [Estrada-anânica] e *Sarn Athra* Da maneira que a Estrada-anânica foi marcada neste mapa, após cruzar o Aros ela virava para o sudeste e seguia naquela direção em linha reta através de Broseliand Leste, cruzando o (Flend) Gelion em Sarn Athra, que (tendo sido movido de sua posição no mapa principal, onde ficava no Aros) agora se situava na confluência do terceiro tributário (aqui, Duilwen). A linha da estrada sai do mapa no canto sudeste, com a indicação: "*Southward in East feet of Blue Mountains are Belegost and Nogrod.*" [Ao sul, nos sopés orientais das Montanhas Azuis, ficam Belegost e Nogrod".] Esse local para Sarn Athra está de acordo com Q §14, onde o vau fica próximo à confluência do (Flend) Gelion e do Duilwen.

Uma rota posterior para a Estrada-anânica também está marcada nesse mapa. Aqui a estrada ruma mais para leste na terra de Damrod e Díriel e assim cruz o (Flend) Gelion mais ao norte: Sarn Athra situa-se agora logo abaixo da confluência do Ascar com o Gelion (essa é a razão para a emenda de Duilwen para Ascar em Q §14, nota 7). A estrada então segue o curso do Ascar do lado sul, cruza as montanhas através de uma passagem abaixo do Monte Dolm e então vira de forma abrupta para o sul e continua no lado oriental das montanhas.

No mapa posterior, Sarn Athra situa-se logo *acima* da confluência do Ascar e do Gelion, e, portanto, a estrada segue ao longo da margem norte do Ascar, mas ainda cruza as montanhas ao sul do Monte Dolmed; as cidades-anânicas agora estão situadas na face oriental das montanhas não muito longe do Monte Dolmed.

East Broseliand [Broseliand Leste] O termo *Beleriand Leste* ocorre em Q §14.

Flend   Em Q §14 o grande rio de Beleriand Leste foi chamado primeiramente de *Ascar*, mas uma vez que *Ascar* já era no Q o nome do mais setentrional dos tributários das Montanhas Azuis, creio que esse tenha sido um mero deslize (ver p. 218 e a nota de rodapé) no lugar de *Flend*, para o qual foi emendado. *Flend* então > *Gelion*, como no mapa. O curso do Gelion não foi mudado posteriormente, mas o mapa não mostra o braço tributário oriental tardio ("Grande Gelion").

Gelion   Ver *Flend*.

Great Lands [Grandes Terras]   A anotação na parte de baixo do lado direito do mapa diz o seguinte: "*Here lie the Great Lands of the East where Ilkorins (dark-elves) and Wild Men live, acknowledging Morgoth as God and King.*" ["Aqui ficam as Grandes Terras onde os Ilkorins (elfos-escuros) e Homens Selvagens vivem, reconhecendo Morgoth como Deus e Rei."] Esse uso de *Grandes Terras* para as terras da Terra-média *a leste* das *Montanhas Azuis* é notável; o nome também é usado no mapa principal, onde é dito que o terceiro local da Terra dos Mortos que Vivem fica "além das Grandes Terras do Leste e dos homens selvagens" (ver *Beren e Lúthien*). Nos *Contos Perdidos*, o termo *Grandes Terras* sempre significa as terras entre os Mares (isto é, toda a *Terra-média* posterior); no Esb e no Q, o termo *Terras de Fora* (que nos *Contos Perdidos* significava as Terras do Oeste) é usado para Terra-média, com uma emenda tardia para *Terras de Cá* no Q.

A afirmação aqui de que nas Grandes Terras do Leste tanto os Homens Selvagens como os Elfos-escuros reconheciam Morgoth como Deus e Rei é significativa para o futuro. Cf. a emenda de Q II §18, nota 3: "Mas a maioria dos Homens, e especialmente aqueles que tinham acabado de sair do Leste, ficou do lado do Inimigo." A corrupção de certos Homens no início de seus dias aparece em sinopses muito antigas (do *Conto de Gilfanon*); ver I. 283–85.

Gweirth-i-cuina   Esse nome, no qual *Gweirth-* foi aparentemente emendado de *Gwairth-*, está escrito sobre *Cuilwarthin*. *Gwerth-i-cuina* (e não *Gweirth-* como no mapa) apareceu em duas passagens emendadas do Q: §10 (nota 15) "vagaram… nos confins de Geleidhian na bela Ossiriand, Terra dos Sete Rios,

O PRIMEIRO MAPA DO "SILMARILLION"

Gwerth-i-cuina, os Mortos que Vivem" (onde o nome parece ser usado para os próprios Beren e Lúthien); e §14 (nota 6) "os Elfos costumavam chamá-la Gwerth-i-cuina", onde o nome é usado para a terra, como no mapa.

Himling A primeira ocorrência é na *Balada de Leithian*, versos 2994–995 (abril de 1928):

> em Himling, monte que vigia
> no leste Aglon, brecha fria.

Loeglin Como o quarto dos tributários do Gelion, ele é mencionado por nome em um acréscimo a Q §14 (nota 4). Emendas posteriores moveram o Duilwen mais para o sul e colocaram o Loeglin (> Legolin) na terceira posição.

Nirnaith Únoth Ver *Damrod e Díriel*.

Ossiriath (of the Seven rivers) [Ossiriath (dos Sete rios)] Essa forma não é encontrada em nenhum outro lugar. Está escrita sobre *Assariad*, que ocorre em Q §14, posteriormente emendada para *Ossiriand* (nota 4). *Ossiriand(e)* é encontrada como uma alternativa rejeitada de *Broseliand* no Canto I da *Balada de Leithian* (III. 193–95). O posicionamento do nome, entre o sexto e o sétimo rios, é estranho, mas tendo em vista "dos Sete rios", provavelmente não é significativo.

Rathlorion Essa é a forma do novo nome do Ascar encontrado no Q (§14), posteriormente emendado para *Rathloriel*.

Sarn Athra Ver *Dwarf-road* [Estrada-anânica]. Em Q §14 *Sarn-athra*, emendado para *Sarn-athrad* (nota 8).

Sons of Fëanor [Filhos de Fëanor] Ver o verbete *Aglon* na metade norte do mapa principal.

Thalos Esse, o segundo dos tributários do Gelion, é mencionado por nome em um acréscimo a Q §14 (nota 4). Seu curso e relação às montanhas e aos outros rios não foram mudados.

278

5

O Ambarkanta

Esta obra muito curta, de fundamental interesse (e não menos pelos mapas associados a ela), está intitulada no início do texto "Do Feitio do Mundo"; em uma folha de rosto solta, mas obviamente pertencente à obra, está escrito:

Ambarkanta

A Forma do Mundo

Rúmil

junto com a palavra *Ambarkanta* em tengwar. Essa é a primeira aparição de Rúmil desde os *Contos Perdidos*; mas ele não é mencionado no texto em si.

Não pode haver dúvidas de que o *Ambarkanta* é posterior ao *Quenta* (talvez em vários anos). O reaparecimento de *Utumna* é um avanço em relação ao Q, onde o termo "Terra-média" também não aparece; *Eruman* é (anomalamente) o nome em Q da terra onde os Homens despertaram (pp. 117, 194), enquanto no *Ambarkanta* seu nome é pela primeira vez *Hildórien*; e há vários casos em que o *Ambarkanta* possui nomes e detalhes que só são encontrados no Q por meio de emendas (por exemplo, *Casadelfos*, p. 280, mas *Baía de Feéria > Baía de Casadelfos* no Q (II), p. 177, nota 12).

O texto possui seis páginas manuscritas à tinta, com pouquíssimas emendas; forneço as formas finais do início ao fim, com todas as variantes rejeitadas nas notas após o texto. Há três diagramas do Mundo, aqui numerados I, II e III, e dois mapas, numerados IV e V, de estreita associação com a obra e aqui reproduzidos a partir dos originais. Menciono nas páginas opostas a essas reproduções as mudanças feitas nos nomes. O texto começa com uma lista de palavras cosmográficas, com explicações; apresento essa lista na p. 285.

DO FEITIO DO MUNDO

À volta de todo o Mundo estão as Ilurambar, ou Muralhas do Mundo. São como gelo e vidro e aço, sendo além de toda a imaginação dos Filhos da Terra frias, transparentes e rígidas. Elas não podem ser vistas, nem podem ser atravessadas, salvo pela Porta da Noite.

Dentro dessas Muralhas, a Terra está englobada: acima, abaixo e por todos os lados está Vaiya, o Oceano Envolvedor. Mas esse é mais como mar debaixo da Terra e mais como ar acima da Terra. Em Vaiya abaixo da Terra habita Ulmo. Acima da Terra está o Ar, que é chamado de Vista,[1] e sustenta aves e nuvens. Portanto, é chamado acima de Fanyamar, ou Morada-das-nuvens; e abaixo de Aiwenórë,[2] ou Terra-das-aves. Mas esse ar jaz somente sobre a Terra-média e os Mares de Dentro, e seus limites propriamente ditos são as Montanhas de Valinor no Oeste e as Muralhas do Sol no Leste. Portanto, raramente chegam nuvens a Valinor, e as aves mortais não passam para além dos picos de suas montanhas. Mas no Norte e no Sul, onde há mais frio e escuridão e a Terra-média estende-se quase até as Muralhas do Mundo, Vaiya e Vista e Ilmen[3] sopram juntos e se misturam.

Ilmen é aquele ar que é límpido e puro, sendo permeado por luz, embora não produza luz. Ilmen jaz acima de Vista, e não tem grande profundidade, mas é mais profundo no Oeste e no Leste, e menos no Norte e no Sul. Em Valinor o ar é Ilmen, mas Vista sopra por vezes, especialmente em Casadelfos, parte da qual fica nos sopés orientais das Montanhas; e se Valinor estiver obscurecida e esse ar não for purificado pela luz do Reino Abençoado, ele toma a forma de sombra e névoas cinzentas. Mas Ilmen e Vista misturar-se-ão por serem de natureza semelhante, porém Ilmen é soprado pelos Deuses, e purificado pela passagem dos luminares; pois em Ilmen Varda decretou os cursos das estrelas, e mais tarde da Lua e do Sol.

De Vista não há saída ou escape, salvo para os serviçais de Manwë, ou para aqueles aos quais ele concede poderes como os de seu povo, que podem sustentar-se em Ilmen ou mesmo no Vaiya superior, que é muito tênue e frio. De Vista pode-se baixar à Terra. De Ilmen pode-se baixar à Valinor. Ora, a terra de Valinor estende-se quase até Vaiya, que é mais estreito no Oeste e no Leste do Mundo, mas mais profundo no Norte e no Sul. As costas ocidentais de Valinor, portanto, não estão longe das Muralhas do Mundo. No entanto, há um abismo que separa Valinor de Vaiya, e ele é preenchido por Ilmen, e por esse caminho pode-se ir de Ilmen acima da terra às

A FORMAÇÃO DA TERRA-MÉDIA

regiões inferiores, e às Raízes-da-Terra, e às cavernas e grutas que ficam nas fundações das terras e mares. Lá fica o lugar de morada de Ulmo. De lá provêm as águas da Terra-média. Pois essas águas são compostas de Ilmen e Vaiya e Ambar[4] (que é a Terra), uma vez que Ulmo mistura Ilmen e Vaiya e os envia para cima pelas veias do Mundo para limpar e renovar os mares e rios, os lagos e as nascentes da Terra. E as águas correntes possuem assim a memória das profundezas e das alturas, e detêm algo da sabedoria e música de Ulmo, e da luz dos luminares do céu.

Nas regiões de Ulmo as estrelas por vezes estão ocultas, e lá a Lua vaga amiúde e não é vista da Terra-média. Mas o Sol não se demora lá. Ela[*] passa sob a terra às pressas a fim de que a noite não se prolongue e o mal se fortaleça; e ela é puxada através do Vaiya inferior pelos serviçais de Ulmo, e aquele ar é aquecido e preenchido com vida. Assim os dias são medidos pelas rotas do Sol, que navega de Leste a Oeste através do Ilmen inferior, ocultando as estrelas; e ela passa sobre o centro da Terra-média e não se detém, e muda seu curso para o norte ou para o sul, não caprichosamente, mas na procissão e estação devidas. E quando ela se ergue acima das Muralhas do Sol é a Aurora, e quando baixa por trás das Montanhas de Valinor é o anoitecer.

Mas os dias são diferentes em Valinor dos da Terra-média. Pois lá o tempo de maior luz é o Anoitecer. Então o Sol desce e descansa por um tempo na Terra Abençoada, jazendo no seio de Vaiya. E quando ela baixa ao Vaiya, esse ar é aquecido e resplandece com um fogo rosado, e este muito tempo ilumina aquela terra. Mas conforme ela passa em direção ao Leste o resplendor esvanece, e Valinor é privada de luz, e é iluminada apenas por estrelas; e os Deuses então muito se lamentam pela morte de Laurelin. Ao amanhecer a escuridão é profunda em Valinor, e as sombras de suas montanhas estendem-se pesadas sobre as mansões dos Deuses. Mas a Lua não se demora em Valinor, e passa célere sobre ela e mergulha no abismo de Ilmen,[5] pois ele sempre persegue o Sol, e raramente a alcança, e então é consumido e obscurecido em sua chama. Mas ocorre por

---

[*] O uso de "ela" para o Sol está de acordo com o mencionado por Tolkien em *A Sociedade do Anel* (p. 244), isto é, o fato de Elfos (e Hobbits) sempre se referirem ao Sol como "ela". O mesmo se aplica à Lua, que é chamada de "ele". Isso se deve ao fato de Arien ser *a* Maia condutora do Sol, enquanto Tilion é *o* Maia condutor da Lua. O *Ambarkanta*, tendo sido escrito pelo Elfo Rúmil, reflete essa prática. [N. T.]

vezes que ele chega acima de Valinor antes de o Sol ter partido, e então desce e encontra sua amada, e Valinor fica repleta de luz mesclada como de prata e ouro; e os Deuses sorriem lembrando-se do mesclar de Laurelin e Silpion há muito tempo.

A Terra de Valinor inclina-se para baixo a partir dos sopés das Montanhas, e sua costa ocidental fica no mesmo nível do fundo dos mares de dentro. E não longe dali, como foi dito, estão as Muralhas do Mundo; e junto à costa mais ocidental, no meio de Valinor, está Ando Lómen,[6] a Porta da Noite Atemporal que vaza as Muralhas e se abre para o Vazio. Pois o Mundo está disposto em meio a Kúma, o Vazio, a Noite sem forma ou tempo. Mas ninguém pode atravessar o abismo e o cinturão de Vaiya e chegar àquela Porta, salvo os grandes Valar apenas. E eles fizeram aquela Porta quando Melko foi sobrepujado e lançado na Escuridão de Fora; e a porta é guardada por Eärendel.

A Terra-média situa-se no meio do Mundo, e é feita de terra e água; e sua superfície é o centro do mundo, dos confins do Vaiya superior aos confins do inferior. Outrora seu feitio era este. Era mais elevada no centro, e decaía de cada lado em vastos vales, mas se erguia de novo no Leste e no Oeste e tornava a decair no abismo em suas bordas. E os dois vales eram repletos da água primeva, e as costas desses mares antigos eram no Oeste os planaltos ocidentais e a borda da grande terra, e no Leste os planaltos orientais e a borda da grande terra do outro lado. Mas no Norte e no Sul ela não decaía, e podia-se ir por terra do extremo Sul e do abismo de Ilmen ao extremo Norte e ao abismo de Ilmen. Os mares antigos, portanto, jaziam em fossas, e suas águas não vertiam a Leste ou a Oeste; mas tampouco tinham costas no Norte ou no Sul, e vertiam no abismo, e suas cataratas tornavam-se gelo e pontes de gelo devido ao frio; de modo que o abismo de Ilmen era fechado e atravessado por pontes, e o gelo chegava a Vaiya, e até mesmo às Muralhas do Mundo.

Ora, é dito que os Valar, ao entrarem no Mundo, baixaram primeiro à Terra-média no seu centro, salvo Melko, que baixou ao Norte mais distante. Mas os Valar tomaram uma porção de terra e fizeram uma ilha e a consagraram, e a puseram no Mar do Oeste e habitaram nela, enquanto se ocupavam da exploração e do primeiro ordenamento do Mundo. Como é contado, eles desejavam fazer lamparinas, e Melko ofereceu-se para engendrar uma nova substância de grande força e beleza para os pilares deles. E ele pôs esses grandes pilares ao norte e ao sul do meio da Terra, porém mais próximo dela do que do abismo; e os Deuses puseram lamparinas sobre eles e a Terra teve luz por um tempo.

Mas os pilares foram erguidos com engodo, sendo feitos de gelo; e eles derreteram, e as lamparinas tombaram em ruínas, e sua luz foi derramada. Mas o derretimento do gelo criou dois pequenos mares interiores, ao norte e ao sul do meio da Terra, e havia uma terra setentrional, uma terra do meio e uma terra meridional. Então os Valar se retiraram para o Oeste e abandonaram a ilha; e sobre o planalto no lado ocidental do Mar do Oeste eles ergueram grandes montanhas, e detrás delas fizeram a terra de Valinor. Mas as montanhas de Valinor curvam-se para trás, e Valinor é mais ampla no meio da Terra, onde as montanhas andam ao lado do mar; e no norte e no sul as montanhas chegam até mesmo ao abismo. Há aquelas duas regiões da Terra do Oeste que não são da Terra-média e, ainda assim, estão do lado de fora das montanhas: são escuras e desoladas. Aquela ao Norte é Eruman, e aquela ao Sul é Arvalin; e só há um estreito entre elas e os cantos da Terra-média, mas esses estreitos são repletos de gelo.

Para sua maior proteção, os Valar empurraram a Terra-média para longe em seu centro e a comprimiram para o leste, de maneira que foi curvada, e o grande mar do Oeste é muito amplo no meio, a mais vasta de todas as águas da Terra. A forma da Terra no Leste era muito semelhante àquela no Oeste, salvo pelo estreitamento do Mar do Leste, e pelo deslocamento da terra naquela direção. E além do Mar do Leste fica a Terra do Leste, da qual pouco sabemos, e a chamamos de Terra do Sol; e ela possui montanhas, menores que as de Valinor, porém muito grandes, que são as Muralhas do Sol. Em razão da queda da terra essas montanhas não podem ser divisadas, exceto pelas aves que voam alto, através dos mares que as separam das costas da Terra-média.

E o deslocamento da terra fez também que montanhas aparecessem em quatro cadeias, duas na Terra-do-Norte e duas na Terra-do-Sul; e as no Norte eram as Montanhas Azuis no lado Oeste, e as Montanhas Vermelhas no lado Leste; e no Sul eram as Montanhas Cinzentas e as Amarelas. Mas Melko fortificou o Norte e construiu lá as Torres do Norte, que também são chamadas de as Montanhas de Ferro, e elas se voltam para o Sul. E na terra

O AMBARKANTA

do meio ficavam as Montanhas do Vento, pois um vento soprava forte lá vindo do Leste antes do Sol; e Hildórien, a terra onde os Homens despertaram pela primeira vez, ficava situada entre essas montanhas e o Mar do Leste. Mas Kuiviénen, onde Oromë encontrou os Elfos, fica ao Norte, à beira das águas de Helkar.[7]

Mas a simetria da antiga Terra foi mudada e despedaçada na primeira Batalha dos Deuses, quando Valinor marchou contra Utumno,[8] que era a praça-forte de Melko, e Melko foi acorrentado. Então o mar de Helkar (que era a lamparina do Norte) tornou-se um mar interior ou grande lago, mas o Mar de Ringil (que era a lamparina do Sul) tornou-se um grande mar que corria a nordeste e unia-se por estreitos os Mares do Oeste e do Leste.

E a Terra foi partida mais uma vez na segunda batalha, quando Melko tornou a ser subjugado, e tem sempre mudado no desgastar e na passagem de muitas eras.[9] Mas a maior mudança ocorreu quando o Primeiro Feitio foi destruído, e a Terra foi arredondada, e separada de Valinor. Isso se deu nos dias do ataque dos Númenóreanos contra a terra dos Deuses, como está contado nas Histórias. E desde aquele tempo o mundo esqueceu-se das coisas que haviam antes, e os nomes e a memória das terras e águas de outrora pereceram.

NOTAS

[1] *Vista*: em todas as sete ocorrências o nome original *Wilwa* foi mudado, primeiro a lápis e depois à tinta, para *Vista*; o mesmo também ocorreu nos diagramas do mundo I e II, e no diagrama III (o Mundo Tornado Redondo).

[2] Forma original *Aiwenor*; também assim no diagrama I.

[3] *Ilmen*: em todas as muitas ocorrências, o nome original *Silma* foi cuidadosamente apagado e mudado para *Ilma* (a mesma mudança no mapa IV); *Ilma* foi então ele mesmo alterado para *Ilmen* (a mesma sucessão de mudanças nos diagramas I e II).

[4] *Ambar* é uma emenda, mas a palavra por baixo está completamente apagada (assim também no diagrama II; inserida posteriormente no I).

[5] Na margem está escrito *Ilmen-assa*, mudado a partir de *Ilman-assa*.

[6] *Ando Lómen* foi interpolado ao texto, mas é muito provável que não tenha sido muito depois da composição original do manuscrito.

[7] As duas últimas frases desse parágrafo (desde "E na terra do meio...") foram acrescentadas, mas tudo indica que são da mesma época que a composição original do manuscrito.

[8] *Utumno* é uma emenda de *Utumna*.

[9] O manuscrito original termina aqui; o que se segue, acerca da Terra Tornada Redonda na época do ataque dos Númenóreanos, foi acrescentado posteriormente (ver p. 308).

Apresento agora a lista de palavras cosmológicas que acompanha o *Ambarkanta*. Meu pai fez várias mudanças nessa lista, mas visto que as alterações foram feitas principalmente sobre o que foi apagado e os acréscimos pertencem ao mesmo período, é impossível saber qual era a forma original da lista em todos os pontos. No entanto, as mudanças na lista são basicamente as mesmas daquelas feitas no texto do *Ambarkanta* e nos diagramas do mundo; assim, *Silma* > *Ilma* > *Ilmen*, *Wilwa* > *Vista*, *Aiwenor* > *Aiwenórë*; *ava, ambar, Endor* sobre palavras apagadas; *Avakúma, e Elenarda, Reino Estelar* são acréscimos. A tradução de *Ilmen* como "Lugar de luz" é uma emenda de "brilho".

Ilu O Mundo	Mundo
Ilurambar As Muralhas do Mundo; *ramba* muralha	
Kúma escuridão, vazio	Escuridão
ava de fora, exterior; *Avakúma*	
Vaiya embrulho, envoltório. Em natureza como a água, mas menos leve que o ar, e envolvendo O Mar de Fora.*	Mar de Fora, ou Oceano Circundante, ou Oceano Envolvedor
Ilmen Lugar de luz. A região acima do ar, sendo mais tênue e límpida que este. Aqui somente as estrelas e a Lua e o Sol podem voar. É chamada também de *Tinwë-mallë*, a Rua-de-estrelas, e *Elenarda*, Reino Estelar.	Céu. Firmamento
Vista ar. Onde aves podem voar e nuvens navegar. Sua região superior é *Fanyamar*, ou Morada-das-nuvens, e sua inferior, *Aiwenórë*, ou Terra-das-Aves.	Ar
ambar Terra, *ambar-endya* ou Terra Média, da qual *Endor* é o ponto central.	Terra
ëar água; mar.	Mar
As raízes da Terra são *Mar-talmar*, ou *Talmar Ambaren*.	
ando porta, portão.	
lómë Noite. *Ando Lómen*, a Porta da Noite, através da qual Melko foi lançado após a Segunda Guerra dos Deuses.	

Toda aquela terra que fica acima d'água, entre os Mares do Oeste e do Leste e as Montanhas do Norte e do Sul é *Pelmar*, a Morada Cercada.

---

* Essa frase é muito confusa, uma vez que aparentemente é dito que Vaiya *envolve* o Mar de Fora (apesar de na coluna da direita ele próprio ser definido como "Mar de Fora"). Mas a palavra "O" em "O Mar de Fora" tem um O maiúsculo; e acredito que meu pai deixou a frase precedente inacabada, terminando com "envolvendo", e que acrescentou "O Mar de Fora" mais tarde como uma definição de Vaiya, sem notar que a frase precedente estava incompleta.

O AMBARKANTA

Comentário sobre o *Ambarkanta*

Esse universo elegante, embora certamente em muitos aspectos uma evolução da antiga cosmologia dos *Contos Perdidos*, também apresenta mudanças e avanços radicais na estrutura essencial.

Diagrama I

Alguns dos nomes neste diagrama foram escritos sobre palavras apagadas, e na maioria dos casos somente o fato de correção pode ser visto:

- *Ilmen* (substituindo *Ilma* e *Silma*, ver nota 3 do texto do *Ambarkanta); Vista* (substituindo *Wilwa*, ver nota 1); *Ava-* (em *Ava-kúma*); *Ambarendya*; *Endor*; *Martalmar*. Uma letra A no centro, de significado obscuro, também sobre escrita sobre uma palavra apagada.
- São acréscimos: *Elenarda or* [ou]; *-e* acrescentado a *Aiwenor* (ver nota 2); *Ambar* (ver nota 4).
- São mudanças e acréscimos muito tardios feitos a lápis: *Ilurambar* para *Earambar* em apenas uma das ocorrências; *Hidden Half* [Metade Oculta] acrescentado acima da ocorrência inferior de *Vaiya*; *Ilu* para *Arda* no título. A anotação no canto inferior direito está fraca demais para ser lida após as palavras "Alter story of Sun" ["Alterar a história do Sol"]; a anotação na esquerda diz o seguinte: "Make world *always a globe* but larger than now. Mountains of East and West prevent anyone from going to Hidden Half". ["Tornar o mundo *desde sempre um globo*, mas maior do que agora. Montanhas do Leste e do Oeste impedem que qualquer um vá à Metade Oculta."]

286

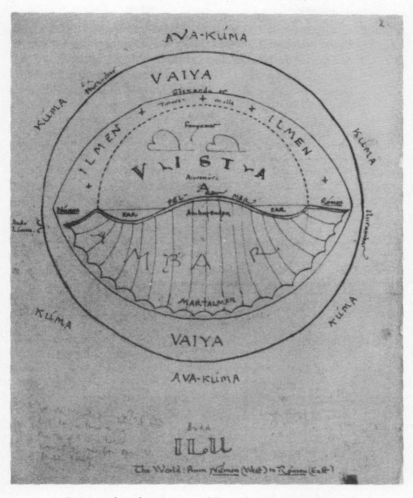

O Mundo: de Númen (Oeste) a Rómen (Leste)

Diagrama II

Como no diagrama I, alguns nomes foram escritos sobre outros apagados:

- *Ilmen* (de *Ilma* e *Silma*); *Vista* (de *Wilwa*); *Ambar, Endor, Martalmar, Formen* (de *Tormen*) no título.
- São mudanças tardias a lápis: *Ilurambar* para *Earambar* em uma das ocorrências, como no diagrama I; *Harmen* para *Hyarmen* tanto no diagrama como no título; *Tormen* > *Formen* no diagrama.

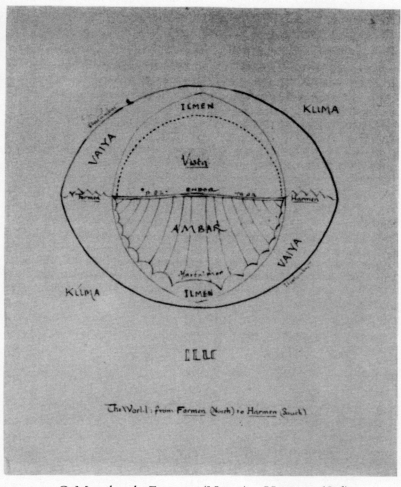

O Mundo: de Formen (Norte) a Harmen (Sul)

Diagrama III

Nesse diagrama o nome *Wilwa* foi riscado e substituído por *Vista* (ver a nota 1 do texto do *Ambarkanta*). Outros nomes além dos que estão apenas em maiúsculas: *The Straight Path* [O Caminho Reto] (duas vezes), *Valinor*, *Eressëa*, *Old Lands* [Terras Antigas], *New Lands* [Terras Novas]. O título é o seguinte: "The World after the Cataclysm and the ruin of the Númenoreans" ["O Mundo após o Cataclismo e a ruína dos Númenoreanos"].

A FORMAÇÃO DA TERRA-MÉDIA

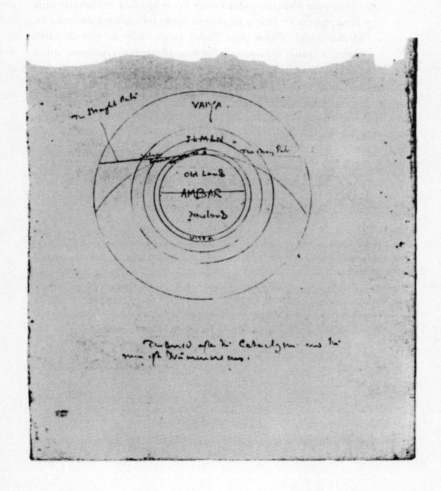

Mapa IV

As mudanças feitas neste mapa foram as seguintes:

- *Silma* para *Ilma* em todas as três ocorrências, e em apenas uma *Ilma* posteriormente a lápis para *Ilmen* (ver nota 3 do texto do *Ambarkanta*); *Endor* para *Endon* (mas *Endor* escrito de novo acima a lápis); e *Tormen* > *Formen*, *Harmen* > *Hyarmen*, como no diagrama II.
- V.Y. 500 = *Valian Year* [Ano Valiano] 500; ver p. 311.

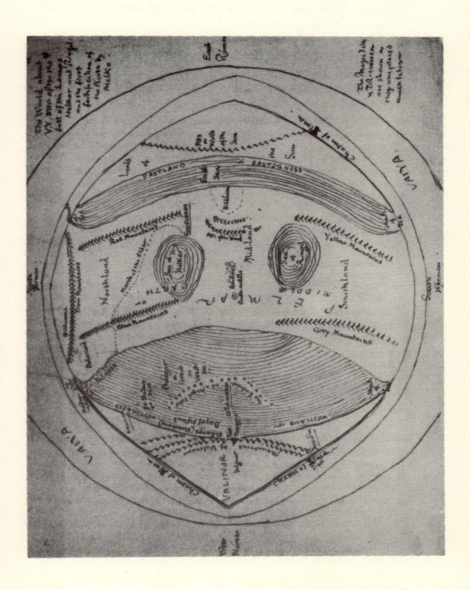

O AMBARKANTA

Mapa V

Alguns dos nomes neste mapa não são fáceis de ler, e listo aqui todos os que aparecem nele:

- O Oeste: *Outer Seas* [Mares de Fora], *Utgarsecg*
  Eruman (escrito acima deste posteriormente: *Araman*); *Outer Lands* [Terras de Fora] (*Valinor*); *Alflon*; *Two Trees* [Duas Árvores]; *Tún*; *Valmar*; *Taniquetil*; *Bay of Faery* [Baía de Feéria]; *Arvalin* (mudado a partir de *Eruman*).
  Escrito levemente a lápis posteriormente através da Terra do Oeste: *Aman*

- O Mar do Oeste: no extremo Norte: *Helkaraksë*.
  Great Seas [Grandes Mares]; *The G[rea]t Gulf* [O Grande Golfo]; *Beleglo[rn?]*; *(Belegar)*; *Ingarsecg*

- O Noroeste da Terra-média: *Hithlum*; *Angband*; *Thangorodrim*; *Daidelos*; *Beleriand*

- Regiões centrais: *Hither Lands* [Terras de Cá]; *Inland Sea* [Mar Interior]; *Straits of the World* [Estreitos do Mundo; *East Sea* [Mar do Leste]; *Dark Land* [Terra Sombria] (*South Land*) [Terra do Sul]

- O Leste: *Walls of the Sun* [Muralhas do Sol]; *Burnt Land of the Sun* [Terra Queimada do Sol]; *Outer Seas* [Mares de Fora]

- Anotação no canto superior direito: *After the War of the Gods (Arvalin was cast up by the Great Sea at the foot of the Mts.* [Após a Guerra dos Deuses (Arvalin foi lançada pelo Grande Mar ao sopé das Montanhas.] Ver pp. 307–08.

A FORMAÇÃO DA TERRA-MÉDIA

O AMBARKANTA

Começando por Fora: além das Muralhas do Mundo fica "o Vazio, a Noite sem forma ou tempo", *Kúma* (*Ava-kúma*); e esse é obviamente um conceito primitivo, "a escuridão de fora", "a escuridão ilimitada", "a vastidão sem estrelas" do conto *A Ocultação de Valinor* (I. 262). As Muralhas do Mundo, Ilurambar,* são a cobertura inteiriça e incólume de um vasto globo; são frias, invisíveis e intransponíveis, exceto através de *Ando Lómen*, a Porta da Noite. A Porta foi feita pelos Valar "quando Melko foi sobrepujado e lançado na Escuridão de Fora"; e Eärendel a guarda. No Esb (§19) já era dito que "Morgoth é lançado através da Porta da Noite na escuridão de fora para além das Muralhas do Mundo, e uma guarda fica postada para sempre naquela Porta"; isso é repetido na passagem correspondente no Q, onde as mesmas expressões são usadas como no *Ambarkanta*, "a Porta da Noite Atemporal", "o Vazio", e onde Eärendel, navegando no Vazio, é mencionado como o guardião (ver pp. 186–87, 236). Contudo, não é dito nesses textos que a Porta da Noite foi feita *quando Melko foi sobrepujado*, ao final da Grande Batalha.

Comentei anteriormente (p. 60) acerca da grande mudança no mito astronômico introduzido no Esb pela passagem do Sol por baixo da Terra, em vez da partida pela Porta da Noite seguida pela jornada através Escuridão de Fora e pelo retorno através dos Portões da Manhã, como descrito em *A Ocultação de Valinor*; naquele relato os Deuses fizeram a Porta da Noite para que a Nau-do-Sol não tivesse de passar por baixo da Terra. Dessa forma a Porta da Noite permaneceu, mas o seu propósito e a época de sua criação foram totalmente mudados.

O conceito de uma grande Muralha circundando o "Mundo" e o separando de um Vazio e de uma Escuridão exteriores remonta ao princípio; em *A Ocultação de Valinor* ela é chamada de "a Muralha das Coisas", e Ulmo informa os Valar que "Vai corre desde a Muralha das Coisas até a própria Muralha das Coisas, em qualquer direção que se vá" (I. 258). Discuti previamente (I. 110) a possibilidade de que já na cosmologia antiga Vaitya (o mais exterior dos

---

* *Ilu* é "o Mundo" nos diagramas I e II, e é assim definido na lista de palavras (p. 285); quanto ao seu significado mais antigo, ver I. 309, verbete *Ilwë*. — As mudanças para *Earambar* nos diagramas I e II, como a anotação a lápis no pé do I, foram feitas muito tempo depois e não nos diz respeito aqui.

296

A FORMAÇÃO DA TERRA-MÉDIA

três "ares") e Vai (o Oceano de Fora) constituíam "uma substância envolvente contínua", e que o *Ambarkanta* "apenas torna explícito o que já estava presente de maneira não expressa nos *Contos Perdidos*"; e salientei as dificuldades dessa ideia. No primeiro rascunho de *A Ocultação de Valinor* (ver I. 266, nota 16), a Muralha das Coisas evidentemente era imaginada, como eu disse (I. 272–73), "como se fossem muralhas de cidades terrenas, ou jardins — muros com um cimo, um 'cinturão amuralhado'"; as Muralhas eram mais baixas no Leste, de maneira que não havia lá alguma Porta que correspondesse à Porta da Noite no Oeste, e o Sol *passava por cima* da Muralha do Leste. No segundo rascunho (I. 260) foi introduzida a ideia dos Portões da Manhã; mas a natureza e extensão das Muralhas ainda foram deixadas obscuras, e de fato mais nada é dito sobre elas nos *Contos Perdidos* além da declaração de que eram "azul-profundo" (I. 260). Uma frase notável no conto original *A Música dos Ainur* (I. 75) declara que "os Ainur se maravilharam ao ver como o mundo *estava englobado em meio ao vazio* e, ainda assim, apartado dele". Não sei como isso deve ser interpretado no contexto dos *Contos Perdidos*; mas a frase foi mantida em todas as reescritas do *Ainulindalë* (cf. *O Silmarillion*, p. 42), e tornou-se assim uma descrição precisa do mundo do *Ambarkanta*, qualquer que possa ter sido o significado original de meu pai.

Em vista da similaridade próxima de fraseado entre o Q e o *Ambarkanta* no tocante ao tema da expulsão de Melko através da Porta da Noite, mencionada acima, é muito intrigante que na mesma passagem do Q (p. 186) é dito que alguns creem que ele "insinua-se, *escalando as Muralhas* e visita o mundo". O fato de que isso é apenas uma suposição ("Alguns dizem...") e que a Profecia de Mandos, que vem logo a seguir, declara que quando Morgoth será pela Porta da Noite, pouco explica como a ideia de ele "escalando as Muralhas" (em inescapável contradição ao *Ambarkanta*, e anulando o propósito da guarda de Eärendel) poderia surgir.[*]

---

[*] Esse conceito das Muralhas reaparece muito mais tarde, e é encontrado em *O Silmarillion* (p. 65): Melkor, ao retornar a Arda após ser expulso por Tulkas para a escuridão de fora, "*passou por sobre as Muralhas da Noite* com sua hoste e veio à Terra-média no norte distante". Mas esse é um aspecto de problemas intratáveis que surgem na cosmologia tardia que não podem ser abordados aqui.

O AMBARKANTA

Não é explicado de fato no *Ambarkanta* como os Valar entraram no mundo no início deste, passando pelas Muralhas intransponíveis, e talvez não devêssemos esperar que fosse explicado. Mas a ideia central nessa época é clara: do Princípio à Grande Batalha na qual Melko foi sobrepujado, o mundo com todos os seus habitantes estava inescapavelmente cercado; mas no fim, para lançar Melko no Vazio, os Valar foram capazes de atravessar as Muralhas por uma Porta.

Completamente novo é conceito de Ilmen como o ar puro que é soprado em Valinor, e cujos limites são as Montanhas de Valinor e as montanhas chamadas de Muralhas do Sol, além do Mar do Leste, embora "Vista [sopre] por vezes, especialmente em Casadelfos". Em Ilmen viajam o Sol, a Lua e as Estrelas, de maneira que essa região também é chamada *Tinwë-mall'* e *Elenarda* (traduzido "Rua-de-estrelas" e "Reino Estelar" na lista de palavras, p. 285). Isso corresponde em parte à cosmologia dos *Contos Perdidos*, onde a Nau-da-Lua navega "nas dobras de Ilwë, caminhando por uma faixa branca em meio às estrelas", e as estrelas "não podiam flutuar até o escuro e tênue reino de Vaitya, que está fora de tudo", mas onde o Sol "viaja sempre acima de Ilwë e além das estrelas" (I. 219, 233).

O mais inferior dos ares, Vista, onde ficam *Fanyamar* "Morada-das-nuvens" e Aiwenórë "Terra-das-aves", conserva a natureza característica do Vilna mais antigo; cf. I. 86: "Vilna, que é cinzento e as aves podem voar por ele em segurança". Mas há um importante corolário à fronteira entre Ilmen e Vista no Oeste: "raramente chegam nuvens a Valinor, e as aves mortais não passam para além dos picos de suas montanhas".

Um aspecto da cosmologia que parece intrigante à primeira vista surge das afirmações no Ambarkanta de que (1) "no Norte e no Sul... a Terra-média estende-se quase até as Muralhas do Mundo" (p. 280) e (2) que Vaiya é "mais estreito no Oeste e no Leste do Mundo, mas mais profundo no Norte e no Sul" (*ibid.*). Essa aparente contradição é explicada pela passagem (p. 282) que descreve como os Mares de Dentro não possuem costas no Norte e no Sul,

---

* Ver I. 323–24 (verbete *Tinwë Linto*) e 317 (verbete *Olórë Mallë*).

298

A FORMAÇÃO DA TERRA-MÉDIA

mas que, caindo no Abismo de Ilmen, formam pontes de gelo* que encerram o abismo, e o gelo se estende para Vaiya e até mesmo às Muralhas do Mundo. Esse gelo é representado pelos picos montanhosos acima das palavras *Tormen* e *Harmen* no diagrama II. Não há qualquer traço disso nos *Contos Perdidos*; mas ver-se-á que o *Ambarkanta* aqui em muito ilumina a passagem em *O Silmarillion* (p. 131) que descreve o Helcaraxë:

> Pois entre a terra de Aman, a qual, no norte, se curva a oriente, e as costas do leste de Endor (que é a Terra-média) que se voltavam para o oeste, havia um estreito curto, através do qual as águas geladas do Mar Circundante e as ondas de Belegaer fluíam juntas, e havia vastas névoas e brumas de frio mortal, e as correntes do mar estavam cheias de montes de gelo que se chocavam e de geleiras cortantes nas profundezas.

A passagem do Sol por baixo da Terra parece ser concebida no *Ambarkanta* de modo diferente daquela da Lua; pois embora ambos passem do Leste para o Oeste através de Ilmen, o Sol "baixa ao Vaiya" e é "puxada através do Vaiya inferior pelos serviçais de Ulmo", enquanto a Lua mergulha no Abismo de Ilme.[†]

Seguindo agora para a superfície da Terra, encontramos pela primeira vez o nome *Endor*, que não ocorre no texto do *Ambarkanta* em si, mas que é definido na lista de palavras como "o ponto central" de *Ambar-endya*, ou Terra-média. *Endor* também está marcada nos "diagramas do Mundo" I e II, e também no mapa IV, onde é

---

* Cf. "Longe ao norte fica a ponte de Gelo" no canto N.O. da Expansão a Oeste do primeiro mapa do "Silmarillion", pp. 270–71.
† A afirmação em *O Silmarillion* (p. 147) de que Tilion (o timoneiro da Lua) "passava rápido pela terra do oeste… e mergulhava *no abismo além do Mar de Fora*" de nenhum modo pode ser harmonizada com o *Ambarkanta*, onde se chega ao Abismo de Ilmen antes de Vaiya, e assim deve ser em virtude das ideias fundamentais da cosmologia.
A passagem na versão do "Silmarillion" que se seguiu ao Q e foi interrompida no final de 1937 possui o seguinte trecho: "Mas Tilion… passa rápido pela terra do oeste… e mergulha no abismo entre as costas da Terra e do Mar de Fora". A passagem no *Silmarillion* publicado deriva de uma versão tardia escrita muito provavelmente em 1951–2; mas embora eu a tenha mantido, não sei como explicá-la.

O AMBARKANTA

mostrada como um ponto, o *"Earth-middle"* [Meio-da-Terra], e foi subsequentemente mudada para *Endon*. O nome *Endor* ocorre uma vez em *O Silmarillion* (na passagem recém-citada), mas lá é um nome da Terra-média, não o ponto central da Terra-média; da mesma forma em *O Senhor dos Anéis* (Apêndice E): quenya *Endórë*, sindarin *Ennor*, "Terra-média". *Ambar-endya* parece ser sinônimo de *Pelmar*, visto que na lista de palavras o primeiro é definido como "Terra-média", enquanto no mapa IV a região entre os dois mares do Leste e do Oeste é chamada "Pelmar ou Terra-média"; mas no diagrama I os nomes estão marcados como se fizessem referência a coisas diferentes. É possível que *Pelmar* (traduzido na lista de palavras como "a Morada Cercada") signifique estritamente a superfície habitável, *Ambar-endya* a parte central elevada de *Ambar*, a Terra.*

As linhas traçadas para baixo da superfície da Terra às *Martalmar*, "as raízes" da Terra", nos diagramas I e II são "as veias do Mundo" (p. 281); e essa passagem é importante para a compreensão do poder e da influência benigna de Ulmo exercidos através das águas do mundo (cf. *O Silmarillion*, pp. 53, 70, onde em ambas as passagens a expressão "as veias do mundo" é usada).

No Leste do mundo ficam as Muralhas do Sol, que é uma grande cadeia de montanhas simetricamente oposta às Montanhas de Valinor no Oeste, como mostrado no mapa IV. Não há menção dessa cadeia nos *Contos Perdidos*, onde quase tudo o que é dito sobre o Leste encontra-se nas palavras de Oromë aos Valar: "No Leste, para além das terras soçobradas, há uma praia silente e um mar sombrio e vazio" (I. 257); no Leste também ficava a grande montanha Kalormë (I. 256), e lá Aulë e Ulmo "construíram grandes portos [do Sol e da Lua] junto ao mar silente" (I. 259). No *Ambarkanta*, os Portões da Manhã, através dos quais o Sol retorna da Escuridão de Fora nos *Contos Perdidos*, desapareceram.

Na descrição do anoitecer e da aurora em Valinor no *Ambarkanta* há um eco dos *Contos Perdidos*: "Valinor fica repleta de luz

---

* Quanto ao primeiro elemento em *Pelmar*, ver o Apêndice de *O Silmarillion*, verbete *pel-*. Nem esse nome, nem *Ambar*, *Ambar-endya*, ocorrem em *O Silmarillion*, mas *Ambar-metta* "fim do mundo" é encontrado em *O Retorno do Rei* (VI. 5). — *Terra-média* é encontrado pela primeira vez no *Ambarkanta* e nos *Anais de Valinor*, que pertencem ao mesmo período, mas não podem ser datados em relação um com o outro. — *Rómen* "Leste" aparece pela primeira vez no diagrama I, e *Hyarmen* "Sul" e *Formen* "Norte" (< *Harmen*, *Tormen*) no diagrama II.

300

mesclada como de prata e ouro; e os Deuses sorriem lembrando-se do mesclar de Laurelin e Silpion há muito tempo atrás"; cf. I. 261, "Então os Deuses sorriem saudosos e dizem: 'É o mesclar das luzes novamente.'"

A simetria extremamente estreita das terras do Leste e do Oeste tal como representadas no mapa IV é impressionante; a principal descontinuidade na simetria se encontra na diferença em forma dos grandes Mares, e isso era devido ao deslocamento ou "compressão" da Terra-média — "de maneira que foi curvada" — na época da criação de Valinor e do levantamento da sua cadeia de montanhas protetora. Essa compressão mais que titânica do mundo recém-feito foi a origem das grandes cadeias de montanhas da Terra-média, as Azuis, as Vermelhas, as Amarelas e as Cinzentas. Cf. *O Silmarillion*, p. 65:

> E a forma de Arda e a simetria de suas águas e suas terras foram desfiguradas naquele tempo, de forma que os desígnios primeiros dos Valar nunca foram restaurados depois.

Mas em *O Silmarillion* essa perda de simetria não é atribuída ao ato deliberado dos próprios Valar, que no *Ambarkanta* estão dispostos a contorcer a estrutura de *Ambar* para a sua própria segurança.

Há alguns pontos interessantes no relato do *Ambarkanta* sobre os primeiros dias dos Valar no mundo. Aqui é dito pela primeira vez que Melko "baixou ao Norte mais distante", enquanto os Valar, chegando ao centro da Terra-média, fizeram sua ilha de "uma porção de terra" e a puseram no Mar do Oeste. A história mais antiga do auxílio traiçoeiro de Melko aos Valar em suas obras, pelo engendramento dos pilares das Lamparinas feitos de gelo, ainda está presente, apesar do que é dito no Esb e ainda mais no Q (§1): "Morgoth os desafiou e fez guerra. As lamparinas ele derrubou...", que parece sugerir que tal conceito fora abandonado. No conto *A Vinda dos Valar*, o nome *Ringil* é dado (por Melko!) ao pilar setentrional, e *Helkar* ao meridional (I. 90); no *Ambarkanta* os nomes são aplicados às Lamparinas em vez dos pilares, e *Ringil* se torna a meridional, e *Helkar* a setentrional. No conto não há menção da formação dos Mares Interiores na época da queda das Lamparinas; mas sim que "grandes inundações escorreram [das Lamparinas] para dentro dos Mares Sombrios", e "Tamanho foi seu derretimento que, se de início aqueles mares não tinham grandes

O AMBARKANTA

dimensões, e eram cristalinos e quentes, agora estavam negros e vastos, e vapores havia sobre eles, e sombras profundas, devido aos imensos rios gelados que se derramaram neles" (I. 91) . Posteriormente os nomes das Lamparinas foram mudados mais de uma vez, mas *Helcar* permaneceu o nome do Mar Interior "onde outrora as raízes da montanha de Illuin [a Lamparina setentrional] estiveram" (*O Silmarillion*, p. 80), e é visto pelo *Ambarkanta* que a ideia do mar ser formado onde a Lamparina estivera devia sua origem ao derretimento do pilar de gelo, embora a história de fato do engendramento dos pilares por Melko tenha sido abandonada quando se tornou impossível representar Melko cooperando, ainda que em aparência, com os Valar. Não há menção em *O Silmarillion* de um mar meridional onde ficava a outra Lamparina.

É dito no *Ambarkanta* que Kuiviénen ficava "ao Norte, à beira das águas de Helkar", como mostrado no mapa IV. Nos *Contos Perdidos* (I. 144, 147) Koivië-néni era um lago (com "margem nua", situado em um vale "cercado de encostas cobertas de pinheirais") em Palisor, a região central; em *O Silmarillion* é "uma baía no Mar Interior de Helcar" (p. 80). Na mesma passagem Oromë, naquela cavalgada que o levou a encontrar os Elfos, "virou para o norte nas costas do Helcar e passou sob as sombras das Orocarni, as Montanhas do Leste", e isso está perfeitamente de acordo com o mapa IV (*Orocarni* "Montanhas Vermelhas", ver o Apêndice de *O Silmarillion*, verbete *caran*). As Montanhas Azuis são simetricamente opostas a elas no Oeste; e no Sul ficam as Montanhas Cinzentas e as Amarelas, mais uma vez ambas simetricamente opostas umas às outras e às cadeias setentrionais. A rota da Marcha dos Elfos como marcada no mapa IV mais uma vez está em completo acordo com *O Silmarillion* (p. 86): "seguindo para o norte em torno do Mar de Helcar, viraram no rumo oeste"; mas das Montanhas Nevoentas (*Hithaeglir*) e do Grande Rio (*Anduin*), onde muitos Elfos da Terceira Hoste abandonaram a Marcha e foram para o Sul (*ibid.*, p. 87), não há sinal. Em *O Hobbit* e *O Senhor dos Anéis*, as Montanhas Cinzentas (*Ered Mithrin*) são uma cordilheira além de Trevamata no Norte da Terra-média.

Parece que Beleriand, a julgar pelo posicionamento e tamanho das letras do nome no mapa IV, era relativamente uma região muito pequena; e os Elfos chegaram ao Mar ao sul dela, na *Falassë* (posteriormente a *Falas* de Beleriand). Mas meu pai circulou "Beleriand" a lápis e a partir do círculo desenhou uma seta até o ponto onde a

A FORMAÇÃO DA TERRA-MÉDIA

rota da Marcha alcançou o Mar, o que provavelmente indica que ele queria mostrar que esse caminho ficava de fato dentro dos confins de Beleriand.

O nome *Hildórien* para a terra onde os Homens despertaram (estando implícito *Hildor*, Os Que Vêm Depois) aparece agora pela primeira vez; quanto ao uso curioso do nome *Eruman* para essa terra no Q, ver pp. 117, 194. Hildórien é uma terra situada entre as Montanhas do Vento e o Mar do Leste; em *O Silmarillion* (p. 150) ela fica situada, mais vagamente, "nas regiões a leste da Terra-média".

O posicionamento de *Utumna* (no *Ambarkanta* emendado para *Utumno*, nota 8) no mapa IV é notável, como também é a ocorrência do nome em si. Enquanto nos *Contos Perdidos* a primeira fortaleza de Melko foi *Utumna* e sua segunda, *Angband* (ver I. 238–39), no Esb e no Q a fortaleza original é *Angband*, para onde Melko retornou após a destruição das Árvores (ver p. 53), e *Utumna* não é mencionada naqueles textos. Meu pai agora voltara a *Utumna* (*Utumno*) como o nome da antiga morada original de Melko na Terra-média (ver mais abaixo, p. 306).

Os arquipélagos no Mar do Oeste passaram pela grande mudança e simplificação que distingue o relato em *O Silmarillion* daquele nos *Contos Perdidos* (ver II. 391); não há sinal no mapa das Ilhas sem Angras ou das Ilhas do Crepúsculo, e temos no lugar "As Ilhas Encantadas ou Mágicas" — em Q II §17 *Ilhas Mágicas* foi emendado para *Ilhas Encantadas* (nota 11). As "Ilhas Sombrias" situadas ao norte das Ilhas Encantadas no mapa parecem ser um conceito novo.

O nome *Eldaros* (e não *Eldamar*, ver I. 304) aparece no mapa IV com o significado "Casadelfos". *Eldaros* ocorreu uma vez anteriormente, em um dos resumos "Ælfwine" (II. 363): "Eldaros ou Ælfhâm", onde a referência é incerta, mas parece ser a Tol Eressëa. As palavras "Bay of Elfland" [Baía de Terradelfos] estão escritas no mapa, mas nenhuma baía está indicada.

No Oeste aparecem agora as terras simetricamente formadas de Eruman e Arvalin entre as Montanhas e o Mar; quanto à história mais antiga, ver I. 106. *Tún* se situa um pouco ao norte de Taniquetil; e a posição de *Valmar* é a mesma do pequeno mapa antigo apresentado em I. 105.

No *Ambarkanta* é dito algo sobre as imensas mudanças adicionais na forma das terras e dos mares que ocorreram na "primeira Batalha

303

O AMBARKANTA

dos Deuses", quando Melko foi capturado, acerca das quais não há nada no Q (§2) além de uma referência ao "tumulto". Em *O Silmarillion* (p. 83) ela é chamada de "Batalha dos Poderes"; e

> Naquele tempo, a forma da Terra-média foi alterada, e o Grande Mar que a separava de Aman se fez largo e profundo; e avançou sobre as costas, abrindo um grande golfo no rumo sul. Muitas baías menores se fizeram entre o Grande Golfo e Helcaraxë, no norte distante, onde a Terra-média e Aman ficavam mais próximas. Dessas, a Baía de Balar era a principal; e nela o grande rio Sirion desaguava, vindo dos planaltos recém-elevados ao norte: Dorthonion, e as montanhas à volta de Hithlum.

O texto do *Ambarkanta* não menciona o Grande Golfo ou a Baía de Balar, mas fala da vasta extensão do mar de Ringil e do fato se juntar aos Mares do Leste e do Oeste (não está claro por que é dito que o mar de Helkar "tornou-se um mar interior ou grande lago", visto que já era assim). Mas no verso do mapa IV há outro mapa (V) que ilustra todos os elementos de ambos os relatos. No entanto, esse mapa é um esboço feito muito rapidamente a lápis, e em alguns pontos é difícil de ser interpretado, pela incerteza quanto ao significado das linhas, especialmente nas *Western Lands* [Terras do Oeste] (Terras de Fora). É muito difícil dizer o quão precisamente esse mapa deveria ser interpretado em relação ao mapa IV. Por exemplo, no mapa IV as *Grey Mountains* [Montanhas Cinzentas] estão bastante separadas das *Blue* [Azuis], enquanto no mapa V há apenas um espaço estreito no fundo do *Great Gulf* [Grande Golfo] entre elas; e o *Inland Sea* [Mar Interior] (Helkar) fica mais ao Norte; e assim por diante. Além disso, muitos elementos estão ausentes (como os Estreitos de Gelo), e em tais casos não há como se ter certeza de que sua ausência é casual ou intencional; embora o fato de Tol Eressëa ou as Ilhas Encantadas não terem sido marcadas sugira a primeira possibilidade. Estou inclinado a pensar que o mapa V é um esboço muito rudimentar que não deve ser interpretado com muito rigor.

O anel estreito entre a Terra e os Mares de Fora claramente representa o Abismo de Ilmen.

Em relação a Beleriand no Noroeste, e tendo em mente toda a história subjacente de Eriol-Ælfwine e Leithien (Inglaterra), a parte meridional das *Hither Lands* [Terras de Cá], abaixo do *Great Gulf* [Grande Golfo], possui uma semelhança óbvia com o continente africano; e, de maneira mais vaga, o *Inland Sea* [Mar Interior] poderia ser interpretado como o Mediterrâneo e o Mar Negro. Mas não há nada que eu possa oferecer acerca dessa questão que não seja a mais pura especulação.

O mar marcado "*East Sea*" [Mar do Leste] no mapa V é o antigo mar de Ringil; cf. o *Ambarkanta*: "o Mar de Ringil... tornou-se um grande mar que corria a nordeste e unia-se por estreitos os Mares do Oeste e do Leste".

No Noroeste, vê-se as cordilheiras de Eredlómin e Eredwethrin (não nomeadas; ver p. 222) circundando Hithlum (que é nomeado), e a extensão ocidental de Eredwethrin que era barreira meridional da Nevrast posterior.* Na versão de "O Silmarillion" que se seguiu ao Q é dito que na Guerra dos Deuses as Montanhas de Ferro "foram partidas e distorcidas em sua extremidade ocidental, e de seus fragmentos foram feitas Eredwethrin e Eredlómin", e que as Montanhas de Ferro "se curvavam para trás no rumo norte"; e o mapa V, em relação ao mapa IV, está de acordo com isso. O primeiro mapa do "Silmarillion" (após a p. 256), por outro lado, mostra as Montanhas de Ferro se curvando para trás distintamente para o Nordeste (é concebível que as linhas apressadas em ziguezague a leste das Thangorodrim seriam para retificar isso).

Na versão de "O Silmarillion" recém-mencionada também é dito que "além do Rio Gelion a terra se estreitava de súbito, pois o Grande Mar entrava por um magno golfo que chegava quase aos sopés de Eredlindon, e havia um estreito de terra montanhosa entre o golfo e o mar interior de Helcar, através do qual se podia chegar às vastas regiões do sul da Terra-média". Ademais, esses elementos são claramente vistos no mapa V, onde o "estreito de terra montanhosa" é chamado "*Straits of the World*" [Estreitos do Mundo]. As áreas cercadas a leste de Eredwethrin e a sudeste das Thangorodrim claramente representam as Montanhas Circundantes ao redor de Gondolin e os planaltos de Taur-na-Fuin; vemos o que posteriormente foi chamado de Brecha de Maglor entre aqueles planaltos e

---

* Essa cordilheira também é vista na Expansão a Oeste do primeiro mapa do "Silmarillion", p. 271.

O AMBARKANTA

as Montanhas Azuis, e os rios Gelion (com os seus tributários, os rios de Ossiriand), Sirion e Narog.* Compare essa parte do mapa V com o primeiro mapa do "Silmarillion" e sua Expansão a Leste.

É particularmente notável a proximidade de Hithlum no mapa V da borda do mundo (o Abismo de Ilmen).

Angband está situada no mapa V basicamente na mesma posição em que Utumna está no mapa IV: muito próximo do Abismo de Ilmen e bem atrás das montanhas, na terra que no mapa V é chamada *Daidelos* (posteriormente *Dor Daedeloth*.[†] Como observado acima, Utumna agora havia sido ressuscitada dos *Contos Perdidos* como a fortaleza original de Melko; e por textos tardios a história claramente agora era de que, quando Melko retornou à Terra-média após a destruição das Árvores, *ele voltou para as ruínas de Utumna e construiu lá sua nova fortaleza, Angband.* Creio que é por isso que a fortaleza é chamada de Angband, e não Utumna, no mapa V.

A história, portanto, era a seguinte:

Contos Perdidos	{	Utumna	A fortaleza original de Melko
		Angband	Sua morada quando retornou
Esb, Q		Angband	A fortaleza original de Melko para onde ele retornou
Mapas do Ambarkanta	{	Utumna	A fortaleza original de Melko Sua segunda fortaleza, construída no local de Utumna quando ele retornou
		Angband	

Muito mais tarde, Utumno e Angband seriam ambas antigas fortalezas de Morgoth, e Angband aquela para onde retornou (*O Silmarillion*, pp. 79, 121).

As Thangorodrim são mostradas no mapa V como um ponto, colocado não muito longe das Montanhas de Ferro. Isso representa

---

* Todos esses elementos do noroeste estão desenhados à tinta, enquanto o resto do mapa V está a lápis; mas as cadeias de montanhas (embora não os rios) foram traçadas à tinta sobre o lápis.

† Formas similares, mas com aplicações diferentes, ocorreram antes: no *Epílogo* dos *Contos Perdidos*, a Charneca Alta em Tol Eressëa onde a batalha foi travada é *Ladwen-na-Dhaideloth*, *Dor-na-Dhaideloth* ("Telhado-do-céu"), II. 346; e no verso 946 da *Balada dos Filhos de Húrin*, Dor-na-Fauglith foi chamado primeiro de *Daideloth* ("Planície alta"), III. 64.

306

A FORMAÇÃO DA TERRA-MÉDIA

uma mudança no conceito das Thangorodrim daquela no primeiro mapa do "Silmarillion", que ilustra as palavras do Esb (§8) de que as Thangorodrim são "as maiores das Montanhas de Ferro ao redor da fortaleza de Morgoth". A marcação das Thangorodrim no mapa V do *Ambarkanta* mostra o conceito tardio, visto em *O Silmarillion*, p. 169, onde é dito expressamente que Melkor fez um grande túnel sob as montanhas que saía ao sul delas, que as Thangorodrim foram amontoadas acima do portão de escoamento, e que Angband ficava atrás das montanhas: assim, as Thangorodrim ficavam situadas um tanto à parte da cordilheira principal.

Há elementos extremamente intrigantes na *Western Land* [Terra do Oeste] no mapa V. Agora há uma cadeira de montanhas (pois assim devem ser interpretados as marcações em ziguezague, já que esse é o seu significado em outras partes do mapa) que se estende da costa ocidental para o norte de Taniquetil até o Helkaraksë e (como parece) se ergue do mar, assim como a antiga curvatura para oeste das Montanhas de Valinor (curvando-se para trás na direção do Abismo de Ilmen) vista no mapa IV; assim, Eruman (com a primeira ocorrência do nome *Araman* escrito a lápis acima dele posteriormente) não está representada como uma terra costeira desolada entre as montanhas e o mar, mas está cercada por montanhas tanto no Leste como no Oeste. Não compreendo isso; seja como for, *O Silmarillion* possui a geografia mostrada no mapa IV.

Igualmente intrigante é a representação das terras ao sul de Tûn e Taniquetil. Aqui há linhas em ziguezague que dão continuidade à linha principal de montanhas ao sul de Taniquetil, mais uma vez com a antiga curvatura para oeste na direção do Abismo; mas a área que corresponde simetricamente a Eruman no Norte não é nomeada aqui, e *Arvalin* (emendada de *Eruman*) é mostrada como uma terra substancial que se estende a leste até mesmo das "novas" montanhas, da costa meridional da *Bay of Faëry* [Baía de Feéria] ao extremo Sul do mundo. A *Bay of Faëry*, que é claramente mostrada nesse mapa (em contraste com o mapa IV), é na verdade formada em parte por essa "nova" Arvalin. Em um canto do mapa está escrito:

After the War of the Gods (Arvalin was cast up by the Great Sea at the foot of the Mts. [Após a Guerra dos Deuses (Arvalin foi lançada pelo Grande Mar ao sopé das Montanhas.]

O AMBARKANTA

Embora o parêntese não seja fechado após "Mts." [Montanhas], creio que intenção pode ter sido de que as primeiras palavras fossem um título, indicando o período representado pelo mapa. Mas as palavras seguintes, junto com a ausência de Arvalin de seu lugar esperado no mapa, parecem sugerir que foi somente agora que Arvalin passou a existir.

Os nomes em inglês antigo, *Ingarsecg* e *Utgarsecg*, são encontrados nos textos em inglês antigo (pp. 240, 243). *Alflon* na costa ao norte de Tûn é Alqualondë (sindarin tardio *alph*, *lond* (*lonn*): ver o Apêndice de *O Silmarillion*, verbetes *alqua* e *londë*). Os nomes *Aman* e *Araman* foram acrescentados ao mapa V muitos anos depois (como também *Arda* e *Earambar* nos diagramas).

Se esse mapa mostra a imensidão do cataclismo que meu pai concebeu ter ocorrido na época da destruição de Utumno e do acorrentamento de Melko, no final do *Ambarkanta* ele acrescentou (ver nota 9) uma passagem acerca do cataclismo muito maior que ocorreu "nos dias do ataque dos Númenóreanos contra a terra dos Deuses". Esse trecho pode ser sido acrescentado muito mais tarde; mas a passagem foi escrita à tinta com cuidado, não rabiscada a lápis, e é muito mais provável que seja contemporânea, visto que a história de Númenor surgiu por volta dessa época. Em defesa dessa possibilidade há o digrama III, "*the World after the Cataclysm and the ruin of the Númenóreans*" ["o Mundo após o Cataclismo e a ruína dos Númenóreanos"]; pois nesse diagrama o ar interior foi originalmente marcado *Wilwa* e somente mais tarde mudado para *Vista*. No *Ambarkanta* e na lista de palavras que o acompanha, como nos diagramas I e II, *Vista* também é uma emenda de *Wilwa*; portanto, parece que o diagrama III pertence ao mesmo período.

$\sim$ 6 $\sim$

A PRIMEIRA VERSÃO DOS ANAIS DE VALINOR

Refiro-me a esta obra como a "primeira versão" dos *Anais de Valinor* porque ela foi seguida mais tarde na década de 1930 por uma segunda versão, e depois, após a conclusão de *O Senhor dos Anéis* e muito provavelmente em 1951–2, por uma terceira, intitulada *Os Anais de Aman*, que, embora ainda seja uma parte da evolução contínua desses *Anais*, é uma nova obra maior e que contém alguns dos melhores trechos em prosa de toda a Matéria dos Dias Antigos.

Essa primeira versão dos *Anais de Valinor* está presente em um manuscrito curto de nove páginas escritas à tinta. Há uma grande quantidade de emendas e interpolações, algumas mudanças feitas à tinta e provavelmente não muito depois da composição do texto, se é que não foram feitas na mesma época, enquanto uma segunda camada de mudanças é composta por alterações escritas leve e rapidamente a lápis que nem sempre são legíveis. Estas últimas incluem duas passagens bem substanciais (apresentadas nas notas 14 e 18) que introduzem material completamente novo acerca dos eventos na Terra-média.

O texto que se segue é o dos *Anais* como escrito originalmente, salvo por uma ou duas alterações significativas de fraseado que foram feitas sem comentários, e todas as mudanças posteriores são apresentadas nas notas numeradas, com exceção das feitas nas datas. Essas são muitas e complexas e são todas tratadas ao mesmo tempo, separadamente, ao final das notas.

É certo que esses *Anais* pertencem ao mesmo período do *Quenta*, mas também que são posteriores ao *Quenta*. Isso se vê pelo fato de que enquanto no Q Finrod (= o Finarfin posterior) retornou a Valinor do Norte distante após a queima dos navios, e a história posterior de seu retorno mais cedo, após a Profecia do Norte, só foi introduzida em uma nota marginal (§5, nota 8 e comentário, p. 170), nos *Anais*

A PRIMEIRA VERSÃO DOS ANAIS DE VALINOR

a história posterior já está incorporada ao texto (Ano Valiano 2993). Nos Anais há *Beleriand*, enquanto no Q, até §12, havia *Broseliand*, emendado para *Beleriand*; há vários nomes que não ocorrem no Q, p. ex. *Bladorion, Dagor-os-Giliath, Drengist, Eredwethion* (este último somente por uma emenda tardia no Q); e *Eredlómin* possui o seu sentido tardio de Montanhas Ressoantes, não como no Q e no primeiro mapa o de Montanhas Sombrias (ver p. 222). Não vejo modo de demonstrar que os *Anais são posteriores, ou anteriores, ao Ambarkanta*, mas a questão parece não ter importância; os dois textos por certo pertencem basicamente à mesma época.

Após o meu comentário sobre os *Anais*, aos quais irei me referir como "AV", apresento as versões em inglês antigo em um apêndice.

ANAIS DE VALINOR

(Estes e os *Anais de Beleriand* foram escritos por Pengolod, o Sábio de Gondolin, antes da queda desta, e posteriormente no Porto do Sirion, e em Tavrobel em Toleressëa após o seu retorno para o Oeste, e lá vistos e traduzidos por Eriol de Leithien, que é Ælfwine dos Angelcynn.)

Aqui começam os Anais de Valinor

0 No princípio Ilúvatar, que é "Pai-de-Tudo", fez todas as coisas, e os Valar, que é os "Poderes", entraram no Mundo. Esses são nove, Manwë, Ulmo, Aulë, Oromë, Tulkas, Ossë, Mandos, Lórien e Melko. Desses, Manwë e Melko eram os mais pujantes e eram irmãos, e Manwë era senhor dos Valar e sacro; mas Morgoth voltou-se para cobiça e orgulho e violência e mal, e seu nome é amaldiçoado, e não é pronunciado, mas ele é chamado Morgoth. As esposas dos Valar eram Varda, e Yavanna, que eram irmãs; e Vana; e a irmã de Oromë, Nessa, a esposa de Tulkas;[1] e Uinen, senhora dos Mares; e Nienna, irmã de Manwë e Melko; e Estë. Não tinham esposas Ulmo e Melko.[2] Com eles vieram muitos espíritos menores, seus filhos, ou seres de sua própria gente, mas de menor poder; esses eram os Valarindi.

O tempo era contado no mundo antes do Sol e da Lua pelos Valar de acordo com eras, e uma era valiana tem 100 dos anos dos Valar, que são cada como dez anos o são agora.

310

A FORMAÇÃO DA TERRA-MÉDIA

No Ano Valiano **500**: Morgoth destruiu por ardis as Lamparinas[3] que Aulë fez para iluminar o Mundo, e os Valar, salvo Morgoth, partiram para o Oeste e erigiram lá Valinor entre os Mares de Fora que circundam a Terra e os Grandes Mares do Oeste, e nas costas desses ergueram grandes montanhas. Mas a simetria de terra e mar foi quebrada pela primeira vez naqueles dias.[4]

No Ano Valiano **1000**, após Valinor ser erigida, e Valmar, a cidade dos Deuses, construída, os Valar trouxeram à existência as Duas Árvores de Prata e de Ouro, cujo florescer dava luz a Valinor.

Mas durante todo esse tempo Morgoth habitara na Terra-média e fizera para si uma grande fortaleza nos Norte do Mundo; e ele muito partiu e desfigurou a Terra naquela época.[5]

Mil Anos Valianos de ventura e glória se seguiram em Valinor, mas o crescimento que tivera início na Terra-média com o acendimento das Lamparinas foi interrompido. À Terra-média ia somente Oromë a caçar nas matas sombrias da antiga Terra, e por vezes Yavanna caminhava lá.

O Ano Valiano **2000** é considerado o Zênite do Reino Abençoado, e o tempo da plenitude do júbilo dos Deuses. Então Varda fez as estrelas[6] e as colocou no alto, e depois disso alguns dos Valarindi vagavam pela Terra-média, e entre eles estava Melian, cuja voz era renomada em Valmar. Mas não retornou para lá por muitas eras, e os rouxinóis cantavam sobre ela nas matas sombrias das Terras do Oeste.

Ao primeiro reluzir da Foice dos Deuses, que Varda dispôs[7] acima do Norte como uma ameaça a Morgoth e um presságio de sua queda, os filhos mais velhos de Ilúvatar despertaram no centro do Mundo: são os Elfos.[8] Oromë os encontrou e fez amizade com eles; e a maior parte com a guia dele marcharam para o Oeste e o Norte até as costas de Beleriand, sendo chamados pelos Deuses a Valinor.

Mas primeiro Morgoth numa grande guerra foi acorrentado e feito cativo e aprisionado em Mandos. Lá ficou confinado como punição por nove eras (900 Anos

311

A PRIMEIRA VERSÃO DOS ANAIS DE VALINOR

Valianos),[9] até pedir perdão. Naquela guerra as terras foram rasgadas e partidas de novo.[10]

Os Quendi[11] e os Noldoli foram os primeiros a chegar a Valinor, e sobre o monte de Kôr próximo à praia construíram a cidade de Tûn. Mas os Teleri que vieram depois habitaram por uma era (100 Anos Valianos) nas costas de Beleriand, e alguns jamais partiram de lá. Desses o mais renomado era Thingol (Sindingul),[12] irmão de Elwë, senhor dos Teleri, a quem Melian encantou. Ele a desposou mais tarde e habitou como um rei em Beleriand, mas isso se deu após a partida da maior parte dos Teleri, puxados por Ulmo sobre Toleressëa.[13] Esses são os Anos Valianos **2000** a **2100**.

De **2100** a **2200** os Teleri habitaram em Toleressëa no Grande Mar à vista de Valinor; em **2200** chegaram em seus navios a Valinor; e habitaram nas praias orientais, e lá fizeram a cidade e porto de Alqalondë, ou "Porto-cisne", assim chamado por lá estarem atracados os seus barcos em forma de cisne.

Por volta de **2500** os Noldoli inventaram e começaram o feitio de gemas; e passado algum Fëanor, o artífice, filho mais velho de Finwë, chefe dos Noldoli, criou as três vezes renomadas Silmarils, acerca de cujos fados estas histórias contam. Brilhavam por sua própria luz, estando cheias da radiância das Duas Árvores, a luz sacra de Valinor, misturadas com um fogo maravilhoso.[14]

Em **2900** Morgoth suplicou perdão, e pelos rogos de Nienna, sua irmã, e pela clemência de Manwë, seu irmão, mas contrário ao desejo de Tulkas e Aulë, ele foi libertado, e fingiu humildade e arrependimento, reverência aos Valar, e amor e amizade para com os Elfos, e habitou em Valinor em sempre crescente liberdade. Mas ele mentia e dissimulava, e mormente enganava os Noldoli, pois tinha muito a ensinar, e eles tinham um desejo profundo de aprender; mas cobiçava as gemas deles e ansiava pelas Silmarils.

2900 Durante mais duas eras[15] Valinor ainda permaneceu em ventura, porém uma sombra de presságio começou a se formar em muitos corações; pois Morgoth trabalhava com sussurros secretos e mentiras astutas; e mormente agia, por infortúnio, sobre os Noldoli, e semeava as sementes da discórdia entre os filhos de Finwë, Fëanor, Fingolfin e Finrod, e da desconfiança entre Noldoli e Valar. **2950** Pela sentença dos Deuses Fëanor, o filho de mais velho de Finwë, e sua casa e seus seguidores foram depostos da liderança dos Noldoli — donde a casa de Fëanor foi depois chamada de os Despossuídos, por isso e porque Morgoth veio a lhes roubar o seu tesouro —, e os Deus mandaram também deter Morgoth. Mas ele fugiu e escondeu-se em Arvalin, e tramou o mal.[16]

2990–1 Morgoth agora concluíra seus desígnios e, com o auxílio de Ungoliantë, de Arvalin voltou às ocultas a Valinor, e destruiu as Árvores, escapando na escuridão que se ajuntava rumo ao norte, onde saqueou as moradas de Fëanor, e levou embora uma miríade de joias, entre elas as Silmarils; e matou Finwë e muitos Elfos e, assim, e profanou Valinor e deu início à matança no Mundo.[17] Apesar de perseguido pelos Valar, ele escapou para o Norte das Terras de Cá e restabeleceu lá sua praça-forte, e procriou e reuniu mais uma vez seus serviçais malignos, Orques e Balrogs.[18]

2991 Valinor jazia agora em grande treva, e uma escuridão, salvo apenas pelas estrelas, caiu por sobre todo o Mundo. Mas Fëanor contra a vontade dos Valar retornou a Tûn e reivindicou o reinado dos Noldoli após Finwë, e convocou a Tûn todos os membros daquela gente. E Fëanor lhes falou, e suas palavras estavam repletas das mentiras de Morgoth, e desconfiança nos Valar, embora seu coração ardesse com o ódio por Morgoth, matador de seu pai e ladrão de suas gemas.

A maioria dos Noldoli[19] ele persuadiu a segui-lo para fora de Valinor e recuperar os seus reinos na terra, antes que fossem furtados pelos filhos mais novos de Ilúvatar, os Homens (nisso repetia Morgoth sem ter consciência); e guerrear para sempre contra Morgoth buscando

A PRIMEIRA VERSÃO DOS ANAIS DE VALINOR

recuperar o seu tesouro. Naquele encontro Fëanor e seus filhos fizeram o seu juramento terrível de matar ou perseguir qualquer um que mantivesse uma Silmaril contra a vontade deles.

2992 A marcha começou, apesar de os Deuses a proibirem (e, no entanto, não a impediram), mas sob uma liderança dividida, pois a casa de Fingolfin o considerava rei. Longamente o povo se preparou. Então entrou no coração de Fëanor que jamais aquela grande hoste, tanto de guerreiros e outros, e grande quantidade de bens, atravessaria as vastas léguas até o Norte (por Tûn sob Taniquetil fica no Cinturão da Terra, onde os Grandes Mares são desmesuraveldmente largos), salvo com o auxílio de navios. Mas apenas os Teleri possuíam navios, e não os cederiam nem emprestariam contra a vontade dos Valar.

Assim, por volta de **2992** dos Anos Valianos ocorreu a terrível batalha em Alqalondë, e o Fratricídio miseravelmente renomado em canção, onde os Noldoli, assoberbados, fomentaram a obra de Morgoth. Mas os Noldoli sobrepujaram os Teleri e lhes tomaram os navios, e seguiram lentamente para o norte ao longe das costas rochosas em grande perigo e privação e em meio a desavenças.

Em **2993** diz-se que eles chegaram a um lugar onde uma rocha elevada fica acima das costas, e lá estava Mandos ou seu mensageiro, e ele pronunciou a Sentença de Mandos. Pelo fratricídio ele amaldiçoou a casa de Fëanor e, em menor grau, todos os que a seguissem ou tivessem parte em sua empresa, a menos que retornassem para receber a Sentença e o perdão dos Valar. Mas, se não o fizessem, então má fortuna e desastre cairiam sobre eles, e sempre por traição de parente contra parente; e seu juramento voltar-se-ia contra eles; e uma medida da mortalidade iria visitá-los, pois seriam facilmente mortos com armas, ou tormentos, ou tristezas, e no fim desvaneceriam e feneceriam diante da raça mais jovem. E muito mais ele previu obscuramente e depois se cumpriu, advertindo-os de que os Valar cercariam Valinor para evitar seu retorno.[20]

Mas Fëanor endureceu seu coração e seguiu em frente, e assim também, embora com relutância, fez o povo de Fingolfin, sentindo-se forçado por seu parentesco e temendo a condenação dos Deuses (pois nem todos os da casa de Fingolfin eram livres de culpa pelo fratricídio). Felagund e os outros filhos de Finrod também seguiram adiante, pois outrora tiveram grande irmandade, Felagund com os filhos de Fingolfin, e Orodreth, Angrod e Egnor com Celegorm e Curufin, filhos de Fëanor. Contudo, os senhores dessa terceira casa eram menos altivos e mais belos que os outros, e não tomaram parte no fratricídio, e muitos com o próprio Finrod retornaram a Valinor e ao perdão dos Deuses. Mas Aulë, seu antigo amigo, não mais lhes sorriu, e os Teleri apartaram-se deles.

2994   Os Noldoli chegaram ao Norte amargo, e ir em frente não ousavam, pois há um estreito entre a Terra do Oeste (na qual foi erguida Valinor) que se curva a leste e as Terras de Cá que se volta a oeste, e através daqueles lugares as águas frígidas dos Mares de Fora e as ondas do Grande Mar correm juntas, e há vastas brumas de frio mortal, e as correntes estão cheias de colinas de gelo que se chocam e do roçar do gelo submerso. Esse estreito era chamado de Helkaraksë.

Mas os navios que restaram, muitos tendo sido perdidos, eram muito poucos para transportar a todos, e desavenças romperam entre Fëanor e Fingolfin. Mas Fëanor tomou os navios e navegou para o leste;[21] e ele disse: "Que os murmuradores se lastimem no caminho de volta às sombras de Valinor." E ele pôs fogo nos navios na costa oriental, e tão grande foi o incêndio que os Noldoli deixados para trás avistaram a vermelhidão ao longe.

Assim, por volta de **2995** Fëanor chegou a Beleriand e às costas sob as Eredlómin, as Montanhas Ressoantes, e desembarcaram na estreita enseada de Drengist, que corta Dorlómen. E de lá passaram a Dorlómen e ao norte das montanhas de Mithrim, e acamparam na terra de Hithlum, naquela parte que é chamada Mithrim e ao norte do grande lago que leva o mesmo nome.

2996 E na terra de Mithrim enfrentaram um exército de Morgoth provocado pelo incêndio e pelos rumores de seu avanço; e foram vitoriosos e repeliram os Orques com mortandade, e os perseguiram para além de Eredwethion (as Montanhas Sombrias) até Bladorion. E aquela batalha é a Primeira Batalha de Beleriand, e é chamada Dagor-os-Giliath, a Batalha sob as Estrelas; pois tudo ainda se encontrava na treva. Mas a vitória foi maculada pela morte de Fëanor, que foi ferido mortalmente por Gothmog, senhor de Balrogs, quando ele com imprudência adentrou por demais em Bladorion;[22] e Fëanor foi carregado de volta a Mithrim e morreu lá, lembrando os filhos de seu juramento. A este acrescentaram agora um juramento de vingança pelo pai.

2997 Mas Maidros, filho mais velho de Fëanor, caiu nos ardis de Morgoth. Pois Morgoth fingiu tratar com ele, e Maidros fingiu estar disposto, e um pretendia o mal ao outro, e foram em força ao debate; mas a de Morgoth era maior, e Maidros foi feito prisioneiro.

Então Morgoth o manteve como refém, e jurou somente libertá-lo se os Noldoli marchassem de volta para Valinor, se pudessem, ou de Beleriand para o Sul distante; e, caso não o fizessem, ele submeteria Maidros a tormentos.

Mas os Noldoli não criam que ele liberaria Maidros se partissem, tampouco estavam dispostos a tal, não importando o que Morgoth fizesse. Donde em **2998** Morgoth pendurou Maidros pelo pulso direito em uma tira de aço forjado infernal acima de um precipício nas Thangorodrim, onde ninguém podia alcançá-lo.

Ora, conta-se que Fingolfin e os filhos de Finrod[23] avançaram por fim com dolorosas perdas e poderio diminuído ao Norte do Mundo. Então forçados atravessaram o Helkaraksë, não estando dispostos a tomar o caminho de volta a Valinor, e por não terem navios; mas sua agonia naquela travessia foi muito grande e seu corações estavam cheios de amargura contra Fëanor.

E no momento em que chegaram as Primeiras Eras do Mundo terminaram;[24] e essas são contadas como 30.000

anos ou **3.000** anos dos Valar; dos quais os primeiros Mil foram antes das Árvores, e Dois Mil salvo nove foram Anos das Árvores ou da Luz Sacra, que viveram depois e vivem ainda apenas nas Silmarils. E os Nove são os Anos de Escuridão ou o Obscurecer de Valinor.

Mas perto do fim dessa época, como se conta em outro lugar, os Deuses fizeram o Sol e a Lua e os enviaram por sobre o Mundo, e a luz chegou às Terras de Cá.[25] E os Homens despertaram no Leste do Mundo ao raiar da primeira Aurora.[26]

Mas com o primeiro Nascer da Lua Fingolfin pôs os pés no Norte; pois o Nascer da Lua veio antes da Aurora, tal como Silpion outrora florescia antes de Laurelin e era a mais velha das Árvores. Mas a primeira Aurora reluziu sobre a marcha de Fingolfin, e suas bandeiras azuis e prateadas foram desfraldadas, e flores brotaram sob seus pés em marcha, pois um tempo de abertura e crescimento chegara à Terra, e de bem que surge devido ao mal, como sempre acontece.

Mas Fingolfin marchou pelos próprios recônditos da terra de Morgoth, Dor-Daideloth,[27] a Terra do Terror, e os Orques fugiram diante da nova luz assombrados, e esconderam-se sob a terra; e os Elfos golpearam os portões de Angband e suas trombetas ecoaram nas torres das Thangorodrim.

Foram então para o sul e entraram em Mithrim, e pouco amor[28] havia entre eles e a casa de Fëanor; e o povo de Fëanor se retirou e acampou nas margens ao sul, e o lago ficou entre as gentes. E desse tempo em diante foram contados os Anos do Sol, e essas coisas ocorreram no primeiro ano. E depois chegou o tempo medido no Mundo, e o crescimento e a mudança e o envelhecimento de todas as coisas foi desde então mais rápido até mesmo em Valinor, mas mormente nas Terras de Cá,[29] as regiões mortais entre os Mares do Leste e do Oeste. E o que mais veio a se passar está registrado nos *Anais de Beleriand*, e no *Pennas* ou *Qenta*, e em muitas canções e contos.

NOTAS

[1] Acrescentado aqui a lápis: *filha de Yavanna*.

[2] Essa passagem, a partir de *e Nienna…*, foi emendada a lápis para: *e Vairë; e Estë. Não tinham esposas Ulmo ou Melko, nem esposo Nienna, irmã de Manwë e Melko*.

[3] Cf. o título do mapa IV do *Ambarkanta* (p. 293): *O Mundo por volta de A.V. 500 após a queda das Lamparinas*.

[4] *Mas a simetria de terra e mar foi quebrada pela primeira vez naqueles dias* é um acréscimo, mas provavelmente foi feito na época da composição do texto. Cf. p. 301 e a citação de *O Silmarillion* apresentada lá.

[5] *e ele muito partiu e desfigurou a Terra naquela época* é outro acréscimo provavelmente feito na época da composição.

[6] O parágrafo até esse ponto foi emendado para: *Mas em certa época (1900) Varda começou a feitura das estrelas…* A frase *O Ano Valiano 2000 é considerado o Zênite do Reino Abençoado, e o tempo da plenitude do júbilo dos Deuses* foi transferida para um ponto mais adiante: ver nota 10.

[7] Acrescentado aqui à tinta: *por último e* (isto é, *da Foice dos Deuses que Varda dispôs por último e acima do Norte*)

[8] Acrescentado aqui à tinta: *Donde são chamados de os filhos das estrelas*.

[9] *nove eras (900 Anos Valianos)* emendado à tinta para *sete eras (700 Anos Valianos)*.

[10] Nesse ponto, a frase *O Ano Valiano 2000…* foi reintroduzida (ver nota 6).

[11] *Quendi* > *Lindar* a lápis.

[12] *Sindingul* > *Tindingol* a lápis.

[13] Acrescentado aqui a lápis: *Seu povo o procurou em vão, e seu sono durou até terem partido*.

[14] Acrescentado aqui a lápis:

> 2700   Aqui os Elfos-verdes, ou Laiqi ou Laiqeldar chegaram por fim a Ossiriand após muito vagar e muitas estadas em lugares diversos. Conta-se que uma companhia dos Noldoli sob a liderança de Dan abandonou a hoste de Finwë no início da marcha e voltou-se para o sul, mas, por acharem mais uma vez as terras estéreis e sombrias, voltaram para o norte, e passaram por volta de 2700 por sobre as Eredlindon sob a liderança de Denithor, filho de Dan, e habitaram em Ossiriand, e eram aliados de Thingol.

O nome *Denithor* é uma emenda, provavelmente de *Denilos* (ver nota 18).

[15] Esse segundo registro de 2900 foi escrito após o primeiro ser mudado para 2700 (ver nota 9 e nota sobre datas abaixo).

[16] Essa passagem foi emendada e ampliada a lápis assim:

> [...] lhes roubar o seu tesouro. Mas Morgoth escondeu-se no Norte da terra, como era sabido apenas por Finwë e Fëanor, que agora habitavam separados.

> 2950   Os Deuses mandaram deter Morgoth, mas ele fugiu por sobre as montanhas e entrou em Arvalin, e tramou o mal por muito tempo, reunindo em si mesmo a força da escuridão.

A data 2950 anteriormente no parágrafo foi riscada na mesma época.

[17] Acrescentado aqui a lápis: *Essa recompensa recebeu Finwë por sua amizade*.

[18] Acrescentado aqui a lápis:

> Então o medo entrou em Beleriand, e Thingol fez suas mansões em Menegroth, e Melian teceu magias dos Valar em torno da terra de Doriath,

A FORMAÇÃO DA TERRA-MÉDIA

e a maioria dos Elfos de Beleriand recuaram para os confins de sua proteção, salvo alguns que permaneceram nos portos ocidentais, Brithombar e Eglorest, às margens dos Grandes Mares.

A esse trecho foi acrescentado, leve e apressadamente a lápis:

e o remanescente dos Elfos-verdes de Ossiriand atrás dos rios e do poderio de Ulmo. Mas Thingol, com o seu aliado Denilos dos Elfos-verdes, manteve os Orques durante algum tempo afastados do Sul. Porém, por fim Denilos, filho de Dan, foi morto, e Thingol

Aqui a anotação a lápis termina de forma abrupta. Acima de -*los* em *Denilos* na primeira ocorrência há uma terminação alternativa, ilegível, mas em vista de *Denithor* provavelmente < *Denilos* na nota 14, sem dúvida é -*thor*.

[19] *Noldoli* emendado de *Gnomos* na época da composição.

[20] Acrescentado aqui a lápis: *Aqui termina o que Rúmil escreveu.* Ver pp. 342–43.

[21] Acrescentado aqui à tinta: *com todo o seu povo e mais ninguém além de Orodreth, Angrod e Egnor, a quem Celegorm e Curufin amavam;*

[22] Acrescentado aqui a lápis: *mas ele . . . . duelo e Fëanor tombou envolto em fogo.*

[23] *Fingolfin e os filhos de Finrod* emendado à tinta para *Fingolfin e Felagund* (cf. nota 21).

[24] Acrescentado aqui a lápis: *pois eles muito se demoraram desesperados nas costas do Oeste.* A próxima frase começa com: *E esses...*

[25] Acrescentado aqui a lápis: *Mas a Lua foi a primeira a ser posta a navegar.*

[26] *Nascer do Sol* escrito a lápis acima de *Aurora.*

[27] *Dor-Daideloth* é uma emenda à tinta de (quase certamente) *Dor-Daidelos*; cf. o mapa V do *Ambarkanta* e p. 306.

[28] Essa frase foi emendada a lápis para: *Então, preocupados com os ardis de Morgoth, entraram em Mithrim, para que as Montanhas Sombrias fossem sua proteção. Mas pouco amor...*

[29] Acrescentado a lápis: *da Terra-média.*

Nota sobre mudanças feitas nas datas
(i) *Datas do período até o Ano Valiano 2200*

A menção do Zênite do Reino Abençoado foi deslocada (notas 6 e 10) para que fosse possível datar a feitura das estrelas e outros eventos antes de 2000. O início da feitura das estrelas foi então datado como ocorrendo em 1900 (nota 6), e junto a *Ao primeiro reluzir da Foice dos Deuses* foi escrita a data 1950. Junto à marcha dos Elfos conduzidos por Oromë foram escritas as datas 1980–1990; e junto à chegada dos Quendi (Lindar) e dos Noldoli a Valinor, 2000.

Na frase *Mas os Teleri que vieram depois habitaram por uma era (100 Anos Valianos) nas costas de Beleriand*, as palavras *uma era* foram riscadas, *100* mudado para *10* e foram escritas as datas 2000–2010.

319

A PRIMEIRA VERSÃO DOS ANAIS DE VALINOR

Na frase *Esses são os Anos Valianos 2000 a 2100*, a segunda data também foi mudada para 2010.

Na parte que conclui o período, por meio de mudanças a lápis que talvez sejam posteriores às mencionadas acima, as datas da habitação dos Teleri em Tol Eressëa, originalmente 2100 a 2200, foram mudadas para 2010 a 2110; e a chegada dos Teleri a Valinor em 2200 foi mudada para 2111. O resultado dessas mudanças pode ser exibido em uma tabela:

Anais originais	Após mudanças	
2000	1900	Tem início a feitura das estrelas por Varda
	1950	Feitura da Foice dos Deuses (fim da feitura das estrelas)
	1980–1990	Marcha dos Elfos
2000	2000	Zênite do Reino Abençoado
	2000	Chegada das duas primeiras gentes dos Elfos a Valinor
2000–2100	2000–2010	Teleri nas costas de Beleriand
2100–2200	2010–2110	Teleri habitando em Tol Eressëa
2200	2111	Chegada dos Teleri a Valinor

(ii) *Datas do período desde o Ano Valiano 2900*

O ano 2900, no qual Morgoth suplicou perdão, foi mudado para 2700, acompanhando a mudança da duração de seu aprisionamento de nove para sete eras (900 para 700 Anos Valianos) feita anteriormente (nota 9). Essas mudanças devem ter sido feitas enquanto os *Anais* estavam em andamento, em vista do segundo registro de 2900 que se segue no texto conforme escrito, *Durante mais duas eras Valinor ainda permaneceu em ventura*, isto é, mais duas eras desde a data *emendada*, 2700, quando Morgoth suplicou perdão e foi libertado.

Quanto à mudança da data 2950, ver nota 16.

Quase todas as datas desde 2990–1 até o final foram emendadas a lápis, e os resultados são mais bem demonstrados em uma tabela. (As datas dadas no texto como 2992 a 2995 são elas próprias emendas à tinta, em cada caso aparentemente avançando a data em um ano daquela originalmente escrita.)

320

A FORMAÇÃO DA TERRA-MÉDIA

A frase *Assim, por volta de 2992 dos Anos Valianos* (p. 314) foi mudada para *Assim, no terrível Ano dos Valar 2999 (29991 A.S.)*, onde A.S. = Ano do Sol; cf. a abertura dos *Anais*, onde é explicado que um Ano Valiano era igual a dez anos "agora", isto é, do Sol.

É possível ver que o efeito das mudanças tardias a lápis apresentadas na tabela abaixo foi acelerar eventos da Batalha de Alqualondë até a chegada de Fingolfin à Terra-média, de maneira que se estendem por um único Ano Valiano. Na passagem que fornece a contagem das Primeiras Eras do Mundo (pp. 316–17), sobre *nove* em *Dois Mil salvo nove foram Anos das Árvores* meu pai escreveu *um*; esse ano é o *terrível Ano dos Valar 2999*.

Nesta tabela, estão registradas somente mudanças a lápis feitas nas datas. A mudança de 2991 para 2998–3000 visa abranger todo o exposto abaixo, ou refere-se apenas ao início do registro: *Valinor jazia agora em grande treva, e uma escuridão... caiu por sobre todo o Mundo.*

Anais originais		*Após mudanças*	
(Anos Valianos)		*(Anos Valianos)*	*(Anos do Sol)*
2990–1	Destruição das Árvores e fuga de Morgoth	2998	
2991	Rebelião de Fëanor	2998–3000	
2992	Preparativos para a Fuga dos Noldoli	2999	
2992	A Batalha de Alqualondë	2999	29991
2993	A Sentença de Mandos		29992
2994	Os Noldoli no Norte distante; a queima dos navios		29994
2995	O desembarque dos Fëanorianos e o acampamento em Mithrim		29995
2996	A Batalha sob as Estrelas e a morte de Fëanor	*Data riscada*	
2997	Captura de Maidros		29996
2998	Maidros pendurado nas Thangorodrim		
3000	Chegada de Fingolfin		

Comentário sobre os *Anais de Valinor*

No preâmbulo dos *Anais de Valinor* (AV) encontramos um certo Pengolod, o Sábio de Gondolin, que morou em Tavrobel em Tol Eressëa "após o seu retorno para o Oeste". Pengolod (ou Pengoloð) aparece com frequência posteriormente, mas nada mais é contado sobre sua história (a referência ao Porto do Sirion indica que ele era um dos que escaparam de Gondolin com Tuor e Idril). Estou muito inclinado a pensar que a sua origem literária encontra-se em Gilfanon dos *Contos Perdidos*, que também vivia em Tavrobel (que agora ressurge pela primeira vez); lá Eriol ficou em sua casa ("a casa das cem chaminés"), e Gilfanon lhe pediu que anotasse tudo o que ouvira (II. 340), enquanto no preâmbulo dos AV Eriol viu o livro de Pengolod em Tavrobel e o traduziu lá. Além disso, Gilfanon era dos Noldoli, e apesar de nos *Contos Perdidos* ele não ser associado a Gondolin, ele era um Elfo de Kôr, "sendo mesmo um dos mais velhos das fadas e o mais idoso que agora habitava na ilha", e vivera por muito tempo nas Grandes Terras (I. 210); enquanto Pengolod também era um Elfo cuja vida começara em Valinor, visto que ele "retornou" para o Oeste.

Não está claro se a atribuição dos dois conjuntos de *Anais* a Pengolod de Tavrobel, onde Ælfwine/Eriol os traduziu, é divergente ou congruente com o título do *Quenta* (p. 95), onde se diz que Eriol leu o Livro Dourado (*Parma Kuluina*) em Kortirion. Nas anotações e resumos mais antigos há conceitos diferentes do Livro Dourado: ver II. 345, 350–51, 364–75. Quanto à igualação de Ælfwine e *Eriol* no preâmbulo dos AV, ver p. 239.

Quanto ao acréscimo tardio "Aqui termina o que Rúmil escreveu" aos AV (nota 20), ver pp. 342–43. Rúmil ressurge dos *Contos Perdidos* também como o autor do *Ambarkanta* (p. 279).

Na passagem de abertura dos AV, e nas alterações posteriores feitas neles, há alguns desenvolvimentos na composição e nas relações dos Valar. Os Nove Valar são os mesmos que os nove "principais dentre os Valar" ou os "Nove Deuses" da seção de abertura do Q; e a associação dos Valar com seus cônjuges pouco mudou desde os *Contos Perdidos*: Manwë e Varda; Aulë e Yavanna; Oromë e Vana; Tulkas e Nessa; Ossë e Uinen; Mandos e Nienna. Mas agora Estë aparece pela primeira vez, a esposa de Lórien (como fica subentendido aqui pela disposição da passagem, e como é afirmado explicitamente na versão em inglês antigo dos AV, p. 335).

A "consanguinidade" dos Valar. Nos *Contos Perdidos* Aulë e Yavanna Palúrien eram os pais de Oromë (I. 87), e Nessa era irmã de Oromë (I. 97). No acréscimo aos AV apresentado na nota 1, Nessa ainda é a filha de Yavanna;* como aparecerá subsequentemente (p. 344), Oromë era o filho de Yavanna, mas não de Aulë. Em *O Silmarillion* (p. 56) Oromë e Nessa permanecem irmão e irmã, embora o seu parentesco não seja afirmado.

É dito que Varda e Yavanna são irmãs no Q, como nos AV; no Q Vana é uma terceira irmã, embora aparentemente não o seja nos AV, e ela permanece a irmã mais nova de Yavanna em *O Silmarillion (ibid.)*.

É dito nos AV que Manwë e Melko são "irmãos" (cf. O Silmarillion, p. 52: "Manwë e Melkor eram irmãos no pensamento de Ilúvatar"), e Nienna é irmã deles; em *O Silmarillion* (p. 55) ela é a irmã dos Fëanturi, Mandos e Lórien.

Se essas fontes forem completamente combinadas, a genealogia torna-se então a seguinte:

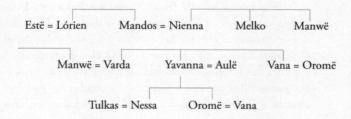

Somente os deuses-marinhos, Ulmo, e Ossë com Uinen, não são incluídos.

Vairë aparece por meio da emenda apresentada na nota 2, e fica claro pela disposição da passagem que ela é esposa de Mandos, como permaneceu; e Nienna agora se torna solitária, como também permaneceu. É claro que, no geral, não está claro o que realmente significam os termos "irmão", "irmã", "mãe", "filho", "filhos" no contexto dos grandes Valar.

---

* Em Q §6 (p. 118) Nessa é a filha de Vana, embora essa declaração tenha sido riscada (nota 2).

O termo *Valarindi* não havia ocorrido anteriormente; ver a seguir, p. 344.

A seguir relato minhas observações acerca das datas dos *Anais*. Sob muitos aspectos esse texto (como originalmente escrito) está em harmonia com o *Quenta*, e saliento apenas os relativamente poucos e em sua maior parte menores pontos que não estão, ou nos quais os *Anais* fornecem algum detalhe que não está presente no *Quenta* (obviamente uma grande quantidade de detalhes encontrada no *Quenta* muito mais longo foi omitida nos breves *Anais*).

Ano Valiano 500   As palavras "Morgoth destruiu *por ardis* as Lamparinas" indica a história do engendramento por parte dele dos pilares de gelo, como no *Ambarkanta* (ver pp. 282–83, 301–02).

Ano Valiano 2000 (posteriormente 1900, 1950)   A feitura das estrelas ainda parece ser concebida como realizada por Varda num mesmo período, como em Q §2 (ver pp. 190–91). Um acréscimo tardio aos AV (nota 7) torna a Foice dos Deuses a última das obras de Varda nos céus, e assim os Elfos despertaram quando a feitura das estrelas foi concluída, como em *O Silmarillion* (p. 80), no Esb e no Q eles despertaram "com a feitura das estrelas". O acréscimo apresentado na nota 8 que diz que os Elfos por essa razão eram chamados de "os filhos das estrelas" é interessante; mas evidências tardias demonstram que esse ainda não era o significado do nome *Eldar*.

É dito que os Elfos despertaram "no centro do Mundo"; no Esb e no Q, Cuiviénen fica "no Leste", "no Leste distante", como em *O Silmarillion*. Mas duvido que isso seja significativo, em vista do posicionamento de Kuiviénen no mapa IV do *Ambarkanta* (p. 293), ao qual seria possível se referir como "no Leste" ou como "no centro do Mundo".

No Esb e no Q não há menção dos Elfos que não quiseram deixar as Águas do Despertar (ver p. 54); nos AV há pelo menos uma indicação deles na referência à "maior parte" dos Elfos ter seguido Oromë. Mas a história dos três embaixadores originais dos Elfos ainda não está presente (ver pp. 190–91).

No Esb e no Q (§4) a duração do aprisionamento de Morgoth nos salões de Mandos foi de sete eras; no Q "sete" foi emendado

A FORMAÇÃO DA TERRA-MÉDIA

para "nove", mas essa alteração foi então rejeitada (nota 1); nos AV "nove" foi emendado para "sete" (nota 9). Em *O Silmarillion* (p. 101) o número de eras é três.

O destroçamento e a separação das terras na guerra que terminou com o cativeiro de Morgoth são descritos no *Ambarkanta* (ver pp. 284, 303–05).

O termo *Quendi* para a Primeira Gente ainda é usado nos AV como no Q, e tal como no Q foi posteriormente mudado para *Lindar*. O acréscimo na nota 13 deixa explícito que Thingol não despertou de seu sono encantado até seu povo ter passado por sobre o Mar; o mesmo se dá no *Conto de Tinúviel*, II. 19: "Ora, quando despertou, não pensou mais em seu povo (e de fato teria sido em vão, pois eles agora há muito haviam chegado a Valinor)". Ele é agora o irmão de Elwë, Senhor dos Teleri (cf. I. 150).

Ano Valiano 2200 (posteriormente 2111) O nome *Alqalondë* (ausente no Esb e no Q, onde somente o nome em inglês, *Swanhaven* [Porto-cisne] ou *Haven of the Swans* [Porto dos Cisnes], é usado) reaparece de *(Kópas) Alqaluntë* dos *Contos Perdidos*; cf. *Alflon* no mapa V do *Ambarkanta* (pp. 295, 308).

Pode-se notar que, embora a mudança das datas (pp. 319–20) tenha reduzido em muito o tempo em que os Teleri habitaram na costa de Beleriand (de 100 Anos Valianos para 10), isso não afeta a duração da estada deles em Tol Eressëa, 100 Anos Valianos, equivalentes a 1.000 Anos do Sol (cf. Q §3: "Dessa longa estada apartados sobreveio a separação da língua dos Ginetes d'Ondas e da dos Elfos de Valinor").

Ano Valiano 2500 O assunto do acréscimo a lápis apresentado na nota 14 é completamente novo. Meu pai estava elaborando aqui a cronologia de forma liberal, pois não há razão para essa história aparecer nos Anais de Valinor.* Ela está de acordo com o que é contado em *O Silmarillion* (p. 84), exceto que o pai de Denethor lá é Lenwë, não Dan, e que esses Elfos vieram da terceira hoste, os Teleri, não dos Noldor.

---

* No entanto, ela permaneceu na "tradição" desses Anais, e ainda está presente nos *Anais de Aman* muito posteriores (apesar de lá haver uma indicação de transferi-la para os *Anais de Beleriand*).

325

A PRIMEIRA VERSÃO DOS ANAIS DE VALINOR

Essa é a primeira indicação da origem dos Elfos-verdes, que até então só haviam aparecido associados a Beren (ver p. 75, e Q §14), e a primeira aparição de seus nomes élficos *Laiqi* ou *Laiqeldar* (posteriormente *Laiquendi*). Quanto a formas mais antigas de Ossiriand, ver p. 278; a forma final também ocorre em emendas do Q (§§9, 10, 14). *Eredlindon* aparece em um acréscimo posterior a Q §9, nota 3.

Ano Valiano 2900 (posteriormente 2700) No Esb e no Q são Tulkas e Ulmo que se opõem à libertação de Morgoth, tal como em *O Silmarillion* (p. 101); nos AV são Tulkas e Aulë. Nos AV aparece a intercessão de Nienna por Morgoth, e isso foi mantido em *O Silmarillion* (p. 101), embora Nienna não seja mais sua irmã.

Ano Valiano 2950 "Despossuídos", o nome dado à Casa de Fëanor, apareceu no nome em inglês antigo *Yrfeloran*, p. 247.

No meu comentário sobre Q §4, observei que a interpolação tardia (nota 6), onde se diz que um mensageiro chegou aos Deuses em concílio com novas de que Morgoth estava no Norte de Valinor e rumo à casa de Finwë, é a primeira sugestão da ida de Morgoth a Formenos e de sua fala com Fëanor diante das portas. Nos AV, como originalmente escritos, a movimentação de Morgoth rumo ao norte também não está presente (ele fugiu de imediato para Arvalin após o concílio dos Deuses no qual depuseram Fëanor e mandaram deter Morgoth); mas na interpolação a lápis apresentada na nota 16 Morgoth "escondeu-se no Norte da terra, como era sabido apenas por Finwë e Fëanor, que agora habitavam separados". Foi então que os Deuses mandaram detê-lo, embora nenhuma explicação seja dada sobre como sabiam onde ele estava; mas a história agora se torna estruturalmente a mesma que a presente em *O Silmarillion* (p. 109), onde foi só quando Finwë enviou mensageiros a Valmar dizendo que Morgoth chegara a Formenos que Oromë e Tulkas foram atrás dele.

Anos Valianos 2990–1 Creio que o acréscimo apresentado na nota 17, "Essa recompensa recebeu Finwë por sua amizade", refere-se às relações entre Morgoth e os Noldoli antes de ser exposto. Isso parece muito mais provável do que Morgoth de fato ter tido sucesso em persuadir os Noldoli ao exílio no Norte de Valinor, de que formaram uma aliança com ele.

326

É notável que, de acordo com a datação revisada, não menos que 48 Anos Valianos (2950–2998), isto é, 480 Anos do Sol, passaram-se entre a fuga de Morgoth para Arvalin e a destruição das Árvores.

A inserção (em duas partes) apresentada na nota 18 introduz novas histórias das "Eras das Trevas" da Terra-média. Os Portos no litoral de Beleriand foram marcados posteriormente na Expansão a Oeste do primeiro mapa (p. 271), onde são chamados *Brithombar* e *Eldorest* (ver p. 270). Agora aparece também o recuo dos Elfos de Beleriand para trás do Cinturão de Melian; cf. *O Silmarillion*, p. 141: "[Thingol] recuou com todos os membros de seu povo, que suas convocações podiam alcançar, para dentro da região fortificada de Neldoreth e Region". O nome *Menegroth* para as Mil Cavernas não havia ocorrido antes.

O acréscimo incompleto a lápis é a primeira indicação da batalha dos Elfos de Beleriand com os Orques após o retorno de Morgoth ("a primeira batalha das Guerras de Beleriand", *O Silmarillion*, p. 140), na qual Denethor foi morto.

Ano Valiano 2992 (posteriormente 2999) No relato da fuga dos Noldoli há um indício, nas palavras "A marcha começou, apesar de os Deuses a proibirem (e, no entanto, não a impediram)", da fala do mensageiro de Manwë quando a marcha teve início em *O Silmarillion* (p. 126): "Não partais!... Nenhum auxílio os Valar dar-vos-ão nesta demanda; mas, nem por isso, vão impedir-vos".

Ano Valiano 2993 (posteriormente Ano do Sol 29992) Mais é contado agora acerca do teor da Profecia de Mandos, especialmente por dizer respeito ao destino alterado dos Noldoli que não abandonassem a rebelião. No Q (§5) nada é dito sobre tal assunto, e a maldição, tal como relatada, é restrita à sina de traição e ao medo da traição entre eles próprios; mas em uma passagem posterior (§7), que remonta ao Esb e de fato aos *Contos Perdidos* (ver p. 51), é contado que

> Imortais eram os Elfos, e... nenhuma doença nem pestilência traziam-lhes a morte. Mas eles podiam ser mortos com armas naqueles dias... e alguns desvaneciam e eram consumidos pelo pesar até desaparecerem da terra.

A PRIMEIRA VERSÃO DOS ANAIS DE VALINOR

Nos AV, a Sentença de Mandos prediz que

> uma medida da mortalidade iria visitá-los [a Casa de Fëanor
> e aqueles que os seguissem], pois seriam facilmente mortos
> com armas, ou tormentos, ou tristezas, e no fim desvanece-
> riam e feneceriam diante da raça mais jovem.

À primeira vista isso parece divergir da história conforme apresentada, na qual Finwë e muitos outros Elfos já haviam sido mortos por Morgoth, que assim "deu início à matança no mundo";
"uma medida de mortalidade" era o destino deles, de qualquer
forma. Mas é possível que a palavra "facilmente" seja considerada
com a devida gravidade, e que o significado é de que os Noldoli
serão menos resistentes à morte ocasionada por esse meio. Em
O Silmarillion (p. 130), Mandos ou o seu emissário diz:

> Pois embora Eru tenha estipulado que não morrêsseis em
> Eä e que nenhuma doença vos assaltasse, podeis, porém, ser
> mortos e mortos haveis de ser: por arma, e por tormento, e
> por tristeza.

Creio que isso de fato signifique: "Não se esqueçam que, embora
sejam imortais por não poderem morrer por doença, ainda
assim podem ser mortos de outras maneiras; e de fato morrerão
abundantemente de tais maneiras".

O desvanecer dos Elfos torna-se agora um elemento da Sentença de Mandos; ver a respeito na p. 195.

A afirmação nos AV de que quando Finrod e muitos outros
retornaram para Valinor e foram perdoados pelos Deuses "Aulë,
seu antigo amigo, não mais lhes sorriu", é interessante. Ela não
aparece em *O Silmarillion*, onde nada se diz acerca da recepção de
Finarfin (Finrod) e daqueles que foram com ele em seu retorno
além do fato de que "receberam o perdão dos Valar, e Finarfin
foi posto a governar o remanescente dos Noldor no Reino Abençoado" (p. 130); mas está relacionada a uma passagem no antigo
Conto do Sol e da Lua (I. 213), no qual a peculiar fúria de Aulë para
com os Noldoli por sua ingratidão e pelo Fratricídio é descrita.

As alianças e amizades entre os príncipes dos Noldoli na terceira geração foram mencionadas no Esb e Q §5, onde Orodreth,
Angrod e Egnor, filhos de Finrod, ficaram do lado dos Fëanorianos

no debate em Tûn antes da Fuga dos Noldoli; nos AV isso se torna uma amizade especialmente com Celegorm e Curufin, e sem dúvida está relacionada à evolução da lenda de Nargothrond.

Ano Valiano 2994 (posteriormente Ano do Sol 29994)   A amizade de Celegorm e Curufin com Orodreth, Angrod e Egnor mencionada acima conduz ao desenvolvimento notável (no acréscimo apresentado na nota 21) de que foi permitido a esses três filhos de Finrod serem transportados nos navios pelos Fëanorianos, e de que apenas Felagund atravessou o Helkaraksë com Fingolfin (nota 23). Essa história, caso fosse seguida, presumivelmente teria afetado a evolução posterior da história dos Noldor em Beleriand. Em *O Silmarillion*, a única relação especial de amizade entre qualquer um dos filhos de Fëanor e seus primos (à exceção daquela com Aredhel, filha de Fingolfin) é a entre Maedhros e Fingon; e Maedhros, sem perceber que seu pai pretendia queimar os navios, propôs que Fingon estivesse entre os primeiros dos outros Noldor a serem trazidos em uma segunda viagem (p. 132).

Ano Valiano 2995 (posteriormente Ano do Sol 29995)   Aqui o estreito de *Drengist* é mencionado por nome pela primeira vez nos textos narrativos (ele ocorre na lista de nomes em inglês antigo, p. 244, mas não é nomeado na Expansão a Oeste do primeiro mapa); *Eredlómin* possui o sentido tardio de Montanhas Ressoantes (ver pp. 222, 258); e *Mithrim* é usado não só para o Lago, mas também para a região em torno do Lago, e as *Montanhas de Mithrim* são mencionadas pela primeira vez (ver p. 258, verbete *Hithlum*). O acampamento dos Fëanorianos nas margens do Lago Mithrim agora antecede a Batalha sob as Estrelas.

Ano Valiano 2996 (data posteriormente riscada)   A primeira batalha o retorno dos Noldor contra os Orques é agora travada em Mithrim, não na planície setentrional (Q §8), e a planície enfim recebe um nome élfico, *Bladorion*, referindo-se à época em que ainda era coberta de relva (compare-se talvez *Bladorion* com *Bladorwen*, "a vasta terra", um nome de Yavanna dado no antigo dicionário gnômico, I. 318, verbete *Palúrien*). Os Orques são perseguidos Bladorion adentro e Fëanor é ferido lá, mas morre em Mithrim. O nome *Batalha sob as Estrelas* foi acrescentado em

Q §8, nota 2, mas aqui há a primeira ocorrência de um nome élfico, *Dagor-os-Giliath* (posteriormente *Dagor-nuin-Giliath*). *Eredwethion*, no texto conforme escrito, substitui *Eredlómin* como o nome élfico das Montanhas Sombrias (anteriormente encontrado apenas alterações tardias, Q II §15, nota 1, e no primeiro mapa, p. 259).

Ano Valiano 2997 (posteriormente Ano do Sol 29996) Um novo elemento nos AV é a condição que Morgoth apresentou para a libertação de Maidros.

Ano Valiano 3000 Aqui é introduzida a história de que Fingolfin, após chegar na Terra-média, marchou até Angband e bateu nos portões, mas (na emenda apresentada na nota 28), sendo prudente, retirou-se para Mithrim; e embora no Esb e em Q §8 já tivesse sido dito que as duas hostes dos Noldor acamparam em margens opostas do Lago Mithrim, é acrescentado agora que os Fëanorianos se retiraram para a margem meridional quando Fingolfin chegou.

Quanto à frase "depois chegou o tempo medido no Mundo", ver Q §6, nota 6, e pp. 195–96.

Quanto a "*Pennas* ou *Qenta*", cf. o título do Q (p. 77): *Qenta Noldorinwa ou Pennas-na-Ngoelaidh*.

APÊNDICE

Versões em inglês antigo dos Anais de Valinor, feitas por Ælfwine ou Eriol

A primeira versão apresentada aqui é certamente a mais antiga, e talvez seja anterior aos *Anais* em inglês moderno. Algumas alterações ou sugestões tardias a lápis são fornecidas nas notas.

I

Þéos gesegen wearþ ærest on bócum gesett of Pengolode þám Úþwitan of Gondoline ær þám þe héo abrocen wurde, 7 siþþan æt Sirigeones Hýþe, 7 æt Tafrobele on Toleressean (þæt is Ánetíge), æfter þám þe he eft west cóm; 7 héo wearþ þær gerædd and geþíedd of Ælfwine, þám þe ielfe Eriol genemdon.

Frumsceaft Hér ærest worhte Ilúfatar, þæt is Ealfæder
oþþe Heofonfæder oþþe Beorhtfæder, eal þing.

D géara þára Falar (þæt is þára Mihta oþþe Goda): án géar
10 þára Goda bið swá lang swá tíen géar béoð nú on þære
worolde arímed æfter þære sunnan gange. Melco (þæt is
Orgel) oþþe Morgoþ (þæt is Sweart-ós) oferwearp þára
Goda Blácern, 7 þá Godu west gecirdon híe, and híe
þær Valinor þæt is Godéþel geworhton.

15 **M** Hér þá Godu awehton þá Twégen Béamas, Laurelin
(þæt is Goldléoþ) 7 Silpion (þæt is Glisglóm).

MM Godéðles Middæg oþþe Héahþrymm. Hér bléowon þá
Béamas þúsend géara; ond Varda (héo wæs gydena
æþelust) steorran geworhte; for þám hátte héo
20 Tinwetári Steorrena Hlæfdige. Hér onwócon Ielfe on
Éastlandum; 7 se Melco wearð gefangen 7 on clústre
gebunden; 7 siððan cómon ielfa sume on Godéðel.

MM oþ **MMC** Hér wearð Tún, séo hwíte burg, atimbred
on munte Córe. Þá Telere gewunodon gíet on þam
25 weststrandum þára Hiderlanda; ac se Teler Þingol
wearð on wuda begalen.

MMC oþ **MMCC** Wunodon þá Telere on Ánetíge.

MMCC Hér cómon þá Telere oþ Godéðel.

MMD Hér þurh searucræftas aþóhton and beworhton þá
30 Nold-ielfe gimmas missenlice, 7 Féanor Noldena
hláford worhte þá Silmarillas, þæt wæron
Eorclanstánas.

MM oþ **MMDCCCC** Hæftnýd Morgoðes.

MMDCCCC Hér wearð Morgoþ alýsed, 7 he wunode on
35 Godéðle, 7 lícette þæt he hold wære Godum 7 Ielfum.

A PRIMEIRA VERSÃO DOS ANAIS DE VALINOR

MMDCCCCXCIX   Hér ofslóh Morgoð þá Béamas ond
oþfléah, 7 ætferede mid him þára Elfa gimmas 7 þá
Eorclanstánas. Siþþan forléton þá Noldelfe hiera hyldo,
and éodon on elþéodignes, 7 gefuhton wið þá Telere æt
40   Elfethýðe 7 sige námon 7 ætferedon þa Teleriscan
scipu.

Hér wearð micel gesweorc 7 genipu on Godéðle 7
ofer ealne middangeard. Þá hwíle edníwede Morgoð his
ealde fæsten on þám Norþdælum, and getrymede
45   micle, and orcas gegaderode, and þa Eorclanstánas on
his irenhelme befæste.

Þá fór Féanor mid his seofon sunum and micelre
fierde norþ 7 þá siglde on Teleriscum scipum to þám
Weststrandum, and þær forbærndon híe þa scipu ond
50   aswicon hiera geféran þe on lást síðodon.

Hér gefeaht Féanores fierd wiþ þam orcum 7 sige
námon 7 þá orcas gefliemdon oþ Angband (þæt is
Irenhelle); ac Goðmog, Morgoðes þegn, ofslóh Féanor,
and Mægdros gewéold siþþan Féanores folc. Þis gefeoht
55   hátte Tungolgúð.

NOTAS

Notas textuais à Versão I

Todas as mudanças abaixo, com exceção da presente na linha 9,
foram feitas muito depressa a lápis e sem que as formas originais
fossem riscadas; elas pertencem a um período muito posterior,
como se vê pelo fato de *Melkor* para *Melko* não ter sido introduzido
antes de 1951.

1 *Pengolode* > *Pengoloðe*
2 *Gondoline* > *Gondolinde*
3 *Tafrobele* > (provavelmente) *Tafrobele* (ver p. 339, nota à linha 7, e p. 342, nota
à linha 7).
6 *Eriol* > *Ereol*
9 *Falar* é uma emenda à tinta de *Valar*.
11 *Melco* > *Melcor* (mas não na linha 21)
13 *Blácern* > Léohtfatu
14 *Godéþel* > *Ésa-eard* (*ésa*, plural genitivo de ós, ver p. 241)

332

A FORMAÇÃO DA TERRA-MÉDIA

Nomes em inglês Antigo na Versão I

O uso de equivalentes em inglês antigo é bem menor aqui do que a quantidade de termos fornecidos nas listas apresentadas nas pp. 241–49; de maneira que temos *Gondoline* com uma desinência flexional inglesa antiga (e não *Stángaldorburg* etc.), *Nold(i)elfe*, também o plural genitivo *Noldena* (e não *Déopelfe* etc.), *Féanor*, *Mœgdros*, *Goðmog*, *on munte Córe*. Os equivalentes em inglês antigo, usados ou apenas mencionados, são de fato na maior parte traduções. Assim, *Melco* é *Orgel* ("Orgulho"); *Morgoð* é *Sweart-ós* ("Deus Negro", "Deus Sombrio", ver II. 87–88); *Laurelin* é *Goldléop* ("Canção de Ouro" – cf. a tradução "ouro-cantante" na lista de nomes de *A Queda de Gondolin*, II. 260, e compare com *Glengold* em imitação de *Glingol*, p. 245); *Silpion* é *Glisglóm* (cujos elementos são evidentemente o radical *glis-* visto nos verbos *glisian*, *glisnian* "brilhar, cintilar", e *glóm* "crepúsculo"); *Alqalondë* é *Elfethýð ("Porto-cisne")*[*]; *Tol Eressëa* é *Ánetíg* ("Ilha Solitária"); a Batalha-sob-as-Estrelas é *Tungolgúð* ("Batalha-das-Estrelas"). *Irenhell* para *Angband* e *Godéðel* ("Terra dos Deuses") para *Valinor* são encontrados na lista de nomes em inglês antigo.

As Silmarils são *Eorclanstánas* (também tratadas como um substantivo inglês antigo com o plural *Silmarillas*). Há várias formas diferentes dessa palavra em inglês antigo: *eorclan-*, *eorcnan-*, *earcnan-* e *eorcan-*, de onde deriva a "Pedra Arken" da Montanha Solitária. O primeiro elemento pode estar relacionado ao gótico *airkns* "sagrado". Quanto a *middangeard*, linha 37, cf. a nota de meu pai em *Guide to the Names in The Lord of the Rings* [Guia para os Nomes em O Senhor dos Anéis], em *A Tolkien Compass*, p. 189: "O sentido é 'as terras habitadas dos (Elfos e) Homens', imaginada como situada entre o Mar do Oeste e o do Extremo Leste (conhecido no Oeste somente por rumores). *Middle-earth* [Terra-média] é uma alteração moderna da *middel-erde* medieval, vinda do inglês antigo *middan-geard*."

O nome de Varda, *Tinwetári*, Rainha das Estrelas, remonta ao conto *O Acorrentamento de Melko* (I. 127), e também é encontrado em Q §2.

---

[*] Esse nome em inglês antigo (com uma vogal inicial variante, *Ielfethýp*) é encontrado muito antes em uma nota marginal a *Kópas Alqaluntë* no conto *A Fuga dos Noldoli*, I. 200, nota de rodapé.

A PRIMEIRA VERSÃO DOS ANAIS DE VALINOR

Datas na Versão I

A data MMDCCCCXCIX (escrita com M no lugar de MM, como também as duas ocorrências de MMDCCCC, mas esses são obviamente meros deslizes sem importância), 2999, não está de acordo com aquela na versão em inglês moderno para a destruição das Duas Árvores e o roubo das Silmarils, que lá são apresentados em 2990–1.

II

Este texto está de fato intimamente relacionado à versão em inglês moderno. Há pequenas diferenças de substância entre eles em um ponto ou outro, e algumas das emendas feitas na versão moderna estão incorporadas no texto em inglês antigo; esses pontos são mencionados nas notas, assim como alguns detalhes acerca das datas e algumas características dos nomes.

O texto foi levemente emendado a lápis, mas essas mudanças são quase sem exceção modificações de ordem das palavras ou outras pequenas mudanças sintáticas, e todas essas incorporei ao texto sem comentários. Ele termina de forma abrupta no início do anal equivalente a 2991 com as palavras "Valinor jazia agora"; essas palavras não estão no pé de uma página e nenhuma parte do texto se perdeu.

À primeira vista é intrigante que no preâmbulo os *Anais de Valinor* sejam chamados de *Pennas*, uma vez que a intenção é claramente de que o *Pennas* ou *Quenta* (ver pp. 238–39) represente uma tradição literária diferente dos *Anais*, ou pelo menos um modo diferente de apresentação do material. Contudo, o preâmbulo diz a seguir que esse livro *Pennas* é dividido em três partes: a primeira parte é *Valinórelúmien*, que é *Godéðles géargetæl* (isto é, Anais de Valinor); a segunda é *Beleriandes géargetæl* (isto é, Anais de Beleriand); e a terceira é *Quenta Noldorinwa* ou *Pennas nan Goeliđ*, que é *Noldelfaracu* (a História dos Elfos Noldorin). De qualquer forma, *Pennas* (*Quenta*) é assim usado aqui tanto num sentido mais estrito como num mais amplo: a obra inteira que Ælfwine traduziu em Tol Eressëa e o *Pennas* (*Quenta*), "a História", mas o termo também é usado mais especificamente para o *Pennas nan Goeliđ* ou *Quenta Noldorinwa*, que pode ser visto como "o Silmarillion propriamente dito", por oposição aos "Anais". Na verdade, em um acréscimo à muita curta versão III em inglês antigo dos *Anais de Valinor* (p. 342, nota à linha 5) é expressamente dito: "Esta

334

A FORMAÇÃO DA TERRA-MÉDIA

terceira parte também é chamada *Silmarillion*, que é a história das *Eorclanstánas* [*Silmarils*]."

Her onginneð séo bóc þe man *Pennas* nemneð, 7 héo is on þréo gedæled; se forma dæl is *Valinórelúmien* þæt is Godéðles géargetæl, 7 se óþer is Beleriandes géargetæl, 7 se þridda *Quenta Noldorinwa* oþþe *Pennas nan*

5 *Goeli ð* þæt is Noldelfaracu. Þás ærest awrát Pengolod se Úþwita of Gondoline, ær þám þe héo abrocen wurde, 7 siþþan æt Siriones hýþe 7 æt Tavrobele in Toleressean (þæt is Ánetége), þá he eft west cóm. And þás béc Ælfwine of Angelcynne geseah on Ánetége, þá þá he æt

10 sumum cerre funde híe; 7 he geleornode híe swa he betst mihte 7 eft geþéodde 7 on Englisc ásette.

I
Hér onginneð Godéðles géargetæl.

On frumsceafte Ilúuvatar, þæt is Ealfæder, gescóp eal þing, 7 þá Valar, þæt is þá Mihtigan (þe sume menn siþþan for godu héoldon) cómon on þás worolde. Híe

15 sindon nigon: Manwe, Ulmo, Aule, Orome, Tulkas, Mandos, Lórien, Melko. Þára wæron Manwe 7 Melko his bróþor ealra mihtigoste, ac Manwe wæs se yldra, 7 wæs Vala-hláford 7 hálig, 7 Melko béah to firenlustum and úpahæfennesse and oferméttum and wearþ yfel and

20 unmæðlic, and his nama is awergod and unasprecenlic, ac man nemneð hine Morgoð in Noldelfisc-gereorde. Þa Valacwéne hátton swá: Varda 7 Geauanna, þe gesweostor wæron, Manwes cwén 7 Aules cwén; 7 Vana Oromes cwén; 7 Nessa Tulkases cwén (séo wæs

25 Oromes sweostor); 7 Uinen, merecwén, Osses wíf; 7 Vaire Mandosses cwén, 7 Este Lóriendes cwén. Ac Ulmo 7 Melko næfdon cwéne, 7 Nienna séo geómore næfde wer.

Mid þissum geférum cómon micel héap læsra

30 gesceafta, Valabearn, oþþe gæstas Valacynnes þe læsse mægen hæfdon. Þás wæron Valarindi.

A PRIMEIRA VERSÃO DOS ANAIS DE VALINOR

And þá Valar ǽr þám þe Móna 7 Sunne wurden
gerímdon tíde be langfirstum oþþe ymbrynum, þe
wǽron hund Valagéara on geteald; 7 án Valagéar wæs
35 efne swá lang swá tén géar sindon nú on worolde.

D On þám Valagéare **D** mid searucræfte fordyde
Morgoþ þá blácern, þe Aule smiþode, þætte séo weorold
mid sceolde onleohted weorðan; 7 þá Valar, búton
Morgoþe ánum, gecerdon híe West, and þǽr
40 getimbredon Valinor (þæt is Godéðel) be sǽm
twéonum (þæt is betwuh Útgársecge þe ealle eorðan
bebúgeð, and séo micle Westsǽ, þæt is Gársecg, oþþe
Ingársecg, oþþe Belegar on Noldelfisce; 7 on Westsǽs
strandum gehéapodon hie micle beorgas. And
45 middangear[d]es rihtgesceap wearþ on þám dagum
ǽrest of Morgoðe onhwerfed.

M Hér, æfter þám þe Valinor wearð getimbrod, 7
Valmar þæt is Godaburg, gescópon 7 onwehton þá
Valar þá Twégen Béamas, óþerne of seolfre óþerne of
50 golde geworhtne, þe hira léoma onléohte Valinor. Ac
Morgoþ búde on middangearde and geworhte him þǽr
micel fæsten on norþdǽlum; and on þǽre tíde forbræc
he and forsceóp he micle eorðan 7 land. Siþþan wearþ
þúsend géara blǽd 7 bliss on Godéþle, ac on
55 middangearde þá wæstmas, þe be þára blácerna
ontendnesse ǽr ongunnon úpaspringan, amerde
wurdon. To middangearde cóm þára Vala nán bútan
Orome, þe oft wolde huntian on þǽre firnan eorðan be
deorcum wealdum, 7 Iauannan þe hwílum fór þider.

60 **MM** Þis géar biþ Valaríces Middæg oþþe Heahþrymm
geteald, 7 þá wæs Goda myrgþu gefullod. Þá geworhte
Varda steorran 7 sette híe on lyfte (7 þý hátte héo
Tinwetári, þæt is Tungolcwén), and sóna æfter þám of
Godéþle wandrodon Valarindi sume 7 cómon on
65 middangeard, and þára gefrǽgost wearð Melian, þe
wæs ǽr Lóriendes híredes, 7 hire stefn wæs mǽre mid
Godum: ac héo ne cóm eft to Godabyrig ǽr þon þe fela

336

A FORMAÇÃO DA TERRA-MÉDIA

géara oferéodon and fela wundra gelumpon, ac
nihtegalan wǽron hire geféran 7 sungon ymb híe be
70 þám deorcum wudum on westdǽlum.
Þá þá þæt tungol, þe gefyrn Godasicol oþþe
Brynebrér hátte, líxte ǽrest forþ on heofonum, for þám
þe Varda hit asette Morgoþe on andan him his hryre to
bodianne, þá onwócon þá yldran Ealfæderes bearn on
75 middan worolde: þæt sindon Elfe. Híe funde Orome
and wearþ him fréondhald, and þára se mǽsta dǽl
siþþan West fóron him on láste and mid his
latteowdóme sóhton Beleriandes weststrand, for þám
þe Godu híe laþodon on Valinor.
80 Þá wearþ Morgoþ ǽr mid micle heregange forhergod
and gebunden and siþþan æt Mandosse on cwearterne
gedón. Þǽr wearð he wítefæst seofon firstmearce (þæt is
seofon hund Valagéara) oþ þæt he dǽdbétte and him
forgifennesse bǽde. On þám gefeohtum éac wurdon
85 eorðan land eft forbrocen swiðe 7 forscapen.

Þá Cwendi (þæt wǽron Léohtelfe) and þá Noldelfe
sóhton ǽrest to lande on Valinor, 7 on þám grénan hylle
Córe þám sǽriman néah getimbrodon híe Tún þá hwítan
Elfaburg; ac þá Teleri, þe siþ cómon on Beleriand,
90 gebidon áne firstmearce þǽr be strande, and sume híe
ne fóron þanon siþþan nǽfre. Þára wæs Þingol gefrǽgost,
Elwes bróðor, Teleria hláfordes: hine Melian begól.
Híe hæfde he siþþan to wífe, and cyning wearð on
Beleriande; ac þæt gelamp æfter þám þe Ulmo oflǽdde
95 Teleria þone mǽstan dǽl on Ánetíge, and bróhte híe
swá to Valinore. Þás þing wurdon on þám Valagéarum
MM oþ **MMC**.

Of **MMC** oþ **MMCC** wunodon þá Teleri on
Toleressean onmiddum Ingársecge, þanon híe mihton
100 Valinor feorran ofséon; on **MMCC** cómon híe mid
micelre scipferde to Valinore, and þǽr gewunodon on
éastsǽriman Valinores, and geworhton þǽr burg and
hýþe, and nemdon híe Alqualonde, þæt is Elfethýþ, for
þǽm þe híe þǽr hira scipu befæston, 7 þá wǽron
105 ielfetum gelíc.

337

A PRIMEIRA VERSÃO DOS ANAIS DE VALINOR

Þæs ymb þréo hund sumera, oþþe má oþþe læs, aþóhton þá Noldelfe gimmas and ongunnon híe asmiþian, and siþþan Féanor se smiþ, Finwes yldesta sunu Nol[d]elfa hláfordes, aþóhte and geworhte þá
110 felamǽran Silmarillas, þe þéos gesægen fela áh to secganne be hira wyrdum. Híe lixton mid hira ágenum léohte, for þám þe híe wǽron gefylde þára twégra Béama léomum, þe wurdon þǽroninnan geblanden and to hálgum and wundorfyllum fýre gescapen.

115 **MMDCC** Hér Morgoþ dǽdbétte and him forgefennesse bæd; ond be Niennan þingunga his sweostor him Manwe his bróðor áre getéah, Tulkases unþance and Aules, and hine gelésde; 7 he lícette þæt he hréowsode 7 éaðmód wǽre, and þám Valum gehérsum and þám
120 elfum swiþe hold; ac he léah, and swíþost he bepǽhte þá Noldelfe, for þám þe he cúþe fela uncúþra þinga lǽran; he gítsode swáþéah hira gimma and hine langode þá Silmarillas.

MMCM Þurh twá firstmearce wunode þá gíet Valinor on
125 blisse, ac twéo 7 inca awéox swáþéah manigum on heortan swulce nihtsceadu náthwylc, for þám þe Morgoþ fór mid dernum rúnungum and searolicum lygum, and yfelsóþ is to secganne, swíþost he onbryrde þá Noldelfe and unsibbe awehte betwux Finwes sunum, Féanor
130 and Fingolfin and Finrod, and ungeþwǽrnes betwux Godum 7 elfum.

MMCMD Be Goda dóme wearþ Féanor, Finwes yldesta sunu, mid his hírede 7 folgoþe adón of Noldelfa ealdordóme – þý hátte siþþan Féanores cynn þá
135 Erfeloran, for þám dóme 7 for þý þe Morgoþ beréafode híe hira máþma – 7 þá Godu ofsendon Morgoþ to démanne hine; ac he ætfléah 7 darode on Arualine and beþóhte hine yfel.

MMCMD – Hér Morgoþ fullfremede his searowrencas
140 **MMCMDI** sóhte Ungoliante on Arualine and bæd híe

338

A FORMAÇÃO DA TERRA-MÉDIA

fultumes. Þa bestælon híe eft on Valinor 7 pá Béamas
forspildon, and siþþan ætburston under þám
weaxendum sceadum and fóron norþ and þér hergodon
Féanores eardunge and ætbæron gimma unrím and þá
145 Silmarillas mid ealle, 7 Morgoþ ofslóh þér Finwe 7
manige his elfe mid him and awídlode swá Valinor érest
mid blódgyte and morþor astealde on worolde. He þá
fléame generede his feorh, þéah þe þá Godu his éhton
wíde landes, siþþan becóm he on middangeardes
150 norþdælas and geedstaðelode þér his fæsten, and fédde
and samnode on níwe his yfele þéowas, ge Balrogas ge
orcas. Þá cóm micel ege on Beleriand, 7 Þingol his
burgfæsten getrymede on Menegroþ þæt is þúsend
þéostru, and Melian séo cwén mid Vala-gealdrum begól
155 þæt land Doriaþ and bewand hit ymbútan, and siþþan
sóhton se mæsta dæl þára deorc-elfa of Beleriande
Þingoles munde.

MMCMI   Hér læg Valinor on

NOTAS À VERSÃO II

5 *Noldelfaracu* emendado à tinta a partir de *Noldelfagesægen.*

7 *Tavrobele* > (provavelmente) *Tafrobele*, a lápis. Na versão I, *Tafrobele* provavelmente > *Taprobele*, e na versão III *Tafrobele* conforme escrito, mas nesse caso a emenda parece claramente ser para *f*; essa seria uma simples correção de ortografia (*f* sendo a grafia em inglês antigo para a consoante sonora [v] nessa posição).

13–14Essa frase (þe sume menn siþþan for godu héoldon) não está presente na versão em inglês moderno, mas cf. a seção de abertura do Q (p. 96): "A esses espíritos os Elfos deram o nome de Valar, que significa Poderes, embora os Homens amiúde os chamaram de Deuses."

15 Ossë foi inadvertidamente omitido.

17 Não é dito na versão em inglês moderno que Manwë era o mais velho.

22 *Geauanna*: essa grafia seria a representação de "Yavanna" em inglês antigo. Na linha 59 o nome é grafado como *Iauanna(n)*, e na versão em inglês antigo do *Quenta* (p. 240), *Yavanna*; na versão III, *Geafanna* (p. 341).

26–8 O texto aqui incorpora o sentido da emenda a lápis à versão em inglês moderno (p. 318, nota 2), na qual Vairë aparece como a esposa de Mandos e Nienna se torna solitária. Na linha 28, após *næfde wer*, foi acrescentado a lápis: *Séo wæs Manwes sweostor 7 Morgoðes*; isso é afirmado na versão em inglês moderno tal como escrita.

41–3 Útgársecg, Gársecg, *Ingársecg*: ver pp. 241, 243. — *Belegar*: ver pp. 243, 293–95.

45 *middangeardes*: ver p. 332.

A PRIMEIRA VERSÃO DOS ANAIS DE VALINOR

48 Valmar é *Godaburg* na lista de nomes em inglês antigo, p. 246.

60–2 As mudanças feitas no texto da versão em inglês moderno, de modo a datar a Feitura das Estrelas e o Despertar dos Elfos antes de 2000 (ver p. 318, notas 6 e 10), não estão incorporadas ao texto em inglês antigo.

65–6 A afirmação de que Melian era do povo de Lórien não está presente na versão em inglês moderno, mas se encontra no Esb e no Q (§2) e remonta ao *Conto de Tinúviel* (II. 19): "[Wendelin] era um espírito que escapou dos jardins de Lórien antes mesmo de Kôr ser construída".

72 *Brynebrér* ("Urze Ardente"): esse nome para a Ursa Maior, que não se encontra na versão em inglês moderno, ocorre no Q (§2) e na *Balada de Leithian*.

82 *seofon firstmearce*, e não "nove eras" como escrito inicialmente na versão em inglês moderno (p. 318, nota 9). *firstmearce* ("espaços de tempo") é uma emenda feita na época da composição a partir de *langfirstas* (uma das palavras usadas para "eras" valianas anteriormente, linha 33).

86 *Cwendi* emendado a lápis primeiro para *Eldar* e depois para *Lindar; Quendi* > *Lindar* também no Q (§2 e subsequentemente) e na versão moderna. — Léohtelfe não é um dos nomes em inglês antigo da Primeira Gente fornecidos na lista nas pp. 246–47, mas eles são chamados de *Elfos-da-luz* no Esb e no Q (§2; ver p. 53)

95 *Ánetíge* escrito dessa forma, como na versão I, linha 4; Ánetége, linhas 8 e 9.

99 *Ingársecge* < Gársecge (ver linhas 42–3).

115 Quanto à data 2700, ver a nota à linha 82 acima, e a nota às datas, pp. 320–21.

135 *Erfeloran* ("os Despossuídos"), com uma vogal inicial variante, *Yrfeloran*, encontra-se na lista de nomes em inglês antigo dos Fëanorianos, p. 247.

139 Essas datas presumivelmente devem ser interpretadas como 2950–1: no anal anterior (linha 132), **MMCMD** corresponde a 2950 na versão em inglês moderno. Meu pai aqui estava usando D = 50, não 500. Mas 2950–1 não corresponde à versão em inglês moderno, que possui 2990–1. A discrepância talvez nada mais seja do que um mero erro de composição (embora a versão I também seja discrepante nessa data, possuindo 2999); a data do anal seguinte, **MMCMI** (2901), é obviamente um erro pelo seu lugar na série cronológica.

152–7Essa frase representa parte da passagem acrescentada à versão em inglês moderno (pp. 318–19, nota 18), mas omite a referência aos Elfos que permaneceram em Brithombar e Eglorest.

III

Essa versão, presente em uma única página manuscrita, apresenta uma forma levemente diferente das primeiras vinte e poucas linhas da versão II. Ela é muito posterior a II, como se vê por *Melkor*, e não *Melko* (ver p. 332), mas ainda assim foi baseada diretamente nela, como se vê pela mesma ausência de Ossë da lista dos Valar (ver a nota à linha 15 na versão II). Mudanças posteriores feitas a lápis na versão I estão aqui incorporadas ao texto (*Pengoloð* no lugar de *Pengolod, Taprobele* no lugar de *Tafrobele, Melkor* no lugar de *Melko*).

A versão III é apresentada em uma forma diferente de inglês antigo, a da Mércia do século IX (algumas das formas são peculiarmente características do dialeto mércio representado pelas glosas interlineares no Saltério Vespasiano). Algumas emendas a lápis não foram incluídas no texto, mas estão registradas nas notas depois dele.

Hér onginneð séo bóc þe man *Pennas* nemneð on ælfisc, 7 hío is on þréo gedæled: se forma dæl is *Ualinórelúmien* þæt is Godoeðles gérgetæl; 7 se óðer dæl is Beleriandes gérgetæl; 7 se þridda *Quenta Noldorinwa* oððe *Pennas na Ngoeloeð*, þæt
5   is Noldælfaracu. Þás bóc ærest awrát Pengoloð se úðwita on Gondoline ær þám þe héo abrocen wurde 7 seoððan æt Siriones hýðe 7 æt Taþrobele on Tol-eressean (þæt is Ánetége), þá he eft west cóm. And þás béc Ælfwine of Ongulcynne gesæh on Ánetége ða ða he æt sumum cerre þæt
10   land funde; 7 he ðær liornode híe swá he betst mæhte 7 eft geþéodde 7 on englisc gereord ásette.

Hér onginneð Godoeðles gérgetæl, 7 spriceð ærest of weorulde gescefte. On frumscefte gescóp Ilúuatar þæt is Allfeder all þing, 7 þá þá séo weoruld ærest weorðan ongon þ
15   cómun hider on eorðan þá Ualar (þæt is þá Mehtigan þe sume men seoððan for godu héoldun). Hí earun nigun on ríme: Manwe, Ulmo, Aule, Orome, Tulcas, Mandos, Lórien, Melkor. Þeara wérun Manwe 7 Melcor his bróður alra mehtigoste, ac Manwe wes se ældra 7 is Uala-hláfard 7 hálig,
20   7 Melcor béh to firenlustum 7 to úpahefennisse 7 ofermoettum 7 wearð yfel 7 unméðlic, 7 his noma is awergod 7 unasproecenlic, for þám man nemneð hine Morgoþ on Noldælfiscgereorde. Orome 7 Tulcas wérun gingran on Alfeadur geþóhte acende ær þere weorulde gescepennisse þonne óðre
25   fífe, þá Uala-cwéne háttun swé: Uarda Manwes cwén, 7 Geafanna Aules cwén (þá þá he and híe wurdon to sinhíwan æfter þám þe Ualar hider cómon on weorulde).

NOTAS À VERSÃO III

2–4   *Ualinórelúmien þæt is* e *Quenta Noldorinwa oððe* estão circulados a lápis como que para serem excluídos.

341

A PRIMEIRA VERSÃO DOS ANAIS DE VALINOR

5 Acrescentado a lápis aqui: "and þes þridda dǽl man éac nemneð *Silmarillion* þæt is Eorclanstána gewyrd". Ver p. 335.

5–6 *on Gondoline* é uma emenda à tinta de *of Giondoline*, isto é, Pengoloð começou a obra em Gondolin; mas isso está implícito nos preâmbulos das versões I e II, que possuem *of Gondoline* aqui. — *Gondoline > Gondolinde* a lápis, como na versão I (nota à linha 2).

7 *Taprobele* está escrita muito claramente com þ; ver p. 339, nota à linha 7.

17 Ossë é omitido, seguindo a versão II.

18 *Melkor > Melcor* à tinta na segunda ocorrência, sem dúvida na época da composição, visto que *Melcor* está escrito na linha 20.

23–5 A afirmação de que Oromë e Tulkas "eram mais jovens no pensamento de Ilúvatar" está ausente das outras versões (cf. *O Silmarillion*, p. 52: "Manwë e Melkor eram irmãos no pensamento de Ilúvatar"). — *óðre fífe*: isto é, os outros Valar, excluindo Manwë e Melkor. Ver p. 344, texto em inglês antigo, linhas 1–4.

26 *Geafanna*: ver p. 339, nota à linha 22.

26–7 É muito notável que aqui (somente) é dito que Aulë e Yavanna se tornaram marido e mulher (*wurdon to sinhíwan*) após os Valar entrarem no mundo. Em *O Silmarillion*, a única união entre os Valar mencionada como tendo ocorrido após a entrada em Arda é a de Tulkas e Nessa; e Tulkas chegou tarde a Arda (p. 55). Ver mais na p. 344.

IV

Esta não é uma versão, mas uma única página manuscrita com, primeiramente, um início diferente dos *Anais de Valinor* em inglês moderno, e depois dez linhas, escritas muito rapidamente, em inglês antigo. Ambos os trechos possuem características interessantes. Segue-se abaixo o primeiro:

Anais de Valinor

Esses foram escritos primeiramente por Rúmil, o Sábio-élfico de Valinor, e posteriormente por Pengolod, o Sábio de Gondolin, que também escreveu os Anais de Beleriand e o *Pennas*, que são apresentados abaixo. Estes também Ælfwine dos Angelcynn verteu para a fala de sua terra.

Aqui têm início os Anais de Valinor e os alicerces deste mundo.

Dos Valar e sua gente

No princípio Ilúvatar, que é Pai-de-Tudo, fez todas as coisas, e os Valar, ou Poderes, entraram no mundo. Esses são nove: Manwë, Ulmo, Aulë, Oromë, Tulkas, Ossë, Lórien, Mandos e Melko.

A FORMAÇÃO DA TERRA-MÉDIA

Pennas é usado aqui no sentido restrito de "A História dos Gnomos" (*Quenta Noldorinwa, Silmarillion*): ver p. 334. Aqui Rúmil aparece com autor, e em vista da interpolação nos AV (nota 20), "Aqui termina o que Rúmil escreveu", está claro que as palavras desse preâmbulo, "Esses foram escritos primeiramente por Rúmil... e posteriormente por Pengolod", significam que Pengolod terminou o que Rúmil começou. A versão seguinte dos *Anais de Valinor* de fato torna isso explícito, pois após "Aqui termina o que Rúmil escreveu", o texto posterior possui "Aqui se segue a continuação de Pengolod"; e as duas interpolações nos AV (notas 14 e 18) acerca dos eventos na Terra-média antes do Retorno dos Noldoli estão incorporadas na segunda versão como acréscimos de Pengolod: "Isto eu, Pengolod, acrescentei aqui, *pois não era conhecido por Rúmil*".

No conto original *A Música dos Ainur* (I. 65) Rúmil era um Noldo de Kôr,[*] mas ele também contou a Eriol de sua "escravidão a Melko". Contudo, pela referência aqui a Rúmil como "o Sábio-élfico de Valinor", e por sua ignorância dos eventos na Terra-média, parece claro que na concepção tardia ele jamais partiu de Valinor. Pode-se sugerir que a sua parte nos *Anais* termina onde termina (p. 314 e nota 20) porque ele foi um daqueles que retornou a Valinor com Finrod após ouvir a Sentença de Mandos. Isso sem dúvida é pura especulação, mas talvez seja significativo que na parte seguinte dos *Anais* o término da parte de Rúmil na obra tenha sido transferido para o final do anal do Ano Valiano 2993, após as palavras "Mas Aulë, seu antigo amigo, não mais lhes sorriu, e os Teleri apartaram-se deles"; assim, sua parte termina com o registro propriamente dito do retorno de Finrod e da recepção que ele e aqueles que o acompanharam tiveram.

A passagem a seguir em inglês antigo começa praticamente com a mesma frase, acerca de Oromë e Tulkas, que aquela na versão III, linhas 23–5; mas esse manuscrito possui um sinal curioso impossível de ser interpretado entre *Orome* e o verbo no plural *wǽron*, que em vista do outro texto expandi com o intuito de significar 7 *Tulkas*.

---

[*] Tal como permaneceu; cf. *O Silmarillion*, p. 98: "Foi então que os Noldor cogitaram pela primeira vez a feitura de letras, e Rúmil de Tirion era o nome do mestre-do-saber que primeiro conseguiu fazer sinais adequados para registrar fala e canção".

A PRIMEIRA VERSÃO DOS ANAIS DE VALINOR

Orome [7 Tulkas] wǽron gingran on Ealfæderes geþóhtum acende ǽr þǽre worolde gescepennisse þonne óþre fífe, 7 Orome wearð Iafannan geboren, séo þe wyrð æfter nemned, ac he nis Aules sunu.

Mid þissum mihtigum cómon manige Lǽssan gǽstas þæs ilcan cynnes 7 cnéorisse, þéah lǽssan mægnes. Þás sindon þá Vanimor, þá Fægran. Mid him éac þon wurdon getealde hira bearn, on worolde acende, þá wǽron manige and swípe fægre. Swylc wæs Fionwe Manwes sunu

Seguem-se mais algumas palavras que são por demais incertas para serem reproduzidas. Aqui é declarado que Oromë, mais jovem no pensamento de Ilúvatar do que os outros grandes Valar "nascidos antes da feitura do mundo", é o filho de Yavanna, mas não de Aulë, e isso deve estar relacionado com a afirmação na versão III em inglês antigo de que Yavanna e Aulë tornaram-se *sinhíwan* após a entrada dos Valar no mundo (ver p. 342, nota às linhas 26–7).

Há diferenças sobre o que é dito aqui acerca dos espíritos menores da raça valarin para o que é dito nos AV (p. 310) e na versão II em inglês antigo (p. 336). Neste presente fragmento esses espíritos não são chamados *Valarindi*, mas sim *Vanimor*, "os Belos".* Os Filhos dos Valar, "que eram muitos e belos", são contados entre os *Vanimor*, mas, em contradição aos AV, eram *on worolde acende*, "nascidos no mundo". Tudo indica que nessa época meu pai estava tendendo a enfatizar os poderes generativos dos grandes Valar, embora posteriormente todos os vestígios do conceito tenham desaparecido.

---

* A palavra *Vanimor* não havia ocorrido anteriormente, mas sua forma negativa *Úvanimor* é definida no conto *A Vinda dos Valar* (I. 96) como "monstros, gigantes e ogros", e em outra parte dos *Contos Perdidos* *Úvanimor* são criaturas procriadas por Morgoth (I. 284), e até mesmo Anãos (II. 168).

∽ 7 ∾

A PRIMEIRA VERSÃO DOS
ANAIS DE BELERIAND

Assim como com os *Anais de Valinor*, estes são a "primeira versão" dos *Anais de Beleriand* porque outros vieram depois, os últimos sendo chamados *Anais Cinzentos*, associados aos *Anais de Aman* e que pertencem à mesma época (p. 309). Porém, ao contrário dos *Anais de Aman*, os *Anais Cinzentos* foram deixados inacabados ao final da história de Túrin Turambar; e como narrativa em prosa e ainda mais como história definitiva do final dos Dias Antigos desde a época de *O Senhor dos Anéis*, o seu abandono é lamentável.

A própria primeira versão dos *Anais de Beleriand* ("AB") é encontrada em duas versões, que chamarei de AB I e AB II. AB I é um texto completo até o final da Primeira Era; AB II é muito breve, e embora comece como uma cópia passada a limpo da abertura muito emendada de I, o texto logo diverge de modo significativo. Neste capítulo apresento os dois textos separadamente e na íntegra, e no que segue me refiro apenas ao primeiro, AB I.

Esse é um manuscrito claro e inteligível, mas o estilo sugere uma composição muito rápida. Na maior parte do texto os anais estão no tempo presente e em *staccato*, até mesmo com expressões como "os Orques se puseram entre eles" (anal 172), ainda que através de pequenas expansões e alterações subsequentes em um ponto ou outro meu pai tenha modificado levemente esse aspecto. Creio que a sua principal intenção nessa época era a consolidação da estrutura histórica em suas relações e cronologia internas — os Anais começaram, talvez, em paralelo com o *Quenta* como uma forma conveniente de fazer avançar em conjunto e de rastrear os diferentes elementos de uma teia narrativa cada vez mais complexa. Ainda assim, desenvolvimentos novos consideráveis são inseridos aqui.

O manuscrito foi bastante emendado, embora muito menos perto do fim, e pela natureza das passagens, que tratam em grande

A PRIMEIRA VERSÃO DOS ANAIS DE BELERIAND

parte da datação, tornou-se um documento complicado. Apresentar o texto em sua forma original, com todas as mudanças tardias registradas em notas, o tornaria desnecessariamente difícil de ser acompanhado, e de fato seria quase impossível, visto que muitas alterações foram feitas na época da composição ou em seu contexto imediato. Uma "camada" tardia de emendas a lápis, que dizem respeito primeiramente a nomes, foi separada com facilidade. Assim, o texto apresentado aqui é o do manuscrito *após todas as mudanças e acréscimos iniciais (à tinta) terem sido feitos*, e estes só são registrados nas notas em certos casos. As alterações tardias a lápis estão registradas por completo.

Que o AB I é anterior à parte comparável dos AV é algo fácil de se demonstrar. Assim, no AB I, como no Q (§8), não há menção da marcha de Fingolfin até Angband imediatamente após a sua chegada, enquanto que ela aparece nos AV (p. 317); mais uma vez como no Q e em contraste com os AV (p. 316), a Batalha sob as Estrelas foi travada, e Fëanor morreu, antes do acampamento em Mithrim. Além disso, os nomes *Dagor-os-Giliath* e *Eredwethion* foram acrescentados a lápis ao AB I, enquanto nos AV eles aparecem no texto como escrito inicialmente, e *Erydlómin* ainda significa as Montanhas Sombrias (ver p. 330). Uma multiplicidade de características demonstra que o AB I é posterior ao Q, como se verá no Comentário.

Segue abaixo o texto do AB I.

ANAIS DE BELERIAND

Morgoth foge de Valinor com as Silmarils, as gemas mágicas de Fëanor, e retorna para o Mundo do Norte e reconstrói sua fortaleza de Angband sob a Montanha Negra, Thangorodrim. Ele planeja os Balrogs e os Orques. As Silmarils são colocadas na coroa de ferro de Morgoth.

Os Gnomos da casa mais antiga, os Despossuídos, chegam ao Norte liderados por Fëanor e seus sete filhos, com seus amigos Orodreth, Angrod e Egnor, filhos de Finrod.[1] Eles queimam os navios telerianos.

Primeira das Batalhas com Morgoth,[2] a Batalha sob as Estrelas. Fëanor derrota os Orques, mas é ferido mortalmente por Gothmog, capitão de Balrogs, e morre. Maidros, seu filho mais velho, é emboscado e capturado e pendurado em Thangorodrim.

346

A FORMAÇÃO DA TERRA-MÉDIA

Os filhos de Fëanor acampam em volta do Lago Mithrim no Noroeste, atrás das Montanhas Sombrias.[3]

Ano 1 Aqui o Sol e a Lua, feitos pelos Deuses após a morte das Duas Árvores de Valinor, aparecem. Assim o tempo medido chegou às Terras de Cá. Fingolfin conduz a segunda casa dos Gnomos por sobre os estreitos do Gelo Pungente até as Terras de Cá. Com ele veio o filho de Finrod, Felagund,[4] e parte da terceira ou mais nova casa. Marcham do Norte ao nascer do Sol, e desfraldam suas bandeiras; e chegam a Mithrim, mas há a uma rixa[5] entre eles e os filhos de Fëanor. Morgoth com a chegada da Luz recua para as suas masmorras mais profundas, mas trabalha em segredo, e expele nuvens negras.

2 Fingon, filho de Fingolfin, sana a rixa ao resgatar Maidros.

1–100 Os Gnomos exploram e se assentam em Beleriand, e em todo o vale do Sirion desde[6] o Grande Mar às Montanhas Azuis,[7] à exceção de Doriath no centro, onde Thingol e Melian reinam.

20 Festa e Jogos de Reunião são realizados em Nan Tathrin, a Terra dos Salgueiros, próximo ao delta do Sirion, entre os Elfos de Valinor que retornaram e os Elfos-escuros, tanto os dos Portos do Oeste (Brithombar e Eldorest)[8] como os dispersos Elfos-da-floresta do Oeste, e embaixadores de Thingol. Seguiu-se um tempo de paz.[9]

50 O poderio de Morgoth torna a entrar em ação. Terremotos no Norte. Incursões de Orques têm início. Turgon, filho de Fingolfin, tem grande amizade com Felagund, filho de Finrod; mas Orodreth, Angrod e Egnor, filhos de Finrod, são amigos dos filhos de Fëanor, especialmente de Celegorm e Curufin.

50 Turgon e Felagund são inquietados por sonhos e presságios. Felagund encontra as cavernas de Narog e estabeleceu seus arsenais lá.[10] Somente Turgon descobre o vale oculto de Gondolin. Ainda com o coração inquietado, ele reúne gente à sua volta e parte de Hithlum, a Terra da Bruma em torno de Mithrim, onde seu irmão Fingon permanece.

51 Os Gnomos rechaçam os Orques mais uma vez, e o Cerco de Angband é estabelecido. O Norte desfruta de grande paz e tranquilidade mais uma vez. Fingolfin detém o domínio sobre o Noroeste e toda Hithlum, e é soberano dos Elfos--escuros a oeste de Narog. Seu poderio é congregado nas encostas das Erydlómin,[11] as Montanhas Sombrias, e de lá vigia e atravessa as grandes planícies de Bladorion até as muralhas das montanhas de Morgoth no Norte. Felagund detém o domínio do vale do Sirion, à exceção de Doriath, e tem seu lugar de governança[12] junto ao Narog no Sul, mas o seu poderio está congregado no Norte guardando o acesso ao vale do Sirion entre as Erydlómin e a região montanhosa de Taur-na-Danion, a floresta de pinheiros. Ele tem uma fortaleza em uma ilha rochosa no meio do Sirion, Tolsirion. Seus irmãos habitam no centro em torno de Taur-na-Danion e percorrem Bladorion de lá, e jun-tam-se no Leste aos filhos de Fëanor. A fortaleza dos filhos de Fëanor fica sobre Himling, mas vagam e caçam por todas as matas de Beleriand Leste, chegando até as Mon-tanhas Azuis. Para lá muitos dos Senhores-élficos vão para caçar. Mas ninguém tem notícias de Turgon e sua gente.

70 Bëor nasce no Leste.

88. 90 Haleth, e Hádor, o de Cabelos Dourados, nascem no Leste.

100 Felagund, caçando no Leste, topa com Bëor, o mortal, e seus Homens, que entraram em Beleriand. Bëor se torna vassalo de Felagund e vai para o oeste com ele. Nasce Bregolas, filho de Bëor.

102 Nasce Barahir, filho de Bëor.

120 Haleth entra em Beleriand; também Hádor, o de Cabelos Dourados, e suas grandes companhias de Homens. Haleth

A FORMAÇÃO DA TERRA-MÉDIA

permanece no vale do Sirion, mas Hádor se torna vassalo de Fingolfin e fortalece os exércitos dele e recebe terras em Hithlum.

113 Nasce Hundor, filho de Haleth. **117** Nasce Gundor, filho de Hádor. **119** Nasce Gumlin, filho de Hádor.[13]

122 Com a força dos Homens acrescentada a dos Gnomos, Morgoth é enclausurado de perto. Os Gnomos julgam que o cerco de Angband não pode ser rompido, mas Morgoth pondera novos artifícios, e pensa em Dragões. Os Homens das três casas crescem e se multiplicam, e se submetem de bom-grado aos Senhores-élficos, e aprendem muitos ofícios com os Gnomos. Os Homens de Bëor tinham cabelos morenos ou castanhos, mas eram claros de rosto, com olhos cinzentos; formosos, de grande coragem e resistência, mas pouco maiores do que os Elfos daquele tempo. O povo de Hádor era louro e de olhos azuis e de grande estatura e força. Parecidos com eles, mas um tanto menores e de ombros mais largos era o povo de Haleth.

124. 128 Nascem Baragund e Belegund, filhos de Bregolas, filho de Bëor.

132 Nasce Beren, mais tarde chamado Ermabwed[14] ou Uma--Mão,[15] filho de Barahir.

141 Nasce Húrin, o Resoluto, filho de Gumlin. Nasce Handir, filho de Haleth.

144 Nasce Huor, irmão de Húrin.

145 Nasce Morwen Brilho-élfico, filha de Baragund.

150 Nasce Rían, filha de Belegund, mãe de Tuor.[16] Bëor, o Velho, Pai de Homens, morre de velhice em Beleriand. Os Elfos veem pela primeira vez a morte de cansaço, e lamentam pelo tempo curto designado aos Homens. Bregolas governa a casa de Bëor.

A PRIMEIRA VERSÃO DOS ANAIS DE BELERIAND

★155 Morgoth solta o seu poderio, e busca adentrar Beleriand. A Batalha tem início de súbito numa noite do meio do inverno e a princípio pesa sobremaneira nos filhos de Finrod e na gente deles. Essa é a Batalha do Fogo Repentino.[17] Rios de fogo correm de Thangorodrim. Glómund, o dourado, Pai de Dragões, aparece.[18] As planícies de Bladorion são transformadas num grande deserto sem vegetação, e chamadas posteriormente de Dor-na--Fauglith, Terra da Sede Sufocante.

Aqui foram mortos Bregolas e a maior parte dos guerreiros da casa de Bëor. Angrod e Egnor, filhos de Finrod, tombaram. Barahir e seus campeões escolhidos salvaram Felagund e Orodreth, e Felagund fez um grande juramento de amizade à sua família e descendência. Barahir governa o remanescente da casa de Bëor.

155 Fingolfin e Fingon marcharam em auxílio de sua família, mas foram rechaçados com grandes perdas. Hádor, agora idoso, tombou defendendo seu senhor Fingolfin, e com ele Gundor, seu filho. Gumlin assumiu o senhorio da casa de Hádor.

Os filhos de Fëanor não foram mortos, mas Celegorm e Curufin foram derrotados e fugiram com Orodreth, filho de Finrod. Maidros, o canhoto, realizou feitos de grande proeza, e Morgoth ainda não capturou Himling, mas irrompeu pelos passos a leste de Himling e assolou Beleriand Leste e dispersou os Gnomos da casa de Fëanor.

Turgon não estava naquela batalha, nem Haleth nem ninguém de seu povo, salvo uns poucos. Diz-se que Húrin estava no lar de criação com Haleth, e que Haleth e Húrin, caçando no vale do Sirion, toparam com alguns do povo de Turgon, e foram levados ao vale secreto de Gondolin, acerca do qual ninguém do mundo exterior ainda tinha conhecimento, salvo Thorndor, Rei das Águias; pois Turgon recebeu mensagens e sonhos enviados pelo Deus Ulmo, Senhor das Águas, Sirion acima, avisando-o que o auxílio dos Homens lhe era necessário. Mas Haleth e Húrin fizeram juramentos de segredo e jamais revelaram Gondolin, mas Haleth compreendeu algo dos conselhos de Turgon, e

350

os contou mais tarde a Húrin. Grande apreço tinha Turgon pelo menino Húrin, e o teria mantido em Gondolin, mas as graves novas da grande batalha foram recebidas e eles partiram. Turgon envia mensageiros secretos às fozes do Sirion e começa uma armação de navios. Muitos partem em direção a Valinor, mas nenhum retorna.[19]

Fingolfin, vendo a ruína dos Gnomos e a derrota de todas as suas casas, ficou cheio de ira e desespero, e cavalgou sozinho aos portões de Angband e desafiou Morgoth para combate singular. Fingolfin foi morto, mas Thorndor resgatou o seu corpo, e o depôs em um teso de pedras nas montanhas ao norte de Gondolin para guardar aquele vale, e assim as novas lá chegaram. Fingon governava a casa real dos Gnomos.

157 Morgoth capturou Tolsirion e atravessou os passos e adentrou Beleriand Oeste. Lá ele pôs Thû, o mago, e Tolsirion tornou-se um lugar maligno.[20] Felagund e Orodreth, junto com Celegorm e Curufin, retiraram-se para Nargothrond, e fizeram lá um grande palácio oculto à moda de Thingol[21] nas Mil Cavernas em Doriath.

Barahir recusa-se a recuar e ainda resiste em Taur--na-Danion. Morgoth os persegue e transforma Taur-na--Danion em uma região de grande pavor, de modo que foi mais tarde chamada de Taur-na-Fuin, a Floresta da Noite, ou Math-Fuin-delos,[22] Sombra Mortal da Noite. Somente Barahir e seu filho Beren e seus sobrinhos Baragund e Belegund, filhos de Bregolas, e alguns homens sobrevivem.[23] As esposas de Baragund e Belegund e suas jovens filhas Morwen e Rían são enviadas[24] a Hithlum à guarda de Gumlin.

158 Haleth e seu povo levam uma vida selvática nos bosques em torno do Sirion nas marcas ocidentais de Doriath e atacam os bandos-órquicos.[25]

160 Barahir foi traído por Gorlim, e toda a sua companhia é morta pelos Orques, salvo Beren, que estava caçando sozinho. Beren persegue os Orques e mata o assassino de

A PRIMEIRA VERSÃO DOS ANAIS DE BELERIAND

seu pai e retoma o anel que Felagund dera a Barahir. Beren torna-se um proscrito solitário.

162 Ataques renovados de Morgoth. As incursões de Orques circundam Doriath, protegida pela magia de Melian, a divina, a oeste Sirion abaixo e a leste além de Himling. Beren é rechaçado para o sul e adentra Doriath com labor. Gumlin é morto em um ataque à fortaleza de Fingon na Nascente do Sirion[26] a oeste das Erydlómin.[27] Húrin, seu filho, é poderoso em força. Ele é convocado a Hithlum e lá chega a duras penas. Ele governa a casa de Hádor e serve Fingon.

163 Os Homens Tisnados chegam pela primeira vez a Beleriand Leste. Eram baixos, de ombros largos, de braços compridos e fortes, tinham muitos pelos no rosto e no peito, e estes eram escuros como seus olhos; suas peles eram acobreadas ou escuras, mas a maioria não era de menos beleza. Suas casas eram muitas, e muitos tinham mais gosto pelos[28] Anãos das montanhas, de Nogrod e Belegost, do que pelos Elfos. Sobre os Anãos os Elfos tomaram conhecimento pela primeira vez nesses dias, e sua amizade era pequena. Não se sabe de onde são, exceto que não são da Gente-élfica, nem da mortal, nem de Morgoth.[29] Mas Maidros, vendo a fraqueza dos Gnomos e o poderio crescente dos exércitos de Morgoth, fez aliança com os Homens recém-chegados, e com as casas de Bor e de Ulfand.[30] Os filhos de Ulfand eram Uldor, mais tarde chamado de o Maldito, e Ulfast, e Ulwar; e por Cranthir, filho de Fëanor, eram mais amados, e eles lhe juraram lealdade.

163–4 A grande gesta de Beren e Lúthien.[31] O Rei Felagund de Nargothrond morre em Tolsirion[32] nas masmorras de Thû. Orodreth governa Nargothrond e rompe a amizade com Celegorm e Curufin, que são expulsos.[33] Lúthien e Huan derrotam Thû. Beren e Lúthien vão a Angband e recuperam uma Silmaril. Carcharoth, o grande lobo de Angband, com a Silmaril no ventre adentra Doriath. Beren e o mastim Huan são mortos por Carcharoth, mas Huan mata Carcharoth e a Silmaril é recuperada.

A FORMAÇÃO DA TERRA-MÉDIA

Beren foi chamado dos mortos por Lúthien e habitou com ela[34] na Terra dos Sete Rios, Ossiriand, sem conhecimento dos Homens e Elfos.[35]

164 Húrin desposa Morwen.

165 Túrin, filho de Húrin, nasce no inverno com presságios de pesar.[36]

165–70 *A União de Maidros.* Maidros, encorajado pelos feitos de Beren e Lúthien, planeja uma reunião de forças para repelir Morgoth. Mas por causa dos feitos de Celegorm e Curufin ele não recebe auxílio de Thingol, e somente pouco apoio de Nargothrond, onde os Gnomos tentam se proteger por meios furtivos e sigilo. Ele congrega e arma todos os Gnomos da casa de Fëanor, e multidões dos Elfos-escuros, e dos Homens, em Beleriand Leste. Recebe auxílio das forjas dos Anãos, e convoca ainda mais Homens por sobre as montanhas do Leste.

Novas chegam a Turgon, o rei oculto, e ele se prepara em segredo para a guerra, pois o seu povo, que não esteve na Segunda Batalha, não podia ser detido.

167 Nasce Dior, o Belo, filho de Beren e Lúthien, em Ossiriand.

168 Morre Haleth, último dos Pais de Homens. Hundor governa o seu povo. Os Orques são lentamente rechaçados de Beleriand.

171 Isfin, filha de Turgon, perde-se ao sair de Gondolin e é tomada como esposa por Eöl, um Elfo-escuro.

★172 *O ano da lamentação.* Maidros planeja um ataque a Angband, pelo Oeste e pelo Leste. Fingon fica incumbido de avançar em marcha assim que a hoste principal de Maidros der o sinal no Leste de Dor-na-Fauglith. Huor, filho de Hádor,[37] desposa Rían, filha de Belegund, na véspera da batalha e marcha com Húrin, seu irmão, no exército de Fingon.

A Batalha das Lágrimas Inumeráveis,[38] a terceira batalha dos Gnomos e Morgoth, foi travada nas planícies de Dor-na-Fauglith diante do passo pelo qual as águas novas do Sirion adentram Beleriand entre as Erydlómin[39] e Taur-na-Fuin. O lugar por muito tempo ficou marcado por um grande monte sobre no qual os mortos, Elfos e Homens, foram empilhados. Somente ali cresceu a relva em Dor-na-Fauglith. Os Elfos e Homens foram completamente derrotados e sua ruína levada a cabo.

Maidros foi atrasado na estrada pelos logros de Uldor, o Maldito, a quem os espiões de Morgoth haviam comprado. Fingon atacou sem esperar e atravessou o ataque simulado de Morgoth, chegando a Angband. As companhias de Nargothrond adentraram os portões, mas elas e seu líder Flinding, filho de Fuilin,[40] foram todos capturados; e Morgoth agora soltou um exército inumerável e rechaçou os Gnomos com terrível matança. Hundor, filho de Haleth, e os Homens dos bosques foram mortos na retirada através das areias. Os Orques se puseram entre eles e os passos de Hithlum, e eles recuaram em direção a Tolsirion.

Turgon e o exército de Gondolin soam suas trompas e emergem de Taur-na-Fuin. A sorte pende para o outro lado e os Gnomos começam a ganhar terreno. Alegre encontro de Húrin e Turgon.

As trombetas de Maidros são ouvidas no Leste, e os Gnomos ganham coragem. Os Elfos dizem que a vitória poderia ter sido deles se não fosse por Uldor. Mas Morgoth agora enviara toda a gente de Angband e o Inferno se esvaziara. Chegam mais uma vez cem mil Orques e mil Balrogs, e na vanguarda veio Glómund, o Dragão, e Elfos e Homens definharam diante dele. Assim a união das hostes de Fingon e Maidros foi rompida. Mas Uldor passou para o lado de Morgoth e caiu sobre o flanco direito dos filhos de Fëanor.

Cranthir matou Uldor, mas Ulfast e Ulwar mataram Bor e seus filhos e muitos Homens que eram fiéis, e a hoste de Maidros foi dispersada aos ventos e fugiu para esconder-se em Beleriand Leste e nas montanhas lá.

Fingon tombou no Oeste, e diz-se que uma chama saltou de seu elmo ao ser abatido pelos Balrogs. Húrin e os

Homens de Hithlum da casa de Hádor, e Huor, seu irmão, ficaram firmes, e os Orques não puderam entrar em Beleriand. A defesa de Húrin é o feito mais renomado dos Homens entre os Elfos. Ele ficou na retaguarda enquanto Turgon, com parte de seu exército, e alguns dos remanescentes da hoste de Fingon, escapavam para os vales e as montanhas. Eles despareceram e não foram mais encontrados por Elfo ou por espião de Morgoth até os dias de Tuor. Assim foi a vitória de Morgoth maculada e sua ira foi muito grande.

Húrin continuou a lutar após Huor tombar atingido por uma flecha envenenada, e até restar apenas ele. Jogou fora o escudo e lutou com um machado e matou cem Orques.

Húrin foi capturado vivo por ordem de Morgoth e arrastado até Angband, onde Morgoth o amaldiçoou e a sua família, e por ele não revelar para onde Turgon tinha ido, prendeu-o com uma visão encantada sobre Thangorodrim, para que pudesse ver o mal que sobreveio a sua esposa e seus filhos. Seu filho Túrin tinha quase três anos,[41] e sua esposa Morwen carregava outra vez uma criança.

Os Orques empilharam os mortos e entraram em Beleriand para assolá-la. Rían procurou Huor, pois nenhuma nova chegou a Hithlum da batalha, e seu filho Tuor, filho de Huor, nasceu no ermo. Ele foi entregue para ser criado pelos Elfos-escuros, mas Rían foi ao Monte dos Mortos[42] e deitou-se para morrer ali.[43]

173 Morgoth tomou toda Beleriand ou encheu de bandos vagantes de Orques e lobos, mas lá resistia ainda Doriath. De Nargothrond ele ouvia pouco, de Gondolin nada conseguia descobrir. Em Beleriand, fora desses três lugares, somente Elfos e Homens dispersos viviam como proscritos, e entre eles o remanescente do povo de Haleth sob a liderança de Handir, filho de Hundor, filho de Haleth.[44]

Morgoth quebrou suas promessas para com os filhos de Ulfand,[45] e empurrou os Homens malignos para Hithlum, sem recompensa, exceto que lá eles maltrataram e escravizaram os remanescentes da casa de Hádor, os velhos e as mulheres e crianças. Os remanescentes dos Elfos de

A PRIMEIRA VERSÃO DOS ANAIS DE BELERIAND

Hithlum ele também em sua maioria escravizou e levou para as minas de Angband, e outros ele proibiu de deixar Hithlum, e eram mortos se Orques os encontravam a leste ou ao sul das Montanhas Sombrias.[46] Nasce Nienor, a pesarosa, filha de Húrin e Morwen, no início do ano.

Tuor cresceu selvagem nas matas entre Elfos fugitivos próximo às margens de Mithrim;[47] mas Morwen enviou Túrin a Doriath, implorando para que Thingol o adotasse e auxiliasse, pois ela era da gente de Beren. Realizam uma jornada desesperada, o menino de sete anos e seus dois guias.[48]

181 O poder de Morgoth cresce e Doriath fica isolada e nenhuma nova do mundo exterior lá chega. Túrin, que ainda não era homem feito, passa a guerrear nas marcas em companhia de Beleg.

184 Túrin mata Orgof, parente da casa real, e foge da corte de Thingol.

184–7 Túrin um proscrito nas matas. Ele congrega um grupo desesperado, e saqueia nas marcas de Doriath e além.

187 Os companheiros de Túrin capturam Beleg. Mas Túrin o liberta e eles renovam sua irmandade, e fazem guerra aos Orques, aventurando-se muito além de Doriath.[49]

189 Blodrin, filho de Ban, revela o esconderijo deles, e Túrin é capturado vivo. Beleg, curado de seus ferimentos, segue em perseguição. Ele topa com Flinding, filho de Fuilin,[50] que escapara das minas de Morgoth; juntos resgatam Túrin dos Orques. Túrin mata Beleg por infortúnio.

190 Túrin, curado de sua loucura junto à nascente do Ivrin,[51] e é levado enfim por Flinding a Nargothrond. São acolhidos pela súplica de Finduilas, filha de Orodreth, que outrora amara Flinding.

190–5 A estada de Túrin em Nargothrond. A espada de Beleg é reforjada e Túrin rejeita o seu antigo nome e é renomeado como Mormegil (Mormakil),[52] "Espada-Negra". Ela chama sua espada de Gurtholfin, "Vara da Morte". Finduilas esquece o seu amor por Flinding, e é amada por Túrin, que não revela o seu amor por lealdade a Flinding; não obstante, Flinding fica amargurado. Túrin torna-se um grande capitão. Ele lidera os Gnomos de Nargothrond à vitória e o seu antigo sigilo é rompido. Morgoth toma conhecimento da força crescente da praça-forte,[53] mas os Orques são varridos de todas as terras entre o Narog e o Sirion e Doriath a Leste, e a Oeste até o Mar, e ao Norte até as Erydlómin.[54] Uma ponte é construída sobre o Narog. Os Gnomos aliam-se ao povo de Haleth liderado por Handir.

192 Meglin chega a Gondolin e é recebido por Turgon como filho de sua irmã.

194 Nesse tempo de melhora Morwen e Nienor partem de Hithlum e buscam novas de Túrin em Doriath. Lá muitos falam da proeza de Mormakil,[55] mas de Túrin ninguém tem novas.

195 Glómund, com uma hoste de Orques, atravessa as Erydlómin e derrota os Gnomos entre o Narog e o Taiglin. Handir é morto. Flinding morre recusando o socorro de Túrin. Túrin retorna depressa a Nargothrond, mas a praça-forte é saqueada antes de sua chegada. Ele é enganado e enfeitiçado por Glómund. Finduilas e as mulheres de Nargothrond são levadas como servas, mas Túrin, enganado por Glómund, vai para Hithlum à procura de Morwen.

Novas chegam a Doriath dizendo que Nargothrond foi capturada e que Mormakil é Túrin.

Tuor foi levado para fora de Hithlum por um caminho secreto com a guia de Ulmo, e viajou ao longo da costa para além dos portos arruinados de Brithombar e Eldorest[56] e chegou à foz do Sirion.[57]

195–6 Túrin vai a Hithlum e descobre que sua mãe partiu. Ele mata Brodda e escapa. Ele se junta aos Homens-da-floresta e torna-se seu senhor, visto que Brandir, filho de Handir, é coxo desde a infância. Assume o nome de Turambar (Turumarth),[58] "Conquistador do Destino".

196   Aqui Tuor encontra Bronweg na foz do Sirion. Ulmo aparece em pessoa para ele em Nan-tathrin; e Tuor e Bronweg, guiados por Ulmo, encontram Gondolin. São recebidos após serem interrogados, e Tuor dá a conhecer a embaixada de Ulmo. Turgon não dá ouvidos a ela agora, em parte devido à insistência de Meglin. Mas Tuor, por causa de sua família, é estimado com grande honra.

       Morwen vai a Nargothrond, para onde Glómund retornara e jaz sobre o tesouro de Felagund. Ela busca novas de Túrin. Nienor, contrariando a ordem da mãe, cavalga disfarçada com a sua escolta de Elfos do povo de Thingol.

       Glómund lança um feitiço sobre a companhia e a dispersa. Morwen desaparece na mata; e uma grande treva da mente se abate sobre Nienor.

       Túrin encontrou Nienor perseguida pelos Orques. Ele a chama de Níniel, a lacrimosa, uma vez que ela não sabia o próprio nome, e a si mesmo de Turambar.

197–8 Nienor Níniel habita com o Povo-da-floresta e é amada por Túrin Turambar e Brandir, o Coxo.

198   Túrin desposa Nienor.

199   Glómund sai em busca das moradas de Túrin. Túrin o mata com Gurtholfin, sua espada; mas cai desacordado ao lado dele. Nienor o encontra, mas Glómund antes de morrer a liberta do feitiço e lhe revela o seu parentesco. Nienor se lança na catarata daquele lugar.[59] Brandir revela a verdade a Túrin e é morto por ele. Túrin pede a Gurtholfin que o mate, e ele morre. Assim terminou o pior dos males de Morgoth; mas Húrin foi libertado de Angband, curvado pela idade, e saiu em busca de Morwen.

       Tuor desposa Idril Celebrindal, filha de [Turgon de] Gondolin, e recebe o ódio secreto de Meglin.

200   Aqui nasceu Eärendel, o Luzente, a estrela das Duas Gentes, filho de Tuor e Idril, em Gondolin. Aqui também nasceu Elwing, a Branca, mais bela das mulheres depois de Lúthien, filha de Dior, em Ossiriand.

Húrin congrega homens ao seu redor. Eles encontram o tesouro de Nargothrond e matam Mîm, o Anão, que o tomara para si. O tesouro é amaldiçoado. O tesouro é levado a Thingol. Mas Húrin parte de Doriath com palavras amargas, porém seu destino e o de Morwen mais tarde não são sabidos por ninguém com certeza.

201 Thingol emprega os Anãos para trabalhar o seu ouro e prata e o tesouro de Narog, e eles fazem o renomado Nauglafring,[60] o Colar-dos-Anãos, do qual pende a Silmaril. A inimizade desperta[61] entre os Elfos e os Anãos, e os Anãos são rechaçados.

202 Aqui os Anãos invadiram Doriath auxiliados pela traição, pois muitos Elfos foram tomados pelo desejo maldito do tesouro. Thingol foi morto e as Mil Cavernas saqueadas. Mas Melian, a divina, não podia ser capturada e partiu para Ossiriand.

Beren[62] convocado por Melian derrotou os Anãos em Sarn--Athra[63] e lançou o ouro no Rio Asgar, que depois foi chamado de Rathlorion,[64] o Leito-d'ouro; mas o Nauglafring e a Silmaril ele tomou. Lúthien envergou o colar e a Silmaril no peito. Aqui Beren e Lúthien deixam o conhecimento dos homens e não o dia de suas mortes não é conhecido; salvo que numa noite um mensageiro trouxe o colar para Dior em Doriath, e os Elfos disseram: "Lúthien e Beren estão mortos, como Mandos sentenciara".

Dior, filho de Lúthien e Beren, herdeiro de Thingol, retornou a Doriath e por um tempo a restabeleceu, mas Melian voltou para Valinor e ele não mais tinha a proteção dela.

203 O colar chegou a Dior; ele o envergou sobre o peito.

205 Os filhos de Fëanor recebem novas da Silmaril no Leste, e voltam de suas andanças e se reúnem em conselho. Eles convocam Dior a entregar a joia.

A PRIMEIRA VERSÃO DOS ANAIS DE BELERIAND

206   Aqui Dior enfrentou os filhos de Fëanor nas marcas orientais de Doriath, mas foi morto. Celegorm e Curufin e Cranthir tombaram em batalha. Os jovens filhos de Dior, Elboron e Elbereth, foram mortos pelos homens malignos da hoste de Maidros, e Maidros lamentou o ato abominável. A donzela Elwing foi salva por Elfos fiéis e levada à foz do Sirion, e consigo levaram a joia e o colar.

Meglin foi capturado nas colinas e traiu Gondolin a Morgoth.

207   Aqui Morgoth soltou uma hoste de dragões sobre as montanhas pelo Norte e o vale de Gondolin foi tomado e a cidade sitiada. Os Orques saquearam Gondolin e destruíram o rei e a maioria de seu povo; mas Ecthelion da Fonte matou lá Gothmog, senhor de Balrogs, antes de tombar.

Tuor matou Meglin. Tuor, Idril e Eärendel escaparam por uma via secreta planejada por Idril e chegaram à Cristhorn, Fenda das Águias, um passo alto sob o marco de Fingolfin no Norte. Glorfindel foi lá morto em uma emboscada, mas Thorndor salvou o remanescente de Gondolin, e eles escaparam por fim para o vale do Sirion. A ruína dos Elfos estava agora quase completa, e nenhum refúgio ou lugar fortificado ou reino lhes restava.

208   Aqui os errantes de Gondolin chegaram às fozes do Sirion e juntaram-se à minguada companhia de Elwing. A Silmaril lhes traz uma bênção e eles se multiplicam, e constroem navios e um porto, e habitam no delta entre as águas. Fugitivos se reúnem à sua volta.

210   Maidros toma conhecimento do crescimento do Porto do Sirion e de que uma Silmaril lá se encontra, mas ele abjura o seu juramento.

224   A inquietação de Ulmo se abate sobre Tuor e ele constrói o navio Earámë, Ala de Águia, e parte com Idril para o Oeste e dele não se ouve mais nada. Eärendel desposa Elwing e é senhor do povo do Sirion.

225 Tormento de Maidros e seus irmãos por causa do juramento. Damrod e Díriel resolvem tomar a Silmaril caso Eärendel não a entregue.

Aqui a inquietação se abateu sobre Eärendel e ele viajou para longe pelos mares à procura de Tuor, e à procura de Valinor, mas não encontrou nenhum dos dois. As maravilhas que realizou e viu foram muitas e renomadas. Nasce Elrond Meio-Elfo, filho de Eärendel.

O povo do Sirion recusou-se a entregar a Silmaril na ausência de Eärendel, e pensavam que o seu regozijo e prosperidade vinham da joia.

229 Aqui Damrod e Díriel assolaram o Sirion, e foram mortos. Maidros e Maglor deram auxílio com relutância. O povo do Sirion foi morto ou recebido na companhia de Maidros. Elrond foi levado para ser criado por Maglor. Elwing lançou-se com a Silmaril ao mar, mas por auxílio de Ulmo na forma de uma ave voou até Eärendel e o encontrou enquanto ele retornava.

230 Eärendel ata a Silmaril à sua fronte e com Elwing navega em busca de Valinor.

233 Eärendel entra em Valinor e fala em nome das duas raças.

240 Maglor, Maidros e Elrond, com alguns Elfos livres, os últimos dos Gnomos, vivem[65] ocultos de Morgoth, que governa toda Beleriand e o Norte, e segue avançando para o Leste e o Sul.

233–43 Os filhos dos Deuses[66] liderados por Fionwë, filho de Manwë, preparam-se para a guerra. Os Elfos-da-luz se armam, mas os Teleri não partem de Valinor, apesar de construírem uma hoste incontável de navios.

247 A hoste de Fionwë aproxima-se das Terras de Cá e suas trombetas desde o mar ecoam nos bosques do oeste. Aqui foi travada a batalha de Eldorest,[67] onde Ingwil,[68] filho de Ingwë, desembarcou. Uma grande guerra chega

a Beleriand, e Fionwë convoca todos os Elfos, e Anãos, e Homens, e feras, e aves aos seus estandartes que não escolheram lutar por Morgoth. Mas o poder e terror de Morgoth era muito grande, e muitos não obedeceram.

★250 Aqui Fionwë travou a última batalha do antigo Norte, a Grande Batalha ou Batalha Terrível. Morgoth foi à luta, e as hostes entraram em formação dos dois lados do Sirion. Mas a hoste de Morgoth foi repelida como folhas e os Balrogs destruídos por completo, e Morgoth fugiu para Angband perseguido pelas hostes de Fionwë.

Ele soltou de lá todos os Dragões alados, e Fionwë foi rechaçado em Dor-na-Fauglith, mas Eärendel chegou pelo céu e derrubou Ancalagon, o Dragão Negro, e em sua queda Thangorodrim foi destroçada.[69]

Os filhos dos Deuses lutaram com Morgoth em suas masmorras e a terra tremeu e toda Beleriand foi despedaçada e mudada e muitos pereceram, mas Morgoth foi aprisionado.

Fionwë partiu para Valinor com os Elfos-da-luz e muitos dos Gnomos e dos outros Elfos das Terras de Cá, mas Elrond Meio-Elfo permaneceu e governou no Oeste do mundo. Maidros e Maglor pereceram em[70] um último esforço de tomar as Silmarils que Fionwë tirou da coroa de Morgoth.[71] Assim terminou a Primeira Era do Mundo e Beleriand não mais existia.

NOTAS

[1] Essa frase, *com seus amigos Orodreth, Angrod Egnor, filhos de Finrod*, foi um acréscimo inicial; cf. o acréscimo feito aos AV, nota 21.

[2] Acréscimo tardio: *Dagor-os-Giliath*, que é encontrado nos AV como escrito inicialmente, anal do Ano Valiano 2996.

[3] Acréscimo tardio: (*Eredwethion*), que é encontrado nos AV como escrito inicialmente, anal Ano Valiano 2996. — Escrito a lápis na margem junto a essa passagem, mas depois riscado: *A passagem dos Gnomos para Mithrim ocupou o equivalente a 10 anos de tempo tardio, ou 1 ano valinoriano.* Cf. AV, p. 316.

[4] Essa é uma alteração inicial, que acompanha a apresentada na nota 1, de *Com ele vêm os filhos de Finrod*; cf. a alteração feita nos AV, nota 23.

[5] Uma alteração inicial de: *Marcham para Mithrim ao nascer do Sol, e desfraldam suas bandeiras; mas há a uma rixa...*

[6] Acréscimo tardio: *Belegar*. Esse nome ocorre na versão II dos AV em inglês antigo, p. 336, linha 43.

A FORMAÇÃO DA TERRA-MÉDIA

7   Acréscimo tardio: *Eredlindon.* Esse nome ocorre em acréscimos posteriores ao Q (§9, nota 3) e aos AV (nota 14).

8   *Eldorest > Eglarest > Eglorest* (cf. notas 56 e 67). Na Expansão a Oeste do primeiro mapa (ver pp. 270–71), o nome é *Eldorest*; em uma interpolação aos AV (nota 18) é *Eglorest*; em *O Silmarillion* é *Eglarest.*

9   A conclusão desse anal (muito provavelmente mudado na época da composição) originalmente era a seguinte: *Um tempo de paz e crescimento. Antes do Sol havia apenas os pinheiros e abetos e sombrios.* . . . .

10   Acréscimo tardio: *em Nargothrond.*

11   *Erydlómin > Eredwethion* (duas vezes; mudanças tardias). Ver nota 3, e pp. 222, 258.

12   Acréscimo tardio: *em Nargothrond.*

13   Esses três anais foram colocados aqui e escritos dessa forma no manuscrito, e colocados entre colchetes. Os colchetes talvez apenas indiquem que os anais são um acréscimo (o nascimento de Gumlin havia sido colocado primeiramente no anal 122, mas foi riscado provavelmente na época da composição, e a menção ao nascimento de Handir, filho de Hundor, foi um acréscimo inicial ao anal 141).

14   Mudança tardia: *Ermabwed > Ermabuin. Ermabwed* é a forma na *Balada dos Filhos de Húrin* e no Q (§10).

15   Acréscimo tardio: *ou Mablosgen, o de Mão-vazia.*

16   A maioria das datas de nascimento de 124 a 150 foi mudada em um ou dois anos, mas visto que meu pai escreveu por cima dos números, não é possível ler todas as datas por baixo com certeza. O anal para o nascimento de Rían foi primeiramente dado em um anal do ano 152: *Nasce Rían, a pesarosa, filha de Belegund.*

17   Acréscimo tardio: *Dagor Hurbreged.*

18   Acréscimo tardio: *em poderio pleno.*

19   Essas duas frases foram um acréscimo, ainda que muito inicial: daí a mudança de tempo verbal.

20   Acréscimo tardio: *Tol-na-Gaurhoth, Ilha dos Lobisomens.*

21   Acréscimo tardio: *em Menegroth.* Esse nome ocorre em uma interpolação aos AV (nota 18) e na versão II em inglês antigo, p. 339, linha 153.

22   *Math-Fuin-delos > Gwath-Fuin-daidelos* (mudança tardia). Quando a *delos*, *daidelos*, ver p. 306, segunda nota de rodapé, e p. 319, nota 27.

23   Acréscimo tardio: *Gorlim, Radros, Dengar, e 7 outros.* Acima de *Dengar* foi escrito (posteriormente) *Dagnir.*

24   Essa frase foi riscada a lápis e a seguinte substituição escrita em seu lugar: *Suas esposas e filhos foram capturados ou mortos por Morgoth, salvo Morwen Eledwen Brilho-élfico (filha de Baragund) e Rían (filha de Belegund), que foram enviadas* etc.

25   Após esse trecho, havia o seguinte no texto original: *Haleth, último dos Pais de Homens, morre nas matas. Hundor, seu filho, governa o seu povo.* Isso foi riscado enquanto os *Anais* estavam em processo de composição, pois o trecho reaparece depois, e não como uma inserção (ano 168).

26   *Nascente do Sirion > Eithyl Sirion* (mudança tardia). *Eithyl* (do qual o *y* é incerto) substitui uma forma mais antiga, provavelmente *Eothlin.*

363

A PRIMEIRA VERSÃO DOS ANAIS DE BELERIAND

27 *Erydlómin > Eredwethion* (mudança tardia; cf. nota 11).

28 Acréscimo tardio: *nauglar ou* (isto é, *pois os nauglar ou Anãos*), *nauglar* parece ter sido mudado a partir de *nauglir*, a forma no Q.

29 Essas duas frases, desde *Sobre os Anãos* [...], entre colchetes a lápis; ver p. 394.

30 *Ulfand* é uma emenda inicial a partir de *Ulband*, e assim também na frase seguinte.

31 Acréscimo tardio: *Tinúviel, filha de Thingol de Doriath.* — Quanto à palavra *gesta*, ver III. 188.

32 *Tolsirion > Tol-na-Gaurhoth* (mudança tardia; cf. nota 20).

33 Acréscimo tardio: *Nargothrond está oculto.*

34 Acréscimo tardio: *entre os Elfos-verdes.*

35 *Elfos > Gnomos* (mudança tardia, dependente da apresentada na nota 34).

36 Esses dois anais, para os anos 164 e 165, são substituições iniciais de essencialmente os mesmos anais situados originalmente em 169 e 170: *Húrin, filho de Hádor desposa Morwen Brilho-élfico, filha de Baragund, filho de Bëor, e Nasce Túrin, filho de Húrin.* O primeiro contém dois erros, que só podem ser meros deslizes devido à rápida composição, para *filho de Gumlin, filho de Hádor* e *filho de Bregolas, filho de Bëor.* Do mesmo modo, no anal para 172 Huor é chamado de *filho de Hádor.*

37 *Huor, filho de Hádor*: um erro; ver nota 36.

38 Acréscimo tardio: *Nirnaith Irnoth*, mudado para *Nirnaith Dirnoth.* Na *Balada dos Filhos de Húrin* há muitas formas diferentes do nome élfico da Batalha das Lágrimas Inumeráveis, uma substituindo a outra: as últimas são *Nirnaith Únoth* substituídas por *Nirnaith Ornoth* (a forma final *Nirnaith Arnediad* também é encontrada no poema, inserida num período posterior, como em Q §11, nota 16).

39 *Erydlómin > Erydwethion* (mudança tardia; cf. notas 11 e 27).

40 *Flinding* primeiro > *Findor*; depois *Flinding, filho de Fuilin > Gwindor, filho de Guilin* (mudanças tardias).

41 *Túrin tinha quase três anos* é dependente da data anterior de seu nascimento no ano 170: ver nota 36.

42 Acréscimo tardio: *Cûm-na-Dengin.* O nome *Amon Dengin* é encontrado em uma reescrita tardia de uma passagem em Q §16, nota 3.

43 Essa passagem, na época da composição, substituiu a original: *Rían procurou Huor e morreu ao lado do corpo dele.* Ver nota 46.

44 A data 173 foi acrescentada subsequentemente, ainda que cedo, à essa passagem. Ela permanece em seu lugar original, sem estar riscada, embora não seja incluída aqui, no início da passagem seguinte, *Morgoth quebrou suas promessas* [...]

45 *Ulfand* inicialmente < *Ulband*, como anteriormente (nota 30).

46 O texto original tinha o seguinte aqui: *Tuor, filho de Huor, nasceu em pesar*, que foi riscado na época da composição quando a passagem adicional acerca de Tuor no final do anal 172 foi inserida (nota 43). A frase acerca de Nienor que se segue foi um acréscimo inicial.

47 Foi rabiscada nessa frase uma marca de transferência para o lugar entre os anais 184 e 184–87.

A FORMAÇÃO DA TERRA-MÉDIA

[48] Esse parágrafo, desde *Tuor cresceu...*, foi datado 177, mas a data foi riscada. Tal como os *Anais* foram escritos inicialmente, o nascimento de Túrin foi colocado no ano 170, mas esse anal foi rejeitado e recolocado no do ano 165 (nota 36). Portanto, quando a presente passagem foi datada 177, Túrin tinha 7 anos quando foi para Doriath; mas com a data riscada, a passagem pertence ao anal 173, e os anos da vida de Túrin em Hithlum se tornam 165–73, o que pode ou não significar uma mudança na sua idade quando foi para Doriath. Em *O Silmarillion* (p. 268) ele tinha oito anos; mas a afirmação aqui de que ele tinha sete foi deixada inalterada.

[49] Após esse anal, outro foi inserido na camada de emenda posterior a lápis: *188. Halmir, filho de Orodreth, foi capturado e enforcado numa árvore por Orques.*

[50] *Flinding, filho de Fuilin > Gwindor, filho de Guilin* (mudança tardia; cf. nota 40). *Flinding > Gwindor* em todas as ocorrências do nome nos anais 190, 190–5, 195.

[51] *nascente do Ivrin > a nascente de Ivrineithil* (mudança tardia).

[52] *Mormegil (Mormakil) > Mormael (q. Mormakil)* (mudança tardia). Essa é a primeira ocorrência da forma *Mormegil*; quanto a formas mais antigas, ver p. 210.

[53] *Morgoth toma conhecimento da força crescente da praça-forte* é uma mudança inicial de *Morgoth toma conhecimento da praça-forte.*

[54] *Erydlómin > Erydwethion*, como anteriormente (mudança tardia); mais uma vez no anal 195.

[55] *Mormakil > Mormael (Mormakil)* (mudança tardia; cf. nota 52).

[56] *Eldorest > Eglorest* (mudança tardia; cf. nota 8).

[57] Esse anal, desde *Tuor foi levado para fora de Hithlum...*, originalmente datado 196, foi mudado (de início) para 195, mas foi deixado onde estava, com essa data, após o anal 195–6. Uma indicação a lápis o coloca na posição em que foi impresso aqui.

[58] O *h* de *Turumarth* foi circulado a lápis para ser apagado. A frase é um acréscimo inicial.

[59] Acréscimo tardio: *Bacia de Prata (Celebrindon).* Isso foi riscado e substituído pelo seguinte: *que era chamado de Celebros, Espuma de Prata, mas mais tarde de Nen Girith, Água do Estremecer.*

[60] *Nauglafring > Nauglamír* (mudança tardia); novamente no anal 202.

[61] *A inimizade desperta* é uma mudança inicial a partir de *Segue-se a guerra.*

[62] Acréscimo tardio: *e os Elfos-verdes* (cf. nota 34).

[63] *Sarn-Athra > Sarn-Athrad* (mudança tardia). A mesma mudança foi feita no Q (§14, nota 8).

[64] *Rathlorion > Rathloriel* (mudança tardia). A mesma mudança foi feita no Q (§14, nota 11).

[65] Acréscimo tardio: *sobre Amon Ereb, o Monte Solitário em Beleriand Leste.* Acima de *Beleriand Leste* está escrito *no Sul.*

[66] *os Deuses > os Valar, que é os Deuses* (mudança tardia).

[67] *Eldorest > Eglarest > Eglorest* (mudanças tardias; cf. notas 8 e 56).

[68] *Ingwil > Ingwiel* (mudança tardia). *Ingwiel* é a forma em um acréscimo ao Q (Q II, §17, nota 19).

A PRIMEIRA VERSÃO DOS ANAIS DE BELERIAND

[69] Escrito às pressas na margem junto a esse parágrafo: *Essa grande guerra durou 50 anos.*

[70] *pereceram em > fizeram* (mudança tardia).

[71] Acréscimo tardio: *mas Maidros pereceu e a sua Silmaril foi para o seio da terra, e Maglor lançou a sua no mar, e vagou para sempre pelas costas do mundo.*

Comentário sobre os *Anais de Beleriand* (texto AB I)

Este comentário segue as seções dos anais do texto (em alguns casos, grupos de anais).

Seção de abertura (antes do nascer do Sol) Morgoth "reconstrói sua fortaleza de Angband". Tal como no Esb e no Q, antes de *Utumna* reaparecer, assim como reaparece no *Ambarkanta* (ver pp. 303, 306); os AV não são explícitos, e dizem apenas (p. 313) que ele "restabeleceu sua praça-forte". Angband fica "sob a Montanha Negra, Thangorodrim"; quanto a isso, ver pp. 256, 306–07.

Há a notável afirmação de que Morgoth "planeja os Balrogs e os Orques", deixando implícito que foi só nesse momento que eles vieram a existir. No Q (§2), seguindo o Esb, eles tiveram origem (caso os Balrogs já não existissem) na escuridão ancestral antes da derrubada das Lamparinas, e quando Morgoth retornou a Angband "incontável se tornou o número das hostes de seus Orques e demônios" (§4); do mesmo modo, nos AV (p. 313) ele "procriou e reuniu *mais uma vez* seus serviçais malignos, Orques e Balrogs". No entanto, uma anotação feita junto à passagem em Q §4 indica que a feitura dos Orques deveria ser inserida aqui e não antes (nota 8); e na versão de "O Silmarillion" que se seguiu ao Q (posterior a esses *Anais*), isso de fato foi feito: quando Morgoth retornou,

> incontável se tornou as hostes de suas feras e demônios; e *ele trouxe à existência a raça dos Orques*, e eles cresceram e se multiplicaram nas entranhas da terra.

(As subsequentes elaborações acerca da origem dos Orques são extremamente complexas e não podem ser abordadas aqui.) Está claro, portanto, que essas palavras no AB I, apesar do fato de ser evidentemente anterior aos AV, antecipam a ideia tardia (por si só impermanente) de que os Orques não foram feitos antes que Morgoth retornasse de Valinor.

De acordo com os AV, Morgoth escapou no decorrer dos Anos Valianos 2990–1; cerca de um século de meio de tempo tardio transcorreu, então, entre a primeira feitura dos Orques e o início de suas incursões, mencionadas no primeiro dos anais datados 50.

Quanto ao acréscimo (notas 1 e 4) de que Orodreth, Angrod e Egnor chegaram à Terra-média nos navios com os Fëanorianos, enquanto Felagund atravessou o Gelo Pungente com Fingolfin, ver o comentário sobre os AV, pp. 328–29.

Anal 1 A razão para a alteração na nota 5 não me está clara; a não ser que o propósito fosse enfatizar que a segunda hoste dos Noldoli chegou "do Norte", isto é, do Gelo Pungente, e não de Drengist.

Anais 20 a 51 A "Festa da Reunião" é o nome posterior, como em *O Silmarillion* (p. 163); no Q (§9) é a "Festa do Encontro". Mas ela ainda é realizada na Terra dos Salgueiros (ver p. 199). Agora aparecem na Festa embaixadores vindos de Doriath, e Elfos dos Portos do Oeste, Brithombar e Eldorest (> Eglorest); quanto ao crescimento da ideia dos Portos, ver p. 270, verbete *Brithombar*. Enquanto no Q a Festa foi realizada dentro do período do Cerco de Angband, ela agora precede o estabelecimento do Cerco, que na história tardia começou após a Batalha Gloriosa (*Dagor Aglareb*) — da qual os terremotos e as incursões dos Orques dos anos 50–51 são a primeira indicação.

No segundo anal datado 50 surge um elemento novo considerável: a história dos sonhos e presságios de Turgon e Felagund, que levam à fundação de Nargothrond e Gondolin. (Uma nota tardia no Q refere-se ao "Presságio dos Reis", §9, nota 15.) No Q, Nargothrond foi fundada após a fuga de Felagund da Batalha da Chama Repentina (p. 125), e o vale oculto de Gondolin não era conhecido até que os batedores de Turgon, na fuga da Batalha das Lágrimas Inumeráveis, escalaram as alturas acima do vale do Sirion e o avistaram abaixo deles (§15, p. 155; reescritas tardias do Q alteram a história: notas 1 e 2). Mas no AB I a partida de Turgon com o seu povo de Hithlum para Gondolin ocorreu

A PRIMEIRA VERSÃO DOS ANAIS DE BELERIAND

imediatamente após a descoberta do vale oculto, enquanto na história tardia ele permaneceu em Vinyamar (da qual ainda não há sinal) durante longos anos após a descoberta (*O Silmarillion*, pp. 165, 178–79).

A definição de Hithlum como "a Terra da Bruma em torno de Mithrim" pode sugerir que *Mithrim* ainda era apenas o nome do Lago: ver AV, anal 2995, e comentário, p. 329.

Fingon é agora assim mencionado no texto como escrito, e não como Finweg > Fingon como no Q.

Fingolfin é agora mencionado como o soberano de todos os "Elfos-escuros" a oeste de Narog, e o seu poder é congregado na cadeia setentrional das Montanhas Sombrias, de onde ele pode vigiar a planície de Bladorion (que é mencionada por nome nos AV, anal 2996). A ilha onde ficava a torre de Felagund é agora chamada *Tolsirion*, e somente Felagund é associado com ela (cf. Q §9, "Uma torre tinham [os filhos de Finrod] numa ilha no rio Sirion", mas também §10, "Felagund eles sepultaram no alto de sua própria ilha-colina"); a preeminência de Felagund entre seus irmãos é firmemente estabelecida, assim como o seu isolamento deles.

Em Q §9, nota 1, o nome do grande planalto coberto de pinheiros antes de se tornar um lugar maligno aparece pela primeira vez, na forma *Taur Danin*; *Taur-na-Danion* ocorre na lista de nomes em inglês antigo (p. 245). No Q (§9) é dito sobre os filhos de Fëanor que "sua torre de vigia era a colina alta de Himling, e seu esconderijo a Garganta de Aglon".

Anais 70 a 150 Nos anais que fornecem as datas de nascimento dos Bëorianos vê-se o surgimento de uma linha de descendência mais velha desde Bëor, o Velho, além de Barahir e Beren: Barahir agora tem um irmão Bregolas, cujos filhos são Baragund e Belegund (nessa História todos os três foram mencionados por nome na reescrita da *Balada de Leithian*, III. 391–92, mas isso pertence a uma época muito posterior). Morwen e Rían estão genealogicamente posicionadas nessa linha, e, como as filhas de Baragund e Belegund, tornam-se primas. Mas embora nada tenha sido dito antes acerca do parentesco de Rían, a ideia de que Morwen era aparentada a Beren remonta imediatamente ao *Conto de Turambar*, onde (tal como aquele texto foi escrito

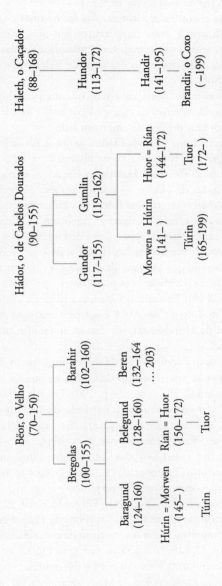

Bregolas, Hádor e Gundor foram mortos na Batalha do Fogo Repentino (155); Barahir, Baragund e Belegund foram mortos como proscritos em Taur-na-Danion (160); Gumlin foi morto na fortaleza da Nascente do Sirion (162); Huor e Hundor foram mortos na Batalha das Lágrimas Inumeráveis (172); Handir foi morto na Queda de Nargothrond (195).
(Ver p. 370)

A PRIMEIRA VERSÃO DOS ANAIS DE BELERIAND

inicialmente, no qual Beren era um Homem) Mavwin era parente de Egnor, pai de Beren (ver II. 93, 171).

A casa bëoriana encontra-se assim na sua forma final no que diz respeito às últimas e mais importantes gerações, embora Barahir e Bregolas tenham sido mais tarde afastados em muitos graus de Bëor com o alongamento dos anos de Beleriand desde o surgimento do Sol.

Além disso, por meio desse desenvolvimento genealógico Túrin e Tuor descendem tanto da casa de Bëor como da casa de Hador; e eles se tornam primos de ambos os lados.

Haleth, que no Q era o filho de Hador, agora se torna independente, um "Pai de Homens"; cf. as alterações a lápis em Q §9 (nota 11 e p. 200), onde Haleth "o Caçador" entra em Beleriand pouco antes de Hador — como também é sugerido no AB I. O relato das características físicas dos Homens das Três Casas dos Amigos-dos-Elfos é a origem daquele em *O Silmarillion* (pp. 207–08); mas nesse estágio o povo de Haleth é assemelhado ao de Hador em vez de aos Bëorianos, e isso sem dúvida é um reflexo do fato de que as casas "hadoriana" e "halethiana" haviam acabado de ser divididas (ver p. 200).

No Q (§13, p. 149), Brandir, o Coxo, era filho de Handir, filho de Haleth; mas agora no AB I é introduzida uma nova geração na pessoa de Hundor, através de um acréscimo inicial ao texto (ver nota 13).

Na casa de Hador, a remoção de Haleth como irmão mais velho de Hador leva ao aparecimento de Gundor, como já visto na alteração tardia em Q §9 (nota 11 e p. 200). No AB I, *Hador* é escrito tanto *Hádor* como *Hador*, e partindo do pressuposto que o acento deve ser intencional, enquanto sua ausência talvez não seja, empreguei a forma *Hádor* do início ao fim.

As genealogias das Três Casas dos Amigos-dos-Elfos, junto com suas datas conforme apresentadas no AB I (após a revisão), são agora, portanto, como mostradas na p. 369.

Hádor ter se tornado um vassalo de Fingolfin (anal 120) é uma extensão da afirmação em Q §9, "os filhos de Hador eram aliados à casa de Fingolfin", com o acréscimo de que ele recebeu terras em Hithlum. O fato de a casa de seu neto Húrin ser em Hithlum é obviamente um elemento antigo das lendas.

O nome de Beren, *Mablosgen*, o de Mão-vazia (nota 15), aparece pela primeira vez aqui (Camlost em *O Silmarillion*).

A FORMAÇÃO DA TERRA-MÉDIA

A tristeza dos Elfos que testemunharam a morte "de cansaço" de Bëor (anal 150) prenuncia a passagem em *O Silmarillion*, p. 208.

Anais 155 a 157 Nesses anais (que se comparam a Q §9) há muitos detalhes novos e um desenvolvimento significativo. Em um acréscimo tardio (nota 17), a Batalha do Fogo Repentino (que também aparece, como a Batalha da Chama Repentina, em um acréscimo tardio ao Q, nota 19) recebe o nome élfico *Dagor Hurbreged*; e Glómund está presente na batalha — por meio de outro acréscimo tardio (nota 18) agora em seu "poderio pleno". A cada estágio, em acréscimo ao Esb, no Q, em acréscimo ao Q, nos AB e em acréscimo aos AB, a história de Glómund é empurrada cada vez mais para trás; quanto aos detalhes, ver p. 208. Em *O Silmarillion*, p. 210, a mesma expressão "em seu poderio pleno" é usada para Glaurung na Batalha da Chama Repentina, onde a afirmação remete ao fato de que em sua primeira aparição (p. 136) ele ainda não havia crescido por completo; ver p. 395.

A morte de Bregolas e a da maior parte dos guerreiros da casa de Bëor é registrada (cf. *O Silmarillion*, p. 211), assim como a morte de Hádor, "agora idoso", e de seu filho Gundor, defendendo Fingolfin (em *O Silmarillion* eles tombam em Eithel Sirion). É dito que Orodreth assim como Felagund foram resgatados por Barahir: não há qualquer indicação disso no Q, onde ele chegou a Nargothrond com Celegorm e Curufin somente "após uma época de fuga esbaforida e perambulações arriscadas", e parece natural supor que ele escapara de Taur-na-Danion (Taur-na-Fuin) quando seus irmãos Angrod e Egnor foram mortos. Quanto a essa questão, ver mais abaixo, anal 157.

Enquanto no Q é dito que Himling fora "fortificada" pelos filhos de Fëanor nessa época (p. 125; antes havia sido sua "torre de vigia", p. 122), nos AB foi dito anteriormente (anal 51) que Himling era a "fortaleza" deles, e agora é contado que não a perderam devido à proeza de Maidros. A passagem dos Orques pelos "passos a leste de Himling" e sua entrada em Beleriand Leste, e a dispersão dos "Gnomos da casa de Fëanor", são agora mencionadas pela primeira vez: em *O Silmarillion* (pp. 212–13) esses fatos são ampliados consideravelmente.

O desenvolvimento mais importante e interessante nesses anais é a estada de Húrin em Gondolin, da qual até então não

A PRIMEIRA VERSÃO DOS ANAIS DE BELERIAND

houvera indicação; mas há muitas diferenças para a história em *O Silmarillion* (pp. 219–20). Nos AB foi Haleth e seu filho de criação Húrin (um garoto de catorze anos) que foram levados a Gondolin, tendo sido encontrados por alguns do povo de Turgon no vale do Sirion; e é sugerido que isso foi feito porque Turgon havia sido avisado por mensagens de Ulmo que "o auxílio dos Homens lhe era necessário" — este sendo um elemento na mensagem de Ulmo a Turgon pela boca de Tuor em uma época muito posterior no Q: "sem os Homens, os Elfos não hão de prevalecer contra os Orques e os Balrogs" (pp. 163, 167–68). Nessa primeira versão da história, Haleth e Húrin partiram de Gondolin por causa das notícias sobre a Batalha do Fogo Repentino. Por outro lado, na lenda tardia foi Húrin e seu irmão Huor que foram levados (pelas Águias) a Gondolin, e isso aconteceu durante a própria batalha; eles partiram da cidade porque desejavam retornar ao mundo exterior, e tiveram permissão para ir (apesar dos protestos de Maeglin) porque, por terem sido trazidos pelas Águias, eles não conheciam o caminho. Esse era um elemento importante na história tardia, visto que Húrin não podia revelar o segredo de Gondolin, mesmo que quisesse. As mensagens e sonhos enviados por Ulmo, que fizeram com que Turgon recebesse bem Húrin e Huor quando os viu em sua cidade, aconselhavam-no expressamente "a tratar com bondade os filhos da casa de Hador, de quem havia de lhe vir ajuda quando precisasse". É claro, o elemento essencial das armas deixadas por Turgon em Vinyamar por ordem de Ulmo ainda não estava presente. No entanto, há na história nos AB a afeição de Turgon por Húrin e seu desejo de mantê-lo em Gondolin, o juramento de segredo e a criação de Húrin entre o povo de Haleth (com o qual, porém, os "hadorianos" ainda não estavam associados por casamento). Agora também aparece o envio de mensagens por Turgon às fozes do Sirion e a construção de navios para a embaixada em vão a Valinor (*O Silmarillion*, p. 221).

O anal 157 introduz o intervalo de dois anos entre a Batalha do Fogo Repentino e a tomada de Tolsirion, que dali em diante foi a Ilha dos Lobisomens (e pelo acréscimo tardio apresentado na nota 20 recebe o nome élfico *Tol-na-Gaurhoth*); cf. *O Silmarillion*, p. 216. Mas nesse anal é dito que não foram apenas Orodreth, Celegorm e Curufin retiraram-se para

372

A FORMAÇÃO DA TERRA-MÉDIA

Nargothrond nessa época, mas também Felagund, e que lá fizeram um grande palácio oculto. É difícil saber como interpretar isso, visto que no anal 50 é dito que Felagund "estabeleceu seus arsenais" nas cavernas de Narog, e no 51 "tem seu lugar de governança junto ao Narog no Sul" (embora o seu poderio esteja centrado em Tolsirion). Possivelmente o significado é de que, embora Nargothrond existisse por mais de cem anos como uma praça-forte gnômica, foi só na ocasião da Batalha do Fogo Repentino que ela foi transformada em uma grande habitação ou "palácio" subterrâneo, e o centro do poderio de Felagund. Mesmo assim, a história ainda parece muito confusa. No anal 155 "Barahir e seus campeões escolhidos salvaram Felagund e Orodreth", mas também "Celegorm e Curufin foram derrotados e fugiram com Orodreth"; enquanto dois anos depois, em 157, "Felagund e Orodreth, junto com Celegorm e Curufin, retiraram-se para Nargothrond".

A implicação das duas últimas dessas afirmações é certamente de que Celegorm e Curufin fugiram para o oeste com Orodreth após Taur-na-Danion ter sido assolada e se refugiaram com Felagund em Tolsirion; e quando Tolsirion foi tomada dois anos depois, os quatro foram para o sul até Narog. Nesse caso, isso parece contradizer a primeira afirmação, de que Barahir salvou Felagund e Orodreth na Batalha do Fogo Repentino em 155. Talvez o fato de que o ano 155 esteja escrito duas vezes no início do anal sugira uma explicação. O segundo número está escrito no alto de uma página manuscrita (que termina do final do anal 157); e é possível que essa página seja uma revisão que não foi propriamente integrada à narrativa.

No segundo parágrafo de 157 aparecem vários elementos novos: o envio de Morwen e Rían a Hithlum (cf. *O Silmarillion*, pp. 215–16); o nome de Morwen, *Eledwen* (nota 24; ele é chamada "Brilho-élfico" em Q §9 e no anal 145); a presença de Baragund e Belegund no bando de Barahir, e (por meio de um acréscimo tardio, nota 23) os nomes de dois outros (além de Gorlim): Radros e Dengar (> Dagnir). Dagnir permanece em *O Silmarillion*; Radros tornou-se Radhruin.

É possível notar aqui que, embora meu pai tenha subsequentemente expandido em muito a duração de Beleriand do

373

surgimento do Sol ao fim dos Dias Antigos, essa expansão não foi realizada através de um aumento proporcional geral dos intervalos entre grandes eventos. Em vez disso, ele aumentou (em sucessivas versões dos *Anais*) o lapso de tempo na primeira parte do período, e o Cerco de Angband foi consideravelmente estendido; e a datação relativa dos eventos posteriores permaneceu pouco afetada. Assim, no AB I a Batalha do Fogo Repentino ocorreu no ano 155, o ataque à fortaleza da Nascente do Sirion em 162 e a Queda de Nargothrond em 195; em *O Silmarillion*, as datas são 455 (p. 209), 462 (p. 222) e 495 (p. 285).

Anal 162 O ataque renovado de Morgoth sete anos após a Batalha do Fogo Repentino, e a morte de Gumlin na Nascente do Sirion, são mencionados em *O Silmarillion*, p. 222 (com Galdor em vez de Gumlin). A Nascente do Sirion é mencionada na *Balada dos Filhos de Húrin* (verso 1460) e está marcada no mapa (p. 260): mas "a oeste (das Montanhas Sombrias)" nesse anal deve ser um deslize para "leste". O nome élfico *Eithyl Sirion* (nota 26) ocorre pela primeira vez aqui.

Húrin foi "convocado a Hithlum" claramente porque naquela época ele ainda estava com seu pai adotivo Haleth no vale do Sirion.

Anal 163 Os Homens Tisnados foram mencionados um tanto indiretamente em Q §11, como escrito inicialmente: "Homens do Leste e do Sul" marcharam à bandeira de Maidros (p. 136), e "os Homens tisnados, a quem Uldor, o Maldito, liderava, passaram para o lado do inimigo" (p. 138). Em uma interpolação tardia (nota 14), os Homens do Leste são "os Homens Tisnados" e "os Lestenses", e "os filhos de Bor e Ulfang" são mencionados, e Uldor, o Maldito, é o filho de Ulfang. Não está claro no Q quando esses Homens chegaram do Leste. Nos AB eles entraram em Beleriand no ano seguinte ao ataque a Eithel Sirion, enquanto em *O Silmarillion* a chegada dele é situada um tanto antes (p. 218); mas a descrição deles nos AB é preservada muito parecida em *O Silmarillion*, com a menção de sua preferência (claramente um mau presságio) pelos Anãos das montanhas. A interpolação no Q possui a forma final *Ulfang*, enquanto

374

A FORMAÇÃO DA TERRA-MÉDIA

nos AB ele é *Ulfand* (< *Ulband*, notas 30 e 45);* seus filhos são *Uldor, Ulfast*, cujos nomes não foram mudados depois, e *Ulwar*, que se tornou *Ulwarth*. A associação de Cranthir (Caranthir) com esses Homens também aparece agora. Quanto às palavras dos AB acerca dos Anãos cf. Q §9, p. 123.

Anal 163–4 Quanto os Elfos-verdes de Ossiriand, que aparecem em uma interpolação tardia (nota 34, e mais uma vez subsequentemente, nota 62), ver os AV, nota 14, e p. 326.

Anal 165–70 Há algumas leves diferenças nos relatos em Q §11 e nos AB: assim, os atos de Celegorm e Curufin são tornados aqui a razão para a recusa de Thingol de se juntar à União de Maidros, e a relutância dos Elfos de Nargothrond se deve à sua estratégia de ações furtivas e segredo, enquanto no Q (como em *O Silmarillion*, pp. 188–89) o motivo de Thingol é a exigência que lhe é feita pelos Fëanorianos pela devolução da Silmaril, e são os atos de Celegorm e Curufin que determinam a política de Orodreth. Possivelmente há uma indicação nas palavras "pois o seu povo não podia ser detido" de que o aparecimento da hoste de Gondolin foi contra o juízo de Turgon; em Q §11 como reescrito (na nota 7, onde a história da fundação muito anterior de Gondolin havia sido inserida), Turgon "julgou que a hora da libertação estava próxima".

Anal 168 "Os Orques são lentamente rechaçados de Beleriand": cf. a passagem reescrita em Q §11, nota 14, "Ora, por um tempo os Gnomos tiveram a vitória, e os Orques foram varridos de Beleriand". Mas isso vem *após* "Por fim, tendo então reunido toda a força que podia, Maidros designou um dia": como observei (p. 205), as duas fases da guerra não estão claramente distinguidas — ou então é somente com os *Anais* que os primeiros sucessos contra os Orques são movidos para um ponto anterior, com a ideia concomitante de que Maidros "pôs à prova sua força

---

* Meu pai sem dúvida teve tanto o Q como os AB na frente dele como textos em andamento por um tempo considerável, e algumas emendas do Q são posteriores a algumas emendas dos AB.

A PRIMEIRA VERSÃO DOS ANAIS DE BELERIAND

cedo demais, antes que seus planos estivessem completos" (*O Silmarillion*, p. 258).

Anal 171   Em Q §15 Isfin se perdeu *após* a Batalha das Lágrimas Inumeráveis, e Eöl "havia desertado das hostes antes da batalha".

Anal 172   Nesse relato da Batalha das Lágrimas Inumeráveis, que se compara àquele em Q §11, os *Anais* introduzem muitos novos detalhes que viriam a permanecer. Assim, agora é contado que Huor desposou Rían "na véspera da batalha"; e que deveria haver um sinal visível de Maidros às hostes que esperavam no Oeste. A dúvida acerca do papel de Haleth (ver p. 206) é agora resolvida, e "Hundor, filho de Haleth, e os Homens dos bosques foram mortos na retirada através das areias"; o "alegre encontro de Húrin e Turgon" agora resulta da história contada primeiramente no anal 155; Balrogs abateram Fingon, embora Gothmog ainda não seja mencionado como o seu assassino; Turgon levou consigo em sua retirada um remanescente da hoste de Fingon (também em *O Silmarillion*, p. 264); Huor morreu por uma flecha envenenada (*ibid.*); Húrin jogou fora o seu escudo (*ibid.*).

A mudança de *Flinding, filho de Fuilin* para *Gwindor, filho de Guilin* (nota 40), que também é feita no Q, claramente ocorre pela primeira vez nos AB, visto que *Flinding* aqui se tornou *Findor* antes de se tornar *Gwindor*.

Os AB diferem da história tardia em alguns pontos. Aqui, a hoste de Turgon desceu de Taur-na-Fuin, enquanto no Q (como reescrito, nota 7) "acamparam diante do Passo Oeste à vista das muralhas de Hithlum", assim como em *O Silmarillion* (p. 261) os Elfos da hoste de Gondolin "tinham ficado postados ao sul, guardando o Passo do Sirion". A lealdade de Bór e seus filhos, não mencionada no Q, aparece agora, mas enquanto na história tardia Maglor matou Uldor, e os filhos de Bór mataram Ulfast e Ulwarth "antes que eles mesmos fossem mortos", nos AB Cranthir matou Uldor, e Ulfast e Ulwar mataram Bór e seus três filhos. O número de mil Balrogs que saíram de Angband quando "o Inferno se esvaziara" demonstra mais uma vez (ver II. 255–57 e p. 197), e mais claramente do que nunca, que os demônios de fogo de Morgoth não eram concebidos como raros ou peculiarmente terríveis — ao contrário do Dragão.

A passagem no final do anal 172 acerca de Rían e Tuor, com a referência adicional a Tuor no anal 173, segue a reescrita de Q §16, nota 3; e aqui, como lá, não há menção da escravidão de Tuor entre os Lestenses, que, no entanto, foi mencionada no Q como escrito inicialmente.

Anal 173 As palavras "outros [Morgoth] proibiu de deixar Hithlum, e eram mortos se Orques os encontravam a leste ou ao sul das Montanhas Sombrias" devem se referir àqueles Elfos que não foram escravizados em Angband; mas isso é surpreendente. Cf. Q §12, onde é contado que Morgoth confinou os Lestenses atrás das Montanhas Sombrias em Hithlum "e os matava se tentassem ir para Broseliand ou além"; de modo similar, em *O Silmarillion* (p. 265) eram os Lestenses que Morgoth não permitia que partissem.

Em Q §12, assim como no Esb, e como em *O Silmarillion* (p. 269), Túrin deixou o lar antes que sua irmã Nienor nascesse (ver p. 71). O trecho nos AB acerca do nascimento de Nienor é um acréscimo inicial e certamente tem seu lugar junto à datação revisada do nascimento de Túrin (isto é, no ano 165, não 170, ver nota 36) e de sua jornada a Doriath (isto é, em 173, e não 177, ver nota 48); assim, Túrin partiu *após* o nascimento da irmã.

Anais 181 a 199 Na lenda dos Filhos de Húrin praticamente não há desenvolvimento a partir de sua forma no *Quenta*, do qual sem dúvida deriva diretamente a versão dos *Anais*. A condensação é muito grande, e os AB obviamente não foram idealizados como uma composição independente — a morte de Brodda por Túrin é registrada no anal 195–6 sem qualquer indicação da causa, e Brodda nem mesmo havia sido mencionado. Mas é possível reconhecer a passagem no anal 196, "Glómund lança um feitiço sobre a companhia e a dispersa. Morwen desaparece na mata; e uma grande treva da mente se abate sobre Nienor", como um relato dos eventos conhecidos pelo *Conto*, Esb, Q e *O Silmarillion*; mas a concomitância de todas essas outras versões demonstra que o fraseado dos AB é o resultado de extrema condensação da narrativa, composta muito rapidamente (ver p. 345). No entanto, é aqui que o único desenvolvimento na história aparece: Morwen "desaparece na mata", e, ao contrário

A PRIMEIRA VERSÃO DOS ANAIS DE BELERIAND

do que ocorre em Q §13, não é levada em segurança de volta a Doriath.

As datas nesses anais são muito interessantes como indicadores da concepção de meu pai da duração e dos intervalos de tempo na lenda, acerca dos quais os outros textos mais antigos não fornecem uma ideia clara. Assim, a vida de Túrin como proscrito após sua fuga de Doriath e até a captura de Beleg durou três anos, e outros dois até o bando ser traído por Blodrin; ele passou cinco anos em Nargothrond, e tinha trinta anos quando o reino caiu. Nienor viveu entre os Homens-da-floresta por cerca de três anos; ela tinha vinte e seis anos quando morreu, e Túrin Turambar tinha trinta e quatro.

Anal 181 A primeira frase desse anal refere-se à época em que cessaram as notícias sobre Morwen — sete anos após a chegada de Túrin em Doriath, de acordo com o *Conto de Turambar* (II. 114) e a primeira versão da *Balada dos Filhos de Húrin* (verso 333), nove de acordo com a segunda versão da Balada (verso 693) e em *O Silmarillion* (p. 269). Nos AB são oito anos desde sua chegada a Doriath

Anal 184 Túrin, nascido em 165, tinha então dezenove anos quando matou Orgof, como no *Conto de Turambar* e na *Balada dos Filhos de Húrin*; ver II. 175.

Anal 188 No texto desse ano acrescentado posteriormente a lápis (nota 49), a história da morte do filho de Orodreth, Halmir, pelas mãos dos Orques ressurge da *Balada dos Filhos de Húrin*, versos 2137–138, onde o ódio de Orodreth pela "prole do Inferno" é explicado:

> pelo assassínio de seu filho,   o de céleres pés,
> Halmir, que caçava   o cervo e o javali

Essa história tornou a desaparecer mais tarde, e o nome *Halmir* passou a ser usado para um dos Senhores de Brethil, quando aquela linhagem foi muito modificada e ampliada. (Na lista de nomes em inglês antigo dos príncipes noldorin (p. 248) Orodreth tinha dois filhos, *Ordhelm* e *Ordlaf*, sem serem dados equivalentes élficos.)

378

A FORMAÇÃO DA TERRA-MÉDIA

Anal 190 O nome élfico acrescentado, *Ivrineithil* (nota 51), ocorre pela primeira vez aqui (*Eithel Ivrin* em *O Silmarillion*).

"São acolhidos pela súplica de Finduilas" é uma reminiscência da Balada (versos 1950 ss.).

Anal 190–195 Nesse anal há a primeira ocorrência da forma *Mormegil* (*Mormaglir* no Q), apesar de aqui ter sido corrigida depois (notas 52 e 55) para *Mormael*.

A emenda inicial apresentada na nota 53 é curiosa: de "Morgoth toma conhecimento da praça-forte" para "Morgoth toma conhecimento da força crescente da praça-forte". A impressão é de que essa mudança foi feita para eliminar a ideia de que a perda do "antigo sigilo" dos Elfos de Nargothrond na época de Túrin levou à descoberta do local por Morgoth. No meu comentário sobre Q §13 (p. 211) eu disse que, embora não haja indicação de que a política de guerra aberta de Túrin tenha revelado Nargothrond a Morgoth, esse elemento remonta ao *Conto de Turambar* e sua ausência do Q deve ser em decorrência de condensação (anteriormente no Q, no final de §11, é dito que após a Batalha das Lágrimas Inumeráveis Morgoth não deu muita atenção a Doriath e Nargothrond, "talvez porque pouco sabia deles". Em *O Silmarillion*, é dito (p. 285) "Assim Nargothrond foi revelada à ira e ao ódio de Morgoth", e esse é um elemento importante na discussão sobre política entre Túrin e Gwindor em uma passagem tardia que não foi completamente assimilada ao *Narn i Hîn Húrin* (*Contos Inacabados*, p. 216):

> Falais de sigilo e dizeis que nele reside a única esperança; mas se pudésseis emboscar e atocaiar cada batedor e espião de Morgoth, até o último e o menor, de tal forma que nenhum deles jamais voltasse a Angband com notícias, ainda assim, e por causa disso, ele saberia que viveis e adivinharia onde.

A aliança dos Gnomos de Nargothrond com o povo de Handir (neto de Haleth) não se encontra em *O Silmarillion*. Nos AB (anal 195) Handir foi morto na batalha da queda de Nargothrond; em *O Silmarillion* (p. 286) ele foi morto no ano da queda, mas antes dela, quando Orques invadiram sua terra.

Anal 192 Cf. o início de Q §16 e nota 1.

A PRIMEIRA VERSÃO DOS ANAIS DE BELERIAND

Anal 195 "Glómund, com uma hoste de Orques, atravessa as Erydlómin (> Erydwethion, nota 54) e derrota os Gnomos entre o Narog e o Taiglin" demonstra que, como no Q, a batalha antes do saque de Nargothrond não foi travada no local posterior, entre o Ginglith e o Narog; ver p. 211.

O fato de Glómund ter atravessado as Montanhas Sombrias indica que ele veio de Angband através de Hithlum, e parece estranho que ele não teria entrado em Beleriand pelo Passo do Sirion; mas na versão seguinte significativa dos *Anais de Beleriand* é dito expressamente que ele "passou para Hithlum e fez grandes males" antes de seguir para o sul através das montanhas. Não há indicação de por que Morgoth ordenou ou permitiu isso.

Na nova datação do anal (196 > 195, ver nota 57) acerca da jornada de Tuor de Hithlum até o mar e ao longo da costa até as fozes do Sirion há um prenúncio da situação em *O Silmarillion*, onde (p. 319) "[Tuor] habitou em Nevrast sozinho, e o verão daquele ano passou, e a sina de Nargothrond se aproximava"; assim foi que Tuor e Voronwë em sua jornada até Gondolin avistaram em Ivrin, profanada pela passagem de Glaurung a caminho de Nargothrond, um homem alto correndo para o norte e portanto uma espada negra, mas "não sabiam quem ele era, nem nada do que tinha acontecido no sul" (pp. 319–20).

Por que os portos de Brithombar e Eldorest (> Eglorest) estavam "arruinados"? Nada foi dito em lugar algum acerca da destruição dos Portos. O mesmo ocorre na versão seguinte dos *Anais de Beleriand*, e mais uma vez é dito, na passagem correspondente, que os Portos estão em ruínas. Posteriormente, os Portos foram sitiados e destruídos no ano seguinte à Batalha das Lágrimas Inumeráveis (*O Silmarillion*, p. 266), e sugeri (p. 272) que a afirmação na Expansão a Oeste do primeiro mapa, "Aqui Morgoth alcança as costas", pode ser uma referência a essa história: parece então que ela estava presente, embora meu pai só viesse a mencioná-la muito tempo depois.

Anal 195–6 Se o *h* de *Turumarth* fosse ser apagado (nota 58), essa seria uma reversão à forma no *Conto de Turambar* (II. 91, 110). Em Q §13 *Turumarth* foi mudado posteriormente para *Turamarth* (nota 12).

A FORMAÇÃO DA TERRA-MÉDIA

Anal 199   O acréscimo *Bacia de Prata (Celebrindon)* (nota 59) é outro caso, como o de *Flinding* > *Gwindor* no anal 172, onde a alteração nos AB precedeu a feita no Q. Isso é evidenciado pela primeira forma rejeitada *Celebrindon*, enquanto no acréscimo ao Q (§13, nota 14) há apenas *Celebros* (traduzido, como aqui, "Prata-de-espuma").

Tuor entrou em Gondolin em 196 e, assim, viveu lá por três anos antes de se casar com Idril. Isso está de acordo com o Esb (§16, ver p. 82); no Q nada é dito acerca desse assunto.

Anal 200   O bando de Húrin é agora composto de Homens, não de Elfos (ver II. 169; em Q §14 eles são descritos apenas como "proscritos das matas"); mas a história, conforme apresentada muito brevemente nos AB, não elabora essa questão difícil (ver a minha discussão, p. 216). O destino de Húrin, e o de Morwen, agora é desconhecido; no Q "alguns dizem que ele se lançou, enfim, ao mar do oeste", e (no final de §13) "alguns dizem que Morwen, saindo a vagar pesarosa dos salões de Thingol... chegou certa feita àquela pedra e a leu, e ali morreu".

Anais 201 e 202   Na história do Nauglafring (> Nauglamír, nota 60) há muito pouco desenvolvimento narrativo a partir do Q (§14); mas a mudança de "Segue-se a guerra entre os Elfos e os Anãos" para "A inimizade desperta" (nota 61) sugere que meu pai estava revisando a história nesse ponto. A "guerra" é o confronto nas Mil Cavernas que entrou pela primeira vez na narrativa no Q, e cujos mortos foram sepultados em Cûm-nan--Arasaith, o Morro da Avareza.

O nome do rio em que o ouro foi afundado, *Asgar*, também é encontrado na lista de nomes em inglês antigo (p. 243); no Q, e na Expansão a Leste do mapa, como em *O Silmarillion*, a forma é *Ascar*.

Fica claro que Lúthien morreu como uma mortal (ver pp. 219–20), e a insinuação é de que ela e Beren morreram na mesma época. Vê-se pelas datas que eles viveram somente por um período muito breve após a chegada da Silmaril a Ossiriand; cf. o Q, "logo partiu a breve hora de graça da terra de Rathlorion". Aqui pela primeira vez é mencionado que a Silmaril chegou a Dior em Doriath à noite.

A PRIMEIRA VERSÃO DOS ANAIS DE BELERIAND

Anal 206   Um acréscimo menor à história no Q (§14) é de que a batalha entre os Elfos da Doriath renovada e os Fëanorianos ocorreu nas marcas orientais do reino; e os jovens filhos de Dior foram mortos "pelos homens malignos da hoste de Maidros" — o que não necessariamente significa que os Fëanorianos atacaram Doriath com aliados mortais, uma vez que "homens" é usado no sentido de "Elfos do sexo masculino". Os filhos de Dior, chamados Eldûn e Elrûn em um acréscimo ao Q (nota 14), aqui têm os nomes de Elboron e Elbereth; este último deve ser a primeira ocorrência de *Elbereth* nos escritos de meu pai. Vê-se pela versão seguinte dos *Anais de Beleriand* que os nomes *Eldûn* e *Elrûn* substituíram os apresentados aqui.

Anal 207   Assim como com a lenda do Colar dos Anãos, o relato extremamente abreviado da Queda de Gondolin nos AB não apresenta diferenças daquele em Q §16.

Anais 208 a 233   No anal 210 é dito que Maidros na verdade abjura o seu juramento (apesar de no anal final ele ainda tentar levá-lo a cabo); e isso está claramente relacionado à sua repugnância ao assassinato dos filhos de Dior no anal 206. Damrod e Díriel agora surgem como os mais violentos dos filhos sobreviventes de Fëanor, e é principalmente sobre eles que recai a culpa pelo ataque ao povo do Sirion: Maidros e Maglor somente "deram auxílio com relutância". Isso desenvolve ainda mais uma ênfase crescente nesses textos ao cansaço e à repugnância sentidos por Maidros e Maglor pelo dever ao qual se sentiam presos.

No anal 229 Maglor, em vez de Maidros como em Q §17, torna-se o salvador de Elrond; essa mudança também foi feita em uma reescrita tardia do Q II (§17, nota 10), onde, no entanto, o irmão de Elrond, Elros, também surge, como não é o caso nos AB.

A história de Elwing e Eärendel segue aquela no Q II: Elwing, portando a Silmaril, é tirada do mar por Ulmo na forma de uma ave e vai até Eärendel enquanto ele retorna em seu navio, e eles viajam juntos em busca de Valinor; e é a "embaixada das duas gentes" de Eärendel que leva ao ataque a Morgoth (ver p. 226).

Anal 240   Essa é a primeira menção de qualquer tipo da vida dos poucos Gnomos sobreviventes que permaneceram livres após a

382

A FORMAÇÃO DA TERRA-MÉDIA

destruição do povo de Sirion; e em um acréscimo tardio (nota 65) há a primeira aparição de Amon Ereb, o Monte Solitário em Beleriand Leste, onde eles espreitavam.

Anal 233–43 A recusa dos Teleri quanto a partir de Valinor (embora tenham construído uma grande quantidade de navios) parece ser uma reversão à história em Q I §17 (p. 170); no Q II (p. 176) "não partiram, salvo uns poucos", e os que partiram tripularam a frota que transportou as hostes de Valinor. Mas os AB aqui podem simplesmente estar muito condensados.

Anais 247 e 250 No relato do ataque a Morgoth do Oeste há alguns acréscimos à narrativa no Q (§17): a Batalha de Eldorest (> Eglorest), onde Ingwil (> Ingwiel) desembarcou na Terra-média (*Ingwiel* é a forma em um acréscimo ao Q II, nota 19; a forma *Ingwil* nos AB a precedeu), a convocação de Fionwë a todos os Elfos, Anãos, Homens, feras e aves aos seus estandartes, e a formação das hostes do Oeste e do Norte do dois lados do Sirion.

A afirmação (subsequentemente corrigida, notas 70–1) de que Maglor e Maidros "pereceram em um último esforço de tomar as Silmarils" parece indicar um movimento passageiro a ainda outra formulação da história (ver a tabela na p. 234); mas pode muito bem ter sido um deslize devido à composição e condensação apressadas.

Resta mencionar a cronologia dos últimos anos de Beleriand que surge agora. Tuor casou-se com Idril no ano (199) das mortes de Túrin e Nienor; e tanto Eärendel como Elwing nasceram no ano seguinte, cinco anos após a Queda de Nargothrond (195). O reestabelecimento de Dior do reino de Thingol não durou mais do que quatro anos (202–6), e a Queda de Gondolin ocorreu apenas um ano após a ruína final de Doriath (no antigo *Conto do Nauglafring*, II. 290, os dois eventos ocorreram no mesmo dia), e um ano após a captura de Meglin nas colinas. Eärendel tinha sete anos na Queda de Gondolin (conforme afirmado em Q §16), e trinta e três anos quando chegou a Valinor. O assentamento no delta do Sirion durou vinte e três anos desde a chegada de Elwing ao local.

A brevidade do tempo, tal como meu pai a concebeu nesse período, é muito notável, ainda mais em comparação com os

A PRIMEIRA VERSÃO DOS ANAIS DE BELERIAND

profusos milênios posteriores da Segunda e Terceira Eras, sem mencionar os éons conferidos às eras antes do surgimento do Sol e da Lua. A história dos Homens em Beleriand ocupa 150 anos antes do início da Grande Batalha; Nargothrond, Doriath e Gondolin foram todas destruídas no decorrer de treze anos; e a história inteira do surgimento do Sol e da Lua e da chegada dos Noldoli exilados à destruição de Beleriand e o fim dos Dias Antigos abrange dois séculos e meio (ou três, de acordo com o acréscimo apresentado na nota 69: "Essa grande guerra durou cinquenta anos").

A segunda versão dos primeiros Anais de Beleriand

Esse texto breve, "AB II", é baseado de perto no AB I nos primeiros anais, com alguns desenvolvimentos menores, mas a partir do anal 51 ele se torna uma nova obra e um passo importante na evolução da história do legendário. O texto foi levemente emendado a lápis, e essas poucas mudanças são fornecidas nas notas, com exceção de uma ou duas pequenas alterações de fraseado ou de ordem das frases, que foram feitas sem comentários. Quanto à datação, o texto era posterior aos AV ao se julgar pelo fato de que a travessia de Orodreth, Angrod e Egnor à Terra-média nos navios com os Fëanorianos está incorporada ao texto, enquanto nos AV ela é uma inserção (nota 21).

ANAIS DE BELERIAND

Tradução de Ælfwine

Antes do Surgimento do Sol Morgoth fugiu de Valinor com as Silmarils, as gemas mágicas de Fëanor, e retornou para as regiões do Norte e reconstruiu sua fortaleza de Angband sob as Montanhas Negras, onde fica o seu pico mais elevado, Thangorodrim. Ele planejou os Balrogs e os Orques; e engastou as Silmarils em sua coroa de ferro.

Os Gnomos da casa mais antiga, os Despossuídos, chegaram ao Norte liderados por Fëanor e seus sete filhos, com seus amigos Orodreth, Angrod e Egnor, filhos de Finrod. Eles queimaram os navios telerianos. Travaram logo depois a Primeira Batalha com Morgoth, que é a Dagor-os--Giliath, ou a "Batalha-sob-as-Estrelas"; e Fëanor derrotou

384

A FORMAÇÃO DA TERRA-MÉDIA

os Orques, mas foi ferido mortalmente por Gothmog, capitão de Balrogs, e morreu depois em Mithrim.

Maidros, seu filho mais velho, foi emboscado e capturado por Morgoth, e pendurado em Thangorodrim; mas os outros filhos de Fëanor acamparam em volta do Lago Mithrim atrás das Eredwethion, que é as "Montanhas Sombrias".

Anos do Sol

1   Aqui o Sol e a Lua, feitos pelos Deuses após a morte das Duas Árvores de Valinor, apareceram pela primeira vez. Assim o tempo medido chegou às Terras de Cá.[1] Fingolfin (e com ele foi Felagund, filho de Finrod) conduziu a segunda casa dos Gnomos por sobre os estreitos do Gelo Pungente até as Terras de Cá. Chegaram ao Norte com o primeiro nascer da Lua, e a primeira aurora reluziu sobre a marcha deles e suas bandeiras desfraldadas. E Morgoth com a chegada da Luz recuou assombrado para as suas masmorras mais profundas, mas trabalhou em segredo, e expeliu fumaças negras. Mas Fingolfin soprou as suas trombetas em desafio diante dos portões e Angband, e foi para o sul até Mithrim; mas os filhos de Fëanor se retiraram para as margens meridionais, e houve uma rixa entre as casas, por causa da queima dos navios, e o lago ficou entre eles.

2   Aqui Fingon, filho de Fingolfin, sanou a rixa ao resgatar Maidros com o auxílio de Thorndor, rei das Águias.

1–50   Aqui os Gnomos vagaram por toda parte de Beleriand explorando-a, e se assentando nela em muitos lugares, do Grande Mar, Belegar, às Eredlindon, que é as "Montanhas Azuis", e em todo o vale do Sirion, salvo por Doriath no meio, que Thingol e Melian detinham.

20   Aqui a "Festa e Jogos de Reunião" (que em gnômico é Mereth Aderthad) são realizados em Nan Tathrin, a "Terra dos Salgueiros", próximo ao delta do Sirion, e lá estiveram os Elfos de Valinor, das três casas dos Gnomos, e os Elfos-escuros, tanto os dos Portos do Oeste, Brithombar

A PRIMEIRA VERSÃO DOS ANAIS DE BELERIAND

e Eglorest,[2] como os dispersos Elfos-da-floresta do Oeste, e embaixadores de Thingol. Mas Thingol não queria abrir seu reino, ou retirar a magia que o cercava, e não confiava que o recuo de Morgoth durasse por muito tempo. Ainda assim, seguiu-se um tempo de paz, de crescimento e desabrochar, e de júbilo próspero.

50 Aqui sonhos inquietos e de perturbação afligiram Turgon, filho de Fingolfin, e Felagund, seu amigo, filho de Finrod, e eles buscaram lugares de refúgio, caso Morgoth avançasse de Angband como seus sonhos pressagiavam. E Felagund encontrou as cavernas de Narog e começou lá a estabelecer um lugar de fortaleza e arsenais, à moda da morada de Thingol em Menegroth; e ele o chamou de Nargothrond. Mas Turgon, ao viajar sozinho, descobriu pela graça de Ulmo o vale oculto de Gondolin, e por ora não contou a homem algum.

51 Ora, o poderio de Morgoth tornou de súbito a entrar em ação; houve terremotos no Norte, e fogo saiu das montanhas, e os Orques fizeram incursões em Beleriand. Mas Fingolfin e Maidros congregaram suas forças, e muitos dos Elfos-escuros, e destruíram todos os Orques que se encontravam fora de Angband, e caíram sobre um exército que se reunia em Bladorion, e antes que pudesse recuar até Morgoth eles o destruíram por completo; e essa foi a "Segunda Batalha", Dagor Aglareb, "a Batalha Gloriosa". E depois disso eles estabeleceram o Cerco de Angband, que durou mais de duzentos[3] anos; e Fingolfin gabava-se que Morgoth jamais poderia romper seu sítio, embora tampouco pudessem tomar Angband ou recuperar as Silmarils. Mas a guerra jamais cessou por completo nessa época, pois Morgoth se armava em segredo, e de quando em vez punha à prova a força e a vigilância de seus adversários.[4]

Mas Turgon, ainda com o coração inquietado, tomou uma terça parte dos Gnomos da casa de Fingolfin, e seus bens, e suas mulheres, e partiu para o sul e desapareceu, e ninguém soube aonde tinha ido; mas ele chegou a Gondolin e construiu uma cidade e fortificou os montes em volta.

Mas o resto sitiou Angband desta maneira. No Oeste ficavam Fingolfin e Fingon, e eles habitavam em Hithlum, e o seu principal forte ficava na "Nascente do Sirion" (Eithel Sirion), no leste das Eredwethion, e guarneciam todas as Eredwethion, e vigiavam Bladorion de lá e cavalgavam amiúde naquela planície, mesmo até os pés das montanhas de Morgoth; e seus cavalos se multiplicavam, pois a relva era boa. Com aqueles cavalos, muitos dos antepassados tinham vindo de Valinor. Mas os filhos de Finrod mantinham a terra das Eredwethion ao limite oriental de Taur-na-Danion, a Floresta de Pinheiros, de cujas encostas setentrionais eles também guardavam Bladorion. Mas Fingolfin era soberano dos Elfos-escuros até Eglorest[5] no sul e a oeste do Eglor; e ele era Rei de Hithlum, e Senhor da Falas ou Costa do Oeste; e Felagund era Rei de Narog, e seus irmãos eram os Senhores de Taur-na-Danion, e seus vassalos; e Felagund era senhor das terras a leste e a oeste de Narog até as fozes do Sirion no sul, do Eglor ao Sirion, salvo por parte de Doriath que ficava a oeste do Sirion entre o Taiglin e Umboth-muilin. Mas entre o Sirion e o Mindeb nenhum homem habitava; e em Gondolin, a sudoeste de Taur-na-Danion, estava Turgon, mas isso não era conhecido.

E o Rei Felagund tinha seu lugar de governança em Nargothrond no distante Sul, mas seu forte e lugar de fortaleza era no Norte, no passo pelo qual se entrava em Beleriand entre as Eredwethion e Taur-na-Danion, e ficava numa ilha nas águas do Sirion, que era chamada Tolsirion. Ao Sul de Taur-na-Danion ficava um espaço amplo inabitado entre as cercas de Melian e as regiões dos filhos de Finrod, que se mantinham mormente nas fronteiras setentrionais das montanhas florestadas. Mais a Leste de tudo habitava Orodreth, o mais próximo de seus amigos, os filhos de Fëanor. E desses, Celegorm e Curufin mantinham a terra entre o Aros e o Celon, mesmo das fronteiras de Doriath ao Passo do Aglon entre Taur-na-Danion e a Colina de Himling, e esse passo e as planícies além eles guardavam. Mas Maidros tinha um lugar de fortaleza sobre a Colina de Himling, e as colinas inferiores que vão da Floresta até mesmo as Eredlindon eram chamadas de as Marcas de Maidros, e ele muito ficava nas planícies ao Norte, mas mantinha também os bosques ao sul entre o Celon e o Gelion; e ao Leste Maglor mantinha a terra que ia até as Eredlindon; mas Cranthir percorria as vastas terras entre o Gelion e as Montanhas Azuis; e toda Beleriand Leste mais além era selvagem e pouco habitada, exceto por Elfos-escuros dispersos, mas se encontrava sob a soberania de Maidros das fozes do Sirion ao Gelion (onde ele se une ao Brilthor), e Damrod e Díriel lá ficavam, e não iam muito a fazer guerra no Norte. Mas Ossiriand não estava sob o domínio de Maidros ou de seus irmãos, e lá habitavam os Elfos-verdes entre o Gelion e o Ascar e o Adurant e as montanhas. A Beleriand Leste muitos dos Senhores-élficos vinham mesmo de muito longe por vezes para caçar nas matas selváticas.

51–255[6] Essa época é chamada de o Cerco de Angband e foi um tempo de ventura, e o mundo teve paz e luz, e Beleriand tornou-se por demais bela, e os Homens cresceram e se multiplicaram e se espalharam, e mantinham colóquio com os Elfos-escuros do Leste, e aprenderam muito com eles, e ouviram rumores dos Reinos Abençoados do Oeste e dos Poderes que habitavam lá, e muitos em suas andanças seguiam lentamente naquela direção.

Nessa época Brithombar e Eglorest foram construídos como belas vilas e a Torre de Tindobel foi erguida sobre o cabo a oeste de Eglorest para vigiar os Mares do Oeste; e alguns partiram e habitaram a grande ilha de Balar que jaz na Baía de Balar, para onde o Sirion corre. E no Leste os Gnomos subiram as Eredlindon e olharam ao longe, mas não entraram nas terras além; porém, naquelas montanhas encontraram os Anãos, e ainda não havia inimizade entre eles e, no entanto, pouco amor havia. Pois não é sabido de onde os Anãos vieram, salvo que não são da Gente-élfica ou da raça mortal ou das crias de Morgoth. Mas naquelas regiões os Anãos habitavam em grande minas e cidades no Leste das Eredlindon e muito ao sul de Beleriand, e as principais dentre essas eram Nogrod e Belegost.

A FORMAÇÃO DA TERRA-MÉDIA

102   Por volta dessa época a construção de Nargothrond e de Gondolin estava quase terminada.

104   Por volta dessa época o povo de Cranthir encontrou pela primeira vez os Anãos, como está contado acima; pois os Anãos tinham outrora uma estrada para o Oeste que subia ao longo das Eredlindon a Leste e seguia a oeste nos passos ao sul do Monte Dolm e pelo curso abaixo do R[io] Ascar e por sobre o Gelion no vau Sarn Athrad e de lá até o Aros.[7]

105   Morgoth tentou pegar Fingolfin desprevenido e um exército, ainda que pequeno, marchou para o sul, a oeste das Eredlómin, mas foi destruído e não adentrou Hithlum, sendo que a maior parte dele foi lançada ao mar no estreito em Drengist; e essa não foi contada entre as grandes batalhas, embora a matança de Orques tenha sido grande.
Depois disso houve paz por muito tempo, salvo por Glómund, o primeiro dos Dragões, ter saído pelo portão de Angband à noite em 155, e ele ainda era jovem. E os Elfos fugiram para as Eredwethion e Taur-na-Danion, mas Fingon com seus arqueiros montados cavalgou até o dragão e Glómund ainda não pôde suportar seus dardos, e fugiu de volta a Angband e não saiu de novo por um longo tempo.

170   Aqui nasceu Bëor a leste das Eredlindon.

188   Aqui nasceu Haleth a leste das Eredlindon.

190   Aqui nasceu Hádor, o de Cabelos Dourados, a leste das Eredlindon.

200   Encontro de Felagund e Bëor. Nasce Bregolas.

202   Guerra nas marcas do leste. Bëor e Felagund lá estiveram. Nasce Barahir.

220   Inimizade dos filhos de Fëanor para os com Homens — devido às mentiras de Morgoth: daí a tragédia de seu tratado em busca de auxílio feito com os piores Homens, e de sua traição por eles.[8]

A PRIMEIRA VERSÃO DOS ANAIS DE BELERIAND

NOTAS

1 Acrescentado a lápis: *Nessa época os Homens despertaram pela primeira vez no meio* [emendado para *leste*] *do mundo. Entrementes* (*Fingolfin* etc.) Na segunda frase, *conduziu* foi mudado para *conduzira*.

2 *Eglorest* é uma mudança inicial à tinta a partir de *Eglarest*; cf. AB I, notas 8 e 67.

3 *duzentos* foi mudado a partir de *cem* enquanto esses Anais estavam em processo de composição; ver nota 6.

4 Essa frase foi um acréscimo inicial, provavelmente feito quando meu pai estava escrevendo o anal 105.

5 *Eglorest* < *Eglarest*, como na nota 2. Nas ocorrências do nome no anal 51–255, ele foi escrito *Eglorest*.

6 255 é uma mudança a lápis a partir de 155, mas obviamente tem seu lugar junto à mudança apresentada na nota 3, feita enquanto os *Anais* estavam sendo escritos, como se pode ver pela referência no anal 105 ao surgimento de Glómund em 155, que ocorreu durante o Cerco. A necessidade de mudança da data deve ter passada despercebida por meu pai, e ele a inseriu mais tarde quando a notou.

7 Acrescentado a lápis: *Mas eles não entraram em Beleriand após a chegada dos Gnomos, até que o poder de Maidros e Fingon esmoreceu na Terceira (Quarta) Batalha.*

8 No final, o texto foi escrito a uma velocidade crescente e as últimas linhas foram rabiscadas de forma quase ilegível. O anal 220 que não foi preenchido seria o da entrada de Haleth e Hádor em Beleriand. Na frase final, "tragédia" substituiu "justiça" na época da composição.

Comentário sobre os *Anais de Beleriand* (texto AB II)

As datas revisadas. O período do Cerco de Angband foi estendido em cem anos, e agora dura de 51 (como no AB I) a 255 (notas 3 e 6). As datas de nascimento de Bëor, Haleth, Hádor, Bregolas e Barahir, e o encontro de Felagund com Bëor, são todas aumentadas *pari passu* com o prolongamento do Cerco em cem anos com relação ao AB I.

Este comentário mais uma vez segue as seções dos anais do texto. Os muitos casos em que os nomes escritos a lápis no manuscrito AB I foram incorporados ao texto do AB II podem ser mencionados juntos: *Dagor-os-Giliath, Eredwethion, Belegar, Eredlindon, Eglorest* (< *Eglarest*), *Eithel Sirion, Sarn Athrad* (para *Sarn Athra*). Menegroth no anal 50 ocorre em um acréscimo aos AV (nota 18) e na versão II em inglês antigo, p. 339).

Seção de abertura e Anais 1 a 51 Como eu disse, embora o AB II seja aqui baseado de perto no AB I, há alguns desenvolvimentos

A FORMAÇÃO DA TERRA-MÉDIA

menores. Enquanto no AB I Thangorodrim é chamada de "a Montanha Negra", agora é o pico mais elevado das "Montanhas Negras". Não está claro se a história da Batalha-sob-as-Estrelas já havia mudado; a afirmação de que os filhos de Fëanor acamparam em volta do Lago Mithrim *após* a captura de Maidros pertence à história mais antiga (ver pp. 346–47), enquanto a morte de Fëanor "em Mithrim" (o que indica que Mithrim era uma região e não apenas o nome do lago) sugere a história posterior. O desafio de Fingolfin diante de Angband agora está presente, e a transferência dos Fëanorianos para as margens meridionais do lago quando o povo de Fingolfin chega, tal como estão nos AV (p. 317).

No anal 20 o nome élfico *Mereth Aderthad* para a Festa da Reunião agora aparece pela primeira vez; e um pouco mais é dito acerca das políticas de Thingol nessa época (uma passagem que reaparece em *O Silmarillion*, p. 161), embora nada a respeito de sua hostilidade para com os Gnomos.

No AB I a partida de Turgon para Gondolin é apresentada no ano 50, mas no AB II foi nesse ano que ele descobriu o vale ("pela graça de Ulmo"), e em 51 ele partiu de Hithlum (com um terço dos Gnomos da segunda casa: assim também em *O Silmarillion*, p. 179). Em 102 é afirmado que a construção de Gondolin estava "quase terminada"; e essa datação (relativa) foi preservada em *O Silmarillion*, p. 178), onde Gondolin estava "completada, depois de dois e cinquenta anos de trabalho secreto" — embora na história final tenha sido só então que o próprio Turgon abandonou os seus salões de Vinyamar.

Anal 51 A Batalha Gloriosa, sobre a qual há somente um indício no AB I (nos anos 50–51), agora se torna um evento definido com um nome (e o élfico *Dagor Aglareb* aparece), e o rechaço dos Orques se torna a destruição de uma hoste-órquica em Bladorion; cf. *O Silmarillion*, p. 166. A jactância de Fingolfin ao dizer que Morgoth jamais poderia romper o Cerco remonta a Q §9: "Os Gnomos gabavam-se de que ele nunca poderia romper seu sítio".

No AB II, a passagem a respeito da disposição dos príncipes gnômicos durante os anos do Cerco foi muito expandida, com muitos detalhes novos (que apareceriam mais tarde em *O*

A PRIMEIRA VERSÃO DOS ANAIS DE BELERIAND

Silmarillion no capítulo 14, *De Beleriand e seus Reinos*). Ela claramente foi composta com muita rapidez.

Ficamos agora sabendo a respeito dos cavalos dos Senhores de Hithlum que pastavam em Bladorion, cujos antepassados de muitos vieram de Valinor (cf. *O Silmarillion*, p. 170). No AB I, Fingolfin era o soberano dos "Elfos-escuros a oeste de Narog" (o que sem dúvida indica a importância relativamente pequena de Nargothrond antes da Batalha da Chama Repentina), mas aqui sua autoridade é sobre os Elfos-escuros a oeste do rio Eglor (*Eldor* na Expansão a Oeste do primeiro mapa, pp. 270–71), e ele é "Senhor da Falas" (cf. *Falassë* no mapa IV do *Ambarkanta*, pp. 293, 302); enquanto Felagund é senhor de todo o território entre o Eglor e o Sirion, à exceção de Doriath-além-do-Sirion. Em *O Silmarillion* (p. 172) Felagund (lá chamado Finrod) da mesma forma "se tornou o suserano de todos os Elfos de Beleriand entre o Sirion e o mar, salvo apenas na Falas"; mas a Falas era governada por Círdan, o Armador, do qual ainda não há traço. Os irmãos de Felagund agora se tornaram seus vassalos, tal como são em *O Silmarillion* (p. 171).

Entre o Sirion e o Mindeb (ver p. 262) há uma terra onde "nenhum homem habitava", mas ela não é mencionada por nome; em *O Silmarillion* (p. 173) ela é "a terra vazia de Dimbar". "Um espaço amplo inabitado" ficava entre o Cinturão de Melian no Norte e Taur-na-Danion, mas Nan Dungorthin (ver p. 262) não é mencionado por nome. A terra de Orodreth fica agora especificamente no leste dos grandes planaltos cobertos de pinheiros, onde está próximo de seus amigos Celegorm e Curufin, cujo território entre o Aros e o Celon (posteriormente chamado Himlad) e que se estende através do Passo do Aglon é agora definido, e como viria a permanecer.

Os territórios dos outros filhos de Fëanor também recebem limites mais claros, com a menção pela primeira vez das Marcas de Maidros, da terra de Maglor no Leste "que ia até as Eredlindon" (posteriormente "Brecha de Maglor"), da terra de Cranthir (ainda não chamada de Thargelion) entre o Gelion e as montanhas, e do território de Damrod e Díriel no Sul de Beleriand Leste. Não sei por que é dito que a soberania de Maidros se estendia das fozes do Sirion ao Gelion "onde ele se une ao Brilthor". Nessa época o Brilthor era o quinto (e não, como

A FORMAÇÃO DA TERRA-MÉDIA

posteriormente, o quarto) dos tributários do Gelion que desciam das montanhas, sendo que o sexto e mais meridional era o Adurant (pp. 273, 275).

Anal 51–255 Quanto ao parágrafo inicial desse anal, cf. Q §6:

> Os Elfos-escuros eles encontraram e foram ajudados por eles, e lhes ensinaram a fala e muitas outras coisas, e tornaram-se os amigos dos filhos dos Eldalië que nunca encontraram os caminhos para Valinor, e conheciam os Valar apenas como um rumor e um nome distante.

A referência à construção de Brithombar e Eglorest "como belas vilas" é encontrada em *O Silmarillion* (p. 172), mas lá com o acréscimo da palavra "reconstruídos"; isso se dá porque na narrativa tardia os Portos da Falas haviam existido por muito tempo sob o senhorio de Círdan, e foram reconstruídos com o auxílio e o engenho dos Noldor seguidores de Felagund. Na mesma passagem é dito que Felagund "ergueu a torre de Barad Nimras para vigiar o mar ocidental", e também que alguns dos Elfos de Nargothrond "partiram para explorar a grande Ilha de Balar", mas "não era a sina deles jamais habitar ali". O presente anal é a primeira ocorrência da Ilha e Baía de Balar. A Torre de Tindobel, precursora de Barad Nimras, está marcada na Expansão a Oeste do primeiro mapa, p. 271.

A escalada das Eredlindon pelos Gnomos e seu encontro com os Anãos são atribuídos em *O Silmarillion* (p. 162) especificamente ao povo de Caranthir estabelecido em Thargelion. As cidades-anânicas ainda estão situadas no AB II "muito ao sul de Beleriand", como na Expansão a Leste do mapa (pp. 275––76). A visão das relações dos Gnomos com os Anãos, e as dos próprios Anãos, ainda que expressadas de forma muito breve, é basicamente como na passagem de Q §9 acerca do assunto — conforme emendado (nota 4) de "Lá faziam guerra aos Anãos de Nogrod e Belegost" para "Lá mantinham colóquio com" eles: não há indicação aqui de que havia confrontos entre os povos, embora também não haja menção de comércio entre eles, que é muito enfatizado na passagem à qual ela corresponde em *O Silmarillion* (p. 163).

A PRIMEIRA VERSÃO DOS ANAIS DE BELERIAND

Anal 104 No AB I, o primeiro encontro dos Elfos com os Anãos só é mencionado no anal 163; essa passagem foi colocada entre colchetes (nota 29), obviamente porque a questão seria introduzida num ponto anterior da narrativa.

A descrição da estrada-anânica está precisamente de acordo com o curso posterior da estrada na Extensão a Leste do mapa (ver pp. 275–76). O Monte Dolm, que está marcado no mapa, é aqui pela primeira vez mencionado por nome nos textos narrativos. É notável que aqui é dito que os Anãos tinham essa estrada "outrora"; e a interpolação a lápis apresentada na nota 7 certamente significa que eles *não mais* entraram em Beleriand após o retorno dos Noldoli. Em Q §14 está registrado que os "Anãos primeiro se espalharam para o oeste desde as Eryd-luin, as Montanhas Azuis, e entraram em Beleriand após a Batalha das Lágrimas Inumeráveis". Em *O Silmarillion* (p. 134), os Anãos entraram em Beleriand e na sua história muito antes: "Veio a acontecer, durante a segunda era do cativeiro de Melkor, que os Anãos atravessassem as Montanhas Azuis de Ered Luin, entrando em Beleriand", e foram os Anãos de Belegost que fizeram as mansões de Thingol, as Mil Cavernas. "E, quando a construção de Menegroth foi terminada… os Naugrim ainda vinham de quando em vez através das montanhas e faziam comércio pelas terras". O anal 104 no AB II deve ser o primeiro sinal dessa importante mudança estrutural na história; e provavelmente é significativo que a referência seja ao primeiro encontro dos Gnomos (não de Elfos em geral) com os Anãos.

A versão seguinte dos *Anais de Beleriand* deixa claro que a referência na passagem interpolada (nota 7) à "Terceira (Quarta) Batalha" é à Batalha da Chama Repentina, apesar de Fingon ser mencionado em vez de Fingolfin. No AB II, a primeira batalha é Dagor-os-Giliath, a segunda, Dagor Aglareb, e a terceira (embora o AB II não chegue até ela), a Batalha da Chama Repentina. Essa interpolação mostra meu pai já pensando no que acontecera com a Primeira Batalha de Beleriand, na qual Denethor dos Elfos-verdes foi morto, e à qual a primeira indicação se encontra em um acréscimo a lápis aos AV (nota 18); após a inclusão dessa batalha nas grandes Batalhas de Beleriand, a da Chama Repentina tornou-se a quarta.

394

A FORMAÇÃO DA TERRA-MÉDIA

Anal 105   Nesse anal são descritos pela primeira vez os atos de Morgoth para testar a força e a vigilância dos sitiadores, mencionados no anal 51, e que permanecem em *O Silmarillion* (pp. 166–67). É dito que o primeiro desses testes ocorreu quase cem anos depois da Dagor Aglareb, e não cinquenta e quatro anos, como aqui; mas a rota tomada pela hoste de Morgoth é a mesma em ambos os relatos, para o sul ao longo da costa entre as Ered Lómin e o mar até o Estreito de Drengist. A história do surgimento de Glómund, que ainda não havia crescido por completo, pelos portões de Angband à noite, a fuga dos Elfos para as Eredwethion e Taur-na-Danion, e o rechaço de Glómund pelos arqueiros montados de Fingon, seguem de muito perto o relato em *O Silmarillion*, onde, no entanto, ele ocorreu cem anos após o ataque que terminou em Drengist: no AB II, mais uma vez, é apenas metade desse tempo. Essas diferenças estão associadas com prolongamentos maiores adicionais da duração do Cerco.

O acréscimo "em poderio pleno" (de Glómund na Batalha da Chama Repentina) feito ao AB I (nota 18) claramente é dependente desse estágio final no movimento para trás na história dos trechos de Glómund: ver pp. 371–72. Alguns versos em inglês antigo que acompanham as listas de nomes em inglês antigo fazem referência à vitória de Fingon contra o Dragão:

> Þá com of Mistóran   méare rídan
> Finbrand felahrór   flánas scéotan;
> Glómundes gryre   grimmum strǽlum
> forþ áflíemde.

Finbrand é apresentado como a tradução de Ælfwine para o nome Fingon (p. 248); *Mistóra* é Mithrim (p. 245).

A frase de encerramento do AB II rabiscada às pressas é interessante: Em *O Silmarillion*, os Haladin (o "Povo de Haleth") habitaram o sul de Thargelion após atravessarem as Montanhas Azuis, e lá "o povo de Caranthir lhes dava pouca atenção" (p. 200); após a defesa valorosa de seus lares, Caranthir "olhou com bondade para os Homens", e "vendo, tarde demais, que valor havia nos Edain" ofereceu-lhes terras livres para habitarem mais ao Norte sob a proteção dos Eldar: oferta essa que foi recusada. Essa é a única referência em

A PRIMEIRA VERSÃO DOS ANAIS DE BELERIAND

O Silmarillion à "inimizade" da parte dos Fëanorianos para com os Homens (embora não fosse algo difícil de imaginar); mas, no que diz respeito às últimas palavras desses *Anais*, é digno de nota ter sido Cranthir (Caranthir) a quem os traiçoeiros filhos de Ulfang se aliaram (AB I, anal 163, *O Silmarillion*, p. 218).

༄

APÊNDICE

Versão em inglês antigo dos *Anais de Beleriand*, feita por Ælfwine ou Eriol

Esse é o único fragmento adicional da obra de Ælfwine em Tol Eressëa em sua própria língua. Sua relação com a versão em inglês moderno é intrigante, pois embora em grande parte corresponda de perto ao AB II, ele também possui elementos do texto AB I. Por exemplo, o desafio de Fingolfin diante de Angband e a retirada dos Fëanorianos para a margem meridional do lago não estão presentes no anal I; a data "I–C" segue o AB I; apesar de *Mereth Aderthad* no anal XX estar de acordo com o AB II, o resto do anal é como o AB I; e o anal L é uma mistura confusa. A explicação simples de que meu pai escreveu a versão em inglês antigo após o AB I, mas antes do AB II (e daí o subtítulo do AB II, "Tradução de Ælfwine") vai de encontro à dificuldade de que no texto em inglês antigo o Cerco de Angband durou *tú hund géara oððe má* [duzentos anos ou mais] (linha 81), enquanto o AB II possui "cem" emendado para "duzentos". Mas a questão não é importante.

Tal como a versão II dos *Anais de Valinor* em inglês antigo, o texto termina no meio de uma frase. Meu pai compôs estes anais, como os outros, de forma fluente e rápida (daí tais variações como *Mægdros, Mægedros, Maidros*); mas ele foi interrompido, sem dúvida, e nunca mais os retomou. Suspeito que a versão de Ælfwine dos *Anais de Beleriand* tenha sido a última.

Beleriandes Géargesægen

Fore sunnan úpgange: Morgoþ gefléah Godéðel
þæt is Falinor, ond genóm þá eorclanstánas Féanóres,
and þa cóm he eft on Norþdælas ond getimbrode þær on

396

A FORMAÇÃO DA TERRA-MÉDIA

níwan his fæsten Angband (þæt is Irenhell) under þám
5 Sweartbeorgum. He of searucræfte gescóp þá Balrogas
ond þá orcas; ond þá eorclanstánas sette he on his
isernan helme. Þá cómon þá Noldielfe þǽre yldestan
mǽgþe, þe Ierfeloran hátton, ond sóhton to lande,
and gelǽdde híe Féanor and his seofon suna. Þǽr
10 forbærndon híe þá Teleriscan scipu; and híe gefuhton
siþþan wiþ Morgoþes here and geflíemde hine: þæt wæs
þæt ǽreste gefeoht, and hátte on noldisce Dagor-os-
Giliað, þæt is on Englisc gefeoht under steorrum oþþe
Tungolgúþ. Þær Féanor gewéold wælstówe ond
15 adrǽfde þá orcas, ac wearð self forwundod þearle of
Goþmoge Balroga heretoga, Morgoþes þegne, and
swealt siþþan on Miþrime. Þá wearð Mægdros his
yldesta sunu of Morgoþe beswicen, and wearð
gefangen, and Morgoþ hét hine ahón be þǽre rihthande
20 on Þangorodrim. Þá gedydon þá ópere suna Féanóres
ymb Miþrim þone mere on Northwestweardum
landum, behindan Scúgebeorge (Eredweþion).

Æfter sunnan úpgange

25 **Sunnan géar I**   Hér ætíewdon on ǽrest se móna 7 séo
sunne, and þa Godu scópon híe æfter þám þe Morgoþ
fordyde þá Béamas, for þon þe híe næfdon léoht. Swá
cóm gemeten Tíd on middangeard. Fingolfin gelǽdde
þá ópere mǽgþe þára Noldielfa on Norþdǽlas ofer
30 Ísgegrind oþþe Helcarakse on þá Hiderland; ond þá fór
Felagund mid sume þǽre þriddan mǽgþe. Þá fóron híe
ealle norþan mid þám þe séo sunne arás, and þá
onbrugdon híe hira gúþfanan, and cómon siþþan mid
micle þrymme on Miþrim. Þær wæs þá gíet him fǽhþ
35 betwux þǽre mǽgþe Féanóres ond þám óþrum.
Morgoþ mid þý þe léoht ætíewde béah on his déopestan
gedelf, ac siþþan smiþode þǽr fela þinga dearnunga and
sende forþ sweartne smíc.

II   Hér Fingon Fingolfines sunu sibbe geníwode betwux
40 þám maægþum for þám þe he áhredde Mægedros.

I-C Hér geondférdon and gescéawodon þá Noldelfe
Beleriand and gesǽton hit missenlice ond eal Sirigeones
dene of Gársecge (þe Noldelfe Belegar hátað) oþ
Hǽwengebeorg (þæt sind Eredlindon), butan Doriaðe
45   on middan þám lande þe Þingol and Melian áhton.

XX Hér wearð se gebéorscipe and se fréolsdæg and se plega
þe Noldelfe Mereþ Aderþad nemnað (þæt is
Sibbegemótes fréols) on Wiligwangas gehealden, þe
Noldielfe Nantaþrin hátað, néah Sirigeones múþum,
50   and þǽr wurdon gesamnode ge elfe of Godéðle ge
deorcelfe ge éac sume þá elfe of þám Westhýþum and of
Doriaðe of Þingole gesende. Þá wearð long sibbtíd.

L Hér wearþ eft unfriðu aweht of Morgoþe, ond wurdon
micle eorþdynas on Norððǽlum, ond þá orcas
55   hergodon floccmǽlum on Beleriand ond þé elfe híe
fuhton wið.

Hér wurdon Turgon Fingolfines sunu 7 Inglor Felagund Finrodes sunu his fréond 7 mǽg yfelum swefnum
geswencte, 7 híe fæsten 7 friþstówa gesóhton ǽr þon þe
60   Morgoþ ætburste swá hira swefn him manodon. Þá
funde Felagund þá déopan scrafu be Naroge stréame,
7 he þǽr ongann burg gestaðelian and wǽpenhord
samnian, æfter þǽre wísan þe Þingol búde Menegroþ, 7
he þæt heald Nargoþrond nemnde. Ac Turgon ána
65   férde 7 be Ulmoes láre funde Gondoelin þá díeglan
dene, ne sægde nánum menn þá gíet.

Hér ongann Morgoþ eft his mǽgen styrian; 7 wearþ
oft unfriðu aweht on Beleriandes gemǽrum. Micle
eorðdynas wurdon on norððǽlum, 7 þá orcas hergodon
70   floccmǽlum on Beleriand, ac þá elfe fuhton híe wið 7
híe geflíemdon.

LI Hér gegaderode Morgoð medmicelne here, and fýr
ábærst of þám norðernum beorgum; ac Fingolfin 7
Maidros fierda gesamnodon and manige þára deorcelfa

A FORMAÇÃO DA TERRA-MÉDIA

75 mid, 7 híe fordydon þone orchere to nahte, and áslógon
ealle þe híe útan Angbande gemétton, and híe éhton þæs
heriges geond þone feld Bladorion, þæt nán eft to
Angbandes durum cómon. Þis gefeoht hátte siðð̄an
Dagor Aglareb, þæt is Hréþgúþ on Englisc. Siþþan
80 gesetton híe 'Angbandes Ymbsetl', and þæt gelǽston
híe tú hund géara oðð̄e má, 7 Fingolfin béotode þæt
Morgoþ nǽfre from þám ymbhagan ætberstan mihte.
He ne mihte self swáþéah Angband ábrecan ne þá
Silmarillan áhreddan. Unfriðu wearð̄ nǽfre eallunga
85 áswefed on þisse langan tíde, for þǽm þe Morgoþ
d...lice hine gewæpnode 7 ǽfre ymbe stunde wolde
fandian þǽre strengu and þǽre wæcene his gefána.
Turgon cyning swáþéah

NOTAS

1–17 Outro relato mais antigo desses eventos em inglês antigo encontra-se no final da versão I dos *Anais de Valinor*, p. 332.

2 *eorclanstánas:* ver p. 333. Como na versão I em inglês antigo dos AV, o nome *Silmaril* também é tratado como um substantivo inglês antigo, com o plural *Silmarillan* (linha 84) (na versão dos AV, *Silmarillas*).

8 *Ierfeloran:* com vogais variantes, *Erfeloran, Yrfeloran* na versão II em inglês antigo dos AV (linha 135) e na lista de nomes em inglês antigo, p. 247.

14 *Tungolgúþ* também ocorre na versão I em inglês antigo dos AV, linha 55.

32 *sunne: sunnan* ms.

48 *Wiligwangas* é uma correção a lápis de *Wiligléagas*.

51 þám: þá ms.

53–71 O texto desse anal é confuso. O primeiro parágrafo segue o início do primeiro anal número 50 no AB I; o segundo parágrafo corresponde de perto ao anal 50 do AB II; e o terceiro repete o primeiro.

65 *Gondoelin* foi escrito claramente dessa forma.

86 A palavra ilegível não é *dirnlice* "secretamente".

Novos nomes em inglês antigo nesse texto:

Sweartbeorgas (linha 5) "Montanhas Negras" (ing.ant. *sweart* "negro, escuro");

Scúgebeorg (linha 22) = *Eredwethion* (ing.ant. *scúa* "sombra");

Ísgegrind (linha 30) = *Helcaraksë* (ing.ant. *gegrind* "atrito conjunto, choque");

Hǽwengebeorg (linha 44) = *Eredlindon* (ing.ant. *hǽwen* "azul");

Wiligwangas (linha 48) = *Nan Tathrin* (ing.ant. *wilig* "salgueiro"; *wang* "campina, lugar plano" (cf. *Wetwang* [Campo Alagado] em *O Senhor dos Anéis*); o nome rejeitado *Wiligléagas* contém *léah,* inglês moderno *lea* [campina]).

A PRIMEIRA VERSÃO DOS ANAIS DE BELERIAND

Westhýþum (linha 51, plural dativo) = Portos do Oeste (cf. *Elfethýð* = Porto--cisne, p. 333; inglês moderno *hithe* [porto, ancoradouro]).

Hrépgúþ (linha 79) = *Dagor Aglareb* (ing.ant. *hréþ* "glória").

O nome mais notável aqui é *Inglor Felagund* (linha 57). Essa é a primeira ocorrência de *Inglor*, que permaneceu o seu nome "verdadeiro" por muitos anos, embora sua existência seja indicada pelo equivalente *Ingláf Felahrór* em inglês antigo (p. 249).

Índice Remissivo

Este Índice Remissivo, como aqueles dos volumes anteriores, tenta ao mesmo tempo fornecer um registro quase completo e apresentar alguns indícios das inter-relações de nomes para os mesmos lugares, pessoas e eventos; mas, pela natureza deste livro, a abrangência de tais variações é aqui particularmente grande, e alguns nomes aparecem em relações complicadas (e em vários idiomas), de modo que foi difícil evitar inconsistências na organização do material.

No geral, nomes em português não recebem verbetes separados quando ocorrem apenas em associação com um nome élfico, sendo então incluídos no verbete deste último.

Referências de páginas incluem as ocorrências de nomes nas obras de Ælfwine em inglês antigo ("ing.ant."), mas estes não são distinguidos como tais, a não ser que o nome possua uma forma distintiva em inglês antigo; e, em tais casos, o nome em inglês antigo não recebe um verbete separado, sendo então incluído no verbete do nome original (como *Elfethÿð* em *Alqualondë*).

Nomes que ocorrem no primeiro mapa do "Silmarillion" e em suas Expansões a Leste e Oeste não possuem referências às reproduções em si, ao contrário daqueles nos mapas e diagramas do *Ambarkanta* (incluindo os nomes emendados que são mencionados nas páginas opostas às reproduções, como *Silma > Ilma > Ilmen*): todas essas referências são precedidas por um asterisco.

Não estão incluídas referências ao *Silmarillion* publicado, e aquelas aos contos individuais de *O Livro dos Contos Perdidos* estão reunidas no verbete *Contos Perdidos*.

Há tantos arranjos diferentes do uso de maiúsculas e hifenização em nomes compostos nos textos (como *Sarn-athrad*, *Sarn-Athrad*, *Sarn Athrad*) que, para os propósitos do Índice Remissivo, adotei uma única forma.

401

ÍNDICE REMISSIVO

Abismo de Ilmen Ver *Ilmen*.

Adormecido na Torre de Pérola 84

Adurant, Rio 155, 218, 273, 388, 393

Ælfhâm (inglês antigo) "Lardelfos". 303. Ver *Eldaros*.

Ælfwine (inglês antigo) "Amigo-dos-Elfos". 51, 93, 238–39, 243, 303–04, 310, 322, 330, 334, 341, 342, 384, 395–96; o conto de Ælfwine da Inglaterra 231, 241. Quanto à relação entre Ælfwine e *Eriol*, ver 239.

Aerandir Companheiro de Eärendel. 228.

África 305

Aglon, Garganta de Entre Taur-na-Fuin e Himling. 125, 139, 197, 256; *Passo do Aglon* 387, 393

Água(s) do Despertar 20, 54, 102, 190, 324. Ver *Cuiviénen*.

Águas do Sirion Ver *Sirion*.

Águias (não incluindo referências a Thorndor, Rei das Águias) 30, 43, 45, 64, 81, 121, 157, 160, 196, 350, 360, 372, 385; *Fenda das Águias*, ver *Cristhorn, Kirith-thoronath*.

Aiglir Angrin As Montanhas de Ferro. 256. Ver *Angeryd, Angorodin, Angrin Aiglir, Eiglir Engrin, Ered Engrin*.

Ainulindalë 297

Ainur 297. Ver *Música dos Ainur*.

Airin Esposa de Brodda. (30), 142, 145, 151, 209

Aiwenórë "Terra-das-aves", região inferior de Vista. 280, 285, *286–87, 298; forma anterior *Aiwenor* 284, *285–86

Ala-de-cisne Ver *Alqarámë*.

Alagados do Crepúsculo 212, 268. Ver *Umboth-muilin*.

Aldaron Nome de Oromë. 96, 240, 242; ing.ant. *Wealdafréa* 240, *Béaming* 242. Ver *Tauros*.

Alflon Forma gnômica de *Alqualondë*. *294, 308, 325

Almaren A primeira habitação dos Valar em Arda. 51, 54

Alqaluntë Ver *Kópas Alqaluntë*.

Alqarámë "Ala-de-cisne", navio de Tuor. 84. Ver *Eärámë*.

Alqualondë 17, 228, 308, 321; *Alqalondë* 312, 314, 325, 333; ing.ant. *Elfethýð* 332, 333, 400, *Ielfethýð* 333. Ver *Porto-cisne*.

Altos-elfos A Primeira Gente dos Elfos. 107; ing.ant. *héahelfe* 246

Aman 52, 228, *294, 299, 304, 308–09

Ambar "Terra". 281, 284, 286, *288–89, 299–301

Ambar-endya "Terra-média". 299–300. Ver *Endor, Pelmar*.

Amigos-dos-Elfos 147 (no texto do *Quenta*), 200, 232, 235, 370

Amon Dengin Antigo nome do Monte dos Mortos em Dor-na-Fauglith. 167, 222, 364. Ver *Cûm-na-Dengin, Monte dos Mortos*.

Amon Ereb "O Monte Solitário" em Beleriand Leste. 365, 383

Amon Gwareth O monte de Gondolin. 43, 81, 157, 160, 165; *Monte de Vigia* 157, *Monte da Defesa* 160; outras referências 79, 156

Amon-Uilas Nome gnômico de Taniquetil (ver *Ialassë*). 99, 190; forma posterior *Amon Uilos* 190; ing.ant. *Sinsnáw, Sinsnǽwen* 242

Amras Filho de Fëanor. 85. (Substituiu *Díriel*).

Amrod Filho de Fëanor. 85. (Substituiu *Damrod*).

Anais Cinzentos A última versão dos *Anais de Beleriand*. 345

Anais de Aman 309, 325, 345

Anais de Beleriand Referências nos *Anais de Valinor*. 310, 317, 342; ing. ant. *Beleriandes géargetæl* 334, 335, *géargesægen* 396

Anais de Valinor Ver *Valinórelúmien*.

Anãos 32, 40–1, 65, 75–6, 127, 131, 132, 143, 152–155, 205, 207, 210, 215–18, 243, 245, 257, 264, 265, 344, 352, 353, 359, 362, 364, 374, 375, 381–83, 388–89, 393–94. Ver especialmente 123, 136, 199; e ver *Nauglar, Nauglafring, Colar dos Anãos; Mîm*.

Anãos-Miúdos 215

Ancalagon, o Negro Maior dos dragões alados de Morgoth. 182, 235–37, 242, 362; ing.ant. *Anddraca* 242

Ando Lómen A Porta da Noite. 282, 284–85, 296

Anduin O Grande Rio. 302

Andvari 215

402

Anfauglin "Bocarra Sedenta", nome de Carcharoth. 135, 203; forma posterior *Anfauglir* 203

Anfauglith 72. Ver *Dor-na-Fauglith*.

Angainor A grande corrente em que Morgoth foi aprisionado. 48, 54, 87–8, 179, 182, 190–91, 229

Angamandi Nome de Angband nos *Contos Perdidos*. 53, 64

Angband 20, 24, 30–2, 34–6, 43, 45, 53, 64–6, 69–73, 82, 111, 120–27, 131–33, 135, 137–39, 143, 157–58, 162, 165, 179, 182, 197, 201–03, 206–08, 210, 220, 223, 243, 256, 263–64, *294, 303, 306, 307, 317, 330, 332, 333, 346, 348–49, 351–56, 366–67, 374, 376, 384–91, 399; *Inferno-de-Ferro* 20; ing.ant. *Irenhell* 243, 332–33, 397, *Engbend* 243. Ver *Salões de Ferro, Cerco de Angband*; e em relação a Utumno, ver 303, 306

Angelcynn (inglês antigo) O povo inglês239, 310, 335, 342; *Ongulcynn* 341

Angeryd As Montanhas de Ferro. 256. Ver *Aiglir Angrin*.

Angoloð 198.

Angorodin Nome mais antigo das Montanhas de Ferro. 256. Ver *Aiglir Angrin*.

Angrin Aiglir As Montanhas de Ferro. 256. Ver *Aiglir Angrin*.

Angrod Filho de Finrod (1) = Finarfin. 56, 66, 106, 113, 122, 125, 192, 197, 198, 201, 248, 315, 319, 328, 329, 346–47, 350, 362, 367, 371, 384; forma anterior *Anrod* 22, 27, 56, 192; ing.ant. *Angel* 248

Annon-in-Gelydh O Portão dos Noldor. 198

Ano da Lamentação 353

Anos de Escuridão O Obscurecer de Valinor. 317

Anos do Sol Ver *Sol*; *Anos das Árvores*, ver *Duas Árvores*.

Anrod Ver *Angrod*.

Araman 194, 197, *294–95, 307–08. (Substituiu *Eruman*).

Aratar 188

Arda *286–87, 301, 308, 342

Aredhel Nome posterior de Isfin, irmã de Turgon. 222, 329

Árien A Donzela-do-Sol. 118, 194. (Substituiu *Úrien*).

Aros, Rio 263–66, 276, 387, 389, 392

Artanor Nome de Doriath nos *Contos Perdidos*. 14, 75, 77, 217, 264

Arvalin Região entre as montanhas e o mar ao sul de Taniquetil. 23, 57, 109, 194, 283, *294–95, 303, 307, 308, 313, 318, 326, 327. (Substituído por *Avathar*.)

Árvore Branca 51. Ver *Silpion, Telperion*.

Árvore Dourada 189. Ver *Laurelin*.

Árvores de Gondolin 189, 190

Aryador Hithlum. 257

Ascar, Rio 153–55, 218, 243, 273–74, 276–78, 381, 388–89; forma variante *Asgar* 243, 359, 381; ing.ant. *Bæning* 243. Ver *Rathlorion*.

Asgon Nome anterior de (Lago) Mithrim. 9, 15, 63

Assariad Nome anterior de Ossiriand. 154, 204, 218, 266, 278

Athrasarn O Vau Pedregoso. 265. Ver *Sarn Athra(d)*.

Aulë 21, 61, 96, 105, 189, 242, 300, 310–12, 315, 322–23, 326, 328, 342–44; ing.ant. *Cræftfréa* 242

Auredhir Filho de Dior. 78

Avakúma A Escuridão de Fora. 285. Ver *Kúma, Escuridão de Fora, Vazio*.

Avari 62

Avathar "As Sombras", ao sul de Taniquetil. 57. (Substituiu *Arvalin*).

Azaghâl Senhor de Belegost. 205–08

Bacia de Prata Quedas no Taiglin. 39, 40, 74, 214, 263, 365, 381. Ver *Celebrindon, Celebros*.

Baía de Balar Ver *Balar*.

Baía de Casadelfos 177, 229, 279 (em substituição à *Baía de Feéria*). Ver *Casadelfos*.

Baía de Feéria (Feéria) 21, 22, 47, 54, 104–06, 109, 171, 175, 177, 229, 279, *294–95, 307; *costas de Feéria* 28, 48, 88–9, 117; (poema) 86

Baía de Terradelfos *293, 303. Ver *Terradelfos*.

Balada da Queda de Gondolin 11, 15, 56, 79, 223, 262

Balada de Eärendel Ver *Eärendel*.

ÍNDICE REMISSIVO

Balada de Leithian 11, 32, 52, 56, 64–7, 73, 81, 88, 134, 189, 191, 197, 201–02, 204, 206, 217, 256, 258, 262, 266–68, 278, 340, 368; referências no *Quenta* 128–29, 132 (*Balada de Lúthien*), 134 (*Balada de Leithian*).

Balada dos Filhos de Húrin 18, 52, 53, 55, 56, 64–7, 70–2, 78, 189, 195–97, 200, 206–09, 217, 251, 255–58, 262–65, 267–68, 273–74, 306, 363, 374, 378; mencionada no "Esboço" 28, no *Quenta* 142, 209; *Túrin e o Dragão* 18

Balar Baía de 304, 388, 393; *Cabo de* 267; *Ilha de* 388, 393

Balrog(s) 20, 24, 30, 44, 45, 47, 57, 63, 80, 100, 111, 120, 138, 163, 165–66, 168, 172, 178, 182, 196, 235, 243, 313, 316, 339, 346, 354, 360, 362, 366, 372, 376, 384, 385, 397; origens dos 346, 366, 385, 397; número de 376; ing.ant. *Bealuwearg, Bealubróga* 243 (mas *Balrogas* nos textos).

Ban Pai de Blodrin, o traidor. 36, 72, 143, 244, 356; ing.ant. *Bana* 244

Banho do Sol Poente 59

Bansil Nome gnômico da Árvore Branca de Valinor. 98, 100, 189, 243; ing.ant. *Béansil, Béansigel* 209. Ver *Belthil.*

Barad Nimras A torre erguida por Felagund no cabo a oeste de Eglarest. 272, 393. Ver *Tindobel.*

Baragund Pai de Morwen. 243, 349–51, 363, 368–69, 373, esposa de Baragund 351; ing.ant. *Beadohun* 243

Barahir Pai de Beren. 30–2, 66, 119, 123–25, 128–29, 204, 243, 268, 348–51, 368–71, 373, 389–90; ing.ant. *Beadomær* 243

Barbas-longas Ver *Indrafangs.*

Batalha da Chama Repentina (197–98, 201, 204, 206, 208, 268, 367, 371, 392, 394–95; *Batalha do Fogo Repentino* 350, 369, 371–74. Ver *Dagor Bragollach, Dagor Hurbreged, Segunda, Terceira* e *Quarta Batalha.*

Batalha da Ira e do Trovão 178, 181; *Guerra da Ira* 230. Ver Última Batalha (1).

Batalha das Lagoas Silentes 83

Batalha das Lágrimas Inumeráveis 10, 12, 42, 64, 69–71, 79, 82, 146, 152, 154, 159, 206, 208, 215, 220–21, 257, 262, 270, 272, 276, 354, 364, 369, 376, 379, 380, 394. Ver *Nirnaith Arnediad, Terceira Batalha.*

Batalha de Eldorest (posteriormente > *Eglarest* > *Eglorest*). 361, 383. Ver *Eldorest.*

Batalha dos Deuses (1) A primeira batalha, quando Morgoth foi acorrentado. 284, 304; *Batalha dos Poderes* 304; *Guerra dos Deuses* *294–95, 305, 307. (2) A segunda batalha, segunda guerra, no final dos Dias Antigos. 285; ver Última Batalha (1).

Batalha Gloriosa Ver *Dagor Aglareb.*

Batalha Terrível 159, 221, 362, *Terrível Batalha* 178, 181, 186. Ver Última Batalha (1).

Batalha-sob-as-Estrelas 122, 196, 316, 321, 329, 333, 346, 384, 391. Ver *Dagor-os-Giliath, Primeira Batalha de Beleriand.*

Bauglir (em *Morgoth Bauglir*) 97, 118, 142, 158, 186, 243; traduzido *Terrível Deus Sombrio* 97, *Terrível e Sombrio Poder* 186; ing.ant. *Bróga* 243, *Sweart-ós* 331, 333

Belaurin Forma gnômica de *Palúrien*. 49; *Ifan Belaurin* 19, 27, 52; *o Pinheiro de Belaurin* 90, 92

Belcha Forma gnômica de Melko. 189. (Substituído por *Moeleg*.)

Beleg 36–7, 71–2, 133–34, 136, 142–45, 196, 204, 206, 210, 243, 257, 266, 356, 378; chamado de *o Gnomo* (28) e *o Arqueiro*; ing.ang. *Finboga* 243; sua espada 145, 210, 357; elegia de Túrin *A Amizade do Arqueiro* 144

Belegar O Grande Mar. 243, *294–95, 336, 339, 362, 385, 390, 398; forma posterior *Belegaer* 299; ing.ant. *Garsecg* 231, 294, 308 *Ingársecg* *294, 308, *Widsæ* 243. Ver *Grande(s) Mar(es), Mar(es) do Oeste.*

Belegost 40, 75–6, 123, 136, 138, 153, 199, 205, 208, 216–17, 244, 257, 276, 352, 388, 393–94; ing.ant. *Micelburg* 244

Belegund Pai de Rían. 349, 351, 353, 363, 368, 369, 373; esposa de Belegund 351

Beleriand 62, 64, 65, 69, 94, 127, 128, 135, 140, 141, 144, 147, 151–53, 156, 158–59, 162, 179, 181–82, 184, 195,

404

A FORMAÇÃO DA TERRA-MÉDIA

198–200, 204, 205, 215, 229–32, 238, 243, 266, 272, 276–77, 294, 302–04, 310–12, 315–20, 325, 327, 329, 334–37, 339, 341–42, 345–56, 358, 361362, 364–66, 370–76, 380, 385–88, 390–98; um nome gnômico 127, mas atribuído ao "idioma de Doriath" 198; outros nomes 127, 198. Ver *Broseliand*; *Beleriand Leste, Beleriand Oeste*; *Cronologia de Beleriand*.

Beleriand Leste 153, 276, 277, 348, 352–54, 365, 371, 383, 388, 392

Beleriand Oeste 351

Belerion Porto no oeste da Bretanha (no conto de Ælfwine da Inglaterra). 232

Belos-elfos Um nome da Primeira Gente dos Elfos. 107

Belthil Forma posterior de *Bansil*. 189–90

Bëor, o Velho (incluindo referências à casa, raça, filhos, etc. de Bëor) 123–25, 128, 141, 179, 199–200, 204, 232, 235, 348–50, 364, 368, 370–71, 389–90; *Bëorianos* 199, 368, 370; o povo descrito 349, 370

Beowulf 241, 246–47

Beren 11, 30–3, 36, 41–2, 44, 47, 66–9, 75–8, 85, 88, 91, 119, 128–35, 140, 142, 153–54, 158, 164, 169, 171, 174, 201–04, 206, 215, 218–19, 226, 228, 233–34, 258, 265, 274, 277–78, 326, 349, 351–53, 356, 359, 368, 370, 381; *a gesta de Beren e Lúthien* 352; Beren como Homem ou Elfo, ver 66.

Bethos Chefe dos Homens-da-floresta no *Conto de Turambar*. 74, 212

Bladorion A grande planície relvada do Norte (posteriormente *Ard-galen*) antes de sua desolação. 310, 316, 329, 348, 350, 368, 386–87, 391–92, 399

Bladorwen "The Wide Earth", um nome de Yavanna. 329

Blodrin O Noldo que traiu o bando de Túrin. 36, 72, 143, 210, 244, 356; ing. ant. *Blodwine* 244

Bodruith Senhor de Belegost no *Conto do Nauglafring*. 75–6

Boldog Um capitão Orque. 133, 204

Bor (1) Nome passageiro de Ban, pai de Blodrin, o traidor. 72. (2) Lestense que lutou com seus filhos na Batalha das Lágrimas Inumeráveis. 141, 205, 352, 354, 374

Borosaith "Sempre-faminto", nome de Carcharoth. 135, 203

Brandir, o Coxo 149–51, 212, 357, 358, 370. (Substituiu *Tamar*).

Bregolas Irmão de Barahir. 348–51, 364, 368–71, 389, 390

Bretanha 48, 88, 188, 230; *Ilhas Britânicas* 231. Ver *Leithien*, Lúthien (3).

Brethil, Floresta de 135, 140, 204, 269; *Homens de Brethil* 206–07, *Senhores de Brethil* 378

Bridhil Nome gnômico de Varda. 19, 20–1, 28 (*Briðil*), 27; *Bredhil* 52. Ver *Tim-Bridhil*.

Brilho-élfico Nome de Morwen. 124, 201, 349, 363, 364, 373. Ver *Eledwen*.

Brilthor, Rio 155, 218, 274, 388, 392

Brithombar O mais setentrional Porto da Falas. 191, 270, 272, 319, 327, 340, 347, 357, 367, 380, 385, 388, 393

Brithon, Rio 270, 272

Brodda 38, 142, 145, 147, 151, 209, 211, 357, 377

Bronweg Forma gnômica de *Voronwë*. 9, 44, 46, 81, 82, 86, 162, 163, 167–69, 171, 223, 225, 226, 237, 358; substituído por *Bronwë*, 167, 169

Broseliand 32, 65, 94, 122, 123, 125–28, 135, 139, 141–42, 144, 204, 232, 255, 266, 269, 274, 276, 278, 310, 377; *Broceliand* 266; os limites de Broseliand 266. Ver *Broseliand Leste*.

Broseliand Leste 276

Brósings, Colar dos 247; *Brósingas* (ing. ant.), os filhos de Fëanor, 247

Bruithwir Pai de Fëanor nos *Contos Perdidos*. 16. Ver *Felegron*.

Cabed Naeramarth Ravina no Teiglin onde Túrin e Nienor morreram. 230

Calacirya O passo nas Montanhas de Valinor. 192

Caminho Reto *290–91

Camlost "O de Mão-vazia", nome de Beren. 370. (Substituiu *Mablosgen*).

Campo Alagado 399

Campos de Lis, Rio de Lis 244. Ver *Gelion*.

Cântico do Mar de Dias Antigos (poema) 249

Caranthir Filho de Fëanor. 85, 199, 375, 393, 395, 396. (Substituiu *Cranthir*).

ÍNDICE REMISSIVO

Carcharoth 135, 202, 203, 215, 352; formas anteriores *Carcaras* 32–3 ("o Lobo-guardião"), *Carcharas* 132 ("Presa-de-Punhal"), 133–35. *A Caçada ao Lobo* 75, 134

Carpenter, Humphrey Biografia. 249–51

Casa das Cem Chaminés A casa de Gilfanon em Tavrobel. 322

Casadelfos 279–80, *293, 298, 303. Ver *Baía de Casadelfos, Eldaros, Terradelfos*.

Cataclismo, O (A Terra Tornada Redonda) *290–91, 308

Celebrindal "Pé-de-Prata". Ver *Idril*.

Celebrindon Bacia de Prata. 365, 381. (Substituído por *Celebros*.)

Celebros "Prata-de-espuma", "Espuma de Prata", quedas no Taiglin (ver *Bacia de Prata*). 152, 365, 381; posteriormente, *quedas de Celebros* = quedas no afluente Celebros, 213–15, 263

Celegorm (1) = Thingol. 11. (2) Filho de Fëanor; chamado de "o Alvo". 22, 30–5, 56, 66–9, 79, 85, 106, 123, 125, 129–31, 133, 136, 140, 155, 192, 199, 201–02, 204, 209, 220, 248, 267, 270, 272, 315, 319, 329, 347, 350–53, 360, 371, 373, 375, 387, 392; *Celegorn* 140, 209; ing.ant. *Cynegrim Fægerfeax* 248

Celon, Rio 265, 266, 387, 388, 392

Cerco de Angband, Sítio de Angband 31, 65, 69, 70, 123, 124, 197, 201, 348, 349, 367, 374, 386, 388, 390, 396; ing. ant. *Angbandes Ymbsetl* 399

Chalé do Brincar Perdido 51, 93. (Para referências ao Conto, ver *Contos Perdidos*.)

Charneca Alta 306

Cinturão da Terra 314

Círculo do Julgamento O local de concílio dos Valar. 99, 190

Círdan, o Armador 191, 220, 392–93

Cirith Ninniach "Fenda do Arco-íris". 12, 222. Ver *Kirith Helvin*.

Cisne, Casa do 12

Colar dos Anãos (41), 76, 154, 245, 382. Ver *Glingna Nauglir, Nauglafriñg, Nauglamír*.

Contos Perdidos 16, 50–6, 61–3, 73, 77, 83, 87, 90, 93, 188–90, 193–94, 204, 215, 228–29, 257, 263, 265, 279, 296–03, 306, 322, 326. Ver *Livro dos Contos Perdidos*.

O Chalé do Brincar Perdido 189; *Música dos Ainur* 62, 297, 343; *Vinda dos Valar* 51, 62, 96, 302, 344; *Acorrentamento de Melko* 52, 250, 308, 333; *Vinda dos Elfos* 54–5, 257; *Roubo de Melko* 54, 56, 57, 64, 81; *Fuga dos Noldoli* 16, 58, 333; *Conto do Sol e da Lua* 59, 194, 328; *Ocultação de Valinor* 12, 61, 117, 229, 238, 296–97; *Conto de Gilfanon* 512, 15, 54, 63, 64, 68, 69, 70, 79, 194, 199, 277; *Conto de Tinúviel* 54, 62, 67, 69, 219, 265, 325, 340; *Conto de Turambar* 69, 71–2, 74, 90, 206, 210–12, 216, 238, 256, 262–64, 267, 269, 378–80; *A Queda de Gondolin* 9, 11–2, 15, 51, 56, 79, 83, 159, 165, 189, 218, 220, 222, 223, 243, 250–251, 262, 268, 273, 382, 383 (mencionado no *Quenta* 165); *O Nauglafring* 74–9, 83, 85, 171, 217–18, 264, 268, 359, 365, 381, 383; *Epílogo* 306

Côr O monte no qual a cidade de Tûn foi construída (ver 45; a cidade em si 16, 20). 21–3, 25, 28, 29, 46–8, 55, 57, 88, 89, 103–05, 107, 109, 112, 115, 117–19, 154–55, 170–71, 175, 177, 181; *o Passo de Côr* 22, 23, 25, 107, 109, 112, 117; ing.ant. *on munte Côre*, etc. 331, 333. *Côr* > Kôr em todo o *Quenta*, 104, 107, 112, 115, 118–19, 175, 177; outras ocorrências de *Kôr* 10, 13, 55, 61, 64, 83–7, 89, 91, 192, 194, 225–26, 228, 237, 312, 322, 340, 343; *o Passo de Kôr* 61, 192

Coração Escarlate, O Emblema de Turgon. 70

Coração-Pequeno Filho de Bronweg. 86. Ver *Ilfiniol*.

Cornualha 249

Coroa de Ferro de Morgoth 228, 233, 346; ing.ant. *irenhelm, isern helm*, 332

Cortirion Cidade dos Elfos em Tol Eressëa. 50, 93, 188; *Kortirion* 51, 93, 95, 322

Costas de Feéria Ver *Baía de Feéria*.

Cranthir Filho de Fëanor, chamado de "o Moreno". 22, 30, 79, 106, 155, 220, 248, 352, 354, 360, 375–76, 388–89, 392, 396; ing.ant. *Colpegn Nihthelm* 248. (Substituído por *Caranthir*).

406

A FORMAÇÃO DA TERRA-MÉDIA

Cris Ilbranteloth "Garganta do Teto de Arco-Íris", antigo nome de Cirith Ninniach. 222

Cris-Ilfing "Fenda do Arco-íris". 162, 167, 222. (Substituído por *Kirith Helvin*.)

Cristhorn "Fenda das Águias" ("Fenda da Águia" 145). 45, 81, 166, 167, 224, 257, 360. (Substituído por *Kirith-thoronath*.)

Cronologia de Beleriand 373–74, 377–78, 383, 390, 394

Cú nan Eilch Lugar desconhecido. 16, 17

Cuilwarthien A Terra dos Mortos que Vivem. 154, 155, 204, 265 (substituído por *Gwerth-i-cuina*). *Land of the Cuilwarthin* 265, 274. *i•Guilwarthon, i•Cuilwarthon* (nos *Contos Perdidos*) Os Mortos que Vivem de Novo, 204, 265

Cuiviénen 20, 53, 102–03, 324; *Kuiviénen* 103, 284, 302, 324; forma original *Koivië-néni* 302. Ver Água(s) do Despertar.

Cûm an-Idrisaith O Morro da Avareza (no *Conto do Nauglafring*). 75, 217. Ver *Cûm-nan-Arasaith*.

Cûm-na-Dengin O Monte dos Mortos em Dor-na-Fauglith. 364. Ver *Amon Dengin*.

Cûm-nan-Arasaith O Morro da Avareza (no *Quenta*). 217. Ver *Cûm an-Idrisaith*.

Curufin Filho de Fëanor, chamado de "o Matreiro". 22, 30–2, 34–5, 66, 68, 69, 79, 85, 106, 125, 129, 131–32, 133, 135, 136, 140, 155, 201–03, 220, 248, 267, 270, 272, 315, 319, 329, 347, 350–53, 371–73, 375, 387, 392; ing. ant. *Cyrefinn Fácensearo* 248; punhal de Curufin (não nomeado) 132, 203

Dagnir Companheiro de Barahir em Taur-na-Danion. 363, 373. (Substituiu *Dengar*.)

Dagor Aglareb A Batalha Gloriosa. 127, 198, 208, 367, 386, 391, 394–95, 399–400; ing.ant. *Hrépgúþ* 399–400. Ver *Segunda Batalha de Beleriand*.

Dagor Bragollach A Batalha da Chama Repentina. 220. (Substituiu *Dagor Hurbreged*.)

Dagor Dagorath A batalha final, prevista em profecia. 90. Ver Última Batalha (2).

Dagor Hurbreged A Batalha do Fogo Repentino. 363, 371. (Substituído por *Dagor Bragollach*.)

Dagor-os-Giliath A Batalha-sob-as-Estrelas. 310, 316, 330, 346, 362, 390, 394; ing.ant. *Tungolgúð* 332, 333, *gefeoht under steorrum* 397. Forma posterior *Dagor-nuin-Giliath* 330. Ver *Primeira Batalha de Beleriand*.

Daidelos, Daideloth Ver *Dor Daideloth*.

Dairon 133 ("o flautista de Doriath").

Damrod Filho de Fëanor. 22, 30, 56, 85, 106, 154, 171, 174, 225, 248, 274, 276, 278, 361, 382, 388, 392; ing.ant. *Déormód* 248. (Substituído por *Amrod*.)

Dan Líder daqueles Noldoli que abandonaram a Grande Marcha. 318, 329, 325. (Substituído por *Lenwë*.)

Delin Filho de Gelmir. 13–5

Demônio do Escuro Morgoth. 19

Denethor 325, 327, 394. Ver *Denithor*.

Dengar Companheiro de Barahir em Taur-na-Danion. 363, 373. (Substituído por *Dagnir*.)

Denilos Líder dos Elfos-verdes; filho de Dan. 318–19. (Substituído por *Denithor*.)

Denithor 318–19. (Substituiu *Denilos*; substituído por *Denethor*.)

Descampado dos Caçadores 33, 67, 218. Ver *Morros dos Caçadores*.

Despossuídos, Os A Casa de Fëanor. 247, 313, 326, 340, 346, 384; ing.ant. *Erfeloran* (*Ierfe-, Yrfe-*) 338, 340, 399

Deuses 19–29, 35, 48–9, 51–4, 57, 60, 80, 89, 92, 96–100, 102–09, 111–16, 139, 154–55, 163, 168, 170, 172, 173, 175–81, 183, 185–88, 191, 192, 194, 219, 225–28, 234–36, 238, 241, 251, 253, 281–85, 294, 296, 301, 304, 305, 307, 311, 313–20, 322–24, 326–28, 333, 339, 347, 365. *Terra(s) dos Deuses* 21, 96, 103, 104, 116, 154, 155, 163, 219, 284, 308, 333. Ver *Batalha dos Deuses; Poderes, Valar*.

Dias Antigos 92–3, 249, 309, 345, 374, 384

Dimbar Terra entre o Sirion e o Mindeb. 392

Dimlint Desconhecido. 16–7

Dimrost "A Escada Chuvosa", quedas no afluente Celebros. 213–14

407

ÍNDICE REMISSIVO

Dior Chamado de "Herdeiro de Thingol". 41–4, 46–8, 76, 78–9, 83, 85, 119, 154–56, 158, 161, 164, 169, 171, 174, 180, 183, 184, 220, 353, 359–60, 381–83

Díriel Filho de Fëanor. 22, 30, 56, 79, 85, 106, 154, 171, 174, 225, 248, 274, 276, 278, 361, 382, 388, 392; ing.ant. *Tirgeld* 248. (Substituído por *Amras*.)

Dolm, Monte Grande elevação nas Montanhas Azuis. 276, 389, 394

Dolmed, Monte Nome posterior de Monte Dolm, 276

Dor Tathrin Ver *Nan Tathrin*.

Dor-Daideloth A Terra do Terror. 317, 319; substituiu (*Dor-*) *Daidelos* *294–95, 306, 319; substituído por *Dor Daedeloth* 306. (*Daideloth*, *Dor-na-Dhaideloth* em outras aplicações 306; cf. *Gwath-Fuin-daidelos*.)

Dor-lómin (também *Dor-lómen*) 10, 208, 222, 244, 273; equivalente a *Hithlum* 30, 120, 258; "Terra das Sombras" 10, 222, "Terra de Ecos" 222, 244; ing. ant. *Wómanland* 244. *Elmo-de-dragão de Dor-lómin* 208–09

Dor-na-Fauglith 34 ("Planície da Sede"), 35, 37, 70, 72, 120 ("Terra da Sede"), 139, 144, 178, 181, 196, 202, 206, 222, 257, 264, 306 ("Terra da Sede Sufocante"), 354, 362. Ver *Anfauglith*, *Planície Negra, Planície Sedenta*.

Doriath 20, 29, 31–7, 41–3, 62, 67, 69, 71, 74–8, 103, 119, 122, 125, 127–29, 131–34, 136, 139–40, 143–45, 147–48, 152–59, 161, 170–72, 174, 181, 198, 201–02, 204, 209–12, 216–18, 220, 235, 244, 256–57, 263–67, 269, 274, 318, 347–48, 351–52, 355–57, 359–60, 365, 367, 377–79, 381–85, 387, 392; ing.ant. *Ealand*, etc. 245, mas *Doriaþ* nos textos; limites de Doriath 266. Ver *Artanor*.

Doriath além do Sirion 211, 256, 266

Dorthonion 127, 197, 199, 245, 304. (Substituiu *Taur-na-Danion*.)

Dragões (não incluindo referências ao Dragão = Glómund) 338 (*dracos*), 138 (*Serpes de Cobiça*), 185, 186, 349, 350, 362, 389; dragões alados 182, 235

Draugluin 130

Drengist, Estreito de 244–45, 273, 310, 315, 329, 367, 389, 395; ing.ant. *Nearufléot* 244

Duas Árvores 9, 13, 14, 16, 19, 22, 49, 51, 60, 98, 103, 106, 172, 187, 311, 312, 334, 347, 385; ing.ant. þá (Twégen) Béamas 331–32, 336, 338, 397; *Anos das Árvores* 195, 317, 321; as Árvores descritas 19, 98–9; os períodos das Árvores 19, 52, 98–101, 190

Duas Gentes 76, 91, 226, 229, 237, 358, 382; *duas raças* 176 > *duas gentes* 361

Duil Rewinion Os Morros dos Caçadores. 266

Duilwen, Rio 154–55, 218, 274, 276, 278

Dungorthin Ver *Nan Dungorthin*.

Eä O Mundo. 328. Ver *Ilu*.

Eär O Mar. 285; os Mares do Oeste e do Leste chamados de *Eär* no diagrama I do *Ambarkanta*, *287

Eärambar As Muralhas do Mundo. *286–89, 296, 308. (Substituiu *Ilurambar*.)

Eärámë "Ala de Águia", navio de Tuor. 46, 84, 170, 173, 177, 226, 229. (Substituiu *Alqarámë*; substituído por *Eärrámë*.)

Eärendel 44–6, 49, 50, 60, 81, 84–8, 91–2, 119, 162, 164–66, 169–78, 182, 184, 186–88, 196, 223, 225–29, 233–38, 249–51, 257, 282, 296–97, 358, 360–62, 382–83; forma posterior *Eärendil* 227–28. *A Balada de Eärendel* (mencionada no *Quenta*) 170–71, 173, 257; fragmento aliterante 57. Ver *Estrela Vespertina, Estrela Matutina*.

Eärrámë "Ala-do-mar", navio de Tuor. 84, 177, 229. (Substituiu *Eärámë*.)

Easterness [Ouriente] Ver *Terra do Leste*.

Ecthelion da Fonte Um senhor de Gondolin. 165, 224, 360

Edain 395

Eglahir, Rio = *Eglor*. 270

Eglamar = *Eldamar*. 87

Eglarest 191, 270, 363, 365, 390. Ver *Eglorest*.

Eglor, Rio 270, 387, 392. (Substituiu *Eldor*; substituído por *Nenning*.) Ver *Eglahir*.

Eglorest O mais meridional Porto da Falas. 270, 319, 340, 363, 365, 367,

A FORMAÇÃO DA TERRA-MÉDIA

380, 383, 386, 387, 388, 390, 393.
(Substituiu *Eldorest* e *Eglarest*, embora
Eglarest tenha se tornado a forma final.)
Egnor (1) Pai de Beren nos *Contos
Perdidos*. 66, 370. (2) Filho de Finrod
(1) = Finarfin. 58, 193, 198, 212, 227,
248, 249, 309, 328; ing.ant. *Eangrim*
248
Eiglir Engrin As Montanhas de Ferro.
256. Ver *Aiglir Angrin*.
Eithel Ivrin 379. Ver *Ivrineithil*.
Eithel Sirion 70, 371, 374, 387, 390;
Eithyl Sirion 363, 374. Ver *Nascente do
Sirion*.
Elbereth e *Elboron* Filhos de Dior,
Herdeiro de Thingol. 360, 382.
(Substituídos por *Eldún* e *Elrún*.)
Eldalië 20, 28–9, 102 (*o povo dos Elfos*),
104, 107, 118, 119, 124, 186, 393
Eldamar 303. Ver *Eglamar*.
Eldar 20–3, 29, 34, 35, 52, 53, 55, 58,
62, 63, 71, 83, 89, 91, 95, 96, 100,
103, 104, 106, 108, 118–19, 123,
127, 138, 191, 195, 303, 324, 340,
395; *os Eldar ou Elfos* 20, 96, *Eldar, a
quem chamamos de Elfos* 100. Quanto
ao nome *Eldar*, ver 53, 100, 191, 324;
e ver *Elfos*.
Eldaros "Casadelfos". *293, 303
Eldor, Rio 270, 272, 392. (Substituído
por *Eglor, Eglahir, Nenning*.)
Eldorest O mais meridional Porto da
Falas. 270, 327, 347, 357, 361, 363,
365, 367, 380, 383. (Substituído
por *Eglarest, Eglorest*.) Ver *Batalha de
Eldorest*.
Eldún e *Elrún* Filhos de Dior. 156, 220,
382. (Substituíram *Elbereth* e *Elboron*;
substituídos por *Eluréd* e *Elurín*.)
Eledwen Nome de Morwen. 363, 373.
Ver *Brilho-élfico*.
Elenarda "Reino Estelar", nome de
Ilmen.*285–86, 298
Elerrína "Coroada de Estrelas", nome de
Taniquetil. 190. Ver *Tinwenairin*.
Élfico Como nome do idioma (por
oposição a "gnômico") 19.
Elfinesse 44, 45, 164, 169, 174, 180, 184
Elfos Referências selecionadas (ver
também *Eldar*). Elfos "propriamente
ditos" (a Primeira Gente) 20, 53, 103,
distintos dos Gnomos 98, 190–91;

Elfos que não partiram de Cuiviénen
53–4, 190–91, 324; os "embaixadores"
élficos 54, 190–91, 324; relações com
os Homens, ver verbete *Homens*; união
com Homens 44, 46, 164, 169, 180,
184; estatura de Elfos e Homens 29,
62, 119, 348–49; retorno para o Oeste
48, 88–9, 120, 181, 184, 231, 234,
361; e a Inglaterra 48, 88–9; desvanecer
29, 48–9, 63, 77–8, 88–9, 118–19,
154, 181, 184–87, 195, 219–20, 231,
313–14, 327–28; imortalidade e fado
29–0, 77–8, 119, 313–14, 327–28;
renascimento 29–30, 62, 119; destino
derradeiro 49, 90, 187, 238; língua
élfica em Valinor 96; ing.ant. *Elfe (Ælfe,
Ielfe)* 239, etc., *Wine* 246. Ver *Filhos de
Ilúvatar, Filhos das Estrelas, Primogênitos,
Meio-Elfo(s)*.
Elfos pardos e verdes da floresta 41, 75
Elfos-cinzentos 62
Elfos-da-floresta 347, 386; de Doriath 20,
103, 218
Elfos-da-luz A Primeira Gente dos Elfos.
20, 53, 102, 105, 107, 170, 172, 176,
181, 184, 227, 340, 361–62; ing.ant.
Léohtelfe 337, 340
Elfos-do-mar 20, 53, 103; ing.ant. *sǽelfe*
246. Ver *Ginetes d'Ondas, Solosimpi,
Teleri*.
Elfos-escuros 103, 118, 123–27, 136,
140–41, 167, 179, 181, 183–84, 209,
232, 235, 276–77, 347, 353, 355,
368, 385–88, 392–93; com referência
a Eöl 42–3, 156, 353; élfico-escuro
161, 167; ing.ant. *deorcelfe* 398. Ver
Ilkorins.
Elfos-profundos Os Noldoli. 20, 103, 105;
ing.ant. *déopelfe* 246
Elfos-verdes 318, 319, 326, 364, 365, 375,
388, 394. Ver *Laiqi*.
Ellu Ver *Tinwelint*.
Elmo-de-dragão 208, 209; Elmo de
Gumlin 144
Elrond 46–7, 86, 92, 119, 171, 173–75,
177, 179, 184, 225–27, 232–33,
361–62, 382. Ver *Meio-Elfo(s)*.
Elros 86, 177, 227, 233, 382; *Elros
Tar-Minyatur* 86. Ver *Meio-Elfo(s)*.
Elrún Ver *Eldún*.
Elu Forma gnômica de *Elwë*. 20, 54, 103,
104, 191

409

ÍNDICE REMISSIVO

Eluréd e *Elurín* Filhos de Dior. 220. (Substituíram *Eldûn* e *Elrûn*.)

Elwë Líder da Terceira Gente dos Elfos (posteriormente *Olwë*). 20, 54, 103, 104, 107, 312, 325; irmão de Thingol 312; ing.ant. *Elwingas* "povo de Elwë" 246. Ver *Elu, Olwë*.

Elwing 41–2, 44, 46, 47, 49, 83, 85–8, 91, 119, 155, 164, 166, 169–78, 180, 183, 184, 187, 188, 225–26, 228–29, 234, 236–37, 246, 359–61, 382–383; chamada de "a Branca" 359

Endon Ponto central da Terra. *292–93, 300. Ver *Endor*.

Endor Ponto central da Terra (em variação com *Endon*, ver *292). 285–86, *286–89, *292–93, 299; Terra-média 299 (quenya *Endórë*, sindarin *Ennor*, 300).

Ennor Ver *Endor*.

Eöl 42–3, 79, 156, 161, 220, 222, 248, 353, 376; ing.ant. Éor 248

Era Valiana, Ano Valiano Ver 292, 310–11, 318–21, 324–27, 329–30, 362

Erchamion "Uma-Mão", nome de Beren. 219. (Substituiu *Ermabuin*).

Ered Engrin As Montanhas de Ferro (forma final). 256. Ver *Aiglir Angrin*.

Ered Mithrin As Montanhas Cinzentas (distintas das Montanhas Cinzentas do *Ambarkanta*). 302

Eredlindon As Montanhas Azuis. 127, 197, 305, 318, 326, 363, 388–90, 393, 398–99; ing.ant. *Hǽwengebeorg* 398, 399. Ver *Eredluin*.

Eredlómin, Erydlómin (Também *Ered-lómen*, 244). (1) As Montanhas Sombrias (substituído por *Eredwethion*, posteriormente *Eredwethrin*). 222, 258, 262–63, 272, 310, 316, 319, 346–48, 356, 368, 374, 377, 385. (2) As Montanhas Ressoantes. 222, 244, 310, 315, 329; ing.ant. *Wómanbeorgas* 244. Quanto aos diferentes significados e aplicações de *Ered Lómin*, ver 222.

Eredluin, Erydluin As Montanhas Azuis. 127, 139, 141, 199, 218, 230, 274, 277, 394. Ver *Eredlindon*.

Eredwethion, Erydwethion As Montanhas Sombrias (em substituição a *Eredlómin* (1)). 222, 258, 262–63, 272, 310, 316, 319, 346–48, 356, 368, 374, 377, 385; ing.ant. *Scúgebeorg* 397, 399. (Substituído por *Eredwethrin*.)

Eredwethrin As Montanhas Sombrias. 222, 305. (Substituiu *Eredwethion*).

Erellont Companheiro de Eärendel. 228

Eressëa Ver *Tol Eressëa*.

Eriol 50–1, 91, 93, 95, 188, 219, 238–239, 304, 310, 322, 330, 332, 343, 396. Ver *Ælfwine, Leithien, Lúthien* (2).

Ermabuin Ver *Ermabwed*.

Ermabwed "Uma-Mão", nome de Beren. 133, 349, 363; forma posterior *Ermabuin* 363 (substituído por *Erchamion*).

Eru Ilúvatar. 328

Eruman (1) Região ao sul de Taniquetil. 50 (*Erumáni*), *294–95, 307. (2) Região onde os Homens despertaram. 117, 194, 279, 303. (Substituído por *Hildórien*.) (3) Região entre as montanhas e o mar ao norte de Taniquetil. 194, 283, *293–95, 303, 307. (Substituído por *Araman*.)

Erydlómin, Erydluin Ver *Eredlómin, Eredluin*.

Escuridão de Fora 49, 60, 89, 92, 109, 187, 188, 237, 282, 296, 297, 300; *Escuridão Antiga* 98, *Escuridão Sempiterna* 115. Ver *Ava-kúma*, Kúma.

Esgalduin, Rio 122, 197, 244, 256, 258, 263, 264

Espada Negra Nome de Túrin em Nargothrond. 37, 145, 210–211, 356; a espada em si 39, 49, 89, 110, 150, 187, 210, 211, 380. Ver *Gurtholfin, Mormakil*.

Estë Esposa de Lórien. 194, 310, 318, 322–23

Estrada-anânica 153, 155, 257, 265, 266, 276, 278

Estreitos de Gelo *293, 304. Ver *Ponte(s) de Gelo, Gelo Pungente, Helkaraksë*.

Estreitos do Mundo *294–95, 305

Estrela Matutina Eärendel portando a Silmaril. 227

Estrela Vespertina Eärendel portando a Silmaril. 226, 233

Estrelas Referências selecionadas. A Feitura das Estrelas 52, 100, 318–20, 324, 340; perseguição das estrelas por Tilion 116, 194; cursos das estrelas 280, 285, 298 (ver *Elenarda, Tinwë-mallë*).

Ethlon Desconhecido. 16–7

Exeter College, Oxford 249

Fadas 322. *Terra-das-fadas* 106, 107, 113, 177

Failivrin Nome dado a Finduilas. 73, 145, 210, 248; ing.ant. *Fealuléome* 248

Falas 73, 84, 141, 208, 220, 270, 272, 302, 387, 392–93; *Falassë* *293, 302, 392; *Costa do Oeste* 387; Portos da Falas 270, 393. Ver *Brithombar, Eglorest, Eldorest, Portos do Oeste.*

Falasquil Morada de Tuor em uma cava do litoral. 84

Falathar Companheiro de Eärendel. 228

Fangros Lugar desconhecido. 16–7; forma anterior *Fangair* 17

Fanturi Mandos (*Nefantur*) e Lórien (*Olofantur*). 96, 240; forma posterior *Fëanturi* 323

Fanyamar "Morada-das-nuvens", região superior de Vista. 280, 285, *287, 298

Fëanor Chamado de "o Artífice". (*Filhos de Fëanor* possui um verbete separado.) 13–4, 15–7, 21–3, 25–8, 30, 32–3, 35, 41–3, 46, 48, 49, 56–9, 63, 65, 68–70, 79, 85, 88, 92, 105–06, 109, 111–15, 118, 120, 122, 125, 131, 135, 138, 139, 141, 144, 154–56, 158, 161, 166, 168, 171, 173, 174, 180, 183, 187, 192–93, 196, 199, 201, 205, 208, 210, 215, 218, 223, 225, 233, 238, 247, 256, 263, 278, 312–19, 321, 326, 328–330, 340, 346–48, 350, 352–54, 359–60, 367–68, 371, 382, 384, 391, 396; ing.ant. *Finbrós Gimwyrhta* 247, mas nos textos chamado *Féanor* (*se smiþ*); *Casa de Fëanor* 210, 326, 328 (ver *Despossuídos*).

Fëanorianos 58, 65, 68, 70, 79, 85, 193, 199, 215, 218, 223, 225, 321, 328–30, 340, 367, 375, 382, 384, 391, 396; letra fëanoriana 198. Ver *Juramento dos Fëanorianos, Filhos de Fëanor.*

Fëanturi Ver *Fanturi.*

Feéria Ver *Baía de Feéria.*

Felagoth Nome anterior de Felagund. 22, 27, 31–3, 56, 67–8

Felagund 22, 32, 35, 56, 65–9, 106, 113–14, 120, 122–25, 129–31, 133, 136, 140, 198–99, 204–05, 248, 249, 268, 270, 272, 315, 319, 329, 347,

348, 350–52, 358, 367–68, 371, 373, 385–87, 389–90, 392, 393, 397, 398; *Rei de Narog* 387. Ver *Felagoth, Finrod* (2), *Ingoldo, Inglor.*

Felegron Um nome para Bruithwir; também *Felëor.* 16

Fenda do Arco-íris 12, 222. Ver *Glorfalc, Cris Ilbranteloth, Cris-Ilfing, Kirith Helvin, Cirith Ninniach.*

Fengel (1) Bisavô de Tuor em um texto antigo 10–1. (2) Pai de Tuor. 11. (3) Tuor. 11. Ver *Fingolfin.*

Festa da Reunião 65, 199, 367, 391; *Festa do Encontro* 123, 199, 367. Ver *Mereth Aderthad.*

Filhos das Estrelas Os Elfos. 318, 324

Filhos de Fëanor 14, 16, 22, 27, 28, 32, 33, 35, 41–3, 46, 48, 49, 56, 85, 88, 106, 115, 118, 120, 122, 125, 129, 131, 136, 138, 139, 141, 154–56, 158, 166, 168, 171, 173, 174, 205, 208, 233, 247, 256, 263, 278, 315, 329, 347, 348, 350, 354, 359–60, 368, 371, 385, 387, 389, 391, 392. Ver *Brósingas. Despossuídos,* Fëanorianos.

Filhos de Ilúvatar 96, 100; *Mais Velhos* 100, 311 (ing.ant. þá yldran Ealfædres bearn 337), *Mais Novos* 98, 117, 313. *Filhos da Terra* 100, 280; *Mais Novos* 28, 117. *Filhos do Mundo* 96, 154, 175; *Mais Velhos* 170, *Mais Novos* 100, 185–86

Filhos dos Valar 46, 47, 83, 89, 92, 170, 176, 179, 180, 185, 186, 225, 344; *Filhos dos Deuses* 188, 238, 361, 362; ing.ant. *Valabearn* 335, (344)

Fin-golma Nome de Finwë Nólemë. 15

Finarfin Nome posterior de Finrod (1), filho de Finwë. 58, 193, 198, 212, 227, 248, 249, 309, 328

Findor Nome em substituição a *Flinding;* substituído por *Gwindor.* 364, 376

Finduilas Filha de Orodreth. 37–8, 73, 145–47, 151, 210–12, 248, 356–57, 379; ing.ant. *Friþuswiþ* 248. Ver *Failivrin.*

Fingolfin (incluindo referências a seus filhos, casa, povo) 15–7, 21–3, 25–7, 31–2, 34, 42–3, 56, 58, 59, 64–5, 70, 79, 81, 105–06, 109, 112–15, 120, 122, 124–26, 132, 139, 141, 157, 160–61, 193, 201, 202, 208–09,

ÍNDICE REMISSIVO

248, 313–17, 319, 321, 329, 330, 338, 346–51, 360, 367, 368, 370–71, 385–87, 389–92, 396–99; *Rei de Hithlum* 387, *Senhor da Falas* 387, 392; o marco de Fingolfin 43, 157, 360, *Monte de Fingolfin* 126; ing.ant. *Fingold Fengel* 248 (mas *Fingolfin* nos textos). Ver *Golfin*.

Fingon 17, 56, 58, 64, 69–70, 107, 115, 122, 128, 140–41, 192, 197, 205–08, 248, 329, 347–48, 350–55, 368, 376, 385, 387, 389, 390, 394–95, 397; ing. ant. *Finbrand* 248, 395 (mas *Fingon* 397), seu filho *Fingár* 248. (Substituiu *Finweg*.)

Finn Forma gnômica de *Finwë*. 20–4, 26, 54, 103–05, 107, 109–11, 113, 115, 121, 122, 191–92, 247; ing.ant. *Finningas* "povo de Finn" 246–47

Finrod (1) Terceiro filho de Finwë; posteriormente *Finarfin*. 22, 26, 27, 31, 32, 56, 58, 61, 105, 106, 113–15, 122, 124, 125, 131, 133, 147, 158, 192–93, 198, 212, 227, 248, 249, 309, 313, 315–16, 319, 328, 329, 338, 343, 346–47, 350, 362, 368, 384–87, 398. Filho(s) de, casa de, povo de Finrod 27, 114, 122, 131, 133, 158, 192, 347, 350, 385, 386; ing.ant. *Finred Felanóp* 248 (mas *Finrod* nos textos). (2) Finrod Felagund, filho de Finarfin: nome posterior de Inglor Felagund. 198, 249, 392

Finwë 15, 17, 20, 26, 56, 70, 103, 107, 111, 112, 115, 122, 192, 227, 247, 249, 313, 318, 326, 328; *Finwë Nólemë* 15, 58. Um quarto filho de Finwë, ing.ant. *Finrún Felageómor* 249. Ver *Fingolma, Finn*.

Finweg Nome anterior de Fingon (também *Finnweg* 22, 23). 16–7, 22, 25–6, 30–2, 34–5, 56, 58, 69–70, 106, 107, 113, 115, 120–22, 126, 128, 136–40, 192, 196–97, 205–07, 248, 257, 368

Fionwë 46–9, 83–4, 87–90, 170, 176, 178–87, 225, 227, 232–35, 238, 361–62, 383; *Fionwë Úrion* 90

Fiorde da Sereia 84

Flautistas das Terras Costeiras Ver *Solosimpi*.

Flend, Rio Nome anterior de Gelion. 155, 218, 244, 273, 274, 276–77

Flinding Nome anterior de Gwindor de Nargothrond. 36–8, 70, 72–3, 136–37, 141, 143–46, 151, 205, 206, 210–11, 223, 257, 262, 354, 356–57, 364, 365, 376, 381. Ver *Findor*.

Flor Dourada de Gondolin Ver *Glorfindel*.

Floresta da Noite Taur-na-Fuin. 206, 351

Floresta Velha 245

Foice dos Deuses A constelação da Grande Ursa. 100, 191, 311, 318–20, 324; ing. ant. *Godasicol* 337

Forasteiros, Homens de Fora 142, 209

Formen Norte. *288–89, *292–93, 300. (Substituiu *Tormen*.)

Formenos 58, 192, 326

Fôs'Almir O Banho de Chamas. 238

Fratricídio, O 84, 193, 314, 315, 328, e ver *Porto-cisne*.

Fruto do Meio-Dia 59

Fuga dos Noldoli (poema aliterante) 51–2, 54, 56–8, 188, 193, 201, 321, 329, 333; *a canção da Fuga dos Gnomos*, mencionada no *Quenta*, 114, 193

Fui 79; *Fui Nienna* 194

Fuilin (Mencionado apenas como o pai de Flinding) 36, 136, 143, 144, 146, 151, 205, 354, 356, 364, 365, 376. (Substituído por *Guilin*.)

Galadriel 58, 212, 225

Galdor Pai de Húrin e Huor. 200, 374. (Substituiu *Gumlin* (2).)

Gandalf 90

Garsecg (inglês antigo) Ver *Belegar*. *Garsecges fréa*, Ulmo, 231

Geleidhian Beleriand (Broseliand), "o reino dos Gnomos". 127, 128, 135, 198, 204, 255, 266, 269, 277; grafia anterior *Geleithian* 127

Gelion, Rio 155, 204, 218, 244, 265–66, 273, 276–78, 305, 306, 388, 389, 392, 393; *Grande Gelion* 277; ing.ant. *Gleden* 244. (Substituiu *Flend*.)

Gelmir (1) Rei dos Gnomos 12–6. (2) Irmão de Gwindor de Nargothrond. 206

Gelo Pungente (Também *o Gelo*). 24, 25, 26, 30, 33, 58, 59, 67, 111, 113, 115, 120, 193, 347, 367, 385. Ver *Ponte(s) de Gelo, Estreitos de Gelo, Helkaraksë*.

A FORMAÇÃO DA TERRA-MÉDIA

Gilfanon (1) Elfo de Alqualondë. 16–7.
(2) Gilfanon de Tavrobel. 17, 322. Para
referências ao *Conto de Gilfanon*, ver
Contos Perdidos.

Ginetes d'Ondas 16, 105, 112, 193, 325.
Ver *Elfos-do-mar, Solosimpi, Teleri.*

Ginglith, Rio 211, 256, 258, 380

Glamhoth "Povo do Ódio", Orques. 15,
20, 100

Glaurung Nome final do grande Dragão.
73, 205, 212, 371, 380; *a serpe dourada
de Angband* 208. Ver *Glómund.*

Glingna Nauglir O Colar dos Anãos. 41

Glingol Nome gnômico da Árvore
Dourada de Valinor. 98, 100, 189, 245,
333; ing.ant. *Glengold* 245, 333; forma
posterior *Glingal* 189, 190

Glómund Nome do grande Dragão
no *Quenta* e nos *Anais de Beleriand*;
chamado de "o Dourado", "Pai de
Dragões", "o Primeiro dos Dragões".
40–1, 73, 127, 138, 145, 146, 148–52,
201, 208, 212–13, 350, 354, 357–58,
371, 377, 380, 389–90, 395; imagem
no Elmo de Gumlin 144; outras
referências 211, 215, 377. Ver *Glórund,
Glórung, Glaurung.*

Glorfalc "Fenda Dourada", antigo nome
de Cirith Ninniach. 222

Glorfindel Senhor da Casa da Flor
Dourada de Gondolin. 166, 224, 360

Glórund Nome do grande Dragão nos
Contos Perdidos. 41, 73, 213

Glórung Nome do grande Dragão no
"Esboço". 41, 73

Gnomos Referências selecionadas (ver
também *Noldoli*). O nome *Gnomo* 102,
105, 124, 127, 199; descritos 102;
seus cavalos em Bladorion 387, 391;
relações com os Anãos 123, 127, 199,
388, 394; alguns permaneceram em
Valinor 113, 170, 176, 225; retorno ao
Oeste 181, 184, 235, 362, e a Valinor
181, 184; Gnomos-servos 127, 137,
141; aqueles que permaneceram livres
no fim 362, 382; *Reino dos Gnomos* 127
(*Geleidhian*), 198 (*Ingolondë*).
Referências (nos textos) à fala gnômica:
10, 19, 96–100, 102–03, 105, 120,
123, 127, 147, 269, 386; ing.ant.
noldelfisc (gereord) 335, 336, *noldisc* 397.
Ver *Noldorin.*

Gobelins Orques (ver 100). 20, 100

Golfin Nome mais antigo de Fingolfin.
13–5

Golodh Equivalente sindarin do quenya
Noldo. 198. *Golodhinand*, nome
rejeitado de Beleriand. 198

Gondolin 11–2, 15, 22, 43–7, 51, 56,
59, 68, 70–1, 79–83, 85, 91, 106,
120, 126, 135, 140, 153, 156–72,
174, 184, 189–90, 197, 204, 206,
207, 218, 220–24, 243–44, 250–51,
255, 257–58, 262, 268, 269, 273,
305, 310, 322, 330, 332, 333, 342,
348, 350–51, 335–53, 358, 360, 367,
371–72, 375, 376, 380–84, 386, 387,
389, 391; ing.ant. *Stángaldorburg*, etc.
333, mas *Gondolin(d), Gondoelin* nos
textos. Descoberta de Gondolin 42, 71,
156; história posterior de sua fundação
140, 158, 207, 221, 348, 368, 386–88;
cidade de sete nomes 163, 168; a grande
praça de Gondolin 45, 163

Gondolindrim O povo de Gondolin. 220

Gondothlim O povo de Gondolin. 82

Gorlim Companheiro e traidor de Barahir.
351, 363, 373

Gothmog Senhor ou capitão de Balrogs.
30, 63, 120, 165, 207, 316, 346, 360,
376, 385

gótico 244, 333

Grande Batalha No fim da Primeira Era.
181, 188, 296, 298, 362, 384. Ver
Última Batalha (1).

Grande Fim 90; *o Fim* 90, 92, 171, 186;
Grande Vindita 90

Grande Golfo *294–95, 304, 305

Grande Marcha A grande jornada dos
Elfos a partir de Kuiviénen. 20, 54, 102.
Ver *Marcha dos Elfos.*

Grande Ursa 191. Ver *Urze Ardente, Sete
Estrelas, Foice dos Deuses.*

Grande(s) Mar(es) 54, 229, 241, 243,
*294–96, 304–05, 307, 312, 315, 347,
385. Ver *Belegar, Mar(es) do Oeste.*

Grandes Terras 12, 15, 22, 52, 53, 83, 88,
89, 92, 193, 195, 227, 265, 274, 277,
322; *a grande terra* 282; *Grandes Terras
do Leste* 265, 274, 277

Grond A grande maça Morgoth. 126

Guerra dos Deuses Ver *Batalha dos Deuses;
Guerra da Ira*, ver *Batalha da Ira e do
Trovão.*

ÍNDICE REMISSIVO

Guilin (Mencionado apenas como o pai de Gwindor) 140–41, 144, 151, 206, 364, 365, 376. (Substituiu *Fuilin*.)

Gumlin (1) O mais velho dos guardiões de Túrin na jornada até Doriath. 71. (Substituído por *Mailgond*.) (2) Filho de Hador e pai de Húrin e Huor. 31–3, 65, 123–24, 127, 138, 144, 147, 200, 349–52, 363, 364, 369, 374; *Elmo de Gumlin* 144. (Substituído por *Galdor*.)

Gundor Filho de Hador e irmão de Gumlin (2). 127, 200, 232, 349, 350, 369, 370, 371

Gurtholfin "Vara da Morte", espada de Túrin. 39–40, 150–51, 214, 358; *Gurtholfir* 40

Gwath-Fuin-daidelos "Sombra Mortal da Noite", Taur-na-Fuin. 363. (Substituiu *Math-Fuin-delos*.)

Gwedheling Nome de Melian no *Conto de Turambar*. 72

Gwendelin Nome de Melian no *Conto do Nauglafring*. 76

Gwerth-i-cuina (Também *Gwairth-*, *Gweirth-* 277.) Os Mortos que Vivem de Novo, e sua terra. 135, 155, 204, 265, 278

Gwindor de Nargothrond 72, 141, 144, 151, 206–07, 365, 379, 381. (Substituiu *Flinding*.)

Hador Chamado de "o Alto" e "o de Cabelos Dourados". (Também *Hádor*: ver 370.) Referências incluem aquelas à casa, filho(s), povo, etc. de Hador. 123–27, 138, 147, 158, 179, 199–201, 208, 212, 232, 235, 370, 372; o povo descrito 348, 370

Haladin Nome posterior para o Povo de Haleth. 200, 395

Haleth (1) Originalmente o filho de Hador, posteriormente um dos Pais de Homens (ver 175, 317); chamado de "o Caçador" (108, 175). Referências incluem aquelas ao povo de Haleth. 123, 127, 140, 147, 200, 206, 212, 348–51, 353–55, 357, 363, 370, 372, 374, 376, 379, 390, 395; o povo descrito 348, 370. Ver *Homens-da-floresta*. (2) A Senhora Haleth. 200

Halmir (1) Filho de Orodreth, enforcado por Orques. 365, 378. (2) (posteriormente) Senhor do Povo de Haleth na época da União de Maidros. 206, 378

Halog O mais novo dos guardiões de Túrin na jornada até Doriath. 35, 71, 209

Handir Pai de Brandir, o Coxo; no *Quenta*, filho de Haleth (149), mas nos *Anais de Beleriand*, filho de Hundor, filho de Haleth. 149, 212, 349, 355, 357, 363, 369, 370, 379

Harmen Sul. *288–89, *292–93, 299–300. (Substituído por *Hyarmen*.)

Helkar Originalmente o pilar da Lamparina Meridional, 301; no *Ambarkanta*, a Lamparina Setentrional, que se tornou o Mar Interior, 284, *293, 301, 303, 304; grafia posterior *Helcar*, o Mar Interior, 302, 305. Ver *Illuin*.

Helkaraksë Originalmente a Presa-de-Gelo (170), subsequentemente o Estreito do Gelo Pungente. 113, 193, 270, *293–95, 307, 315, 316, 329; grafia posterior *Helcaraxë* 299, 304; ing.ant. Ísgegrind 397, 399. Ver *Ponte(s) de Gelo*, *Gelo Pungente*, *Estreitos de Gelo*.

Heorrenda Filho de Eriol. 93

Hildor Os Que Vêm Depois, Homens. 303

Hildórien A terra onde os primeiros Homens despertaram. 194, 279, 284, 303. Ver *Eruman* (2).

Himlad Terra entre os rios Aros e Celon. 392

Himling, Colina de 122, 125, 128, 131, 135, 136, 139, 140, 197, 266, 278, 348, 352, 368, 387; os passos a leste 350, 371; ilha de Himling 230; forma posterior *Himring* 70, 128, 135, 140, 230

Hisilómë 10, 30, 64, 120, 222, 257, 258; traduzido "Bruma do Crepúsculo" 10, "Terra da Bruma" 120, 126, 348, 368. Ver *Aryador, Dor-lómin, Hithlum*.

Histórias, As 284

Hithaeglir As Montanhas Nevoentas. 302

Hithlum 30–6, 38, 43, 44, 48, 64, 65, 70, 71, 73, 74, 76, 77, 79, 80, 82, 120–27, 136–42, 146–47, 151, 158,

A FORMAÇÃO DA TERRA-MÉDIA

159, 161–63, 167, 172, 178, 181, 182, 185, 201, 206–08, 212, 222–23, 235, 244, 257–258, 262, 272, 294, 304–06, 315, 329, 348–49, 351, 352, 354–57, 365, 366–68, 377, 380, 387, 389, 391, 392; ing.ant. *Hasuglóm, Hasuland* 244; *Hithlum* equivalente a Dor-lómin 30, 120, 258. Ver *Aryador, Dor-lómin, Hisilómë.*

Homens Referências selecionadas. Despertar 117, 317; Homens corrompidos por Morgoth 34, 205, 234, 277, por Thû/Sauron 49, 186, 188; dispersão na Terra-média 31, 65, 118, 123, 199; Homens infiéis em Hithlum 44, 71, 82, 139, 142, 161–62, 223–24, arrependimento dos 172, 182, 185, 234; relações com Elfos 24–5, 28–9, 34, 41, 48–9, 78, 108, 118–19, 124, 138, 154, 168, 185–86, 195, 350; união com Elfos, ver verbete *Elfos;* estatura 29, 62, 119; profecias de Ulmo acerca dos 44, 61, 80, 117, 163, 167–68, 172–73, 182, 234, 351, 372; Amigos-dos-Elfos com permissão para partir para o Oeste 179, 232, 234; destino dos Homens 29–30, 49, 62–3, 119, 155, 187, 220; ing.ant. *Fíras* 240, 241, 246, *Elde (Ælde)* 241, 246. Ver *Lestenses, Homens Tisnados, Hildor.*

Homens Tisnados 138, 140, 141, 352 (descritos), 374. Ver *Lestenses, Forasteiros.*

Homens-da-floresta, Povo-da-floresta Povo de Túrin nas matas em redor do Taiglin. 39, 73, 147, 149, 150, 211–13, 264, 269, 357–58; *Homens dos Bosques* 354, 376

Hora Inicial, Hora de Início (quando Silpion brilhou sozinha) 99, 189

Huan 32–3, 68, 75, 130–35, 143, 158, 192, 202, 204, 255, 258, 267, 352; *senhor dos cães* 32; sua fala 132, 135

Hundor Filho de Haleth e pai de Handir. 349, 353–55, 363, 369–70, 376; ver especialmente 370

Huor 32, 43, 47, 65, 82, 124, 127, 136, 138, 140, 142, 161, 200, 207, 209, 221, 349, 353, 355, 364, 369, 372, 376

Húrin (incluindo referências aos Filhos de Húrin) 17–9, 31–6, 40, 42, 43, 46, 47, 49, 52, 53, 55–6, 64–8, 70–2, 74,

78, 124, 127, 136–43, 152, 156, 161, 167, 168, 187, 195–97, 200, 206–09, 212, 216–17, 221, 230, 251, 255–58, 262–65, 267, 268, 273, 274, 306, 349–56, 358–59, 363–64, 370–72, 376–79, 381; forma original Úrin 68, 216

Hyarmen Sul. *288–89, *292–93, 300. (Substituiu *Harmen.*)

Hyarmentir A montanha mais elevada ao sul de Taniquetil. 57; não nomeada 24

i•Cuilwarthon, i•Guilwarthon Ver *Cuilwarthien.*

Ialassë "Brancura Sempiterna", Taniquetil. 99, 190; forma posterior *Oiolossë* 190. Ver *Amon Uilas.*

Idril Esposa de Tuor, mãe de Eärendel; chamada de "a que enxerga longe" e *Celebrindal* "Pé-de-Prata" (ver 163, 169). 44–6, 82–4, 163–65, 169–70, 173, 184, 224, 248, 322, 358, 360, 381, 383; ing.ant. *Ideshild Silfrenfót* 248

Ifan Belaurin Ver *Belaurin.*

Ilfiniol Coração-Pequeno, filho de Bronweg. 9

Ilha das Aves Marinhas 85–6; a torre na ilha 86

Ilha de Balar Ver *Balar.*

Ilha do Mago 202. Ver *Ilha dos Lobisomens, Tol-na-Gaurhoth, Tol Sirion.*

Ilha dos Lobisomens 258, 262, 363, 372. Ver *Tol-na-Gaurhoth.*

Ilha Solitária 8, 21, 28, 47–8, 50, 88, 95, 105, 117, 171, 175–181, 184, 188, 229, 333. Ver *Tol Eressëa.*

Ilhas do Crepúsculo 51, 303

Ilhas Encantadas 177, 229, (em substituição a *Ilhas Mágicas*); *293, 303–04 ("*Ilhas Encantadas ou Mágicas*"); 304

Ilhas Mágicas 28, 47, 117, 171, 175, 177, 229, 303. Ver *Ilhas Encantadas.*

Ilhas Ocidentais 181, (198), 230, 231

Ilhas sem Angras 303

Ilhas Sombrias *293, 303

Ilinsor Timoneiro da Lua. 59, 90, 194. Ver *Tilion.*

Ilkorin(s), Ilkorindi Elfos que "não eram de Kôr". 20, 28–9, 31–4, 43, 48, 53, 54, 62, 64–6, 70, 88, 89, 103, 118–19,

415

124, 135, 142, 199, 235, 274, 277. Ver *Elfos-escuros*.

Illuin Nome final da Lamparina Setentrional. 302. Ver *Helkar*.

Ilma Forma anterior de *Ilmen*, sendo este em substituição a *Silma*. 284–85, *286, *288, *292

Ilmen "Lugar de Luz" (285), o ar do meio (em substituição a *Ilma*). 280–81, 285, *286–87, *291, 298–99; *Abismo de Ilmen (Ilma)* 280–84, *292–93, 299, 304–06. Ver *Elenarda, Tinwë-mallë; Ilwë*.

Ilmen-assa O Abismo de Ilmen. 284

Ilu O Mundo. 285, 286, 296

Ilurambar As Muralhas do Mundo. 280, 285–86, 288, 296. (Substituído por *Eärambar*.)

Ilúvatar 16, 95–8, 100, 102, 108, 117, 119, 182, 238, 310–11, 313, 323, 342, 344. Ver *Pai-de-Tudo, Eru, Filhos de Ilúvatar*.

Ilwë Na cosmologia original, o ar do meio que sopra entre as estrelas. 296, 298. Ver *Ilmen*.

Indor Pai de Peleg, pai de Tuor. 10–1

Indrafangs Os Anãos Barbas-longas de Nogrod. 123, 199

Ing (1) Rei de Luthany. 92. (2) Forma gnômica de *Ingwë*. 20, 54, 102, 107, 111, 115, 170, 176, 178, 191–92, 227, 247; a torre de Ing 25, 105, 107, 109, 191–92; ing.ant. *Ingwine*, a Primeira Gente, 246

Ingársecg Ver *Belegar*.

Ingil Filho de Inwë nos *Contos Perdidos*. 89, 92, 227; torre de Ingil 227. Ver *Ingwiel*.

Inglaterra 48, 88–9, 92, 198, 230–32, 241, 304. Ver *Leithien*, Lúthien (3).

inglês (idioma) 269; ing.ant. *Englisc* 335, 397, 399. Ver *inglês antigo*.

inglês antigo (incluindo todos os nomes em ing.ant. e passagens relacionadas) 41, 189, 238–39, 241–43, 246–47, 249, 273, 308, 310, 322, 326, 329, 330, 333–34, 339–44, 362, 363, 368, 378, 381, 390, 395–96, 399–400

Inglor Nome "verdadeiro" posterior de Felagund (substituído por *Finrod* (2)). 249, 398, 400; ing.ant. *Ingláf Felahrór* 248–49, 400. Ver *Ingoldo*.

Ingoldo Nome materno de Finrod Felagund. 198

Ingolondë Beleriand, "o reino dos Gnomos". 127, 198

Ingwaiwar Ver 92.

Ingwë (1) Rei de Luthany. 92. (2) Senhor da Primeira Gente dos Elfos (*Inwë* dos *Contos Perdidos*). 20, 54, 102, 107, 111, 115, 170, 176, 178, 191–92, 227, 247; a torre de Ing 25, 105, 107, 109, 191–92; a torre de Ingwë 107, 191–92

Ingwiel Filho de Ingwë, líder da Primeira Gente na Batalha de Eldorest (> Eglorest). 178, 227, 365, 383. Ver *Ingil, Ingwil* (2).

Ingwil (1) Rio que conflui com o Narog em Nargothrond. 267. (2) Forma anterior de *Ingwiel*. 365, 383

Inimigo, O Morgoth. 185, 235, 277

Inwë Rei dos Eldar de Kôr nos *Contos Perdidos*. 54, 89, 227. Ver *Ingwë* (2).

Ior (1) Ilúvatar? 12, 16. (2) Nome gnômico de Ivárë. 16

Ireland 231

Irtinsa, Lago 59

Isfin Irmã Turgon, mãe de Meglin; chamada de "a Branca" (106) e "a de mãos brancas" (156). 15, 22, 42, 43, 79, 106, 156, 161, 220, 222, 248, 353, 376; ing.ant. *Finhwít* 248. Ver *Aredhel*.

Ivárë Menestrel dos Elfos. 16. Ver *Ior* (2).

Ivrin, Lago 37, 144, 199, 210, 258, 262, 356, 365, 379, 380; *Lagoas de Ivrin* 199; *Nascente do Ivrin*, ver *Ivrineithil*.

Ivrineithil 365, 379; *Nascente do Ivrin* 356, 365. Ver *Eithel Ivrin*.

Juramento dos Fëanorianos 27, 28, 31, 33, 48, 57, 61, 85, 92, 113, 118, 129, 136, 166, 171–75, 180, 183, 193, 233, 314–16, 360, 382

Kalormë Grande montanha no extremo Leste. 300

Kirith Helvin "Fenda do Arco-íris". 167, 222. (Substituiu *Cris-Ilfing*, substituído por *Cirith Ninniach*.)

Kirith-thoronath "Fenda das Águias". 167, 224. (Substituiu *Cristhorn*.)

Koivië-néni Ver *Cuiviénen*.

Kópas Alqaluntë "Porto das Naus-cisne". 333. Ver *Alqualondë*.

Kôr Ver *Côr*.

A FORMAÇÃO DA TERRA-MÉDIA

Koreldar Elfos de Kôr. 29, 62
Kortirion Ver *Cortirion.*
Kuiviénen Ver *Cuiviénen.*
Kúma O Vazio, a Escuridão de Fora. 282, 285, 286, 296. Ver *Avakúma.*

Ladwen-na-Dhaideloth 306
Laiqi, Laiqeldar Os Elfos-verdes. 318, 326; forma posterior *Laiquendi* 326
Lamparinas, As 16, 29–30, 51, 52, 54, 97, 100, 114, 193, 283, 301, 302, 311, 318, 366; ing.ant. *Blácern*, Léohtfatu, 331, 332, 336. Ver *Helkar, Illuin, Ringil.*
Laurelin 27, 59–60, 91, 98, 100, 101, 110, 116, 194, 245, 281, 282, 301, 317, 331, 333; ing.ant. *Goldléop* 331, 333. Ver *Glingol.*
Leeds, Universidade de 50, 255
Legolin, Rio 155, 278. (Substituiu *Loeglin.*)
Leithien "Bretanha ou Inglaterra" (48). 448, 50, 88, 92, 184, 188, 230–31, 304; *Eriol de Leithien* 93, 95, 219, 239, 310; *Leithian* 88. Ver *Lúthien* (3).
Lenda volsunga 215
Lenwë Líder daqueles Teleri que abandonaram a Grande Marcha. 325. (Substituiu *Dan.*)
Lestenses 11, 141, 205, 209, 374, 377. Ver *Forasteiros, Homens Tisnados.*
Lindar A Primeira Gente dos Elfos. 104, 107, 111, 115, 191, 318–19, 325, 340. (Substituiu *Quendi* (2), substituído por *Vanyar.*)
Lindon 230
Linwë Ver *Tinwelint.*
Livro dos Contos Perdidos Escrito por Eriol (fonte do *Quenta*). 93, 95, 219
Livro Dourado 93, 95, 322. Ver *Parma Kuluina.*
Loeglin, Rio 155, 218, 276, 278. (Substituído por *Legolin.*)
Lórien 20, 59, 96, 103, 116, 194, 240, 242, 310, 322, 323, 335, 336, 340–42; ing.ant. *Swefnfréa* 242, mas *Lórien* (gen. *Lóriendes*) nos textos; *Deus dos Sonhos* 103. Ver *Olofantur.*
Lua, A Referências selecionadas. Feitura da 28, 59, 116; nau da 28, 59, 298, ilha da 116, 194; curso da 28, 59, 116, 187, 193–94, 280–81, 285, 298–99;

primeiro Nascer da Lua 30, 317, 319; profecias acerca da 60, 90–1, 117, 187, 238; "Lua mágica" 28, 59, 117; a Lua e Eärendel 47, 49, 86–7, 172, 186, 225, 228, 236–37; *Canção do Sol e da Lua* 116, 193. Ver *Rána.*
Luthany 88, 92, 196
Lúthien (1) Filho de Gelmir (em substituição a *Oleg*). 12–5. (2) Eriol. 14. (3) "Bretanha ou Inglaterra" (48). 48, 88, 230. Ver *Leithien.* (4) Filha de Thingol. 32, 88, 128, 184, 364; *a gesta de Beren e Lúthien* 352; o destino de Lúthien 204. Ver *Balada de Leithian, Tinúviel.*

Mablon, o Ilkorin 70
Mablosgen "O de Mão-vazia", nome de Beren. 363, 370. (Substituído por *Camlost.*)
Mablung Chamado de "Mão-Pesada" (133). 133–34, 136, 204, 212, 215 ("com mão pesada").
Maedhros Ver *Maidros.*
Maeglin Ver *Meglin.*
Maglor (1) = Beren. 11. (2) Filho de Fëanor. 11, 22, 30, 34, 35, 41, 43, 46–8, 79, 85, 88, 92, 106, 133, 135, 171, 174, 176–80, 183–84, 193, 227, 233–34, 248, 305, 361, 383, 383, 392; ing.ant. *Dægmund Swinsere* 248; *Brecha de Maglor* 305, 392
Maidros Filho mais velho de Fëanor; chamado de "o Alto" e "o Canhoto" (298). 22, 30, 34, 35, 46–9, 63–4, 69, 85, 86, 88, 106, 120–21, 135–38, 140–41, 156, 171, 174–76, 178–80, 183, 196–97, 207, 209, 227, 233–34, 237, 238, 247, 316, 321, 330, 346, 347, 350, 352–54, 360–62, 366, 371, 374–76, 382, 383, 385–88, 390–92, 396, 398, nos textos *Maegdros*, etc.; *Marcas de Maidros* 388, 392. Forma posterior *Maedhros* 205, 208, 247, 329. Ver *Russandol, União de Maidros.*
Mailgond O mais velho dos guardiões de Túrin na jornada até Doriath. 35, 71, 209; forma posterior *Mailrond* 71. (Substituiu *Gumlin* (1).)
Makar Vala guerreiro. 13, 16
Mandos (tanto o Vala como a sua morada) 20–3, 26, 29, 33, 41, 52, 55, 59,

417

61–3, 66, 67, 77–8, 86, 96–7, 102, 105, 107, 109, 114–15, 119, 234–35, 254, 187–89, 193–95, 204, 219, 238, 240–42, 297, 310, 314, 321–24, 327–28, 335, 337, 339, 341–43; ing. ant. *Néfréa* 189, 242, mas *Mandos* (gen. *Mandosses*) nos textos, também chamado de *neoærna hláford* e *wælcyriga* 240. Ver *Nefantur, Vefántur; Profecia, Sentença, de Mandos.*

Manwë 12, 17, 19, 21, 25, 27–8, 30, 53, 57, 61, 64, 83–4, 89–90, 96–9, 102, 105–08, 110, 112, 113, 115–17, 121, 172–73, 175–76, 181, 184, 189, 196–97, 226–27, 229, 235, 241, 280, 310, 312, 318, 322–23, 327, 339, 342, 361; ing.ant. *Wolcenfréa* 241, mas *Manwë* nos textos.

Mar de Fora Vaiya. 98, 99, 116, 243, 285, 299

Mar do Leste 283–84, *293, 294, 298, 303, 305; *Mar do Leste* = Mar de Ringil *294–95, 304

Mar Mediterrâneo 305

Mar Negro 305

Mar(es) do Oeste 37, 44, 119, 145, 153, 156, 162, 180, 184, 216, 230, 241, 282–83, 294, 301, 303, 333, 381; ing.ant. *Westsæ* 243, 336. Ver *Belegar, Grande Mar.*

Mar(es) Interior(es) *294–95, 302, 304, 305

Marach Líder da terceira hoste de Homens a entrar em Beleriand. 200

Marcas de Maidros Ver *Maidros.*

Marcha dos Elfos (1) A Grande Jornada a partir de Kuiviénen. *302, 319, 320; ver *Grande Marcha.* (2) A expedição a Valinor. 83, 87, 191

Mares de Dentro Os Grandes Mares do Leste e do Oeste. 280, 298

Mares Divisores 176, 178, 227

Mares Sombrios 21, 28, 105, 117, 171, 175, 229

Marés, As (poema) 250

Martalmar As raízes da Terra. 286, 288, 300. Ver *Raízes-da-Terra, Talmar Ambaren.*

Math-Fuin-delos "Sombra Mortal da Noite", Taur-na-Fuin. 351, 363. (Substituído por *Gwath-Fuin-daidelos.*)

Mavwin 69, 74, 255, 262, 272, 370. (Substituído por *Morwen.*)

Meglin 42–5, 79–80, 82, 156, 161, 163–65, 169, 222–23, 248, 357–58, 360, 383; ing.ant. *Mánfrið* 248; forma posterior *Maeglin* 82, 207, 222, 372

Meio da Terra 283; *Meio-da-Terra* *293, 300. Ver *Endon, Endor.*

Meio-Elfo(s) 86, 92, 173, 177, 179, 184, 185, 232, 361, 362. Ver especialmente 86, 92, e ver *Elrond, Elros.*

Melian 20, 31, 33, 34, 36, 41, 67, 69, 72, 75–7, 103, 119, 125, 128, 129, 134, 136, 143, 147, 153–55, 184, 208, 218–19, 311, 312, 318, 327, 336–37, 339–40, 347, 359; seu poder de proteção sobre Doriath 31, 76–7, 125, 134, 143, 147, 327, 339 (ing.ant.), 352, 359, 387. Ver *Gwedheling, Gwendelin, Wendelin.*

Melko 9–10, 12–3, 15, 16, 51–4, 56, 57, 60, 64, 68–9, 72, 74, 80–3, 85, 87, 90, 92, 96–7, 186–89, 206, 238, 242, 250, 282–85, 296–98, 301–04, 306–08, 310, 318, 323, 332, 333, 335, 340–43, 394, ; ing.ant. *Mánfréa,* etc. 242, *Orgel* 331, 333. Forma posterior *Melkor* 90, 188, 189, 297, 307, 323, 332, 340–42, 394; ing.ant. *Melkor (Melcor)* 332, 341–42

Menegroth 216–17, 318, 327, 363, 386, 390, 394. Ver *Mil Cavernas.*

Mércia 341

Mereth Aderthad 385, 391, 396; ing.ant. *Sibbegemótes fréols* 398. Ver *Festa da Reunião.*

Meril-i-Turinqi A Senhora de Tol Eressëa. 89

Metade Oculta (da Terra) *286–87

Mid-land [Terra-do-meio] *293, *terra do meio* 283–84

Mil Cavernas 20, 31, 36, 41, 72, 75, 103, 143, 152, 153, 212, 217, 256, 257, 265, 327, 351, 359, 381; ing.ant. *þúsend þéostru* 339. Ver *Menegroth.*

Mîm, o Anão 40, 74–7, 152–53, 215–17, 359

Mindeb, Rio 262, 266, 387, 392

Míriel Mãe de Fëanor. 57

Mithrim Lago Mithrim 9–11, 13, 15, 30–1, 44, 63–4, 120–21, 162, 196, 245, 258, 262, 273, 315–17, 319,

321, 329–30, 346–48, 356, 362, 368, 385, 391, 395; a terra de Mithrim 316; ing.ant. *Mistrand* 245, *Mistóra* 245, 395, mas *Miþrim* 397; *Montanhas de Mithrim* 258, 315, 329, *colinas de Mithrim* 273

Moeleg Forma gnômica de *Melko*. 97, 186, 189. (Substituiu *Belcha*.)

Montanha Solitária 333

Montanhas Amarelas 283, *293, 301–02

Montanhas Azuis 123, 127, 139, 141, 152–53, 199, 215, 218, 230, 269, 274, 276–77, 283, 306, 347, 385, 388, 394–95; não mencionadas por nome 65, 155, 179, 183, 229, 232, 354. Ver *Eredlindon, Eredluin*.

Montanhas Cinzentas (1) No *Ambarkanta*. 239, *293, 302. (2) *Ered Mithrin*. 302

Montanhas Circundantes Em redor da planície de Gondolin. 157, 159, 160, 224, 258, 305; *Montanhas de Turgon* 81

Montanhas de Ferro 30, 34, 57, 121, 122, 124, 256, 262, 283, 305, 306, 307; *Montanhas de Morgoth* 348. Ver *Aiglir Angrin*; *Morros Amargos, Montanhas Negras, Torres do Norte*.

Montanhas de Mithrim Ver *Mithrim*; *Montanhas de Morgoth*, ver *Montanhas de Ferro*; *Montanhas de Sombra*, ver *Montanhas Sombrias*.

Montanhas de Terror 67, 135 (mencionadas como *as Montanhas Sombrias* 32, as *Montanhas de Sombra* 128).

Montanhas de Turgon Ver *Turgon*.

Montanhas de Valinor 19, 21, 49, 55, 89, 90, 98, 100, 104, 105, 187, 229, 280, 283, 289, 300, 307, (ing.ant. *micle beorgas* 336); *Montanhas dos Deuses* 105, 109; *Montanhas do Oeste* 27; *montes de Valinor* 9

Montanhas do Leste *286 (Muralhas do Sol); 300 (Montanhas Vermelhas).

Montanhas do Sol Ver *Muralhas do Sol*.

Montanhas do Vento 284

Montanhas Negras As Montanhas de Ferro. 384, 391, 399; ing.ant. *Sweartbeorgas* 399. *A Montanha Negra*, Thangorodrim, 346, 366, 391

Montanhas Nevoentas Ver *Hithaeglir*.

Montanhas Órquicas 272

Montanhas Ressoantes Ver *Eredlómin*.

Montanhas Sombrias, Montanhas de Sombra (1) = Montanhas de Terror. 32, 67, 135. (2) "As montanhas que faziam curva para o Norte nas fronteiras de Hithlum" (122). 35, 67, 73, 125, 126, 147, 157, 222, 258, 262, 263, 272, 310, 316, 319, 346–48, 356, 368, 374, 377, 385. Ver *Eredlómin* (1), *Eredwethion, Eredwethrin*.

Montanhas Vermelhas 283, *293, 301. Ver *Orocarni*.

Monte dos Espiões Próximo a Nargothrond. 148, 212, 267

Monte dos Mortos 167, 222, 257, 355; outras referências 35, 68, 71, 139, 354. Ver *Amon Dengin*, Cûm-na-Dengin.

Morgoth Passim. Ver *Melko(r)*; *Belcha, Bauglir, Moeleg*; *Demônio do Escuro, o Inimigo*.

Mormakil "Espada Negra", Túrin em Nargothrond. 37, 90, 210, 357, 365. *Mormakil* tornou-se a forma em quenya (365); além disso, sucessivas formas gnômicas foram *Mormagli* 210; *Mormaglir* 145, 148, 152, 210, 379; *Mormegil* 210, 357, 365, 379; *Mormael* 365, 379. Ver *Espada Negra*.

Morro da Avareza. Ver Cûm an-Idrisaith e Cûm-nan-Arasaith.

Morros dos Caçadores Os planaltos a oeste do Narog. 67, 265–267, 270, 272. Ver *Duil Rewinion, Descampado dos Caçadores*.

Mortos que Vivem de Novo Ver *Cuilwarthien*.

Morwen 31–2, 35, 36, 38–40, 74, 124, 141–42, 145, 148, 151–52, 201, 208–09, 212, 216, 230, 262, 272, 349, 351, 353, 355, 356–59, 363–364, 368, 373, 377, 378, 381. (Substituiu *Mavwin*.) Ver *Eledwen, Brilho-élfico*.

Mundo, O Como usado explicitamente = terras a leste do Grande Mar, 22, 29, 48, 104, 118, 170, 173, cf. 119 e nota 3, e ver *Terra*. Borda do Mundo 178

Muralha(s) do Mundo 49, 89, 98, 99, 109, 186, 280, 282, 285, 296, 298, 299 (ver *Eärambar, Ilurambar*); a Muralha final 19; *Muralha das Coisas* 296–97 (*Muralha do Leste* 297); *Muralhas da Noite* 297

ÍNDICE REMISSIVO

Muralhas do Sol   Cadeia de montanhas no extremo Leste. 280–81, 283, *293–94, 298, 300; *Montanhas do Sol* *293

Murmenalda   O vale no qual os Homens despertaram pela primeira vez. 194

Música dos Ainur   51. (Para referências ao Conto, ver *Contos Perdidos*.)

Nan Dungorthin   262, 392; *Dungorthin* 262; forma posterior *Nan Dungortheb* 262

Nan Tathrin   44, 80, 267, 269, 347, 385, 399; *Dor Tathrin* 250; ing.ant. *Wiligwangas (Wiligléagas)* 398–99. Ver *Terra dos Salgueiros*.

Nargothrond   31–8, 40, 43, 66–9, 72–5, 125, 129, 131–33, 136–37, 139, 141, 145–49, 151–53, 158, 161, 197, 201, 204–07, 210–11, 215–16, 218, 221, 245, 255, 265, 267–68, 270, 272, 329, 351–59, 363–64, 367, 373375, 378–80, 383, 384, 392, 393; ing.ant. *Hlýdingaburg, Stángaldorburg*, 245; *a cidade oculta* 148; caracteres (escritos) de Nargothrond 40. História posterior de sua fundação 369, 373, 386. 389

Narn i Hîn Húrin   208, 379

Narog, Rio   31–2, 37–40, 72, 73, 125, 131, 136, 140, 144–49, 162, 211–12, 245, 264, 267–68, 272, 306, 347, 348, 357, 359, 368, 373, 380, 386, 387, 392, 398; ing.ant. *Hlýda* 245, mas *be Naroge stréame* 398; Narog como reino 37–8, 131, 136, 140, 145, 148, 268, 272, *Rei de Narog* (Felagund) 387; a ponte sobre o Narog em Nargothrond 40, 72, 148, 211, 357

Narsilion   A Canção do Sol e da Lua. 193

Nascente do Sirion   263, 352, 363, 369, 374, 387. Ver *Eithel Sirion*.

Nascente Sombria   Nascente do Aros e do Esgalduin. 263

Naugladur   Senhor dos Anãos de Nogrod. 75–6, 217

Nauglafring   O Colar dos Anãos. 41–2, 46–7, 74–7, 79, 83, 85, 88, 92, 154–55, 171, 173–74, 177, 199, 217–18, 228, 264, 266, 268, 359, 365, 381, 383; ing.ant. *Dweorgmene* 41, *Sigelmǽrels* 245. Ver *Glingna Nauglir*, *Nauglamír*.

Nauglamír   Forma posterior de *Nauglafring*. 177, 218, 365, 381

Nauglar   Os Anãos. 364. Formas anteriores *Nauglath* 199, *Nauglir* 123, 199, 364; forma final *Naugrim* 199, 394

Nefantur   Mandos. 96–7, 119, 189, 240–42. Ver *Vefántur*.

Neldoreth   A floresta que forma a parte setentrional de Doriath. 327

Nen Girith   "Água do Estremecer", nome dado às quedas da Bacia de Prata (Dimrost). 214–15, 365

Nenning, Rio   Nome posterior do Eldor (Eglor, Eglahir). 73, 270, 272

Nerdanel   Esposa de Fëanor. 247

Nessa   116, 310, 322, 323, 335, 342

Nevrast   272, 305, 380

Nienna   97, 99, 116, 190, 194, 241, 310, 312, 318, 322, 323, 326, 335, 338, 339. Ver *Fui*.

Nienor   36, 38–40, 71, 74, 90, 142, 145, 148–49, 151, 212, 214, 215, 238, 356–58, 364, 377, 378, 383. Ver *Níniel*.

Niniach, Vale de   Local da Batalha das Lágrimas Inumeráveis. 10, 12

Níniel   39–40, 74, 149–51, 213–14, 358; "a Lacrimosa" 39, "Donzela-das-lágrimas" 149

Nirnaith Arnediad   Batalha das Lágrimas Inumeráveis. 141, 364. Nomes anteriores: (*Nirnaith*) *Únoth* 274, 278, 364; *Ornoth* 276, 364; *Irnoth* 364; *Dirnoth* 364

Nogrod   40, 75, 76, 123, 136, 153, 199, 203, 208, 215, 217, 257, 276, 352, 388, 393

Noldolantë   "A Queda dos Noldor", lamento composto por Maglor. 193

Noldoli   16, 17, 20–3, 35, 37, 38, 46, 50–9, 61, 63, 64, 65, 69, 81, 83, 95, 102, 104–09, 111, 114, 117, 124, 125, 177, 188, 191, 193, 201, 234, 246–47, 273, 312–16, 318–19, 321, 326–29, 333, 343, 367, 384, 394; ing.ant. *Noldelfe (Noldielfe)* 332, 337–38, 398 (também *Noldena* pl. gen. 331, 333), *Noldelfaracu* "História dos Noldoli" 334, 335, 339; *Noldelfisc* (ver *Gnomos*). Ver *Elfos-profundos*, *Gnomos, Noldor*.

420

A FORMAÇÃO DA TERRA-MÉDIA

Noldor 7, 12, 53, 55, 59, 61, 64, 70, 80, 83, 87, 189, 193, 197–98, 206, 227, 238, 239, 273, 325, 328–30, 334–35, 341, 343, 393; sing. *Noldo* 198; *maldição dos Noldor* 80

Noldórien Beleriand. 127, 198

Noldorin (1) Nome de Salmar. 83, 87 (2) Adjetivo de *Noldor*. 7, 56, 64, 71, 192, 334, 378; idioma dos Noldor 239

Noldórinan Beleriand. 198. Ver *Noldórien*.

Nóm "Sabedoria", nome dado a Felagund no idioma do povo de Bëor. 199

nórdico antigo 241, 243, 244

Númen Oeste. *287, *293

Númenor 232, 308

Númenóreanos 284, *290–91, 308

Oceano Envolvedor, Oceano Circundante Ver *Vaiya*.

Óin Forma gnômica de *Uinen*. 21–2, 55, 192

Oiolossë Ver *Ialassë*.

Oleg Ver *Lúthien* (1).

Olofantur Lórien. 96, 240

Olwë Senhor dos Teleri. 54. Ver *Elwë*.

Orfalch Echor A grande fenda nas Montanhas Circundantes. 81

Orgof Elfo de Doriath, morto por Túrin. 36, 71, 142, 210, 356, 378

Órion 83, 92. Ver *Telimektar*.

Orocarni As Montanhas Vermelhas.302

Orodreth Segundo rei de Nargothrond, filho de Finrod (1) = Finarfin. 22, 27, 33–5, 37, 56, 58, 69, 72, 106, 113, 122, 125, 129, 131, 136, 140, 145–47, 198, 201, 205, 206, 211, 248, 315, 319, 328, 329, 346–47, 350–52, 356, 362, 365, 367, 371–73, 375, 378, 384, 387, 392; ing.ant. *Ordred* 248, seus filhos *Ordhelm* e *Ordláf* 248, 378

Oromë 310, 20, 24, 52, 53, 96, 97, 100, 102, 106, 110, 116, 130, 191–92, 194, 242, 284, 300, 302, 310–11, 323, 324, 326, 342–44; ing.ant. *Wáðfréa, Huntena fréa* 242 (*Oromë* nos textos); cavalo de Oromë 20, 102. Ver especialmente 343, e ver *Aldaron, Tauros*.

Orques Referências selecionadas. Origem dos Orques 100, 111, 346, 367, 385; "Gobelins" 100; língua dos 123, 126; números dos 354; rindo de Morgoth 132, 203; estrada-órquica de presteza,

ver *Taur-na-Fuin*; ing.ant. *Orcas* 332, 339, etc. Ver *Glamhoth, Gobelins*.

Ossë 21, 22, 51, 54, 55, 92, 96, 104–06, 112, 190, 191, 242, 251–53, 270, 310, 322, 323, 339, 340, 342; ing.ant. *Sæfréa* 242

Ossiriand 127, 135, 155, 197, 204, 218, 266, 270, 277, 278, 306, 318–19, 326, 353, 359, 375, 381, 388; *Ossiriand(e)* nome rejeitado de Beleriand 278; forma anterior *Ossiriath* 278. Ver *Assariad, Terra dos Sete Rios*.

Pai-de-Tudo Ilúvatar. 95, 115, 239, 310, 342; ing.ant. *Ealfæder* 239, 331, 335, 337, 344, *Allfeder* 341

Pai(s) de Homens 349, 370; *as três Casas dos Pais de Homens* 185, 235

Palisor Região das Grandes Terras onde os Homens despertaram pela primeira vez. 194, 302

Palúrien 10, 19, 50, 96–7, 99, 187, 189, 240–41, 323, 329; "Seio da Terra" 96; ing.ant. *eorþan scéat* 240. Ver *Belaurin, Yavanna*.

Parma Kuluina O Livro Dourado. 95, 322; *Parma Kuluinen* 95

Partida Afora 91

Passo Oeste Ver *Sirion (Passo do Sirion)*.

Pedra Arken 333

Peleg Pai de Tuor nas lendas mais antigas. 10–1

Pelmar "A Morada Cercada", Terra-média. 285, *287, *289, *293, 300. Ver *Ambar-endya*.

Pengolod de Gondolin Chamado de "o Sábio". 310, 322, 342; ing.ant. *Pengolod, Pengoloð*, chamado de *se Úpwita*, 322, 330, 332, 335, 340, 343

Pennas 239, 317, 330, 334, 335, 341–43; *Pennas-na-Ngoelaidh* 95, 239, 330, *Pennas nan Goelið* 334, *Pennas na Ngoeloeð* 341. Ver especialmente 239, 334, e ver *Quenta Noldorinwa, Noldoli*.

Planície da Sede Ver *Dor-na-Fauglith, Planície Sedenta*.

Planície Negra Dor-na-Fauglith. 257

Planície Protegida (1) De Gondolin (= *Tumladen*). 42, 81, 146, 148, 211, 267. (2) Ao norte de Nargothrond. 146, 148, 211, 267

ÍNDICE REMISSIVO

Planície Sedenta Dor-na-Fauglith. 126, 137, 141, 207, 257, 264

Poderes, Os Os Valar. 91, 104, 172, 180, 183, 304, 388; *Batalha dos Poderes* 304; ing.ant. þá Mægen 239–40, 246, þá Mihta 331, þá Mihtigan 335

Poldórëa "O Forte" > "o Valente" (96), nome de Tulkas. 96, 240

Ponte(s) de Gelo 270, 299. Ver *Gelo Pungente.*

Porta da Noite 49–50, 60, 89–90, 92, 186–87, 236–37, 280, 282, 285, 296–97; *Porta da Noite Atemporal* 186–87, 282, 296. Ver *Ando Lómen.*

Portão dos Noldor 198, 273. Ver *Annon-in-Gelydh.*

Porto dos Cisnes Ver Porto-cisne; *Portos do Sirion*, ver *Sirion*; *Portos da Falas*, ver *Falas.*

Porto-cisne, Porto dos Cisnes 22, 25–8, 31, 46, 58, 59, 84, 114–15, 127, 193, 312, 325, 333; a maldição de Porto-cisne 26, 28, 31. Ver *Alqualondë, Fratricídio.*

Portões da Manhã 60, 297, 300

Portões do Verão Grande festival em Gondolin. 165, 224

Portos do Oeste 347, 367, 385, 400; ing. ant. *of þám Westhýþum* 398, 400. Ver *Falas.*

Portos do Sol e da Lua 300

Primeira Batalha de Beleriand A Batalha-sob-as-Estrelas (*Dagor-os-Giliath*). 316, 394; posteriormente, a batalha na qual Denethor foi morto, antes do retorno dos Noldor, 327

Primeira Gente (dos Elfos) 191, 247, 325, 340; nomes em ing.ant. 247. Ver *Belos-elfos, Altos-elfos, Elfos-da-luz, Lindar, Quendi, Vanyar.*

Primeira(s) Era(s) do Mundo 316, 321, 345, 362

Primeiro Feitio, O 284

Primogênitos, Os Os Elfos. 185

Profecia de Mandos 26, 59, 114–15, 187, 238, 297, 327; *Profecia do Norte* 115, 193, 195, 309; (*Segunda*) *Profecia de Mandos* (49, 90), 187, 238, 297. Ver *Sentença de Mandos.*

qenya 16, 95

Qerkaringa O Golfo do Frio, entre a Presa-de-Gelo e as Grandes Terras. 193

Quarta Batalha de Beleriand A Batalha da Chama Repentina. 394; ver *Terceira Batalha de Beleriand.*

Quendi (No "Esboço", também escrito *Qendi*) (1) Nos *Contos Perdidos*, o nome original de todos os Elfos, tornando-se distinto de *Eldar*. 53. (2) A Primeira Gente (substituído por *Lindar*). 20, 25, 53, 102, 104–05, 107–08, 111–13, 170, 172, 175, 176, 181, 191, 227, 235, 312, 318–19, 325, 326, 340; ing. ant. *Cwendi* 337, 340. (3) (Sentido final) O nome original de todos os Elfos. 104, 191. Ver *Primeira Gente.*

Quenta Noldorinwa (Também *Qenta*) 238, 334–35, 341, 343. Ver especialmente 239, 334, e ver *Pennas, Noldoli.*

quenya 198, 300

Radhruin Companheiro de Barahir em Taur-na-Danion. 373. (Substituiu *Radros*.)

Radros Nome anterior de Radhruin. 363, 373

Ragnarök 241

Raízes-da-Terra 281. Ver *Martalmar, Talmar Ambaren.*

Rána Nome da Lua dado pelos Deuses. 116, 194

Rathlorion, Rio "Leito-D'Ouro", nome dado ao Ascar após o tesouro de Doriath ter sido submerso nele. 154–55, 218, 219, 278, 359, 365, 381; forma posterior *Rathloriel* 155, 218, 278, 365

Region A floresta que forma a parte meridional de Doriath. 327

Reino Abençoado 107, 114, 280, 311, 318–20; *Terra Abençoada* 281; *Reino Ditoso* 116, 176; *Zênite do Reino Abençoado* 311, 318–20, ing.ant. *Godéðles (Valaríces) Middæg oþþe Héahþrymm* 331, 335

Reino Guardado Valinor. 183

Reynolds, R.W. 18, 50

Rían Mãe de Tuor. 43, 82, 142, 161, 167, 209, 222, 349, 353, 355, 363, 364, 368, 373, 376, 377

Ringil (1) Originalmente o pilar da Lamparina Setentrional, 256; no *Ambarkanta*, a Lamparina Meridional,

422

que se tornou o Mar de Ringil, (284), *293, 301, 304. Ver *Mar do Leste*. (2)

Espada de Fingolfin. 126

Rio Seco 81, 224

Rodothlim Precursores dos Gnomos de Nargothrond. 74, 206, 264

Rog Senhor do povo do Martelo da Ira em Gondolin. 165, 224

Rómen Leste. *287, *293, 300

Roos 251

Rúmil 279, 281, 319, 322, 343; chamado de *o Sábio-élfico de Valinor* 342

Russandol Nome de Maedhros. 247

Sabedoria "Gnomo", nome de Felagund entre os Homens. 124, 127, 199

Salmar Companheiro de Ulmo, também chamado Noldorin. 83

Salões da Espera 29, 134

Sári Nome do Sol dado pelos Deuses. 194

Sarn Athra(d) O Vau Pedregoso, Vau das Pedras. Forma original *Sarnathrod* 218, 264, substituído por *Athrasarn* 265 e *Sarn Athra* 276, 278, 389, 390; forma final *Sarn Athrad* 389, 390. Quanto ao local, ver 276.

Sauron 89, 128, 140, 188, 197, 238. Ver *Thû.*

Segunda Batalha de Beleriand A Batalha da Chama Repentina. 197, 198, 201, 204, 206, 208, 268, 367, 371, 392, 394, 395. Posteriormente *Dagor Aglareb*, a Batalha Gloriosa, tornou-se a Segunda Batalha, 208, 386, 394

Segunda Batalha dos Deuses Ver *Batalha dos Deuses.*

Segunda Era 394

Segunda Gente (dos Elfos) Nomes em ing. ant. 247. Ver *Elfos-profundos, Gnomos, Noldoli, Noldor.*

Senhor das Águas Ulmo. 9, 96, 168, 242, 253, 273, 350; ing.ant. *Agendfréa ealra wætera* 242, *Ealwæter-fréa* 242

Senhor dos Lobos Ver *Thû.*

Sentença de Mandos 61, 314, 321, 328, 343. Ver *Profecia de Mandos.*

Sete Estrelas A Grande Ursa. 100 (*a coroa de Sete Estrelas magnas*).

Sete Rios Ver *Terra dos Sete Rios.*

Silma Nome anterior de *Ilma, Ilmen.* 284, *286, *288, *292–293

Silmaril(s) 32–4, 41, 48–9, 53, 69, 76, 77, 79, 85, 88, 91, 92, 113, 120, 129, 132–34, 136, 153–55, 167, 171, 173–76, 178, 180, 183, 184, 187, 196, 208, 215, 217–19, 225–28, 233–34, 237–38, 245, 272, 314, 352, 359–61, 366, 370, 375, 381, 383, 399; ing.ant. *Sigel, Sigelmǽrels* 245, *Eorclanstánas* 331–33, 396–397, *Silmarillas* 331, 333, 338–39, *Silmarillan* 399

Silmarillion, O (exceto referências à obra publicada) 9, 17, 18, 50, 61, 94, 198, 299, 305, 334, 342, 366; ing.ant. *Eorclanstána gewyrd* (334), 342

Silmo Guardião de Silpion. 59, 194

Silpion A Árvore Branca de Valinor. 20, 27, 51, 59, 60, 91, 98–101, 110, 116, 189, 190, 194, 282, 301, 317, 331, 333; *Rosa de Silpion* 59; ing.ant. *Glisglóm* 331, 333. Ver *Telperion.*

Sindar 190; *sindarin* 198, 300, 308

Sindingul Thingol. 312, 318. (Substituído por *Tindingol.*)

Sírio 92

Sirion, Rio 32, 41–2, 44–8, 65, 70, 79–81, 83–6, 92, 122, 125, 138, 147, 155–57, 159–60, 162–63, 165–68, 170–77, 179, 182, 197, 211, 218, 220–26, 244–45, 250, 256, 258, 262–69, 274, 304, 306, 310, 322, 335, 341, 347–52, 354, 357–58, 360–64, 367–69, 371–74, 380, 382–83, 385, 387–88, 390, 392; ing. ant. *Fléot, Scírwendel* 245; ilha no rio 122, 348, 368, 387 (ver *Tol Sirion, Tol-na-Gaurhoth*).

Passo do Sirion 376, 380 (*Passo Oeste* 140, 376); *Garganta do Sirion* (157), 165; Vale do Sirion 222, 347–50, 360, 367, 372, 374, 385, ing.ant. *Sirigeones dene* 398; queda e passagem subterrânea do Sirion 268–69; *Brejos, Pântanos do Sirion* 125, 267–68; *terras, planície do Sirion* 122, 175

Foz(es), delta do Sirion (frequentemente com referência aos Portos) 41–2, 44, 46–7, 85, 163, 171, 221, 225, 347, 357, 358, 360, 383, 385, ing.ant. *Sirigeones múpas* 398; Águas do Sirion (terra na foz) 45–6, 85, 147, 167, 211, 266, 269; *Porto(s) do Sirion* 85, 165, 171, 173, 174, 177, 218, 310, 322, 360, ing.ant.

Siriones Hýp 335, 341; *Sirion* usado para *Portos do Sirion* 48, 170, 172, 360; povo do Sirion 170–71, 173–74, 360–61, 382; porto de Gondolin na foz 160–61, 221

Sol, O Referências selecionadas. Feitura do 50, 59; nau do 60; Donzela-do-Sol 59; curso do 28, 60, 116–17, 187, 193–94, 280–81, 285, 296–99; primeiro Nascer do Sol 63, 65, 117; *Anos do Sol* 195, 317, 321, 325, 327, 385, etc.; profecias acerca do 60, 90–1, 116, 187, 238; "Sol mágico" 60; o Sol e Eärendel 46, 49, 87, 171, 186, 228, 236–37; *Canção do Sol e da Lua* 116, 193. Ver *Terra do Sol, Muralhas do Sol; Sári, Úr.*

Soloneldi Os Elfos-do-mar. 104. (Substituiu *Solosimpi.*)

Solosimpi Os Elfos-do-mar. 916, 20, 53–5, 84, 103, 104; *Flautistas das Terras Costeiras* 53, *flautistas das costas* 103–04. (Substituído por *Soloneldi.*)

Sombra Mortal da Noite Taur-na-Fuin. 122, 143, 246, 257, 263, 351. Ver *Gwath-Fuin-daidelos.*

Sorontur Rei das Águias. 17, 53, 57, 64, 81. Ver *Thorndor.*

Súruli Espíritos dos ventos. 59

Taiglin, Rio 147, 149, 211, 213, 255, 263, 266, 267, 269, 357, 380, 387

Taingwethil Nome gnômico de Taniquetil. 52, 98; *Tengwethil* 19, 52

Talmar Ambaren As raízes da Terra. 285. Ver *Raízes-da-Terra, Martalmar.*

Tamar, o Coxo 39–40, 212. (Substituído por *Brandir.*)

Taniquetil 87, 98–9, 110, 190, 193, 194, 246, 294, 303, 307, 314; ing. ant. *Tindbrenting* (ver esse verbete); *a sacra montanha* 113, *o Sacro Monte* 115. Ver *Amon Uilas, Elerrína, Ialassë, Taingwethil, Tinwenairin.*

Tar-Minyatur Ver *Elros.*

Taur Danin Ver *Taur-na-Danion; Taur Fuin,* ver *Taur-na-Fuin.*

Taur-na-Danion "Floresta de Pinheiros" (387). 245, 348, 368, 369, 371, 373, 387, 389, 392, 395; *Senhores de Taur-na-Danion,* os irmãos de Felagund, 387; ing.ant. *Furhweald* 245. Forma anterior

Taur Danin 127, 197, 245, 368; forma posterior *Taur-na-Donion* 245. (Substituído por *Dorthonion.*)

Taur-na-Fuin "Floresta da Noite"34). 34, 42, 72, 79, 122, 130, 138, 143, 146, 157, 158, 161, 197, 198, 210, 222, 230, 245, 248, 257, 258, 263, 305, 351, 354, 371, 376; ing. ant. *Nihtsceadwesweald,* etc. 245; estrada-órquica através de 36, 143, *estrada-órquica de presteza* 263. Forma anterior *Taur Fuin* 263. Ver *Sombra Mortal da Noite.*

Tauros "Senhor das Florestas" (97), nome de Oromë. 97, 189, 240, 242; forma anterior *Tavros* 96–7, 189. Ver *Aldaron.*

Tavrobel 17, 93, 310, 322, 335, 339 (nos textos em ing.ant. também *Taprobel*); *Livro Dourado de Tavrobel* 93

Tavros Ver *Tauros.*

Tecelã-de-Treva 23, 109. Ver *Ungoliant, Wirilómë.*

Telchar Artífice Anão de Belegost. 138, 208; ou de Nogrod, 208

Teleri (1) Nos *Contos Perdidos,* a Primeira Gente dos Elfos. 53. (2) A Terceira Gente. 20–3, 25, 46, 48, 53–5, 58, 59, 84, 88, 89, 103–06, 108, 112–14, 170, 175–76, 181, 184, 191, 225, 227, 228, 235, 270, 312, 314, 315, 319, 320, 325, 337, 343, 361, 383; ing.ant. *Telere* e *Teleri,* sing. *Teler,* adjetivo *Telerisc,* 331–32; separação do idioma dos Teleri 105, 325. Ver *Terceira Gente.*

Telimektar Filho de Tulkas, Órion. 83, 92

Telperion 194. Ver *Silpion.*

Tempo Ver especialmente 118, 195, 310, 318, 347, 385, 397

Tengwethil Ver *Taingwethil.*

Terceira Batalha de Beleriand A Batalha das Lágrimas Inumeráveis. 354. Posteriormente a Batalha da Chama Repentina tornou-se a Terceira Batalha, 198, 204, 354

Terceira Era 384

Terceira Gente (dos Elfos) 53–5, 247; *Terceira Hoste* 302; nomes em ing.ant. 247. Ver *Ginetes d'Ondas, Elfos-do-mar, Soloneldi, Solosimpi, Teleri.*

Terra Como usado explicitamente = terras a leste do Grande Mar, 12, 118; ver *Mundo. Borda da Terra* 116

A FORMAÇÃO DA TERRA-MÉDIA

Terra da Bruma Ver *Hisilómë*.

Terra da Sede Ver *Dor-na-Fauglith*.

Terra das Sombras Ver *Dor-lómin*.

Terra de Ecos Ver *Dor-lómin*.

Terra do Leste 283; *Eastland or Easterness* [Terra-do-Leste ou Ouriente] *293; ing. ant. *Eastland* 331. Ver *Terra(s) do Sol*.

Terra do Terror 262, 317. Ver *Dor Daideloth*.

Terra dos Mortos que Vivem 67, 154, 204, 218–19, 265–66, 274, 277. Ver *Cuilwarthien, Gwerth-i-cuina*.

Terra dos Salgueiros 45, 81, 123, 162, 199, 223, 224, 250–252, 254, 267, 347, 367, 385; *Vale dos Salgueiros* 44. Ver *Nan Tathrin*.

Terra dos Sete Rios Ossiriand. 135, 277, 353

Terra Sombria Ver *Terra-do-Sul*.

Terra-do-Norte 283, *293; *terra setentrional* 283

Terra-do-Sul 283, *293–95; *terra meridional* 283; chamada de *Terra Sombria* *294–95

Terra-média 12, 55, 64–5, 78, 194–95, 206, 215, 277, 279–83, 294, 298–06, 309, 311, 319, 321, 327, 330, 333, 343, 367, 383–84; ing.ant. *middangeard* 332–33, 336, 339, 397. Ver especialmente 333, e ver *Ambar-endya, Endor, Pelmar, Grandes Terras, Terras de Cá, Terras de Fora* (1).

Terra(s) do Oeste (1) Valinor, com Eruman e Arvalin. 183, 277, 283, 294, 299, 304, 307, 311, 315; *Westland or Westerness* [Terra-do-Oeste ou Ociente] *293. (2) O Oeste da Terra-média. 294

Terra(s) do Sol A Terra do Leste. 283, *293; *Terra Queimada do Sol* *294–95

Terradelfos 112. Ver *Baía de Terradelfos, Casadelfos*.

Terras Antigas (após o Cataclismo) *290–91

Terras de Cá Terra-média. (No *Quenta*, em substituição a *Terras de Fora* e *Grandes Terras*). 107, 118, 195, 277, 294, 305, 313, 315, 317, 347, 361, 362, 385; *mundo de cá* 122; ing.ant. *Hiderland* 331, 397

Terras de Fora (1) Terra-média (no *Quenta* substituído por *Terras de Cá*) 20–1, 29, 52, 88, 100, 102–04, 119, 158, 160,

163, 168, 173, 174, 178, 181, 184–86, 191, 226–28, 232, 237, 277, 294, 304; *Terra de 10, Mundo Exterior* 9, 81, 111, 158, 176, 178, 227, 350, 356, 372. (2) A Terra do Oeste, Valinor. 283, *294–95, 299

Terras Novas (após o Cataclismo) *290–91

Terras-élficas 177 (em substituição à *Terra-das-fadas*).

Thalos, Rio 155, 218, 274, 276, 278

Thangorodrim 30, 35, 37, 81, 120, 139, 144, 160, 179, 182, 196, 220–21, 224, 235, 247, 256, 263, 294, 305–07, 316–17, 321, 346, 350, 355, 362, 366, 384, 385, 391; ver especialmente 257, 307, e ver *Montanhas Negras*.

Thargelion Terra de Caranthir, a leste do Gelion e ao norte do Ascar. 199, 392, 393, 395

The Bidding of the Minstrel (poema) 86

Thimbalt Fortaleza de Morgoth (?). 264

Thingol 11, 20, 31–8, 40–1, 54, 69, 72, 74–6, 88, 103, 122, 125, 128–29, 131, 133–36, 139, 140, 142–43, 145, 148, 151–54, 161, 184, 190–91, 197, 201, 204, 208–09, 211, 216–17, 312, 318–19, 325, 327, 347, 351, 353, 356, 358–59, 364, 375, 381, 383, 385–86, 391, 394; *Herdeiro de Thingol* (Dior) 154, 161. Ver *Sindingul, Tindingol, Tinwelint*.

Thorndor Rei das Águias. 30–31, 43, 45, 64, 81, 121, 126, 134, 135, 157, 160–61, 166, 167, 197, 201, 204, 219–21, 350, 351, 360, 385; forma posterior *Thorondor* 81, 161, 167, 221. Ver *Sorontur*.

Thû 32 ("o caçador"), 33, 49, 89, 92, 125, 129–32, 134, 135, 140, 186, 203, 238, 351–52; *Senhor dos Lobos* 33, 125

Thuringwethil Nome dado por Lúthien a si mesma diante de Morgoth. 203

Tilion Timoneiro da Lua. 116, 194, 281, 299. Ver *Ilinsor*.

Tim-Bridhil Nome gnômico de Varda. 100. Ver *Bridhil, Tinwetári*.

Timbrenting Ver *Tindbrenting*.

Tindbrenting Nome de Taniquetil em inglês antigo. 19, 52, 98, 99, 112, 113, 117, 121, 177, 246 (*Tinbrenting* 175, 177); forma variante *Timbrenting* 19, 23, 25, 27, 28, 30, 52

ÍNDICE REMISSIVO

Tindingol Thingol. 318. (Substituiu *Sindingul*.)

Tindobel, Torre de No cabo a oeste de Eldorest (> Eglorest). 272, 388, 393. Ver *Barad Nimras*.

Tinfang Gelion Nome gnômico de Timpinen, o flautista. 135, 204; anteriormente *Tinfang Trinado* 133, 135, 204

Tinto Ellu Ver *Tinwelint*.

Tinúviel 32, 54, 62, 67, 69, 76, 77, 128, 219, 265, 325, 340, 364

Tinwë-mallë "Rua-de-estrelas", nome de Ilmen. 285, *287, 298. Ver *Elenarda*.

Tinwelint Nome de Thingol nos *Contos Perdidos*. 454, 62, 69, 72, 75, 191, 216, 217; outras formas anteriores *Tinto Ellu, Ellu,* 54; *Linwë* 72

Tinwenairin "Coroada de Estrelas", Taniquetil. 99, 190. Ver *Elerrína*.

Tinwetári "Rainha das Estrelas", nome de Varda. 100, 331, 333, 336; ing.ant. *Steorrena Hlæfdíge* 311, *Tungolcwén* 336

Tirion Nome posterior da cidade dos Elfos (Tûn) em Valinor. 192, 228, 343

Tol Eressëa 50–1, 54–5, 60, 85, 88–9, 92, 95, 105, 177, 188, 196, 197, 222, 227, 229–30, 232, 234, 235, 239, 258, 290, 303–04, 306, 320, 322, 325, 333–34, 341, 363, 364, 372, 396; *Eressëa* *290–91; ing.ant. Ánetíg (Ánetég) 333. Ver *Ilha Solitária*.

Tol Fuin Ilha no Grande Mar. 230

Tol Morwen Ilha no Grande Mar. 230

Tol Sirion 197, 222, 258

Tol-na-Gaurhoth 363–64, 372. Ver *Ilha dos Lobisomens, Ilha do Mago, Tol Sirion*.

Tolkien, J.R.R. Obras: *Sigelwara land* 243; *O Hobbit* 53, 302; *O Senhor dos Anéis* 86, 230, 244, 300, 302, 309, 333, 345, 399, *Guide to the Names in The Lord of the Rings* 245, 333; *Pictures by J.R.R. Tolkien* 222; *Contos Inacabados* 81, 90, 208, 214, 222, 225, 230, 273, 379; ver também *Contos Perdidos, Narn i Hín Húrin*.

Tormen Norte. *288–89, *292–93, 299–300. (Substituído por *Formen*.)

Torre das Aves Marinhas Ver *Ilha das Aves Marinhas*.

Torres do Norte As Montanhas de Ferro. 283

Três Casas dos Homens, dos Amigos-dos-Elfos 370; tabela genealógica 369

Trevamata 302

Trompas de Ylmir (poema) 249–254

Tulkas 83, 87, 96, 102, 108–10, 117, 179, 187, 191, 225, 229, 238, 240, 242, 297, 310, 312, 323, 326, 335, 342–44; *Tulcas* 23–4, 46, 170, 341; ing. ant. *Afoðfréa* 242 (*Tulkas, Tulcas* nos textos).

Tumladin A planície de Gondolin. 168–69; forma posterior *Tumladen* 169. Ver *Planície Protegida* (1).

Tûn Cidade dos Elfos em Valinor. 16, 21, 23, 25–7, 4–48, 55, 57–8, 88–9, 91, 105–07, 109, 112–14, 168, 170, 171, 173, 175, 181, 191, 226, 231, 235, 307, 308, 312–14, 329; ing.ant. *séo hwíta Elfaburg* 337; *o monte de Tûn* 13, 175. Ver *Côr, Tirion*.

Tunglin Povo da Harpa. 10, 12

Tuor 11–2, 43–6, 60, 80–4, 86, 124, 161–71, 173, 177, 182, 220–25, 227, 229, 249–51, 273, 322, 349, 355–58, 360–61, 364–65, 370, 372, 377, 380–81, 383; contado entre os Noldoli 177; canção de Tuor a Eärendel 163, 249 (ver *Trompas de Ylmir*). Ver *Fengel, Tûr, Turgon* (1), *Turlin*.

Tûr Tuor. 11

Turambar "Conquistador do Destino", Túrin. 38–40, 69, 71–2, 74, 90, 147, 149–51, 187, 206, 209–14, 216, 227, 238, 256, 262–64, 269, 345, 358, 378–80. Ver *Turumarth*.

Turgon (1) Temporariamente usado = Tuor. 9–11. (2) Rei de Gondolin. 9–11, 15, 22, 32, 34,35, 42–5, 56, 59, 60, 68, 70–1, 79–82, 106, 128, 136–41, 156–65, 167–69, 190, 198, 207, 209, 220–21, 223, 248, 255, 257, 347–348, 350–51, 353–55, 357–58, 367, 372, 375–76, 386–87, 391, 398–99; *o rei oculto* 353; *Montanhas de Turgon* 81; ing.ant. *Finstán* 248, mas *Turgon* no texto 398–99

Túrin 18, 35–40, 43, 45, 49–50, 70–4, 89–90, 124, 141–52, 187, 196, 209–14, 223, 227, 238, 257, 262, 266, 345, 353, 355–358, 364, 365, 370, 377–79, 383; datas de sua vida 377–78; seu destino 50, 90, 187, 238

426

A FORMAÇÃO DA TERRA-MÉDIA

Turlin   Nome passageiro de Tuor. 11, 12

Turumarth   Forma gnômica de *Turambar*. 147, 151, 358, 365, 380, *Turumart* 365, 380; forma anterior *Turmarth* 38, forma posterior *Turamarth* 151, 380

Ufedhin   O Noldo renegado no *Conto do Nauglafring*. 75–6, 217

Uinen   Senhora do Mar. 22, 55, 59, 95–6, 192, 240, 310, 322, 323, 335; ing. ant. *merehlœfdige* 240, *merecwén* 335. Ver Óin.

Ulband   Ver *Ulfand*.

Uldor, o Maldito   138, 141, 168, 352, 354, 374–76

Ulfand   Lestense. (Casa de, filhos de) 352, 355, 364, 375; forma anterior *Ulband* 364, 375; forma posterior *Ulfang* 141, 205, 374, 396

Ulfang   Ver *Ulfand*.

Ulfast   Filho de Ulfand (Ulfang). 205, 352, 354, 375–76.

Ulmo   9–12, 21, 54, 55, 60, 61, 80–3, 85, 91, 96, 104, 106, 108, 116–17, 122, 156–63, 166–70, 172, 174, 182, 189, 208, 220, 223, 225, 226, 235, 240, 242, 250, 251, 273, 280–81, 296, 299–300, 310, 312, 318, 319, 323, 326, 335, 337, 341, 342, 350, 357–58, 360–61, 372, 382, 386, 391, 398. Ver *Garsecg, Senhor das Águas, Ylmir; Homens*.

Última Batalha   (1) No final dos Dias Antigos. 47, 49, 87, 89, 91, 92, 178, 187, 191, 229, 232, 235–38, 362; ver *Batalha dos Deuses, Batalha da Ira e do Trovão, Grande Batalha, Terrível Batalha*. (2) A batalha derradeira do mundo, declarada em profecia. 48–9, 87, 90–1, 187, 238; ver *Dagor Dagorath*.

Ulwar   Filho de Ulfand (Ulfang). 352, 354, 375, 376; forma posterior *Ulwarth* 205, 375–76

Ulwarth   Ver *Ulwar*.

Umboth-muilin   265, 268, 387. Ver *Alagados do Crepúsculo*.

Ungoliant   23–4, 46, 57, 84, 91, 109–11, 116, 170, 173, 175, 177, 192; *Ungoliantë* 313; *Ungweliantë* 84. Ver *Tecelã-de-Treva, Wirilómë*.

União de Maidros   (34), 69, 135, 216, 353, 375.

Úr   Nome do Sol dado pelos Deuses. 116, 194

Úrien   A Donzela-do-Sol. 116, 118, 194. (Substituiu *Urwen, Urwendi*; substituído por Árien.)

Úrin   Ver *Húrin*.

Urwen, Urwendi   Nomes originais da Donzela-do-Sol. 90, 194. (Substituído por Úrien).

Urze Ardente   A constelação da Grande Ursa. 100, 191, 340; ing.ant. *Brynebrér* 337, 340

Útgársecg   (inglês antigo) Vaiya, o Mar de Fora. 240–41, *294–95, 336, 339

Utumna   A primeira fortaleza de Melko na Terra-média 53, 279, 284, *293, 303, 306, 366; forma posterior *Utumno* 53, 284, 303, 306, 308. Em relação a Angband, ver 303, 306.

Úvanimor   Criaturas procriadas por Morgoth. 344

Vai   Na cosmologia original, o Mar de Fora. 250, 296, 297

Vairë   Esposa de Mandos. 318, 323, 339

Vaitya   Na cosmologia original, o mais exterior dos três ares. 297–98

Vaiya   O Mar de Fora. 280–82, 285–86, 298–99; *Oceano Circundante* 285, 299, *Mar* ~ 299; *Oceano Envolvedor* 280, 285. Ver *Mar(es) de Fora, Útgársecg*.

Valaquenta   93, 188–89

Valar   12, 19–21, 25, 25, 29, 30, 44, 46, 47, 49, 51–3, 55, 60, 61–2, 64, 69, 80, 83, 88–9, 92, 96–8, 100, 102, 104, 105, 107–08, 112, 113, 117–19, 123, 126, 127, 159, 163, 170, 172, 173, 176, 179, 180, 182, 184–90, 192–94, 220, 225–26, 229, 230, 235–39, 241, 246, 282–83, 296, 298, 300–02, 310–14, 317, 328, 321–24, 327, 328, 332, 335–36, 339, 340, 342, 344, 365, 393; ing.ant. *Brega* 246, mas nos textos sempre *Valar (Ualar, Falar)*, 119, 31, 332, 341; *os Nove Valar* 19, 51, 188, 322. Quanto às interrelações dos Valar, ver 322; e ver *Filhos dos Valar, Deuses, Poderes*.

Valarindi   Espíritos menores da raça valarin. 310–11, 324, 335–36, 344. Ver *Vanimor*.

Vale das Águas do Pranto   12

427

ÍNDICE REMISSIVO

Valinor *Passim*; nos mapas do *Ambarkanta* *290–91, *293–95. *Obscurecer de Valinor* 110, 317; *Ocultação de Valinor* 61, 117, 229, 238, 296–97; língua de Valinor 198; efeito de Ilmen, e não Vista, em Valinor 280; chamada de o *Reino Guardado* 183; ing.ant. *Breguland* 246, *Godéðel* 246 (e frequentemente nos textos, usado de modo intercambiável com *Valinor*), Ésa-eard 332, *Valaríce* 336. Ver *Terras de Fora* (2), *Terra(s) do Oeste* (1); *Montanhas de Valinor; Deuses.*

Valinórelúmien Anais de Valinor. 334, 334–35; ing.ant. *Godéðles géargetæl* 331, 334–35

Valmar Cidade dos Deuses, chamada de "a Abençoada" (98–9). 19, 22, 98–9, 103, 106, (107–08), 110, 117, 175, 176, 185–87, 190, 192, 229, 238, 246, 294, 303, 311, 326, 336, 339, ing.ant. *Bregubold* 246, *Godaburg* 246, 336, 339

Valquíria 241; ing.ant. *wælcyriga (Nefantur Mandos)* 241

Vana (Vána) 97, 116, 118, 194, 241, 310, 322, 323, 335; *Rainha das Flores* 97

Vanimor "Os Belos", espíritos menores da raça valarin. 344. Ver *Valarindi.*

Vanyar Nome final da Primeira Gente dos Elfos. 53, 89, 227. (Substituiu *Lindar.*)

Varda 12, 52, 54, 96–100, 112, 113, 115, 189, 90, 191, 240, 280, 310–11, 318, 320, 322–24, 331, 333, 335–37; ing. ant. *uprodera cwén, tunglawyrhte* 240. Ver *Bridhil, Tim-Bridhil, Tinwetári.*

Vau Pedregoso (41), 75–6, 218, 243, 264–65; *Vau das Pedras* 154. Ver *Sarn Athra(d).*

Vazio, O 98, 186, 236, 282, 296, 298. Ver *Ava-kúma, Kúma, Escuridão de Fora.*

Vê Nome de Vefantur Mandos dado ao seu salão. 189

Vefantur Mandos. 189. (Substituído por *Nefantur.*)

Veias do Mundo 281, 300

Via de Escape O túnel sob as Montanhas Circundantes de Gondolin. 45, 81, 160, 165, 224, 258; outras referências 42, 44, 157, 163, 168; *a porta oculta* 162, 167, 224, 262

Vilna Na cosmologia original, o mais interior dos três ares. 298

Vingelot Ver *Wingelot.*

Vinyamar Morada de Turgon em Nevrast. 80, 368, 372, 391

Vista O ar interior, no qual ficam Fanyamar e Aiwenórë. 280, 284, 285, *286–87, 288, 290, 298, 308. Ver *Wilwa.*

Voltavime 245

Voronwë 81, 84–6, 91, 220, 380. Ver *Bronweg.*

Wargs 243

Wendelin Antigo nome de Melian. 340

Westerness [Ociente] Ver *Terra(s) do Oeste.*

Wilwa Forma anterior de *Vista.* 284, *286, *288, *290–91, 308

Wingelot Navio de Eärendel. 46, (49), 84, 86, 91, 170, 172–75, 177, 187, 188, 225–26, 234, 236, 237; *Wingilot* 177; *Vingelot* 177, 188; "Flor-de-espuma" 170, 173

Wirilómë "Tecelã-de-Treva", Ungoliant. 85

Yavanna 119, 51, 52, 96, 98, 99, 100, 116, 118, 187, 189, 190, 238, 240, 310–11, 318, 322–23, 329, 339, 342, 344; nos textos em ing.ant. escrito de várias maneiras, *Iauanna, Geauanna,* etc. 335, 336, 339. Ver *Belaurin, Bladorwen, Palúrien.*

Ylmir Forma gnômica de *Ulmo.* 21–3, 27–8, 42, 44–7, 55, 60, 79–81, 192, 251–54, 273; *Caminho de Ylmir* (44), 273, (357). Ver *Trompas de Ylmir.*

Poemas Originais

3. O Quenta

[A] pp. 251–53:   ***The Horns of Ylmir***
from
'The Fall of Gondolin'

> *'Tuor recalleth in a song sung to his son Earendel*
> *the visions that Ylmir's conches once called before*
> *him in the twilight in the Land of Willows.'*

'Twas in the Land of Willows where the grass is long and greenI
fingering my harp-strings, for a wind had crept unseen
And was speaking in the tree-tops, while the voices of the reeds
Were whispering reedy whispers as the sunset touched the meads,
5   *Inland musics subtly magic that those reeds alone could weave'*
Twas in the Land of Willows that once Ylmir came at eve.

In the twilight by the river on a hollow thing of shell
He made immortal music, till my heart beneath his spell
Was broken in the twilight, and the meadows faded dim
10   *To great grey waters heaving round the rocks where sea-birds swim.*

I heard them wailing round me where the black cliffs towered high
And the old primeval starlight flickered palely in the, sky.
In that dim and perilous region in whose great tempestuous ways
I heard no sound of men's voices, in those eldest of the days,
15   *I sat on the ruined margin of the deep-voiced echoing sea*
Whose roaring foaming music crashed in endless cadency
On the land besieged for ever in an aeon of assaults
And torn in towers and pinnacles and caverned in great vaults;
And its arches shook with thunder and its feet were piled with shapes
20   *Riven in old sea-warfare from those crags and sable capes.*

Lo! I heard the embattled tempest roaring up behind the tide
When the trumpet of the first winds sounded, and the grey sea sang and cried

POEMAS ORIGINAIS

As a new white wrath woke in him, and his armies rose to war
Andsweptin billowed cavalrytowardthewalledand moveless shore.
25   There the windy-bannered fortress of those high and virgin coasts
Flung back the first thin feelers of the elder tidal hosts;
Flung back the restless streamers that like arms of a tentacled thing
Coiling and creeping onward did rustle and suck and cling.
Then a sigh arose and a murmuring in that stealthy-whispering van,
30   While, behind, the torrents gathered and the leaping billows ran,
Till the foam-haired water-horses in green rolling volumes came
A mad tide trampling landward- and their war-song burst to flame.

Huge heads were tossed in anger and their crests were towers of froth
And the song the great seas were singing was a song of unplumbed wrath,
35   For through that giant welter Osse's trumpets fiercely blew,
That the voices of the flood yet deeper and the High Wind louder grew;
Deep hollows hummed and fluted as they sucked the sea-winds in;
Spumes and great white spoutings yelled shrilly o'er the din;
Gales blew the bitter tresses of the sea in the land's dark face
40   And wild airs thick with spindrift fled on a whirling race
From battle unto battle, till the power of all the seas
Gathered like one mountain about Osse's awful knees,
And a dome of shouting water smote those dripping black facades
And its catastrophic fountains smashed in deafening cascades.

* * *

45   Then the immeasurable hymn of Ocean I heard as it rose and fell
To its organ whose stops were the piping of gulls and the thunderous swell;
Heard the burden of the waters and the singing of the waves
Whose voices came on for ever and went rolling to the caves,
Where an endless fugue of echoes splashed against wet stone
50   And arose and mingled in unison into a murmuring drone'
Twas a music of uttermost deepness that stirred in the profound,
And all the voices of all oceans were gathered to that sound;
'Twas Ylmir, Lord of Waters, with all-stilling hand that made
Unconquerable harmonies, that the roaring sea obeyed,
55   That its waters poured off and Earth heaved her glistening shoulders again
Naked up into the airs and the cloud rifts and sea-going rain,
Till the suck and suck of green eddies and the slap of ripples was all
That reached to mine isled stone, save the old unearthly call
Of sea-birds long-forgotten and the grating of ancient wings.

60   Thus murmurous slumber took me mid those far-off eldest things
(In a lonely twilit region down whose old chaotic ways
I heard no sound of men's voices, in those eldest of the days
When the world reeled in the tumult as the Great Gods tore the Earth
In the darkness, in the tempest of the cycles ere our birth),

A FORMAÇÃO DA TERRA-MÉDIA

65   *Till the tides went out, and the Wind died, and did all sea musics cease*
      And I woke to silent caverns and empty sands and peace.

      Then the magic drifted from me and that music loosed its bands Far,
      far-off, conches calling – lo! I stood in the sweet lands,
      And the meadows were about me where the weepiug willows grew,
70   *Wherc the long grass stirred beside me, and my feet were drenched with dew.*
      Only the reeds were rustling, but a mist lay on the streams
      Like a sca-roke drawn far inland, like a shred of salt sea-dreams.
      'Twas in the Land of Willows that I heard th'unfathomed breath
      Of the llorns of Ylmir calling – and shall hear them till my death.

Este livro foi impresso em 2023, pela Leograf, para a HarperCollins Brasil.
O papel do miolo é pólen natural 70 g/m² e o da capa é couchê 150 g/m².

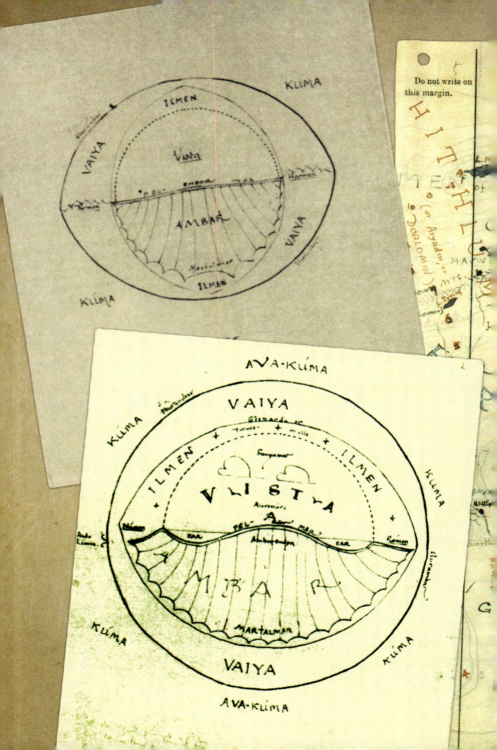